U0217391

國家古籍整理出版專項經費資助項目

# 栖芬室

栖芬室藏中醫典籍精選·第三輯

# 新刻太乙仙製本草藥性大全 壹

【明】王文潔　輯

中國中醫科學院中醫藥信息研究所組織編纂

牛亞華◎主編　　　　張瑞賢◎提要

北京科学技术出版社

圖書在版編目（CIP）數據

栖芬室藏中醫典籍精選・第三輯．新刻太乙仙製本草藥性大全　壹/牛亞華主編．—北京：北京科學技術出版社，2018.1

ISBN 978－7－5304－9243－7

Ⅰ．①栖…　Ⅱ．①牛…　Ⅲ．①中國醫藥學—古籍—匯編②中藥性味　Ⅳ．①R2-52②R285.1

中國版本圖書館 CIP 數據核字（2017）第213667號

**栖芬室藏中醫典籍精選・第三輯．新刻太乙仙製本草藥性大全　壹**

**主　　編：** 牛亞華
**策劃編輯：** 章　健　侍　偉　白世敬
**責任編輯：** 張　潔　周　珊
**責任印製：** 張　良
**出 版 人：** 曾慶宇
**出版發行：** 北京科學技術出版社
**社　　址：** 北京西直門南大街16號
**郵政編碼：** 100035
**電話傳真：** 0086-10-66135495（總編室）
0086-10-66113227（發行部）　0086-10-66161952（發行部傳真）
**電子信箱：** bjkj@bjkjpress.com
**網　　址：** www.bkydw.cn
**經　　銷：** 新華書店
**印　　刷：** 虎彩印藝股份有限公司
**開　　本：** 787mm × 1092mm　1/16
**字　　數：** 208千字
**印　　張：** 17.75
**版　　次：** 2018年1月第1版
**印　　次：** 2018年1月第1次印刷
ISBN 978－7－5304－9243－7/R・2411

**定　　價：550.00元**

# 《栖芬室藏中醫典籍精選》編纂委員會

顧　問　余瀛鰲

主　任　李宗友

副主任　王映輝　張華敏　李海燕

主　編　牛亞華

副主編　李鴻濤　張偉娜

委　員　程　英　佟　琳　彭　莉　符永馳　李　斌　孫海舒

李　兵　王　蕊　范佛嬰　刘振遠　付書文　張一鳴

李　辰　王亞楠　李　婕

# 前言

范行準先生是中國醫史文獻研究的開拓者之一，其成就之巨大，至今難以逾越；他也是著名藏書家，其栖芬室以收藏中醫古籍聞名於世。與一般藏書家不同的是，范行準先生搜求醫籍的初衷并非只爲藏書，而是爲開展醫史研究收集資料，因此，他的藏書除注重醫籍的版本價值外，更重視文獻的稀缺性和學術性。他説：『予之購書，善本固所願求，但應用與希覯孤本，尤亟於善本也。』足見他對購求孤本和稀見本比善本更爲迫切。他的藏書不僅有元明善本，還有大量的孤本、稀見本、稿抄本，這更是其藏書的一大特色；他還特別注重圍繞某個專題進行搜集，如爲了研究中國免疫學史，他搜集了大量疫病、痘疹和牛痘接種的相關文獻；他在本草、成藥方、中西匯通醫書的收藏方面，亦有獨到之處。

長期以來，研究者一直期望將栖芬室藏中醫古籍珍本系統整理，影印出版。在國家古籍整理出版專項經費的資助下，我們已甄選栖芬室藏元明善本、稿抄本以及最具特色的『熟藥方』，并加以編輯整理，邀請專家撰寫提要，且分別於二〇一六和二〇一七年相繼影印出版了《栖芬室藏中醫典籍精選》第一輯和第二輯，受到學界歡迎。上述兩輯出版的著作，僅爲栖芬室藏書的一部分，除此之外尚有許多醫籍值得醫界研究和利用。此次我們又獲得了國家古籍整理出版專項經費的資助，選取了十餘種明清孤本、善本和有實用價值的醫籍影印出版，是爲栖芬室藏中醫典籍精選第三輯。

作爲『栖芬室藏中醫典籍精選』項目的收官之作，本輯在書目的選擇上尤難决斷，栖芬室所藏珍本甚多，内容廣泛，難免顧此失彼。我們希望所選書目既能兼顧臨床實用與文獻價值，又能體現栖芬室藏書的特色和范行準先生的藏書理念。

基於上述考慮，本輯入選書目大多臨床實用與文獻價值兼具。如醫略正誤概論是少見的針砭時弊的作品，該書十分注重常見病尤其是熱證的鑒別診斷，是關於熱證最全面的論著。女醫雜言是罕見的女性醫家的著作，也是較早的醫案著作，所記案例均爲女性病人，内容細緻入微。衆妙仙方是明代官吏馮時可在廣西爲官時，發現當地缺醫少藥，迷信巫術，爲改變這種狀況而作，收方切合實用。新編名方類證醫書大全、慈惠小編、脉微等均具有較高的臨床價值。

在版本和文獻價值方面，本輯所收有不少爲海内外孤本，如上述的醫略正誤概論、女醫雜言、慈惠小編及秘傳常山敬齋楊先生針灸全書等爲天壤間僅存之碩果，且其中一些還入選了國家珍貴古籍名録，其版本和文獻價值自不待言。有些入選醫書雖然現存不止一種版本，但也獨具特色。如衆妙仙方，現存三種版本，本次所選爲萬曆刊本，印刷年代雖在三種版本中最晚，但經比對發現，該版本與其他兩種版本有較大差异，應是其初刊本的翻刻本，反映了該書最初的狀態，對研究該書版本及修訂演進有重要價值。再如醫説，版本衆多，民國至今，我國已出版的影印本多達二十餘種，但是，這些影印本所據底本僅宋刊本、四庫全書本和顧定芳本三種。本次選用的張堯德刻本，經籍訪古志補遺評價其爲『依顧定芳本而改行款字數者，然比之顧本，仍能存宋本之舊』。該版本序、跋最全，存本亦少，對於考察醫説的版本源流以及校勘均有重要價值。

栖芬室藏書中，有不少和刻本中醫典籍，本次選編的熊宗立新編名方類證醫書大全爲這類書的代表，該書刊刻於日本大永八年（一五二八），是目前已知的日本翻刻的第一部中國醫籍，也是日本博多本的代表作，本身具有很高的版本價值。其底本是明成化三年（一四六七）熊氏種德堂刻本，翻刻本連原刻本的牌記都原樣照刻，而原刻本國内已無存。有學者曾將該翻刻本與日本藏明成化三年原刻本對比，認爲二者的版式、行款俱同，從該和刻本還可以窺見原刻本之面貌。該和刻本後有日本著名學者幻雲壽柱的校勘記，這是中日醫學交流的重要見證。

范行準先生因明季西洋傳入之醫學一書蜚聲學界，其藏書中亦不乏中西匯通著作，如徽州王宏翰醫學原始八編·内鏡收載了一些西方傳入的解剖生理學知識，是現在所知最早的中西匯通醫書，國内僅兩家圖書館有藏，亦屬珍貴。近年來，該書引起學界關注，屢被引用，但對其系統的研究工作還有待開展。

栖芬室藏書中，還有一些醫學學術價值雖然不高，但却能據以了解醫學在市井平民間傳播方式的普及性書籍，繡像翻症即屬此類。關於該書，范行準先生曾在栖芬室架書目録按曰：『「翻症」之自來未聞，嘗殫思不得其解，頃重整書目，又觸及此書，忽悟「翻」乃「番」之借字，諸言霍亂由外番傳入，故亦稱「番痧」。而因患者嘔吐猝倒，北方稱爲翻倒，因有「翻症」之稱。』該書後附售賣各種成藥的名單，因而范行準先生『疑亦當時藥肆宣傳品』。書中用動物和人的形象表示疾病的症狀，如『烏鴉狗翻症』上方繪一鴉一狗，下方繪一跌倒地上、口吐穢物的病人。文字則書寫症狀、治法，形象生動。中國中醫古籍總目收載有該書的三種版本，最早爲同治年間刊本，本次影印者爲更早的咸豐元年文林堂刻本，爲中國中醫古籍總目所漏載。

在第一輯的前言中，我們已對范行準先生和栖芬室藏書做了介紹，但是在本項目即將完成之際，仍情不自禁感念先賢保存中醫古籍的豐功偉業。范行準先生出身貧寒農家，本是放牛娃，斷續讀過兩年小學，靠自學考入上海國醫學院，在師友接濟下才得以完成學業。寒門子弟，本應與藏書家的名號無緣。但是，范行準先生對醫史文獻研究産生了濃厚興趣，爲此他開始搜求醫籍，以供學術研究之用。抗日戰争爆發後，珍貴圖書散落市井，他又『念典章之覆没，感文獻之無徵』，終日流連於書肆冷攤，節衣縮食，不惜典當借貸，購買醫籍，竟憑一己之力，使大量珍貴醫籍免遭兵燹之厄，存留至今，爲我們所用。

范行準先生是公認的藏書家，但他却不願以此自詡，他説：『有人曾經稱我爲藏書家，老實説我是不太喜歡這個詞的，我認爲「書」是供人閲覽和參考，而决不是讓人來觀賞的，否則無論多麽珍貴的書都會成爲一堆毫無價值的廢紙。』中國傳統的藏書家往往將自家藏書作爲案頭的清供與把玩件，不輕易示人，但范行準先生則視『書物爲天下公器』，在自己頭腦尚清醒之時，即將栖芬室藏中醫典籍悉數獻出。這些藏書不僅價值連城，而且耗費了他畢生心血，亦讓他在感情上難以割捨。他説：『這些書籍跟隨了我三十餘年，它們和我朝夕相處，是我的良師益友，我也把它們當作自己的孩子來愛護，現在讓我一下子離開它們，我心中自然是异常地難捨難分，但是在我有生之年能够看到我酷愛的書籍將爲整個社會、整個中醫事業做更大的貢獻時，我感到無限的幸福和光榮。』

『爲整個社會、整個中醫事業做更大的貢獻』是范行準先生生前的崇高願望，栖芬室藏中醫典籍精選的整理出版，正是以實際行動繼承范行準先生的遺志，以期爲發展中醫藥事業貢獻力量。

栖芬室藏中醫典籍精選總計三輯，它能够順利出版，有賴國家古籍整理出版專項經費的資助，中國中醫科學院中醫藥信息研究所領導和各位專家的支持，以及古籍研究室同事和北京科學技術出版社編輯的辛勤工作。在此一并致謝！

牛亞華

二〇一七年十一月九日於中國中醫科學院

# 目録

栖芬室藏中醫典籍精選·第三輯

# 新刻太乙仙製本草藥性大全 壹

提要 張瑞賢

# 内容提要

新刻太乙仙製本草藥性大全八卷，目前國内僅存中國中醫科學院圖書館藏本，爲明萬曆壬午（一五八二）陳氏積善堂刻本，係已故著名醫史文獻學家范行準先生栖芬室舊藏捐獻於此。從『新刻』二字推測，此版本不是初刻本。現發現日本東京國立博物館圖書館有本書藏本，與中國中醫科學院圖書館所藏是同一版本，亦爲明萬曆壬午陳氏積善堂刻本。但該藏本内容完整，依此可以發現中國中醫科學院圖書館藏本有殘，缺少該書卷首插圖、目録、首卷。本提要以中國中醫科學院圖書館藏本爲基礎編寫。

據卷一卷前所題『先師太乙仙人雷雷公炮製／後學江人冰鑑王文潔彙校／書林積善堂少湖陳孫安梓行』，知本書作者爲王文潔。王文潔字冰鑑，號無爲子，撫州（今屬江西）人；精研脉學，對太素脉尤感興趣，能以脉知人之生死。除本書外，王文潔尚著有圖注八十一難經評林捷徑統宗、圖注釋義脉訣評林捷徑統宗、太素張神仙脉訣玄微綱領統宗，後合刊爲合并脉訣難經太素評林。

新刻太乙仙製本草藥性大全粗黑口，左右雙邊。版心書名仙製藥性。卷末有『萬曆壬午歲孟秋陳氏積善堂梓行』牌記。據此可知，該書編成之年的下限是一五八二年，比李時珍本草綱目最終問世之年（一五九三）還要早十一年。根據鄭金生考證①，該書引用之書中成書年代最晚的當數明陳嘉謨本草蒙筌（一五六五）。因此，其成書之年當在一五六五至一五八二年之間，即明嘉靖末至萬曆初期。

全書八卷，首卷一卷（爲藥學理論内容）。中國中醫科學院圖書館藏本缺首卷，因此開卷便是藥物各論。分卷、分類和藥物種數如下：卷一草部上（共九十七種），卷二草部下（共一百四十八種）、草部附遺（共一百零三種），卷三木部（共一百三十四種）、木部附遺（共九十六種），卷四果部（共四十九種）、米穀部（共五十種），卷五菜部（共六十六種）、人部（共三十四種），卷六金玉部（共六十八種）、石部（共八十六種）、水土部（共七十七種），卷七獸部（共六十二種）、禽部（共四十五種），卷八蟲部（共九十七種）、魚部（共二十八種）。在草部、木部、獸部、禽部、蟲部和魚部末尾分别列有諸草有毒、諸木有毒、諸肉有毒、諸鳥有毒、諸蟲有毒和諸魚有毒諸項。十三部共載藥物一千二百四十種。

書頁版框分上、下兩欄。上欄爲『本草精義』，主要摘取前人本草中的内容精要，以證類本草爲主，且從目録上可以看出神農本草經藥物皆有標示。一般記載藥名、藥圖、别名、産地、生境、形態、品種、采收、貯藏、炮製、配伍畏惡、附類等内容。下欄爲『仙製藥性』（有時徑作『藥性炮製』），應爲本書重點，所收藥物與上欄大致對應，而不重複。藥名之下一般有藥性的常規介紹，

① 鄭金生，王文潔太乙仙製本草藥性大全内容及寫作特點淺析[J]．時珍國醫國藥，二〇〇一，十二（二）：一七一—一七二．

包括君臣佐使、性味歸經、升降浮沉、有毒無毒、陰陽、引經報使；附有藥性賦内容摘録，作爲該藥的藥性提要；之後列有『主治』『補注』和『太乙曰』等項内容。

『主治』項下介紹功能主治。

『補注』項爲功能主治的延伸，多爲『主治』項無法囊括的内容和治療方案的細化，包括治療機制、辨證要點、配伍禁忌、醫案等；還收集了一些單方，并補充有作者個人見解，如『經云二物（指羌活與獨活）同一類，今人以紫色而節密者爲羌活，黄色鬼眼而作塊者爲獨活』，『赤箭則言苗用之，有自表入裏之功，天麻則言根用之，有自内連外之理。根則抽苗，徑直而上；苗則結子，成熟而落，返從幹中而下，至土而生。似此粗可識其外内主治之理』。

『太乙曰』爲炮製法，鄭金生考證其文字即證類本草中雷公炮炙論條文的節選，部分藥物缺『太乙曰』内容則以寶藏論等書中的炮製法補入。

間有引述他書，標識爲『某某云』。所引之書如五代李珣海藥本草（『海藥云』）、唐陳藏器本草拾遺（『陳藏器云』）、宋寇宗奭本草衍義（『衍義云』）、元王好古湯液本草、元朱震亨本草衍義補遺、題元李杲藥性賦、明汪機本草會編、明鄭寧藥性要略大全、明陳嘉謨本草蒙筌等。其中『王云』不詳所指，或指作者同時醫家，尚待考證。如『萆薢』條之『王云』作『其川萆薢形體壯大突兀。切開白瑩帶粉，販者多以荆崗腦充賣，其色紅，其形相似，其味苦澀，用者切宜辨之』，與清楊時泰本草述鈎玄之『川萆薢形體壯大突兀，堅而多節（菝葜根亦至堅，但多尖刺），切開白瑩帶粉（其色紅者菝葜根也），其味苦平（不若菝葜根之苦澀），用者切宜辨之』詞句類同。總體上，引文均節選精當合理。

又有個人見解，標識爲『按』，添附了一些注説和發揮，常有新意。如半夏：『按内經云：腎主五液，化爲五温，自入爲唾，入肝爲泪，入心爲汗，入脾爲痰，入肺爲涕……半夏惟能入脾以瀉痰之標，不能入腎以瀉痰之本。然咳無形，痰有形。無形則潤，有形則燥。所以爲流濕潤燥之劑也。』體現出作者濃濃的道家養生意味。又如豨薟：『按此草處處俱生，視之多有异狀。金稜銀綫，素根紫荄，對節生枝，方梗圓葉，如式修製，服誠益人。百服則耳目聰明，千服則鬚髮烏黑，追風逐濕，猶作泛閑，古方每竭讚揚，深功難盡著述。可見至賤之類却有殊常之能。醫者不可因賤而不收，病家亦勿謂賤而不製服也。』再如薇銜：『按神農經中藥之靈者，不計千百，何獨麋銜、矢醴并著，素問擅名，滑氏讀鈔亦嘗論及，乃曰：矢醴麋銜治人疾也，豈誠二藥果有過乎諸藥之能？以致喋喋贊美之。若是耶，蓋緣上古之前俗尚質樸，人所病者多中實邪，二藥專攻。正與病對用，每輒效，故録其名。中古以來，咸溺酒色，病之着體，虚損居多，藥宜補調，難行攻擊。由是鷄矢淬酒，無復下嚥；麋銜之名，絶不聞耳。正孟子所謂彼一時此一時故也。不然，利前之藥豈有不利於後乎？』

最後，本書共附有九百五十九幅藥圖，數量超過了證類本草。但客觀地説，這些藥圖由於刻工甚差，在藥物鑒定方面的價值并不太大。據鄭金生考證，其中相當一部分藥圖是取自證類本草。作者增繪的藥圖中也有相當一部分是示意圖。

張瑞賢

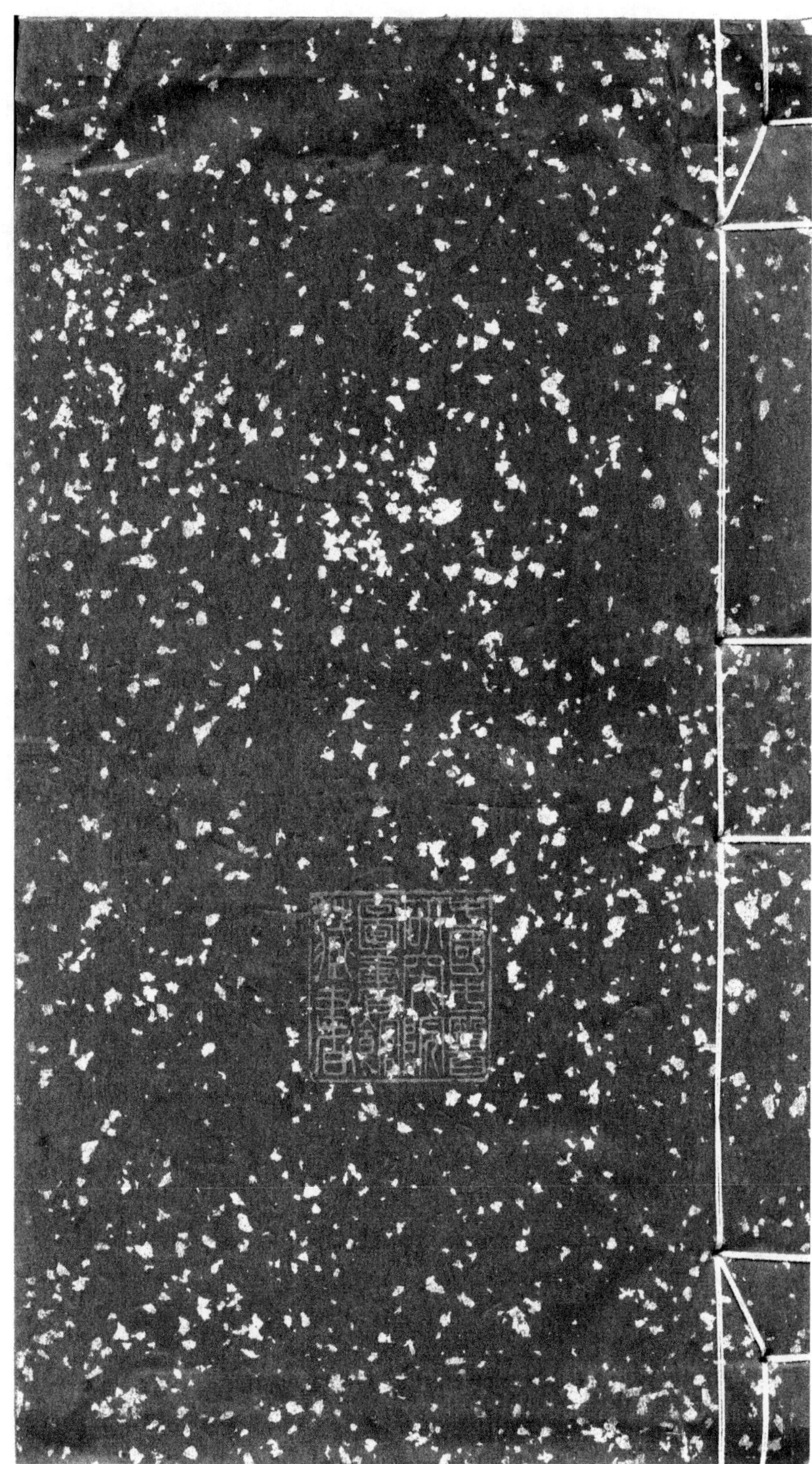

# 新刻太乙仙製本草藥性大全卷之一

## 本草精義

草部上

人參

一名人銜　一名鬼蓋　一名神草　一名人微

一名土精一名血參出東北境域有陰濕山谷生三椏五葉背陽向陰欲來求我根椵相尋種類雖殊形色非一【紫團參】紫大稍扁出潞州紫團山【白條參】白堅且圓出遼外百濟國【黃參】生遼東上黨黃潤有鬚稍纖長【高麗參】近紫体虛

先師　太乙仙人　雷公　炮製
後學　江人冰鑑　王文潔　彙校
書林積善堂少湖　陳孫安　梓行

## 仙製藥性

草部上

【人參】君味甘氣溫微寒氣味俱輕升也陽也陽中微陰無毒茯苓為之使【賦云】潤肺寧心開脾助胃止渴生津液和中益元氣肺寒則可服肺熱傷肺

【主治】療補五臟安精神定魂魄止驚悸除邪氣

【新增】亞黃味薄並堪主治須別麁良独黃參功効易臻人啣走氣息自若肯人形神具類雞腿力洪輕匏取春間因汁升萌芽抽梗重実採秋後得汁降結實成膠布龠井玉闌入方劑極品和細辛留久不蛀去蘆梗咀薄纔煎反藜蘆惡鹵鹹畏五灵脂苦參吐痰沫喜敺味總甘和緩不峻虛羸老弱腸塞煎宜衍義亦云雜服藜蘆用此可代

沙參

一名知母　一名苦心　一名志取　一名虎鬚

一名白參一名識美一名文希出河內川谷及冤句般陽續山生高崖上苗高

明目開心益志調中生津通血脈治五勞七傷虛損肺脾陽氣不足短氣少氣腸胃中冷心腹鼓痛胸脇逆滿霍乱吐逆反胃久服輕身延年

○【補註】補上焦元氣升麻為引用補下焦元氣茯苓為之使肺受寒邪及短氣虛喘宜用肺受火邪喘嗽及陰虛火動勞嗽吐血勿用盖人參入手太陰而能補火故肺受火邪者忌之仲景治吐血脈虛以此補之者謂氣虛血弱故補其氣而血自生陰生於陽甘能生血也治中湯同乾姜用治腹補吐逆者重衰虛則痛補不足也

【太乙曰】凡使要肥大黑如雞腿并俗人形者採得陰乾去四邊芦頭并黑者剉入藥中夏中少使發心痃之患也

【沙參】臣 味苦甘氣微寒無毒

【主治】療血積驚氣寒熱補中益肺氣久服利人安五臟止驚煩治常欲眠養肝氣療胃[illegible]

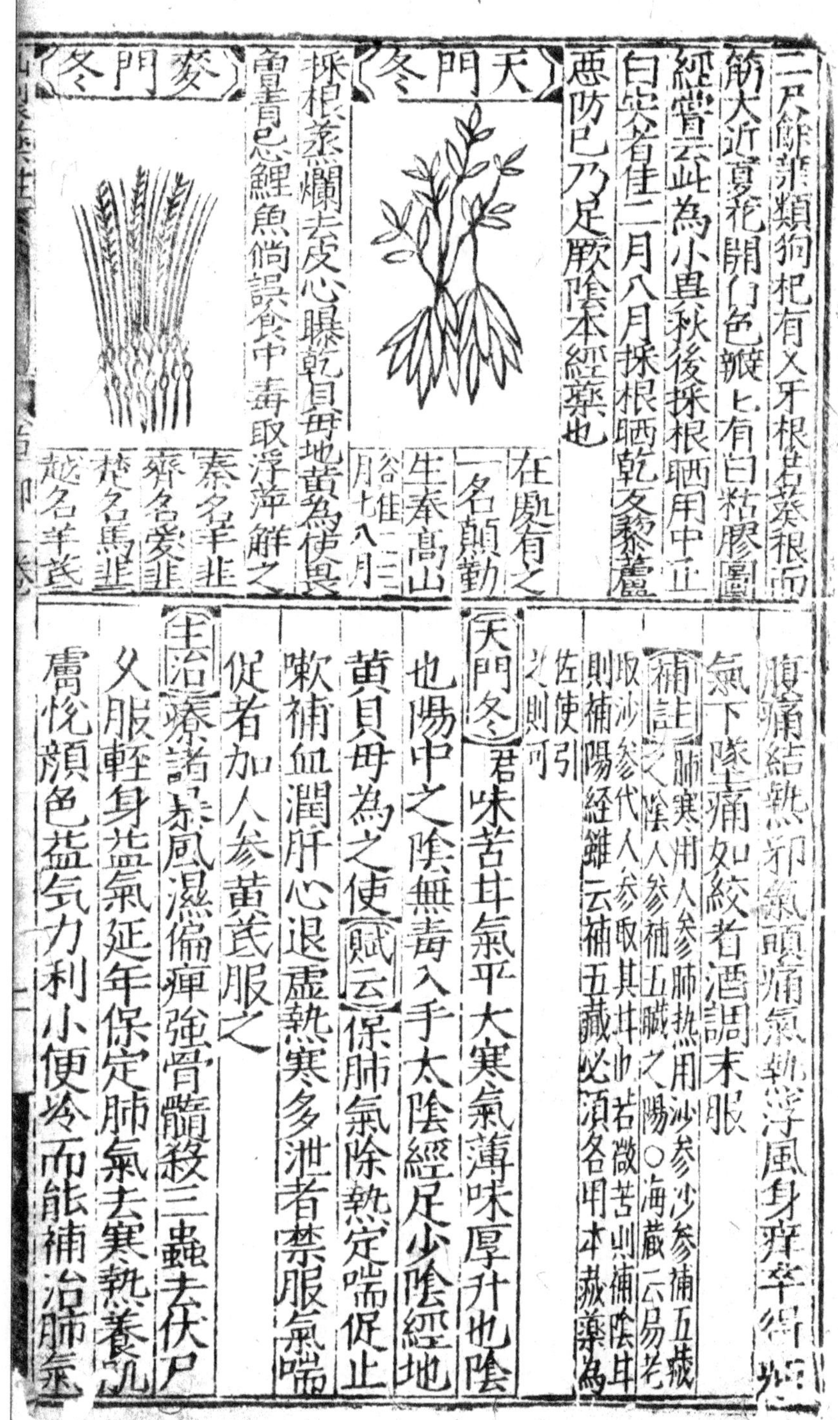

二尸餘菲類狗杞有叉牙根苦菱根而筋大近夏花開白色瓣瓣有白粘膠圖經嘗云此為小草秋後採根晒用中正白实者佳二月八月採根晒乾夂參藜蘆惡防已乃足厥陰本經藥也

【天門冬】

在處有之　一名顛勤　生奉高山谷佳二三月七八月採根蒸爛去皮心曝乾貝母地黄為使畏曾青忌鯉魚倘誤食中毒取浮萍觧之

【麥門冬】

秦名羊韭　齊名愛韭　楚名馬韭　越名羊蓍

腹痛結熱邪氣頭痛氣熱浮風身痒辛得炒氣下墜痛如絞者酒調末服

【補註】肺寒用人參肺熱用沙參沙參補五藏之陰人參補五藏之陽○海藏云易老取沙參代人參取其甘也若微苦則補陰甘則補陽經雖云補五藏必須各用本藏藥為佐使引之則可

【天門冬】君　味苦甘氣平大寒氣薄味厚升也陰也陽中之陰無毒入手太陰經足少陰經地黄貝母為之使【賦云】保肺氣除熱定喘促止嗽補血潤肝心退虛熱寒多泄者禁服氣喘促者加人參黄芪服之

【主治】療諸暴風濕偏痺強骨髓殺三蟲去伏尸久服輕身益氣延年保定肺氣去寒熱養肌膚悅顏色益氣力利小便冷而能補治肺氣

一名禹葭一名禹餘粮葉如韭冬夏生出函谷川及堤坂肥土石間谷久廢處土肥則産葉類沙草長秀根如麥顆連珠故因名麥門冬也二月三月八月十月採陰乾畏苦參青蘘木耳惡苦芙苦瓠欵冬去心用不令人煩擇肥大方獲効速

（生地黄）

一名地髓一名芐一名芑生咸陽川澤黄土地者佳二月八月採根陰乾秋深汁降根實採收日乾者平火乾者溫蒸乾者溫補生乾者平宜地産南北相殊藥力大小懸隔江浙種者受南方陽氣質

欬逆喘息促急通腎氣止消渴療肺痿生癰吐膿血熱侵肺吐衄妄行瀉肺火消痰補五勞七傷

【補註】苦以泄滯血甘以助元気治肺熱之功多患人体虛而熱加而用之但專泄而不收寒多者禁服肺気喘促者加人参黄蓍用之神効○益気延年

【太乙曰】採得了去土皮一重便劈破去心用柳木甑燒柳木柴蒸一伏時酒潤令遍更添火蒸出曝去地二尺已來作小架上鋪天門巣將蒸了天門冬攤令乾用

【麥門冬】君味甘微苦氣平微寒陽也陽中微陰也無毒入手太陰經地黄車前為之使【賦云】退肺中隱伏之火生肺中不足之金止燥渴而養陰補虛勞而除熱曰清心解煩渴而除肺熱

【主治】療心腹結氣傷中傷飽胃絡脉絶羸

鮮光潤力微懷慶生者宜北方純陰皮有疙瘩力大用試以水分別三名浮者天黃沉者地黃半浮沉者人黃惟地黃獨優取服餘二者並劣檢除畏蕪荑惡貝母忌三白咀犯鐵器腎消食同蘿蔔髮皓得麥門冬清酒善為引道拌姜汁炒下胸膈痰如上達補頭腦虛或外行潤皮膚燥必資酒浸方促効臻花名地髓服可延年宜研水調効乃根斗○酒潤蒸黑名熟地黃性微溫稍除寒氣入手足少厥陰經大補血衰倍滋腎水增氣力稍耳目填骨髓益真陰傷寒後脛股最痛者殊功新産後臍腹急痛者立効烏髭鬚黑髮色駐顏仲景製八味丸為取天一所生之源專補腎中元氣

氣身重目黃心下支滿口乾燥渴止嘔吐欬痿躄消穀調中治心肺熱及虛勞客熱通脉保神強陰益精補心氣不足及治血妄行瀉肺中伏火及肺痿吐膿安五臟令人肥健美顏色有子久服輕身不老不肌

○【補註】加五味子人參為生脉之藥補肺中元氣不足与地黃阿膠麻仁同用能潤經益血復脉通心○愚按本經用治脾胃多後人用治心肺多

【乾地黃】君　味甘苦氣寒味厚氣薄沉也陰中之陽無毒得麥門冬清酒良

【主治】療折跌絕筋傷中逐血痺填骨髓長肌肉作湯除寒熱積聚除痺久服輕身不老酒洒蒸熟則微溫入手足少陰經厥陰經大補血衰須用之滋腎陰益氣力利耳目主血虛勞

賦云活血氣封填骨髓滋腎水補益真陰治傷寒脛股之最痛療新產後臍腹之難禁○補血且療虛損○助心膽氣安魂定魄止驚

藥式

瑣陽

產陝西味甘鹹可啖以酥塗炙可代肉蓯蓉用亦宜煮粥彌佳入藥尤效潤大便燥結若溏泄者切忌服之補陰血虛羸興陽固精強陰益髓但本經原缺未載此丹溪續補爲云

熱老人中虛燥熱男子五勞七傷女子傷中胞漏下血破惡血溺血產後血虛臍腹痛

○【補註】机要云臍下痛者腎經也非熟地黃不能除補腎益陰之劑上宜丸加當歸爲補藥○象先云假酒力則微溫大補血衰諸必用之藥蒸黑鬚髮

【太乙曰】採生地黃去白皮瓷鍋上柳木甑蒸之攤令氣歇拌酒再蒸又出令乾勿令犯銅鐵器令人腎消并白髮男損榮女損衛也

【生地黃】味苦甘氣寒氣薄味厚沉也陰也陰中之陽無毒大寒入手太陽經少陰經

【主治】療涼血生血補腎水真陰不足瀉脾中溫熱及血熱坐婦人崩中不止及產後血上薄心傷身胎動下血胎不落墮墜折傷瘀血衄血吐血皆搗飲之患人虛而多熱加用之

【補註】熟則補腎生則凉血胃寒者斟酌用之恐損胃府有痰膈不利者姜汁炒用之

## 白术

一名山薊
一名山薑
一名山連

鄭山山谷漢中南鄭宣州高山岡上生葉葉相對大而有毛作椏木色微蒼二月三月八月九月採根曬乾浙术種平壤頗肥大由糞力滋溉歙术產深谷雖瘦小得土氣充盈採根秋月俱同製度烘曝却異浙者大塊旋曝每潤滯油多歙者薄片順烘竟乾燥白甚凡用惟白為勝仍覓歙者尤優乳婦人乳汁潤之制其性也潤過陳壁土和炒竊彼氣焉入心脾胃三焦四經須仗防風地榆引使凡用服二术忌食桃李雀蛤

恐汗漏也○孕婦下血漏胎

**白术** 君 味苦甘辛氣温味厚氣薄陰中可升可降陽也無毒入足陽明經足太陰經防風地榆為之使

**主治** 療風寒濕痺死肌痙疸止汗除熱消食作煎餌久服輕身延年不肌 本經不分蒼白後人分用 白者又入手少陽經少陰經除濕益燥緩脾生津補脾胃進飲食除胃中熱消虛痰止下洩利小便消腫滿及霍乱嘔逆利腰臍間血上而皮毛中而心胃下而腰臍在氣主氣在血主血又有汗則發無汗則止與黃耆同功

**補註** 經云消痰温胃而止吐瀉炒則補脾生則除胃中火与黃芪人参同用能補氣有動氣者不宜服○象先云和中益氣利腰臍間血去諸經之濕鼓一切風○愍古云非

賦云涼心火之血熱潤脾土之燥止鼻中之衄熱除五心之煩熱也又曰宣血更治眼暍亦能涼血也

## 蒼朮

出茅山第一擇堅實用米泔浸泡一宿須刮淨麄皮炒燥亦用防風地榆使引入足經陽明太陰近世多皆白朮如古方平胃散之類蒼朮為最要之藥濕癰尤妙

愚按白朮有止汗發汗之異○本草言不分蒼白其蒼朮別其雄壯之氣以其經泔浸火炒故能出汗與白朮止汗特異

白朮不能去濕非但究不能消痞以大抵是除濕利水道之劑何本草言益津液但久

蒼朮 氣味辛烈發汗甚速

主治療大風在身面風眩頭痛除惡氣臨惡風瘴氣消痃癖氣塊心腹脹痛健胃安脾寬中進食發汗除上焦濕功最大若補中焦除濕力小於白朮又鹽砂佐黃柏以牛膝石膏下行之藥引用則治下元濕疾入平胃散能祛中焦濕證而平胃中有餘之氣入蔥白麻黄之類則能散肉分至皮表之邪

○補註 大抵有邪者宜用無邪者不用今俗醫不分虛閉及病氣閉皆用蒼朮丹溪載痰中窄狹須用蒼朮陳者徒誦其言而不察其言所謂蒼朮乃辛散有濕實邪者用之蓋抑而鬱而濕除則止謂不分虛實概用之凡其虛閉者用之則損其氣血燥其津液且虛火益動而愈閉矣吾知調其正氣則閉自是而散矣

耳用朮可以此代彼○神農經曰必欲長生當山精即此是矣

## 黃耆

一名戴糝　一名戴椹　一名芰草　一名蜀脂

一名百本種有二品治無殊般木耆莖短理横功力殊劣缺蔵多收倍用煎服水耆生白水赤水二鄉白水頗勝綿耆出山西沁州綿山此品極佳咸因地產命名緫待秋採入藥又甞易蛀勤曝難侵務選單服不岐直如箭幹皮色褐潤肉白心黃折柔軟類綿嚼甘甜近蜜如斯療病獲效如神市多採苜蓿根假充謂之土黃耆謀利殊不知此堅脆

**黃耆**　味甘氣微温氣薄味厚可升可降陰中陽也無毒入手少陰心經足太陰脾經少陰命門諸經之藥

**主治**　療癰疽久敗瘡排膿止痛大風癩疾五痔鼠瘻補虛小兒百病治脾胃虛弱瘡瘍血脉不行内托陰證瘡瘍必用之補又治虛損五勞羸瘦補中生血補肺氣實皮毛瀉陰火為退虛熱之聖藥治虛勞自汗無汗則發有汗則止又治消渴腹痛泄痢腸風血崩帶下月候不勻産前後一切病補腎三焦命門元氣藥中補益呼為羊肉

**補註**　外行皮表中補脾胃下治傷寒尺脉不至是上中下内外三焦之藥也性畏防風防風能制黃耆黃耆得防風其功愈大盖相畏而相使者也故二味世多相須而用又

首尾味苦能令人瘦者皁軟味甘易致人肥每被亂真尤宜細認惡白鮮龜甲製去頭刮皮尾用治癰疽瘡家炙補虛賦云溫分肉而實腠理益元氣而補三焦內托陰症之瘡傷外固表虛之盜汗補虛弱療瘡腫消癰腫

## 藥式

甘草

一名蜜甘
一名美草
一名蜜草
一名國老

一名蕗草生河西川谷即沙山及上郡夆秋後採根因味甘甜故名甘草二月

東垣云瀉陰火者謂內傷者上焦陽氣陷下陰分而為虛熱非陰分相火之火也○癇風不能言脉沉口噤有形湯藥緩不及事急用甘草者防風煮湯數十斛置床下氣如烟霧熏蒸之令口鼻俱受效○治甲生入肉常有血疼痛同當歸等分為末貼瘡上有惡肉少加流黃

[illegible][illegible]曰凡使勿用木者草真相似只是生時短并根者先須去頭上皮了蒸半日出後用手擘令細於槐砧上剉用○熊氏云甘能動三焦之火

甘草 君 味甘氣平生寒炙溫可升可降陰中陽也無毒凡用去皮入足厥陰經太陰經少陰經白朮乾漆苦參為之使

主治 療五臟六腑寒熱邪氣堅筋骨長肌肉倍力金瘡尰解毒溫中下氣煩滿短氣傷臟欬嗽止渴通經脉利血氣解百藥毒久服輕身延年能補三焦元氣和胃和中養血補血治腹中急縮痛善性緩能解諸急熱藥用之緩

八月採根曝乾十日成，忌猪肉，惡遠志
反甘遂、海藻、大戟、芫花，入太陰少陰
厥陰足經，用白朮、乾漆、苦參引使，生瀉
火，炙溫中，稍去尿管澀痛，節消癰疽癤
腫，子除胸熱，三者宜生，頭選壯大横紋
刮皮，生炙隨用，懸癰單服即散，咽痛旋
噤能除，同桔梗治肺痿膿血，又兼同生
姜止下痢赤白，雜至小兒初生加黃連
煎湯拭口，有益。飲饌中毒，伴黑豆煮汁
恣飲無害
鐵云：生則分身稍而瀉火，炙則健脾胃
而和中，解百毒而有効，協諸藥而無爭
以其甘能緩急，諸藥之寒熱而使之不
烈，故有國老之名

其熱寒濕用之緩，其寒生用，大瀉熱火，消瘡
疽，與黃耆同功，又治肺痿吐膿血，惟中滿禁
用之，下焦藥亦少用，恐太緩不能達，口梢子
生用，除胸中積熱，去莖中痛，身節生用，消腫
導毒

○〖補註〗或問：附子理中、調胃承氣皆用，恐是調
和之意。答曰：附子理中用甘草，恐其僭
上也；調胃承氣用甘草，恐其速下也，非和也，
皆緩也。小柴胡有柴胡、黃芩之寒，人參、半夏
之溫，用甘草則有調和之意，炙之散表寒，除
邪熱，去咽痛，寒熱皆用之。夫酸苦辛鹹甘五
味之用，苦直行而瀉，辛横行而散，酸束而收，
鹹止而軟堅，甘上行而發，如何本草言氣？
蓋甘有升降浮沉，蒸上下內外和緩補瀉居
中之道盡矣

〖太乙曰〗凡使須去頭尾尖處，其頭尾吐人。每斤
皆長三寸剉，劈破作六七片，使瓷器中
盛，用酒浸蒸，從巳至午出，暴乾細剉。使一斤
用酥七兩塗上，炙酥盡為度。先炮令內外赤
黃用
良

# 甘菊花

一名節花
一名日精
一名女節
一名女華
一名女莖一名更生一名周盈一名傅延年一名陰成生雍州川澤及田野以南陽菊潭者為佳䓁春布地生細苗夏茂秋花冬實然菊之種類頗多有紫莖而氣香葉厚至柔嫩可食者其花微小味甘者此為真有青莖而大葉細作蒿艾氣味苦者花亦大名苦薏非真也南陽菊亦有兩種白菊葉大似艾葉莖青根細花白蘂黃其黃菊葉似茼蒿花蘂都黃然今服餌家多用白者【古本云】南京有一種開小花花瓣下如小珠子謂

【甘菊花】君　味甘微苦氣平寒屬土與金有水火可升可降陰中陽也無毒朮枸杞根桑白皮為之使

【主治】療風頭眩腫痛目欲脫淚出皮膚死肌惡風濕痺身上諸風四肢遊風腰痛去來陶陶除胸中煩熱安腸胃明目養目血去翳障久服利血氣輕身耐老延年

○【補遺】頭風眩眼昏旋倒取九月九日花二三斤絹囊盛貯入酒浸七日服之日三又用花釀酒名菊酒又有用花作枕但治上病○酒醉不醒嚥服花末飲服方寸匕○丁腫垂死菊葉一把搗絞汁一升入口即活冬用其根○變白延年三月上寅採苗六月上寅採葉九月上寅採花十二月上寅採根莖陰乾各日等分以成日合搗千杵為末酒調一錢或蜜丸梧桐子大酒服七丸日三服久服效

【苦薏】君　味辛苦氣溫無毒蒺藜為之使

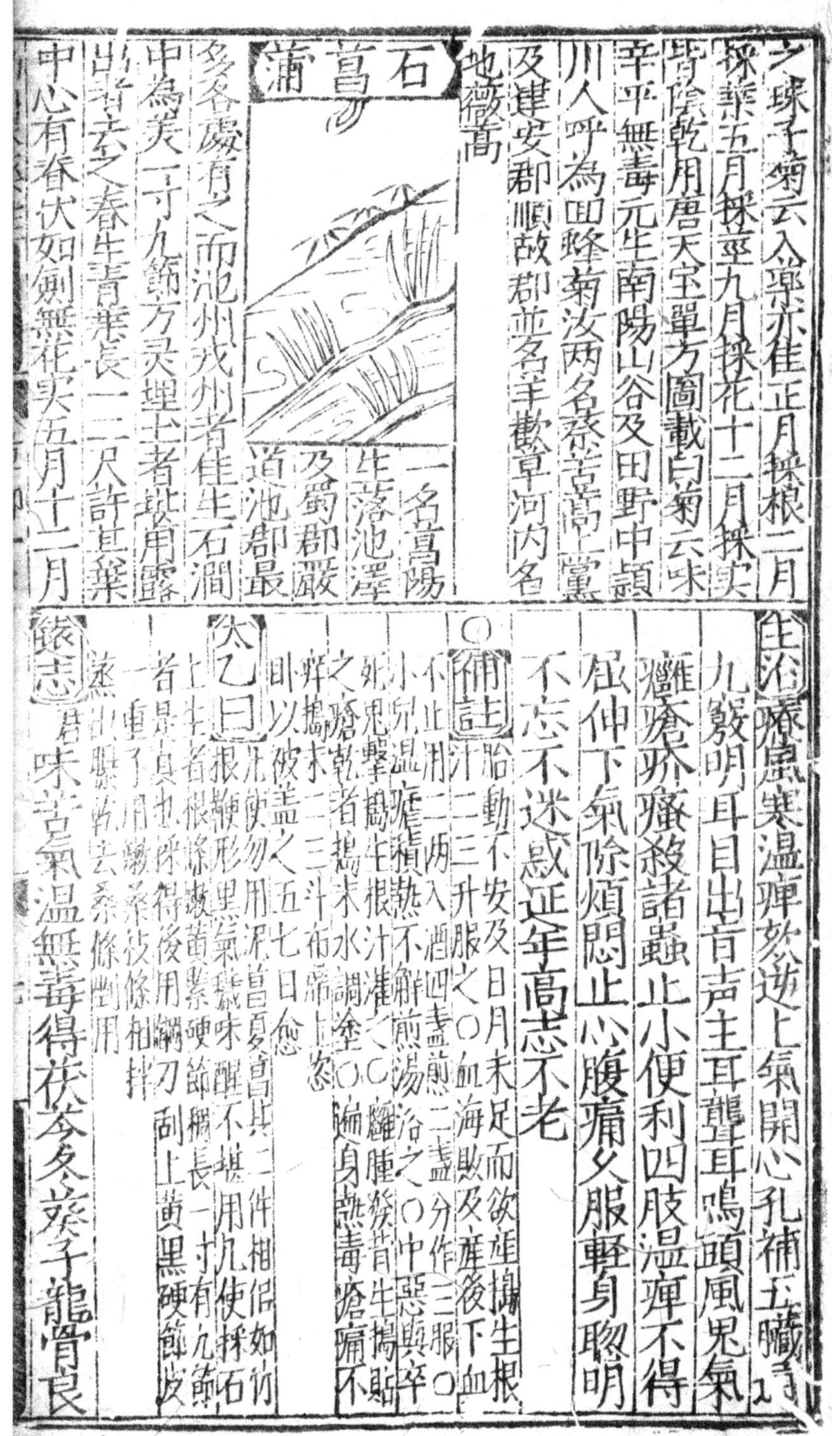

之球子菊云入藥亦佳正月採根二月採葉五月採莖九月採花十二月採實皆陰乾用唐天宝單方圖載白菊云味辛平無毒元生南陽山谷及田野中頴川人呼為回蜂菊汝南名荼苦蒿上黨及建安郡順政郡並名羊歡草河内名地薇蒿

石菖蒲

一名菖陽生落池澤及蜀郡嚴道池郡最多各處有之而池州戎州者佳生石澗中為美一寸九節方灵埋土者救用露出者去之春生青葉長一二尺許其葉中心有脊状如劍無花実五月十二月

【主治】療風寒温痺欬逆上氣開心孔補五臟九竅明耳目出音声主耳聾耳鳴頭風鬼氣癰瘡疥癬殺諸蟲止小便利四肢温痺不得屈伸下氣除煩悶止心腹痛久服輕身聰明不忘不迷惑延年高志不老

○【補註】胎動不安及日月未足而欲産擣生根汁二三升服之○血海敗及産後下血不止用二兩入酒四盞煎二盞分作三服○小児温瘧積熱不觧煎湯浴之○中惡與卒死鬼撃擣生根汁灌之○癰腫發背生擣貼之瘡乾者擣末水調塗○遍身熱毒瘡痛不痒擣末二三斗布席上卧以彼蓋之五七日愈

【太乙曰】凡使勿用泥菖夏菖其二件相似如竹根鞭形黒氣穢味醒不堪用凡使採石上生者根條嫩黄緊硬節稠長一寸有九節者是真也採得後用銅刀刮上黄黒硬節皮一重了用嫩桑枝條相拌蒸出曝乾去桑條剉用

【發志】君味苦氣温無毒得茯苓冬葵子龍骨良

採根陰乾今以五月五日收之其根盤
屈有節狀如馬鞭大一根傍引三四根
傍根節大密一寸九節者佳亦有一寸
十二節者採之勿歷簷晒乾方堅實折
之中心色微赤嚼之辛香少辛入多種
于乾燥砂石土中臘月移之不易活
勿犯鐵器藥入搗碎使惡地膽麻黄息
飴糖羊肉丹服聰明不忘久服延年耐
老

## 遠志

一名蘇蒬
一名葽繞
一名細草
生太山冤
句川谷今河陝京西州郡亦有之根黄
色形如蒿根苗名小草似麻黄而青又

殺附子天雄毒

【主治】療欬逆傷中補不足利九竅益志慧耳目
聰明不忘強志倍力利丈夫定心氣止驚悸
益精壯陽去夢邪去心下膈氣久服輕身不
老好顏色延年

○【補註】衍義云定心安魂魄堅壯陽道長肌肉
助筋骨及婦人血禁失音小兒客忤○
治人心孔昏塞多忘喜誤丁酉日密自至市
買遠志著巾角中還為末服之勿令人知○
內篇云六陽仲子服遠志二十年有子三十
七人開書所視便誦而不忘
伊尹云去皮膚
中熱面目黄

【太乙曰】遠志凡使先須去心否則令人悶去心
後用熟甘草湯浸一宿漉出曝乾用

## 黄精 君

味甘氣平無毒二月採陰乾單服九蒸
九曝入藥生用

【主治】療補中益氣安五臟六腑益脾胃潤心肺

如菜豆葉亦有似大青而小者二月開花白色根長及一尺四月採根葉陰乾今云稍乾用泗州出者花紅根葉俱大於他處商州者根又黑色俗傳夷門遠志最佳古本通用遠志小草今醫但用遠志稍用小草

## 黃精

一名萎蕤　一名仙人餘糧　一名苟格　一名重樓　一名菟竹　一名雞格　一名垂珠　一名救窮　一名馬箭　一名白及　一名鹿竹南北皆有之嵩山茅山出者為佳三月生苗高一二尺葉上相對如竹葉而短莖梗柔脆頗似桃枝本黃末赤四月

除風濕小兒羸瘦多疾弥佳壯元陽補五勞七傷久服輕身延年不飢耐寒暑

〇補註　博物志曰太陽之草名黃精餌之可以長生太陰之草名鈎吻食之入口立死夫鈎吻野葛之別名也人但信鈎吻殺人並無敢食之者何嘗信黃精延壽而餌之不厭者耶本經註曰[illegible]古一婢逃入深山得黃精食之日久不飢久漸輕身飛越山巔莫有能追之者此非靈藥也〇鄭黃精能老不飢其法可取鑄子去底釜內安置令得所盛黃精令滿密蓋蒸之令氣溜即暴之第一遍蒸之亦如此九蒸九曝先生用時有一頓熟有三四斗蒸之若生則刺人咽喉暴使乾不爾朽壞〇神仙服黃精成地仙根莖不限多少細剉陰乾擣末每日淨水調服任意多少一年之周變老為少〇黃精寬中益氣五臟調良肌肉充盛骨髓堅強其力倍多年不老顏色鮮明髮白更黑齒落更生先下三尸蟲上尸好寶貨百日下中尸好五味六十日下下尸好五色三十日下爛出花實根三時花為飛英根為精氣

太乙曰　凡使勿用鈎吻真似黃精只是葉有毛鈎子二個是別認處誤服害人黃精葉

開細青白花如小豆花狀子白如黍亦有無子者根如嫩生薑黃色二月採根蒸過曝乾用今遇八月採山中人九蒸九曝作果賣甚甘美而黃黑色江南人說黃精苗葉稍類鈎吻但鈎吻葉頭極尖而根細蘇恭注云鈎吻蔓生殊非此類恐南北所產之異耳初生苗時人多採為菜茹謂之畢菜味極美採取宜辯

脩羊公服黃精云黃精是芝草之精也

## 山藥

一名薯蕷

一名芋素

楚名玉延

鄭越名土藷

諸生嵩高山谷今處處有之以北都四明者為佳春生苗蔓延籬援莖紫葉青

以竹葉片採得以溪水洗淨後蒸從巳至子刀薄切曝乾用

山藥 臣 甘苦氣溫平無毒入手太陰肺經天門冬紫芝為之使

珠囊云 治傷中補虛勞羸瘦除寒熱治腰痛去濕

主治 治傷中補虛羸除寒熱邪氣補中益氣力長肌肉治頭風眼眩止腰痛強陰補心肺不足除煩熱涼而能補亦潤皮毛乾燥主泄精健忘開達心孔多記事久服耳目聰明輕身不饑延年

○補註 補諸虛百損療五勞七傷益力氣潤澤皮膚長肌肉堅強筋骨除寒熱邪氣煩熱兼治頭面遊風上攻[illegible]羸瘦甚補腫硬健脾[illegible]孔聰明益精滑洩理脾傷止欬參[illegible]木[illegible]頭面[illegible]痛強陰六朱[illegible]丸常用[illegible]為粉作糊[illegible]人服不饑延年耐老

太乙曰 凡使勿用平田生二三紀內者要經十紀者山中生皮赤四面有鬚生者妙苦

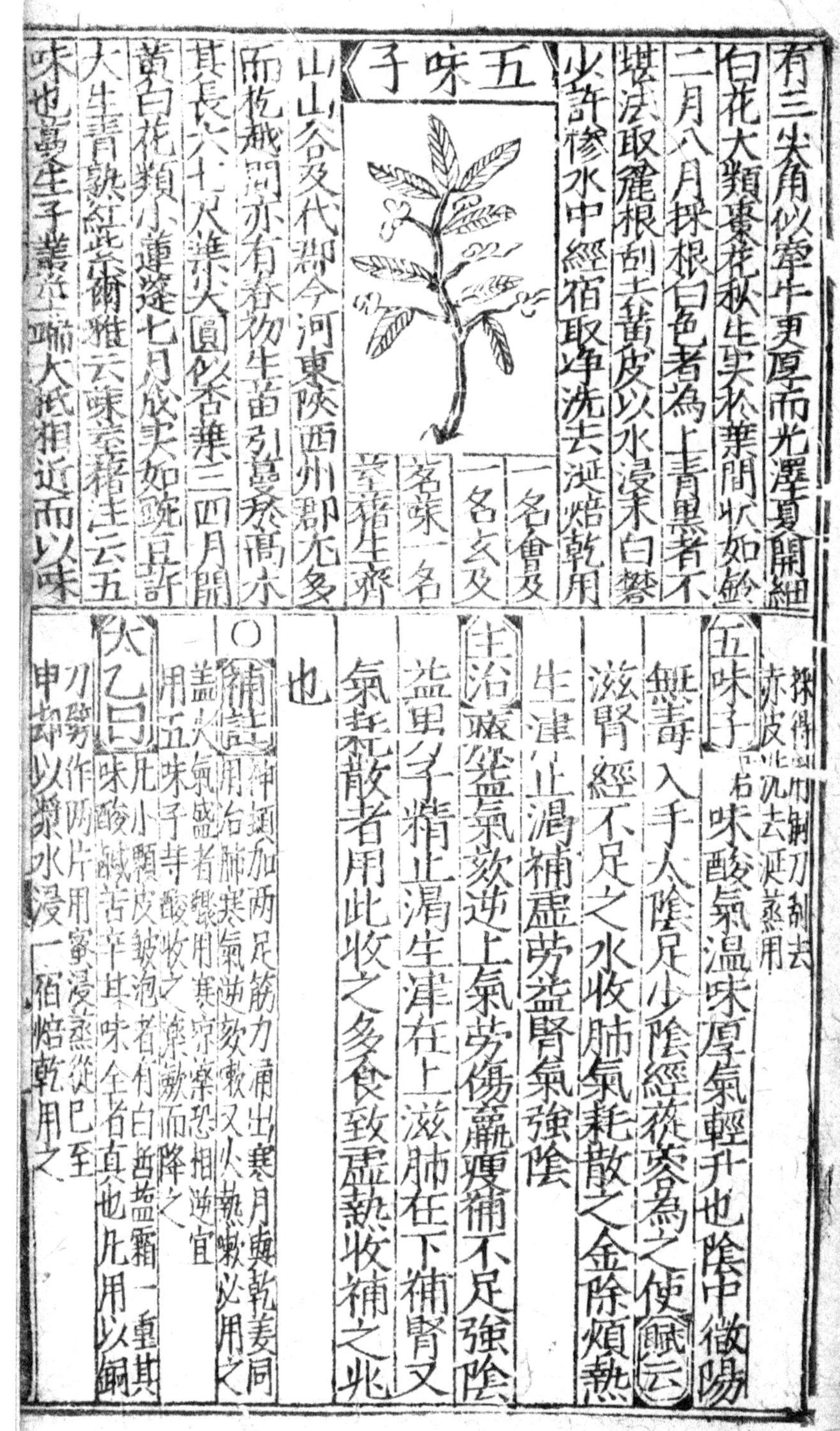

有三尖角似牽牛更厚而光澤夏開細白花大類棗花秋生实於葉間状如鈴二月八月採根白色者為上青黒者不堪法取麄根刮去黄皮以水浸米白礬少許慘水中經宿取淨洗去涎焙乾用

# 五味子

一名會及　一名玄及　一名菋一名荎藸生齊山山谷及代郡今河東陝西州郡尤多而杭越間亦有春初生苗引蔓於髙木其長六七尺葉似大圓似杏葉三四月開黄白花類小蓮蓬七月成实如豌豆許大生青熟紅紫爾雅云菋荎藸注云五味也蔓生子叢在莖頭大抵相近而以味

採得以銅刀刮去赤皮水洗去涎蒸用

【五味子】味酸氣温味厚氣輕升也陰中微陽無毒入手太陰足少陰經蓯蓉為之使

【賦云】滋腎經不足之水收肺氣耗散之金除煩熱生津止渴補虛勞益腎氣強陰

【主治】療欬逆上氣勞傷羸瘦補不足強陰益男子精止渴生津在上滋肺在下補腎又氣耗散者用此收之多食致虛熱收補之兆也

○【補註】神頹加兩足筋力湧出寒月與乾姜同用治肺寒氣逆欬嗽又火熱嗽必用之盖火氣盛者驟用寒涼恐相逆宜用五味子苛酸收之涼歛而降之

【太乙曰】凡小顆皮皺泡者有白色鹽霜一重其味酸鹹苦辛甘味全者真也凡用以銅刀劈作兩片用蜜浸蒸從巳至申却以漿水浸一宿焙乾用之

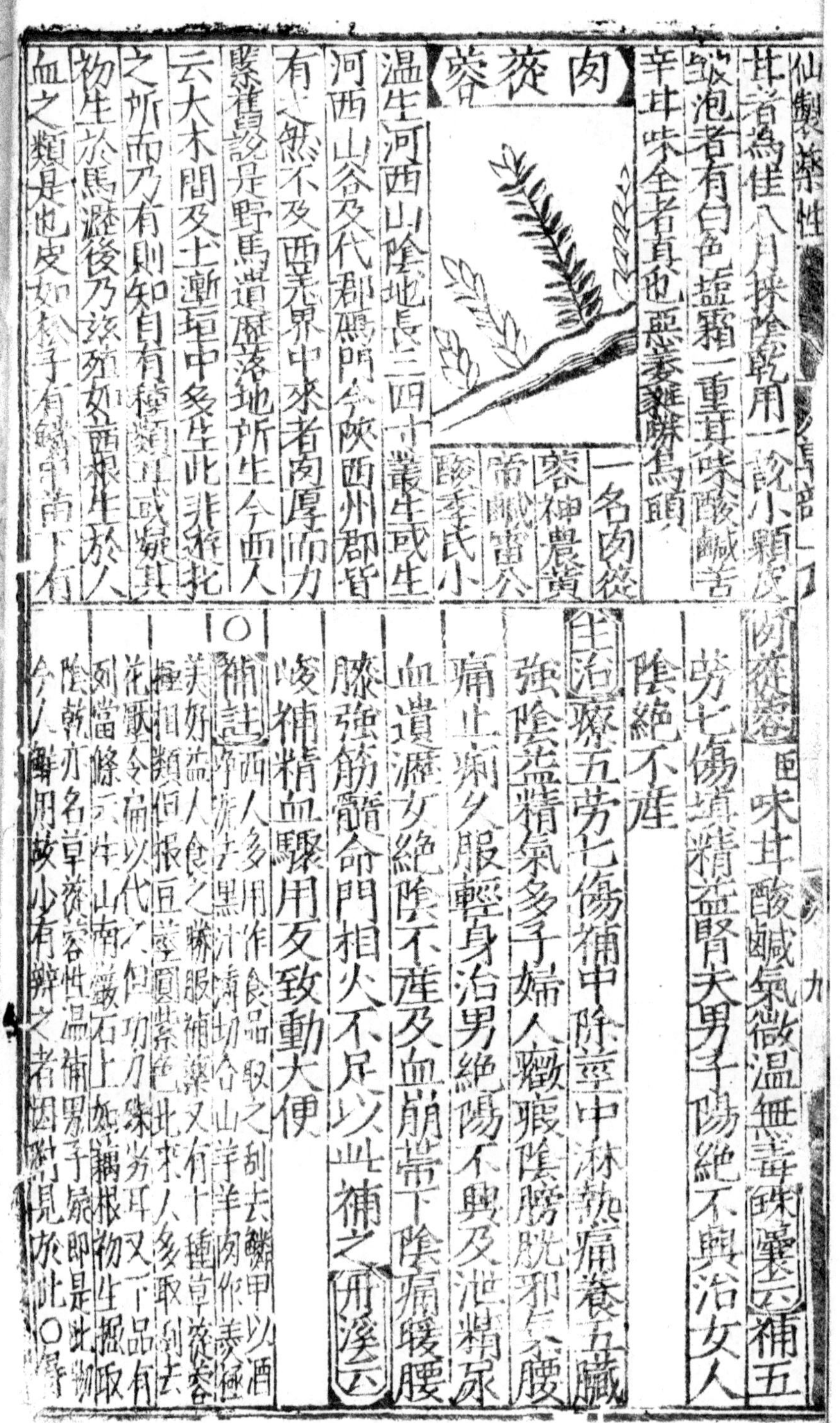



甘者爲佳。八月採，陰乾用。一說小顆皮皺泡者有白色鹽霜一重，其味酸鹹苦辛甘，味全者真也。惡萎蕤，勝烏頭。

肉蓯蓉

一名肉從容。神農、黃帝：鹹。雷公：酸。李氏：小溫。生河西山陰地，長三四寸，叢生，或生河西山谷及代郡雁門，今陝西州郡皆有之，然不及西羌界中來者肉厚而力緊。舊說是野馬遺瀝落地所生。今西人云大木間及土塹垣中多生此，非游牝之所而乃有，則知自有種類耳。或疑其初生於馬瀝，後乃滋殖，如茜根生於人血之類是也。皮如松子，有鱗甲，苗下有

肉蓯蓉　臣　味甘酸鹹，氣微溫，無毒。陳嘉謨云：補五勞七傷，填精益腎，大男子陽絕不興，治女人陰絕不產。

主治　療五勞七傷，補中，除莖中寒熱痛，養五臟，強陰，益精氣，多子，婦人癥瘕，除膀胱邪氣，腰痛，止痢。久服輕身。治男絕陽不興及泄精尿血遺瀝，女絕陰不產及血崩帶下陰痛，暖腰膝，強筋髓。命門相火不足，以此補之。丹溪云：峻補精血，驟用反致動大便。

〇補註　西人多用作食品，啖之，刮去鱗甲，以酒浮洗去黑汁，薄切，合山芋、羊肉作羹，極美好，益人，食之勝服補藥。又有一種草蓯蓉，極相類，但根短，莖圓，紫色。比來人多取，刮去花，壓令扁，以代之，但功力殊劣耳。又下品有列當條，云生山南巖石上，如藕根，初生掘取，陰乾，亦名草蓯蓉，性溫，補男子，疑即是此物。今人鮮用，故少有辨之者，因附見於此。〇鎖

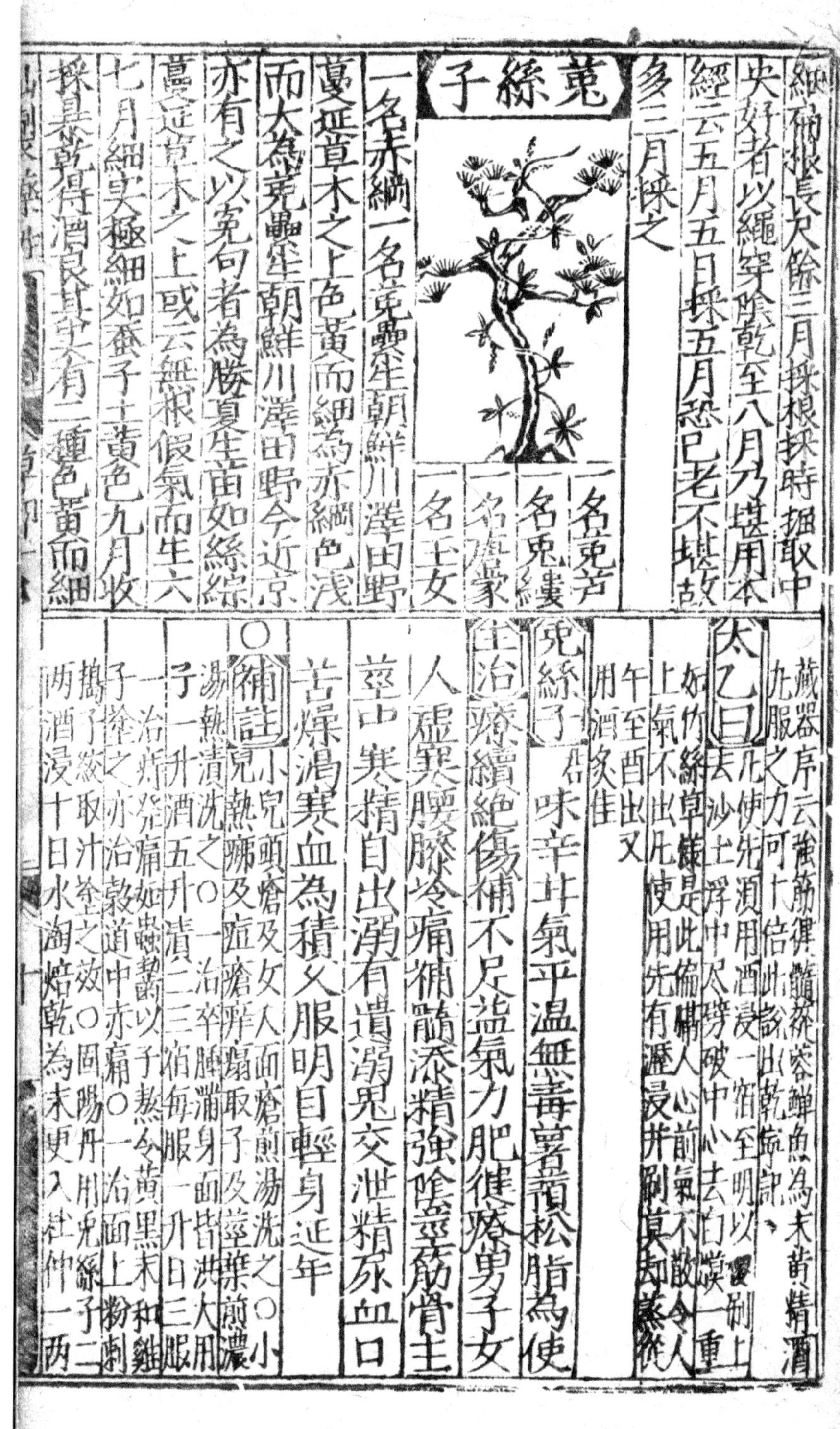

細而根長尺餘三月採根採時掘取中央好者以繩穿陰乾至八月乃堪用本經云五月五日採五月蕊已老不堪故多三月採之

# 菟絲子

一名菟芦　一名菟縷　一名唐蒙　一名玉女

一名赤綱一名菟虆生朝鮮川澤田野蔓延草木之上色黄而細為赤綱色浅而大為菟虆生朝鮮川澤田野今近京亦有之以寃句者為勝夏生苗如絲綜蔓延草木之上或云無根假氣而生六七月結實極細如蚕子土黄色九月收採暴乾得酒良其實有二種色黄而細

藏器序云稀筋健髓蓯蓉鯉魚為末黄精酒九服之力可十倍此說出乾寧記

【太乙曰】凡使先須用酒浸一宿至明以[illegible]刷上去沙土浮中尺勞破中心去白膜一重如竹絲草條是此偏能補人心前氣不散令人上氣不出凡使用先有澀浸并刷莫却蒸從午至酉出又用酒炙佳

【菟絲子】君　味辛甘氣平温無毒得薯蕷松脂為使

【主治】療續絶傷補不足益氣力肥健療男子女人虚寒腰膝冷痛補髓添精強陰堅筋骨主莖中寒精自出溺有遺瀝鬼交泄精尿血口苦燥渴寒血為積久服明目輕身延年

○【補註】小兒頭瘡及女人面瘡煎湯洗之○小兒熱痱及疽瘡痱瘍取子及莖葉煎濃湯熱漬洗之○一治卒腫滿身面皆洪大用子一升酒五升漬二三宿每服一升日三服一治痔瘡痛如蟲齧以子熬令黄黑末和雞子塗之亦治穀道中赤痛○一治面上粉刺搗子絞取汁塗之效○固陽丹用兎絲子二兩酒浸十日水淘焙乾為末更入杜仲一兩

者名赤綱色淺而大者名兎纍其功用並同謹按尔雅云唐蒙女蘿女蘿兎絲釋曰唐也蒙也女蘿也兎絲也一物四名而本經并以唐蒙為一名又詩云蔦與女蘿毛傳云女蘿兎絲也陸机云今合藥兎絲也而本經兎絲無女蘿之名別有松蘿條一名女蘿自是木類寄生松上者亦如兎絲寄生草上豈二物同名本經脫漏乎

## 牛膝

一名百倍
河内川谷
及臨朐今
江淮閩粤

關中多有之然不及懷州者為真春生苗莖高二三尺青紫色有節如鶴膝又

寄炙擣用薯蕷末酒煮麪糊為丸如梧桐子大空心用酒下五十丸○治婦人横生用兎絲子為末酒調下一錢無酒米飲調下亦得

太乙曰 勿用天碧草子其顆真相似只是天碧草子味酸澁并粘不入藥用其兎絲子禀中和之正陽氣受結偏補人衛氣助人筋脉一莖從樹感枝成又從仲春上陽結實其氣大小六七錢二刃全擇得去餘[illegible]兎子用苦酒浸二日漉出用黃精自然汁浸一宿至明微微用火煎至乾入臼中熟燒鐵杵一去三千餘成粉用苦酒并黃精自然汁與兎絲子對用之

牛膝 君 味苦酸性平無毒 賦云 補精強足療腳痛腰痛破瘀血下胎

主治 主寒濕痿痺四肢拘攣不可屈伸逐血氣傷熱火爛墮胎久服輕身耐老療傷中少氣男子陰消老人失溺補中續絕壯陽益精填骨髓止髮白除腰脊痛婦人月水不通血結

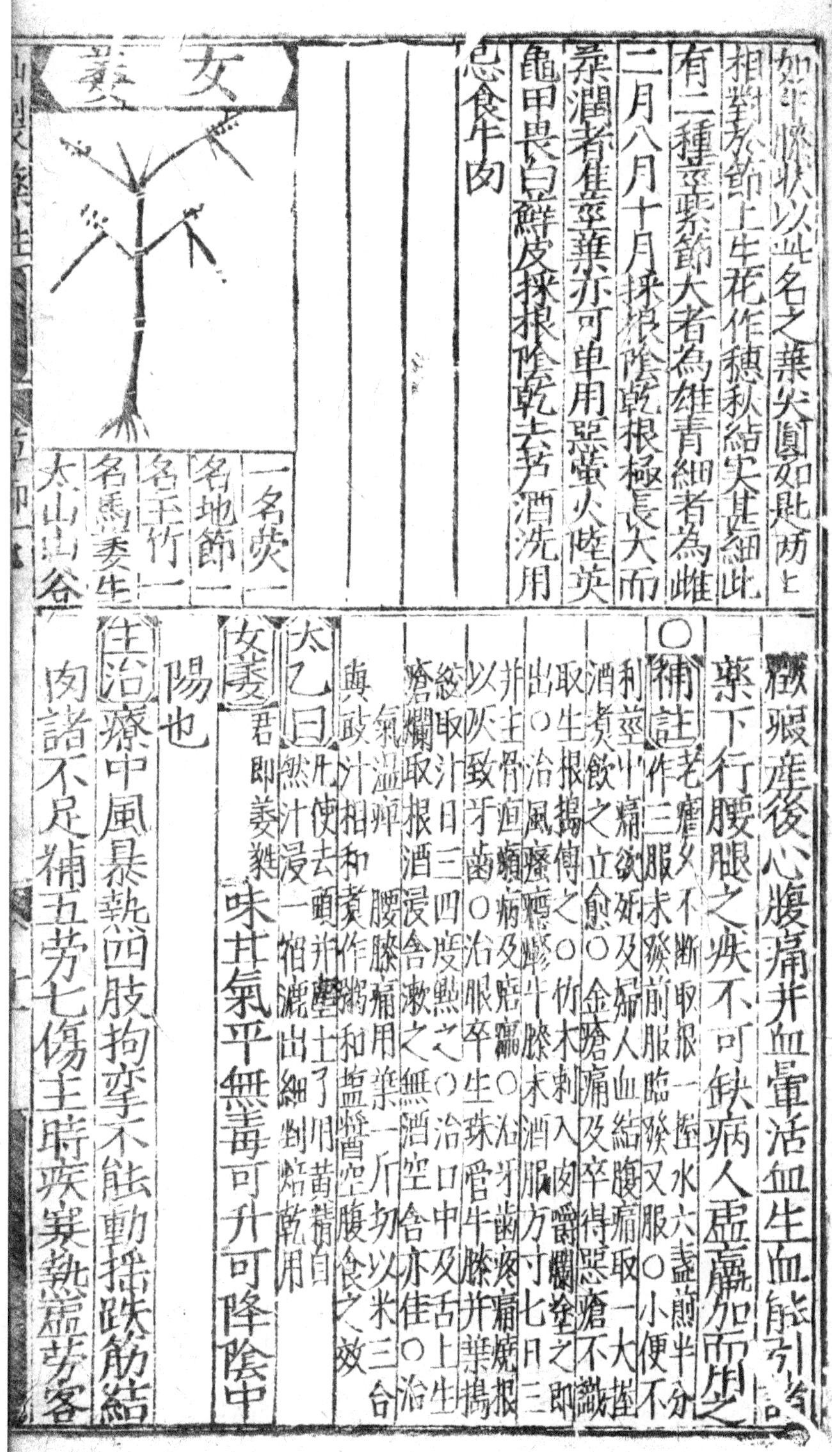

如竹形狀以此名之葉尖圓如匙兩上相對對節上生花作穗秋結實甚細此有二種莖粟節大者為雄青細者為雌二月八月十月採根陰乾根極長大而柔潤者佳莖葉亦可单用惡螢火陸英龜甲畏白鮮皮採根陰乾去鬚酒洗用忌食牛肉

女萎

一名熒一名地節一名玉竹一名馬熏委生太山山谷

癥瘕產後心腹痛并血暈活血生血能引諸藥下行腰腿之疾不可缺病人虛羸加而用之

○補註 老瘧久不斷取根一握水六盞煎半分作三服未發前服臨發又服○小便不利莖中痛欲死及婦人血結腹痛取一大握酒煮飲之立愈○金瘡痛及卒得惡瘡不識取生根搗傅之○竹木刺入肉冒爛塗之即出○治風瘙癮疹牛膝末酒服方寸七日三并主骨疽癩病及瘖瘂○治牙齒疼痛燒根以灰致牙齒○治眼卒生珠管牛膝并葉搗絞取汁日三四度點之○治口中及舌上生瘡爛取根酒浸含漱之無酒空含亦佳○治氣濕痺腰膝痛用藥一斤切以米三合與豉汁相和煮作粥和鹽醬空腹食之效

太乙曰 凡使去頭并壓土了用黃精自然汁浸一宿漉出細剉焙乾用

女萎 君 即萎蕤 味甘氣平無毒可升可降陰中陽也

主治 療中風暴熱四肢拘攣不能動搖跌筋結肉諸不足補五勞七傷主時疾寒熱虛勞客

近陵今滁州舒州及漢中皆有之葉狹
而長表白裏青亦類黄精莖稈強直似
竹箭幹有節根黄多鬚大如指長一二
尺或云可啖三月開青花結圓實立春
後採根陰乾用之本經與女萎同條云
是一物二名又云自是二物由蔓與功
用全別尒雅謂熒萎上於為切下人
垂切郭璞注云藥草也亦無女萎之別
名疑別是一物且本經中品又別有女
萎條蘇恭云即此女萎今本經朱書是
女萎能效黒字是萎蕤之功觀古方書
所用則似差別胡治眞戩有纏絡紋未
洒者佳去殼入藥

熱莖痛目痛皆爛淚出心腹結氣温毒脚膝
痛莖中寒久服去面黒䵟好顔色潤澤輕身
不老又云主霍乱洩利治風淫四体不仁淚
出兩目皆爛男子温注腰疼女人面生黒䵟
中大者不可服令人恍惚見鬼

○補注治時氣洞下蠱下有女萎丸治傷寒冷下結腸丸中用女萎治虛勞小黄耆酒
云下痢者加女萎詳此數方所用乃似中品女萎緑其性温主霍乱洩痢故也又主賊風
手足枯痺四肢拘攣茵芋酒中用女萎及古今録驗治身体癧瘍斑剝女萎膏乃似朱字
女萎緑又主中風不能動揺及去䵟好色故也又治傷寒七八日不觧續命鼈甲湯治脚
弱鼈甲湯中並用萎蕤及延年方主風熱項急痛四肢骨肉煩熱萎蕤飲又主虛風熱發即
頭熱萎蕤丸乃似黒字萎蕤緑其主虛熱温毒腰痛故也三者主治既白則非一物明
矣○主發熱口乾小便澀萎蕤五兩煮汁飲之療久痢脫肛不止取女萎切一升燒熏之

太乙曰凡使勿用鈎吻并黄精其二物相似萎蕤只是不同有誤疑人萎蕤節上有毛

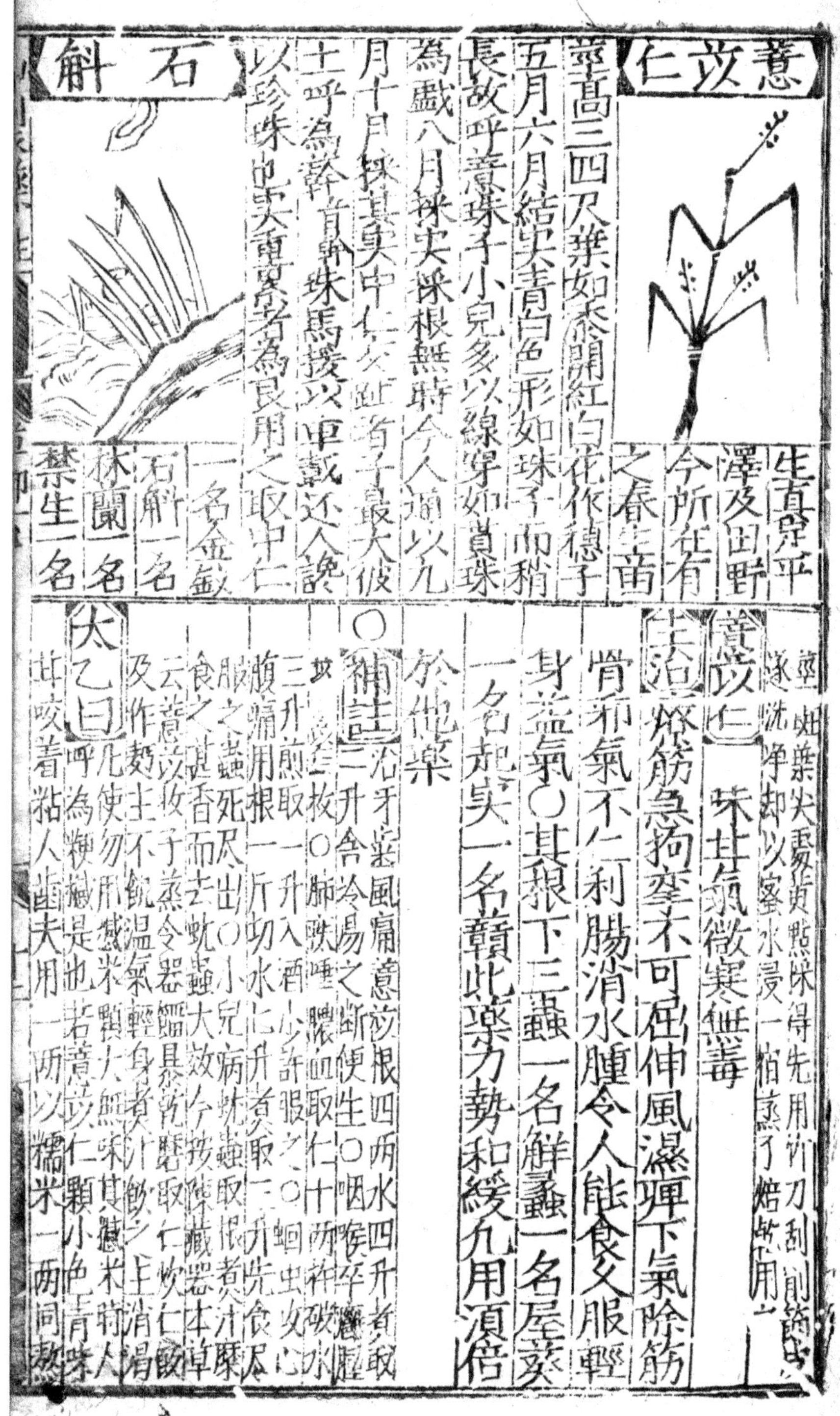

薏苡仁

生真定平澤及田野今所在有之春生苗莖高三四尺葉如黍開紅白花作穗子五月六月結實青白色形如珠子而稍長故呼薏珠子小兒多以線穿如貫珠為戲八月採實採根無時今人通以九月十月採其實中仁交趾者子最大彼土呼為簳珠馬援以車載還人讒以珍珠也實重累者為良用之取中仁

石斛

一名金釵石斛一名林蘭一名禁生一名

薏苡仁　味甘氣微寒無毒

莖蚶葉尖頭黃點味得先用竹刀刮削節皮逐洗淨却以蜜水浸一宿蒸了焙乾用之

主治　療筋急拘攣不可屈伸風濕痹下氣除筋骨邪氣不仁利腸消水腫令人能食久服輕身益氣○其根下三蟲一名解蠡一名屋菼一名起實一名贛此藥力勢和緩凡用須倍於他藥

○補註　治牙齒風痛薏苡根四兩水四升煮取二升含冷易之斷便生○咽喉卒癰腫吞[illegible]枚○肺痿唾膿血取仁十兩杵破水三升煎取一升入酒少許服之○蛔虫攻心腹痛用根一斤切水七升煮取三升先食盡服之蟲死盡出○小兒病蚘蟲取根煮汁糜食之甚香而去蚘蟲大效今按陳藏器本草云薏苡仁子蒸令氣餾暴乾磨取仁炊仁飯及作麪主不飢溫氣輕身者煮汁飲之主消渴

太乙曰　凡使勿用䉾米顆大無味其䉾米時人呼為粳䉾是也若薏苡仁顆小色青味甘咬着粘人齒夫用一兩以糯米一兩同熬

杜蘭一名石遂生六安山谷水傍石上今荊州廣州郡及溫台州亦有之以廣南者為佳多生山谷中五月生苗形似竹節七七間出碎葉七月開花十月結實其根細長黃色七月八月採莖以桑灰湯沃之色如金陰乾用或云以酒洗挼蒸九次不用灰湯其江南生者有二種一種似大麥累累相連頭生一葉名麥斛一種大如雀髀名雀髀斛惟生石上者勝亦有生櫟木上者名木斛不堪用衍義曰石斛細若小草長三四寸柔韌折之如肉而實今人多以木斛渾行惡凝水石巴豆畏殭蠶雷丸

熟去糯米取使若更以鹽湯煮過別是一般修制亦得

【石斛】君 味甘氣平無毒陸英為之使

【主治】主傷中除痺下氣補五臟虛勞羸瘦強陰益精壯筋骨補內絕不足治胃中虛熱有功平胃氣長肌肉逐皮膚邪熱痱痛腳膝疼冷痺軟弱久服厚腸胃輕身延年定志除驚

○【補註】七 藥性論云石斛君益氣除熱主治男子腰腳軟弱健陽逐皮肌風痺骨中久冷虛損補腎積精腰痛養腎氣益力日華子於治虛損劣弱壯筋骨暖水臟輕身益智清氣逐虛邪

【太乙曰】凡使先去頭土了用酒浸一宿漉出曝乾卻用酥蒸從巳至酉卻徐徐焙乾用石斛鏁涎澀丈夫元氣如斯修事服滿鎰永不骨痛

【巴戟天】使 味辛甘氣微溫無毒覆盆子為之使得枸杞菊花酒良

## 巴戟天

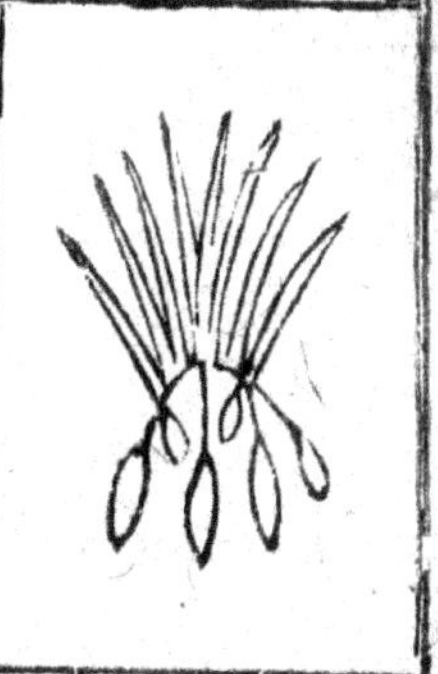

生於巴郡及下邳山谷今江淮江東州郡亦有之皆不及蜀川者佳葉似茗經冬不枯俗名三蔓草又名不凋草多生竹林之內地生者葉似麥門冬而厚大至秋結實二月八月採根陰乾今多焙之有宿根者青色嫩根者白色用之皆同以連珠肉厚者勝今多以紫色為良蜀人用黑豆同煎欲其色紫殊失氣味或以醋水煮之乃紫以雜巴戟莫能辨也今兩種市中皆是但擊破視之其中紫而鮮潔者偽也真者擊破其中雖紫又有微白糝如粉色惡朝生雷丸丹參

【主治】療大風邪氣陰痿不起強筋骨安臟補中增志益氣療頭面遊風大風浸淫血癩小腸及陰中相引痛補五勞利男子治夜夢鬼交泄精滑補虛損勞傷併小腹牽引絞疼徹骨強筋定心氣利水消腫益精增志惟利男人

○【補註】巴戟天本有心乾縮時偶自落或可以抽摘故中心或空非自有小孔子也今人欲要中間紫色則多為以大豆汁沃之不可不察外堅難染故先從中間紫色有人嘗酒日須五七盃後患脚氣甚危或教以巴戟半兩糯米同炒米微轉色不用米大黃一兩剉炒同為末熟蜜為丸溫水服五七十丸仍禁酒遂愈

【太乙曰】凡使須用枸杞子湯浸一宿待稍軟漉出却用酒浸一伏時又漉出用菊花同熬令焦黃去菊花用布拭令乾用

## 【補骨脂】

味苦辛氣大溫無毒

【主治】療五勞七傷風虛冷痹四肢疼痛骨髓傷

## 補骨脂

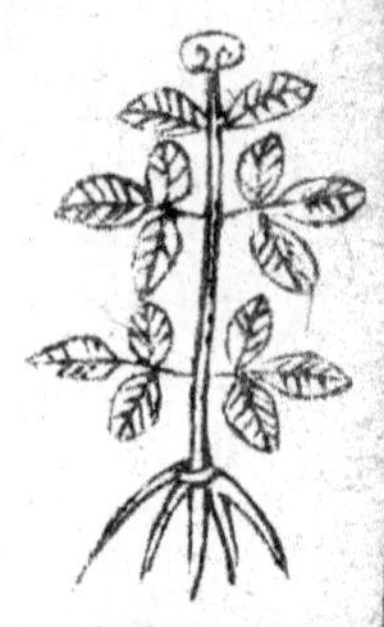

一名破故紙。生廣南諸州及波斯國，今嶺外山坂間多有之，不及蕃舶者佳。莖高三四尺，葉似薄荷，花微紫色，實如麻子，圓扁而黑，九月採。或云胡韭子也，胡人呼若婆固脂，故別名破故紙，今人多以胡桃合服。惡甘草，忌羊血。

敗陽衰腎冷精流，腰痛膝冷囊濕，小便利，及婦人血氣墮胎。【賦云】溫腎補精髓，與勞傷綿夢泄遺精。【金櫃云】治冷勞，明目，暖腰，興陽事。

入藥炒用

○【補註】破故紙十兩，淨擇去皮，洗過，擣篩令細，用胡桃瓤二十兩，湯浸去皮，細研如泥，即入前末，更以好蜜和攪令勻如飴糖，盛於瓷器中，旦日以暖酒二合調藥一匙服之，便以飯壓，如不飲人，以暖熟水調亦可，服彌久則延年益氣，悅心明目，補添筋骨，但禁食芸薹、羊血，餘無忌。○治腰疼神妙，用破故紙為末，溫酒下三錢匕。○治男子女人五勞七傷，下元久冷，烏髭鬢，一切風病，四肢疼痛，駐顏壯氣，補骨脂一斤，酒浸一宿，曝乾，却用烏油麻一升和炒，令麻子聲絕，即濾去，只取補骨脂為末，醋煮麪糊丸如梧子大，早晨溫酒鹽湯下二十丸。

## 芎藭

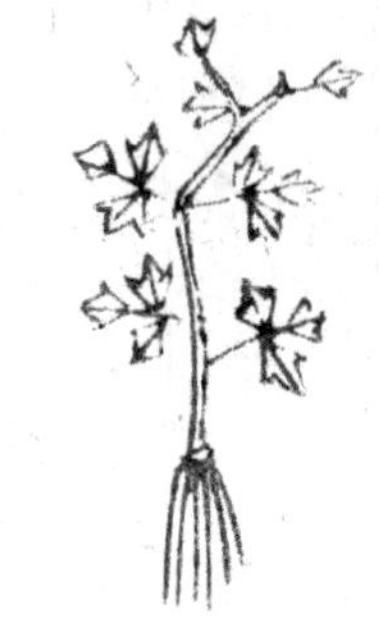

一名胡藭，一名香果，其葉名蘼蕪。生武功山谷、斜谷西嶺。蘼蕪，芎藭苗也。生雍州川澤及冤句，今關陝、蜀川、江東山中多

【太乙曰】凡使性木大燥，每用酒浸一宿後漉出，却用東流水浸三日夜，却蒸，從巳至申

小川眼
峽州

有之而以蜀川者為勝其苗四五月間生葉似芹胡荽蛇牀輩作叢而莖細淮南子所謂大亂人者若芎藭之與藁本蛇牀之與蘼蕪是也其葉倍香或蒔於園庭則芬馨滿徑江東蜀川人採其葉作飲香云可以已泄瀉七八月開白花根堅瘦黃黑色三月四月採來曝乾一云九月十月採為佳三四月非時也關中出者俗呼為京芎亦通用惟貴形塊重實作雀腦狀者謂之雀腦芎此最有力也蘼蕪一名蘄茝芹字白芹功

**川芎** 芎藭之大者如雀腦者是味辛氣溫無毒升也陽也入手厥陰胞絡足厥陰肝經乃少陽本經之藥又云入手太陰心胞白芷為之使畏黃連形塊重

**芎藭** 臣 味辛氣溫無毒少陽經藥入手足厥陰經 惡黃耆山茱狼毒畏硝石滑石黃連反藜蘆

**主治** 療中風入腦頭痛寒痺筋攣緩急金瘡婦人血閉無子治少陽頭痛血虛頭痛之聖藥散肝經風頭面風不可缺又治一切血破瘀結宿血養新血鼻洪吐血溺血痔瘻腦癰發背瘰癧癭贅排膿消瘀長肉上行頭目下行血海通肝經血中之氣藥也治一切氣心腹堅痛脅痛疝痛溫中散寒開鬱行氣燥濕〇

葉名蘼蕪辛香亦治風辟邪

〇**補註** 春秋注云麥麴鞠藭所以禦濕得細辛療金瘡止痛得牡蠣療頭風吐逆單服久服則走散真氣辛散故也〇婦人經絡住驗胎法生為末空心濃艾湯下一匙腹內微動是有胎也〇婦人崩中不止一兩剉酒一大盞煎五分入生地黃汁二合煎二三沸

重結實黄色不油者良其大堅重芎内外俱白判之成片者西芎也不入藥其用有二上行頭角止痛助清陽之氣下行血海調經養新生之血〈經云〉補血治血虚頭痛之聖藥散肝經之風去中風入腦頭痛寒痺筋攣緩急治金瘡〈秘要云〉治婦人血閉無子除腦中冷痛面上遊風淚出多涕唾諸寒冷氣心腹堅痛除惡急腫痛脇風痛温中除内寒治吐血溺血破瘀結宿血養新血非久服之藥能走散真氣〈湯液云〉上行頭目下行血海故四物湯必用也

〈撫芎〉味苦辛氣温無毒〈賦云〉走經絡之痛

〈蘼蕪〉一名蘪蕪一名江離味辛温無毒

食前分作二服○治偏頭疼用京芎細剉酒浸服之佳○風齒蛀口臭但含芎嚼○治頭風化痰川芎不計分兩用净水洗浸薄切片子日乾或焙杵為末煉蜜為丸如小彈子大不拘時茶酒嚼下一丸

〈當歸〉臣 味甘辛氣温可升可降陽也陽中微陰無毒入手少陰經足太陰厥陰經

〈主治〉療欬逆定驚氣辟邪惡除蠱毒鬼邪去三蟲久服通神主身中老風頭中久風々眩上氣温瘧寒熱癥在皮膚中婦人漏下絶子諸惡瘡瘍金瘡煮飲之又温中止痢腹痛療齒痛不可忍酒浸治頭痛諸頭痛皆屬木故以血藥治之治血通用和血補血破惡血大補不足決取立效之藥氣血昏乱服之即定能使氣血各有所歸故名當歸婦人産後

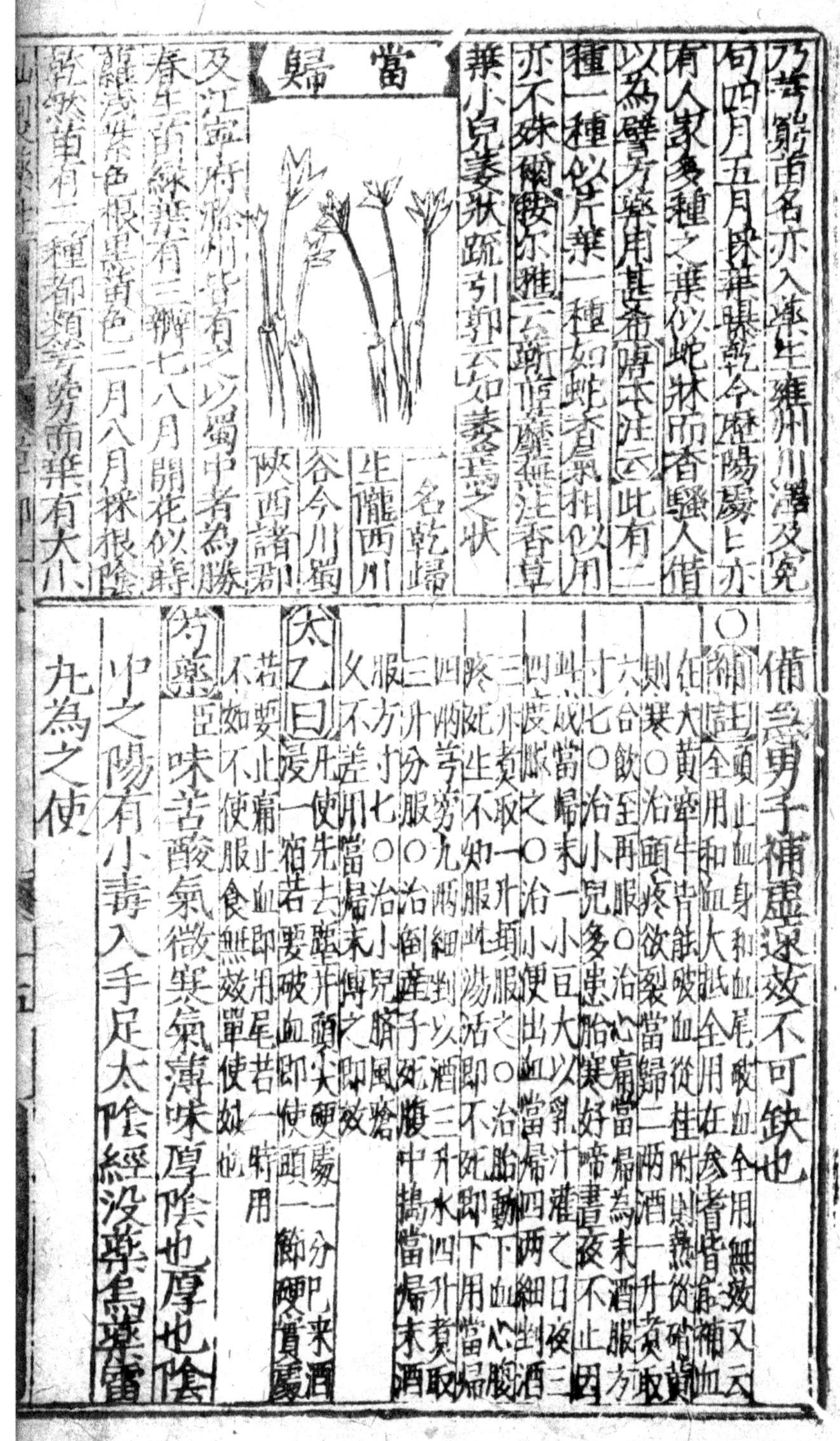
乃芎藭苗名亦入藥生雍州川澤及宛
句四月五月採葉暴乾今歷陽處處亦
有人家多種之葉似蛇牀而香騷人借
以為譬芳藥用甚希陶氏注云此有二
種一種似芹葉一種如蛇牀香氣相似用
亦不殊爾雅〔爾雅〕云蘄茝蘼蕪注香草
葉小兒萎狀蹄引郭云如蕎麥之狀

當歸

一名乾歸
生隴西川
谷今川蜀
陝西諸郡
及江寧府滁州皆有之以蜀中者為勝
春生苗綠葉有三瓣七八月開花似蒔
蘿淺紫色根黑黃色二月八月採根陰
乾然苗有二種都類芎藭而葉有大小

備急男子補虛逐效不可缺也
〇〔釋〕頭止血身和血尾破血全用無效又云
全用和血大抵全用在參耆皆補血
在大黃牽牛皆能破血從桂附則熱從硝黃
則寒〇治頭疼欲裂當歸二兩酒一升煮取
六合飲至再服〇治心痛當歸為末酒服方
寸匕〇治小兒多患胎寒好啼晝夜不止因
此成當歸末一小豆大以乳汁灌之日夜三
四度服之〇治小便出血當歸四兩細剉酒
三升煮取一升頓服之〇治胎動下血心腹
疼死生不知服此湯活即不死即下用當歸
四兩芎藭九兩細剉以酒三升水四升煮取
三升分服〇治倒產子死腹中搗當歸末酒
服方寸匕〇治小兒臍風瘡久不差用當歸末傅之即效
〔太乙曰〕凡使先去蘆并頭尖硬處一分以來酒
浸一宿若要破血即使頭一節硬實處
若要止痛止血即用尾若一時用
不如不使服食無效單使妙也

〔芍藥〕臣
味苦酸氣微寒氣薄味厚陰也厚也陰
中之陽有小毒入手足太陰經没藥烏藥雷
丸為之使

為異至華比芎藭甚卑下根亦一種大抵雜名馬尾當歸細葉名蠶頭當歸大抵以肉厚而不枯者為勝【說】川歸力剛可攻秦歸力柔堪補凡資極病優劣當分畏薑藻蒲蒙惡蕳茹濕麵蘆頭去淨醇酒製精行表洗片時行上潰一宿体肥痰盛薑汁浸宿焙乾

## 芍藥

一名白木
一名餘容
一名犁食
一名解食

一名鋋生中岳川谷及丘陵今處處有之淮南者勝春生紅芽作叢莖上三枝五葉似牡丹而狹長高一二尺夏開花有紅白紫數種子似牡丹子而小秋時

【主治】療邪氣腹痛除血痺破堅積寒熱疝瘕利小便益氣通順血脉抑肝緩中扶陽收陰補血散惡血利大小腸通月水消癰腫發背瘡疼及下痢後必用之痢而腹中痛者炒用後重生用

○【補註】脾經之藥赤白因異製治不同赤芍藥色應南方能瀉能散生用正宜白芍藥色應西方能補能收酒炒纔妙若補虛酒浸日曝勿見火亦利小便去熱消癰腫破積堅止火盛眼疼要藥同和血脉緩中固腠理止瀉痢為血虛腹痛得炙甘草為佐治腹中痛夏月少加黃芩如惡寒而痛加肉桂又云治血虛腹痛蓋諸痛宜辛散芍藥酸收故也又產後不可便用以其酸寒伐生發之性也又血虛人禁用又云冬月減芍藥以避中寒治風毒骨髓疼痛芍藥一分虎骨一兩炙為末以絹袋盛酒三升漬五日每服三合日三服治五淋赤芍藥一兩檳榔一个麵裹煨為末每服一錢匕水一盞煎七分空心服治金瘡血不止痛白芍藥一兩熬令黃杵細為散用酒或米飲下二錢並得初三服漸加治腎

採根亡亦有赤白二色崔豹古今注云芍藥有二種有草芍藥木芍藥木者花大而色深俗呼為牡丹非也又云牛亨問曰將離相別贈以芍藥何也答曰芍藥一名何離故相贈亦相招召贈以文無文無一名當歸欲忘人之憂則贈以丹棘丹棘一名忘憂使忘憂也欲蠲人之忿則贈以青裳青裳一名合歡贈之使忘忿也張仲景治傷寒湯多用芍藥以其主寒熱利小便故也古人亦有单服食者安期生服練法云芍藥二種者金芍藥二者木芍藥救病用金芍藥色白多脂肉木芍藥色紫瘦多筋若取審看勿令差錯若取服餌採得淨刮去皮以東流水煎百沸出陰乾停三日又於

血衄血白芍藥一兩犀角末一分為末新水服一錢匕血止為限

【太乙曰】皮并頭土了剉之將蜜水拌蒸從巳至未曬乾用之

【茺蔚子】味辛甘氣微溫無毒又云味甘苦氣平無毒即益母草子俗呼為臭蔚之莖葉同功賦云明目益精療血逆頭痛心煩久服輕身治產後血脹多入眼科用

【主治】主明目益精除水氣療血逆大熱頭痛心煩【莖】主癮疹癢可作湯浴苗葉同功搗傳丁腫乳癰搗苗絞汁服消丁腫諸惡毒腫子死腹中產後血脹血暈小兒疳痢久服益精輕身草名益母

○【補註】端午連根拔收風際陰乾忌犯鐵器單用最效方載女科或研羅細末煉蜜為

木甑內蒸之上覆以淨黃土一日夜熟
出陰乾搗末以麥飲或酒服三錢每日
三服三百日可以登嶺絶穀不飢
白芍藥 臣 味苦酸性寒氣平有小毒賦
云扶陽氣大除腹痛收陰氣陟健脾經
胎能逐其血損其肝能緩其中又曰補
虛而生新血退熱尤良本草云能利小
便以腎主大小二便此藥益陰滋腎故
小便得通也湯液云腹中虛痛脾經也
非此不除補津液停濕之劑也惡石斛
畏硝石鱉甲小薊反藜蘆
赤芍藥 味苦性寒有小毒賦云破
血而療腹痛小解煩熱○赤白二芍藥
酒浸炒與白朮同用則能補脾同川芎
則能瀉肝同參芪則能補氣新產後不

○九或搗煎濃湯熬成膏汁總調治產諸証
血行氣有補陰之功故有益母之名去死胎
安生胎行瘀血生新血子味相同亦理胎前
善除目瞖易忘心煩治小兒疳瘡敷疔腫乳
癰汁滴耳中又主聤耳細剉炒馬齧
且制硫黃亦解此毒多服治癮疹下水治婦人
勒乳癰搗成麵益母為末水調塗乳上一宿自
差生搗爛用之亦得治產後血不下益母搗
絞汁每服一小盞入酒一合溫攪勻服○治
馬咬方益母草細切和醋炒封之○治小兒
疳痢痔疾以益母草葉煮粥食之取汁飲之
亦妙○新生小兒浴法用益母草五兩剉水
一斗煎十沸溫浴而不生瘡疥治癮子已破
用益母草傅愈妙○治婦人帶下赤白益母
草花開時采搗為末每服二錢食前溫湯調
下治產後血暈心氣絶益母草研絞汁服一
盞妙治小兒疳痢益
母草絞汁稍稍服
車前子 君 味甘鹹氣寒無毒專入膀胱常山為
小便
主治 療泄精氣癃止痛利水道通小便淋瀝
明目養肝除濕痺治脬精心煩下氣催利小便

宜便服伏似與白术同二八月收取

茺蔚子

一名益母
一名益明
一名大札
一名貞蔚

生海濱池澤今處處有之園圃及田野生者極多形細長三稜莖葉上節節生花實似雞冠子黒色五月採又云九月採實医方中稀見用實者唐天后鍊益母草澤面法五月五日採根苗具者勿令着土暴乾擣羅以水和之令極熟團之如雞子大再暴乾作一鑪四傍開竅上下置火安藥中央大火燒一炊久即去大火留小火養之勿令絕經一伏時出之瓷器中研細篩再研三日收用效

而不走氣與茯苓同功明目療肝風心衝目赤痛杀肺強陰益精令人有子又治婦人産難為末酒服之莖及根味甘鹹性寒平無毒主金瘡止血衄鼻瘀血血瘕下血小便赤澁小便遺精白濁除小蟲久服輕身延年耐老

〇補註　治久患內障眼車前子乾地黃麥門冬等分為末蜜丸如梧桐子大服累試有效治陰痒痛車前子以水三升煮三沸去滓洗痒痛瘍治小便不通車前子草一斤水三升煎取一升半分三服治石淋車前子弍升以絹囊盛水八升煮取三升小食服之須臾石下治妊娠患淋小便澁水道熱不通車前子五兩葵根切一升以水五升煎取一升半分三服治橫生不可出用子為末酒服二錢匕治瀉用子為末米飲下一錢效〇治熱痢不止者擣車前葉絞汁一盞入蜜一合煎溫分二服〇治尿血車前草擣絞取汁五合空心服之

太乙曰　凡使湏一窠有九葉內有藥莖可長一尺三寸者和藥葉根去土了稱有一鎰

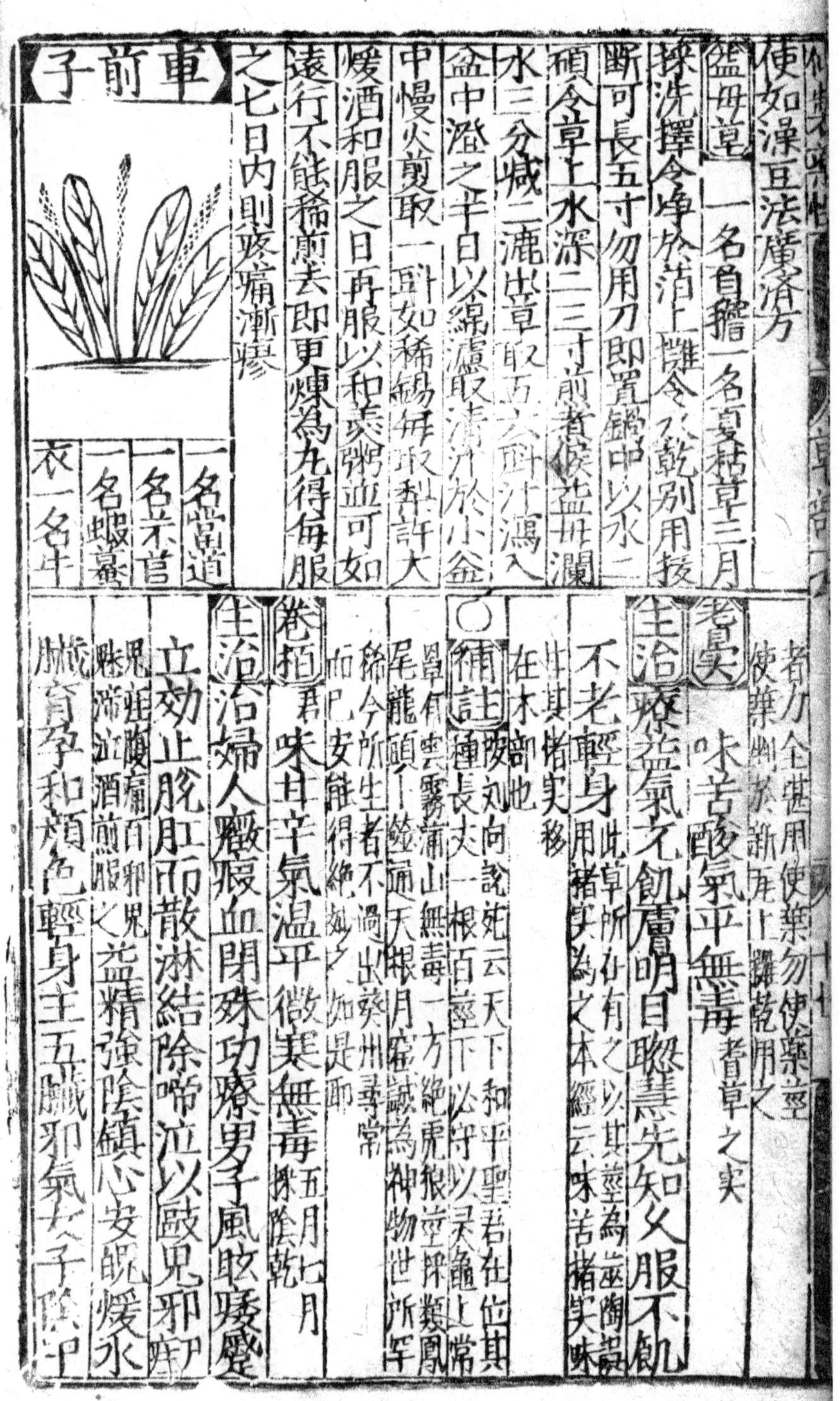
使如澡豆法釐濟方
益母莧　一名自揣一名夏枯草三月
採洗擇令淨於箔上攤令乾別用援
斷可長五寸勿用刀即置鍋中以水二
碩令草上水深二三寸煎煮候益毋爛
水三分減二漉出草取五六斗汁瀉入
盆中澄之半日以綿濾取清汁於小釜
中慢火煎取一斗如稀餳每取梨許大
煖酒和服之日再服以和羹粥並可如
遠行不能稀煎去即更煉為丸得每服
之七日內則疼痛漸瘳

車前子

一名當道
一名芣苢
一名蝦蟇
衣一名牛

者力全堪用使藥勿使藥莖
使葉剉於新瓦上攤乾用之
蓍實　味苦酸氣平無毒　蓍草之实
主治　療益氣充飢膚明目聰慧先知久服不飢
不老輕身　此草所在有之以其莖為筮陶說
用諸實為之本經云味苦諸實味
生其諸實移
在木部也
補註　按刘向說苑云天下和平聖君在位其
種長丈一根百莖下必守以灵龜上常
罩有雲霧蒲山無毒一方絕虎狼莖採類鳳
尾龍頭一蓋通天根月窟誠為神物世所罕
稀今所生者不過出蔡州尋常
而已安能得絕類如是耶
卷柏　君　味甘辛氣溫平微寒無毒　採陰乾　五月七月
主治　治婦人癥瘕血閉殊功療男子風眩痿躄
立効止脫肛而散淋結除啼泣以敺兒邪疰
兒疰腹痛百邪鬼魅啼泣酒煎服之　益精強陰鎮心安魄煖水
臟育孕和顏色　經　輕身主五臟邪氣女子陰中

遺一名勝舄生真定平澤在陵阪道中今江湖淮甸近京北地處處有之春初生苗布地如匙面累年者長及尺餘如鼠尾花甚細青色微赤結實如葶藶赤黑色五月五日採陰乾今人五月採苗七八月採實人家園圃中或種之蜀中不尚北人取根日乾作紫菀賣之甚誤所用駐景丸用車前子菟絲子二味蜜丸食下服古今以為奇方今種子方內所製五子衍宗丸枸杞菟絲五味覆盆斯亦列其名者蓋由得此說也

蓍實

蓍實生少室山谷今蔡州上蔡縣白龜祠

寒熱漏絕孕頭中風止欬逆久服令人好容貌生用破血炙用止血

補註　藥性論云卷栢根能治月經不通更除面外頭風

蒲黃　君　味甘氣平無毒生用則破血消腫炒用則能補血止血忌鐵惟用紙炒

主治　療心腹膀胱寒熱利小便消瘀血行血治一切吐衄血通經脈墮胎止女子崩漏帶下主痢血尿血唾血尿血撲血血癥月候不勻排膿瘡癤心腹疼下乳汁產後諸血病止洩精血痢腸風瀉血兒枕急痛除腹痛久服輕身益氣力延年

○補註　治重舌舌上生瘡延出以蒲黃傅之不過三度差○因小便久致胞轉以蒲黃裹腰腎令頭致地三度通○丈夫陰下濕痒蒲末傅之三四良○若血內漏者蒲黃二兩

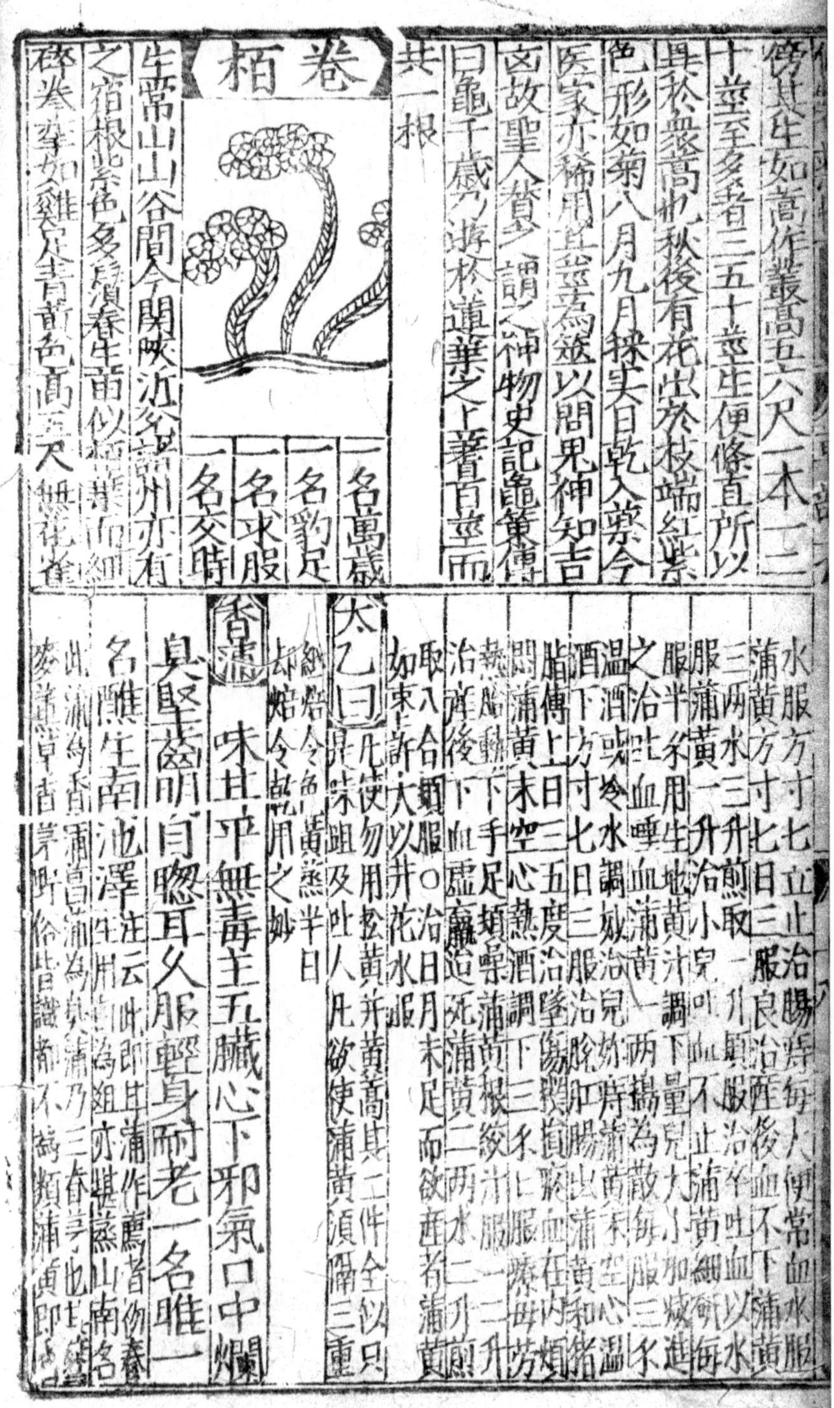

傍其生如蒿作叢高五六尺一本一二十莖至多者三五十莖生便條直所以異於衆蒿也秋後有花出於枝端紅紫色形如菊八月九月採實日乾入藥今醫家亦稀用其莖為筮以問鬼神知吉凶故聖人贊之謂之神物史記龜策傳曰龜千歲乃遊於蓮葉之上蓍百莖而共一根

一名萬歲
一名豹足
一名求股
一名交時

卷栢

生常山山谷間今關陝沂兖諸州亦有之宿根紫色多鬚春生苗似栢葉而細碎拳攣如雞足青黃色高三五寸無花子

水服方寸匕立止治腸痔每大便常血水服蒲黃方寸匕日三服良治産後血不下蒲黃三兩水三升煎取一升頓服治卒吐血以水服蒲黃一升治小兒吐血不止蒲黃細研每服半錢用生地黃汁調下量兒大小加減進之治吐血唾血蒲黃一兩搗為散每服三錢溫酒或冷水調妙治兒妳痔蒲黃末空心溫酒下方寸匕日三服治脫肛腸出蒲黃和豬脂傅上日三五度治墜傷撲損瘀血在內煩悶蒲黃末空心熱酒調下三錢匕服療姙娠熱胎動下手足頻舉蒲黃根絞汁服一二升治産後下血虛羸迨死蒲黃二兩水二升煎取八合頓服○治日月未足而欲産者蒲黃如棗許大以井花水服

太乙曰　凡使勿用松黃并黃蒿其二件全似只是味跙及吐人凡欲使蒲黃須隔三重紙焙令色黃蒸半日却焙令乾用之妙

香蒲　味甘平無毒主五臟心下邪氣口中爛臭堅齒明目聰耳久服輕身耐老一名睢一名醮生南海池澤注云此即甘蒲作薦者俗春此蒲為香蒲菖蒲為臭蒲乃三春言也此麥并草香岸野俗皆識者不識類蒲黃即

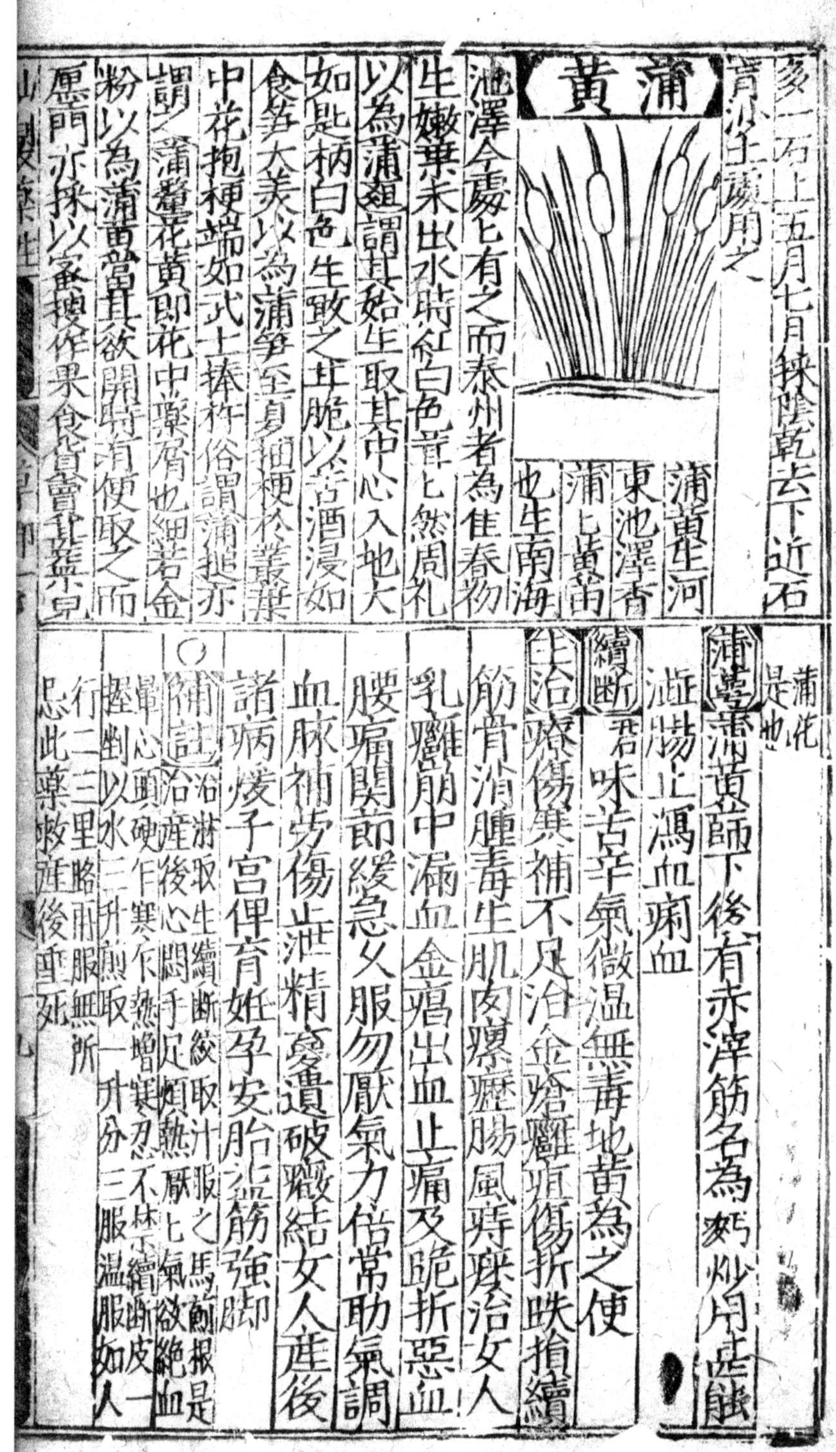

多一石上五月七月採陰乾去下近石
胃小生薑用之

## 蒲黃

蒲黃生河
東池澤者
蒲之黃苗
也生南海

池澤今處處有之而泰州者為佳春初
生嫩葉未出水時紅白色茸茸然周礼
以為蒲葅謂其始生取其中心入地大
如匙柄白色生啖之甘脆以苦酒浸如
食筍大美以為蒲筍至夏抽梗於叢葉
中花抱梗端如武士捧杵俗謂蒲槌亦
謂之蒲蓽花黃即花中蘂屑也細若金
粉以為蒲黃當其欲開時有便取之而
廛門亦採以蜜搜作果食貨賣甚益小兒

蒲花
是也

【蒲黃】薦蒲黃篩下後有赤滓筋名為蘀炒用止[illegible]
澀腸止瀉血痢血

【續斷】君　味苦辛氣微溫無毒地黃為之使

【主治】療傷寒補不足治金瘡癰疽傷折跌損續
筋骨消腫毒生肌肉瘰癧腸風痔瘻治女人
乳癰崩中漏血金瘡出血止痛及跪折惡血
腰痛關節緩急久服勿厭氣力倍常助氣調
血脉補勞傷止泄精尿血遺破瘕結女人產後
諸病縮子宮俾育妊孕安胎治溫筋強腳

○【補遺】治猘犬咬取生續斷絞取汁服之馬薊根是
治產後心悶手足煩熱厭厭氣欲絕血
暈心頭硬作寒作熱增寒忍不禁續斷皮一
握剉以水三升煎取一升分三服溫服如人
行二三里路再服無所
忌此藥救產後垂死

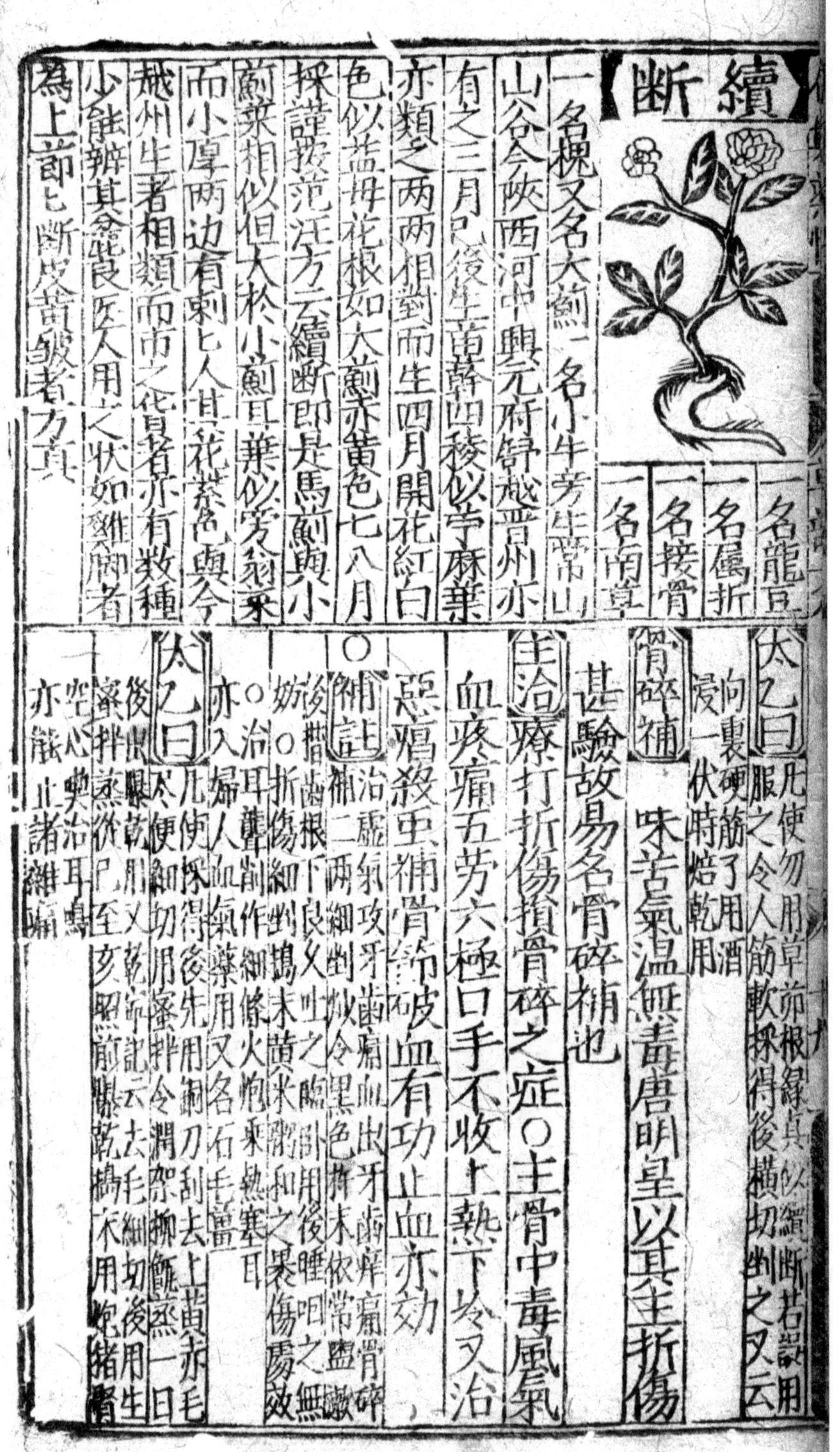

## 續斷

一名龍豆
一名屬折
一名接骨
一名南草

一名槐又名大薊一名小牛旁生常山山谷今陝西河中興元府舒越晉州亦有之三月已後生苗幹四稜似苧麻葉亦類之兩兩相對而生四月開花紅白色似益母花根如大薊赤黃色七八月採謹按范汪方云續斷即是馬薊與小薊葉相似但大於小薊耳葉似旁翁菜而小厚兩邊有刺七人其花紫色與今越州生者相類而市之貨者亦有數種少能辨其粗良医人用之狀如雞脚者為上節節斷皮黃皺者力真

【太乙曰】凡使勿用草茆根緣真似續斷若誤用服之令人筋軟採得後橫切剉之又云向裏硬筋了用酒浸一伏時焙乾用

【骨碎補】味苦氣溫無毒唐明皇以其主折傷甚驗故易名骨碎補也

【主治】療打折傷損骨碎之症○主骨中毒風氣血疼痛五勞六極口手不收上熱下冷又治惡瘡殺虫補骨節破皮血有功止血亦効

○【補註】治虛氣攻牙齒痛血出牙齒痒痛骨碎補二兩細剉炒令黑色擣末依常盥漱後揩齒根下良久吐之臨卧用後睡咽之無妨○折傷細剉搗末黃米粥和之裹傷處效○治耳聾削作細條火炮乘熱塞耳亦入婦人血氣藥用又名石毛薑

【太乙曰】凡使採得後先用銅刀刮去上黃赤毛盡便細切用蜜拌令潤架柳甑蒸一日後出曬乾用又乾[illegible]記云去毛細切後用生蜜拌蒸從巳至亥照前曬乾擣末用炮豬腎空心食治耳鳴亦能止諸雜痛

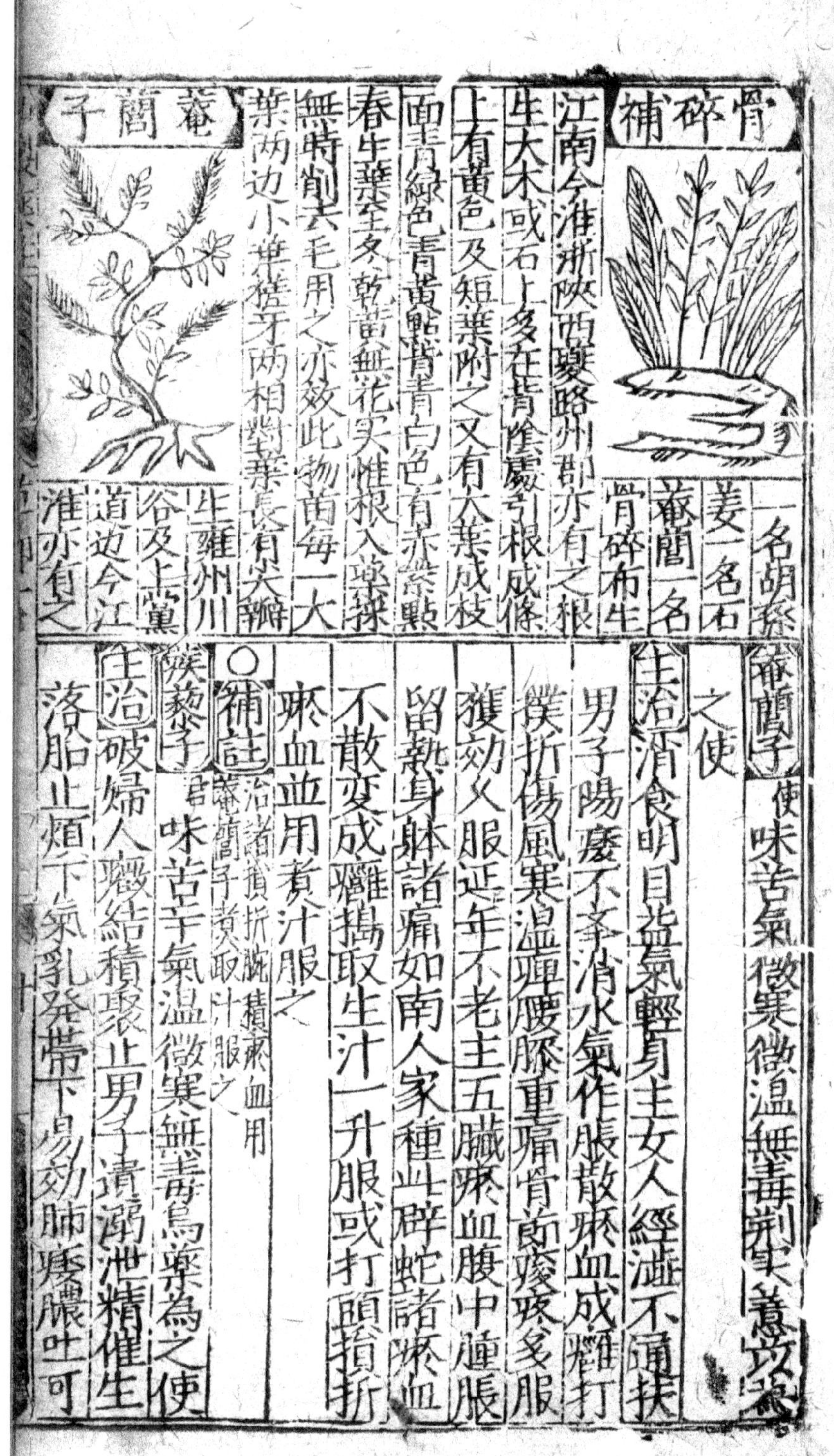

骨碎補

江南今淮浙陝西夔路州郡亦有之根生大木或石上多在背陰處引根成條上有黃色及短葉附之又有大葉成枝面青綠色青黃點背青白色有赤紫點春生葉至冬乾黃無花實惟根入藥採無時削去毛用之亦效此物苗每一大葉兩边小葉槎牙兩相對葉長有尖瓣

一名胡孫姜一名石菴蕳一名骨碎布生

菴蕳子

生雍州川谷及上黨道边今江淮亦有之

菴蕳子　使　味苦氣微寒微溫無毒荊實薏苡為之使

主治　消食明目益氣輕身主女人經滯不通扶男子陽痿不舉消水氣作脹散瘀血成癰打撲折傷風寒濕痺腰膝重痛骨節疼痰多服獲効久服延年不老主五臟瘀血腹中癰脹留熱身躰諸痛如南人家種此辟蛇諸瘀血不散变成癰搗取生汁一升服或打頭損折瘀血並用煮汁服之

○補註　治諸損折腕積瘀血用菴蕳子煮取汁服之

蒺藜子　君　味苦辛氣溫微寒無毒烏藥為之使

主治　破婦人癥結積聚止男子遺溺泄精催生落胎止煩下氣乳癸帶下易効肺瘻膿吐可

春生苗葉如艾蒿高二三尺七月開花八月結實十月採實陰乾今人通以九月採江南人家多種辟蛇

## 蒺藜子

一名旁通　一名屈人　一名止行　一名豺羽

一名升推一名蒺藜一名茨生馮翊平澤或道傍生之七月八月採實暴乾又冬採黃白色類軍家鐵蒺藜山種白蒺藜今生同州沙苑牧馬草地最多而近道亦有之綠葉細蔓綿布沙上七月開花黃紫色如豌豆花而小九月結實作莢子便可採其實味甘而微腥褐綠色與蠶種子相類而差大又與馬薸子酷

瘕療双目赤疼瞖生不已治遍身白癜瘙癢難當除喉痺頭瘡消癰癧陰汗久服瑅斷穀食輕身明目葉煮湯浴亦去風癢主惡血乳難頭痛欬逆傷肺小兒頭瘡癰腫溺血久服長生長肌肉輕身

○補註治白癜風取白子生搗為末酒調服之又收花陰乾為末每服二三錢飯後溫酒調服治急引腰脊痛搗末蜜和丸如胡豆大二九酒調日三服○補肝散治三十年失明及蚘蟲攻心如刺吐清汁並七月七日採陰乾搗為末食後水服方寸匕○治腫蒺藜子一升熬令黃搗篩以麻油和如泥炒令焦黑以塗故布上剪如腫大勿開頭治上治一切丁腫蒺藜子一升作灰以釅醋和封頭上如破塗之佳○鯖魚小兒蠼螋瘡繞身匝即死以蒺藜搗汁傅之無葉用子亦可○塗瘡腫蒺藜蔓洗三寸截之以水五升煮取二升去滓内銅器中又煮取一升内小器中如稀糖下取瘡腫上○治遍身風癢生瘡以蒺藜子苗煮湯洗之立差千金翼同

相類但馬藍莖微大不堪入藥須細辨
之不問黑白但取堅實者舂去皮用

## 地膚子

一名地葵
一名地麥
一名落帚
生荊州平

澤及田野今蜀川關中近地皆有之初生薄地五六寸根形如蒿莖赤葉青大似荊芥苗名鉄掃帚三月開黃白花八月九月採實類蠶紗青白色陰乾用神仙七精散云地膚子星之精也其苗即獨掃也一名鷄舌草陶隱居謂莖苗可為掃篲蘇恭云苗極弱不能勝舉二說不同而今醫家使以為獨掃是也密州所上者其說益明云根作叢生每窠有



太乙曰：凡使採後亦揀擇了蒸從午至酉出曝乾於木臼中舂令皮上刺盡用酒拌再蒸從午至酉出日乾用

地膚子　味苦氣寒無毒

主治：專利水道去熱膀胱多服益精強陰補中益氣久服明目聰耳輕身耐老浴身卻皮膚瘙癢熱疹洗眼除熱暗雀盲澀痛散惡瘡疝瘕主治瀉諸痢葉搗絞汁服之又散諸惡瘡毒泄瀉分滲血痢甚毆

○補註：與陽起石同服療陰痿補益氣力治陰卵潰爛治目痛及眯忽中傷因有熱暗者用子取白汁注目中。○療手足煩疼地膚子草三兩水四升煮取二升半分三服日一劑。治積年久病腰痛有時發動六月七月取子乾末酒服方寸匕日五六服。○治妊娠患淋小便數去少忽熱痛酸索手足疼煩地膚子十二兩切以水四升煎取二升半分溫三服。○療小便數多或熱痛酸楚手足煩疼地膚草三兩以水四升煎取二升半分溫三服。

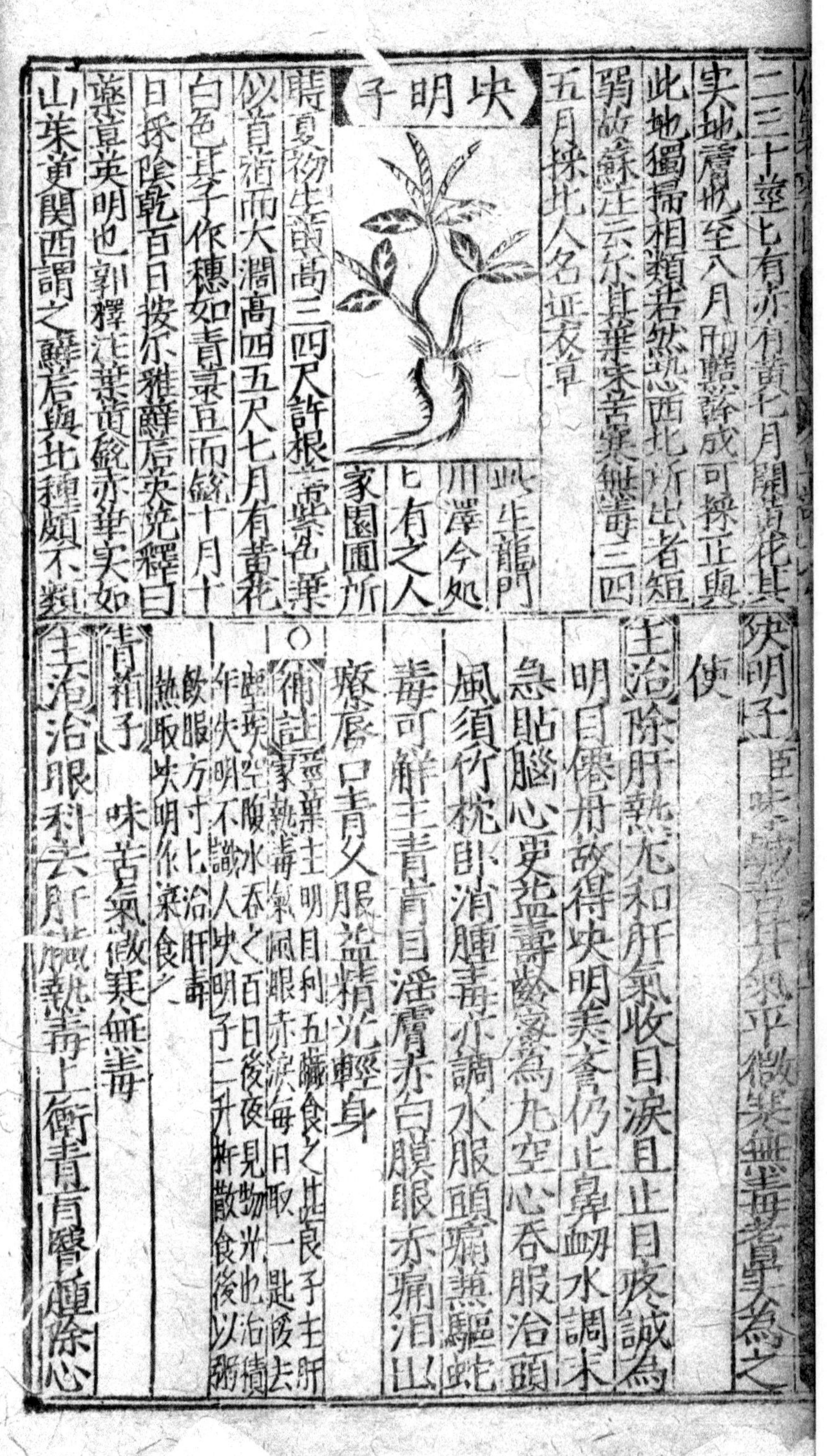

二三十莖七有亦有黄七月開黄花其実地膚欲至八月別黠蘚成可採正與此地獨掃相類若然恐西北所出者短弱故蘇注云亦其葉味苦寒無毒三四五月採此人名巠衣草

决明子

[illegible]生龍門川澤今処処有之人家園圃所蒔夏初生苗高三四尺許根帶紫色葉似苜蓿而大濶高四五尺七月有黄花白色其子作穗如青菉豆而鋭十月十日採陰乾百日按尔雅蘚若英莌釋曰藥草英明也郭璞注葉黄鋭赤華实如山茱萸關西謂之蘚若與此種頗不類

决明子 臣 味鹹苦甘 氣平微寒 無毒 蓍實為之使

主治 除肝熱尤和肝氣 收目淚且止目疼 誠為明目僊丹 故得决明美誉 仍止鼻衄 水調末急貼腦心 要益壽齡 盞為九空心呑服 治頭風須竹枕 卧消腫毒 亦調水服 頭痛蒸驅蛇毒可觧 主青盲目淫膚赤白膜 眼赤痛淚出 療唇口青 久服益精光 輕身

○衍註 蔓藥主明目利五臟食之甚良子主肝家熱毒氣風眼赤淚每日取一匙挼去塵埃空腹水呑之百日後夜見物光也治積年失明不識人决明子二升杵散食後以粥飲服方寸匕治肝毒熱服决明作菜食之

青葙子 味苦 氣微寒 無毒

主治 治眼科云肝臟熱毒上衝青盲瞖瘴除心

又有一種馬蹄决明葉如江豆子形似馬蹄故得此名豆者惡大麻子其實决明是蜂蛤類當在蟲獸部中

## 青葙子

一名草蒿
一名萋蒿
生平谷道傍今江淮州郡近道亦有之二月內生青苗長三四尺葉潤似柳軟莖似蒿青紅色六月七月內生花上紅下白形類雞冠子黑光而扁有似莨菪粒同莧實根似蒿根而白直下獨莖生根六月八月採子又有一種花黃名陶珠術苗亦相似恐不堪用之

經火邪暴發赤障昏花堅筋骨鎮肝益腦髓聰耳治三蟲惡瘡疥蟲生痔蝕下部䘌瘡

【莖葉】亦如春採陰乾治風熱瘙癢於皮膚瘡疥痔蟲䘌於下部止金瘡其血塞鼻衄來紅子名草决明療脣口青治肝臟熱毒衝眼赤障

明目鎮肝

○【補註】治鼻衄出血不止以青葙子汁三合灌鼻中○昔三国志魏略初平中有青牛先生常服青葙子年如五六十者人或識之謂其已百歲有餘耳○青葙子經中並不言治眼藥性論始言之能治肝臟熱毒衝眼赤障青盲翳腫亦云理眼日華子云益腦髓明耳目鎮肝今人多用治眼殊不與經意相當

【太乙曰】凡用勿使思蕒子并鼠細子其二件真似青葙子只是味不同其思蕒子味粗煎之有涎凡用先燒鐵臼杵單擣用之

【編户】君　味苦鹹氣寒無毒連翹為使行足陽明

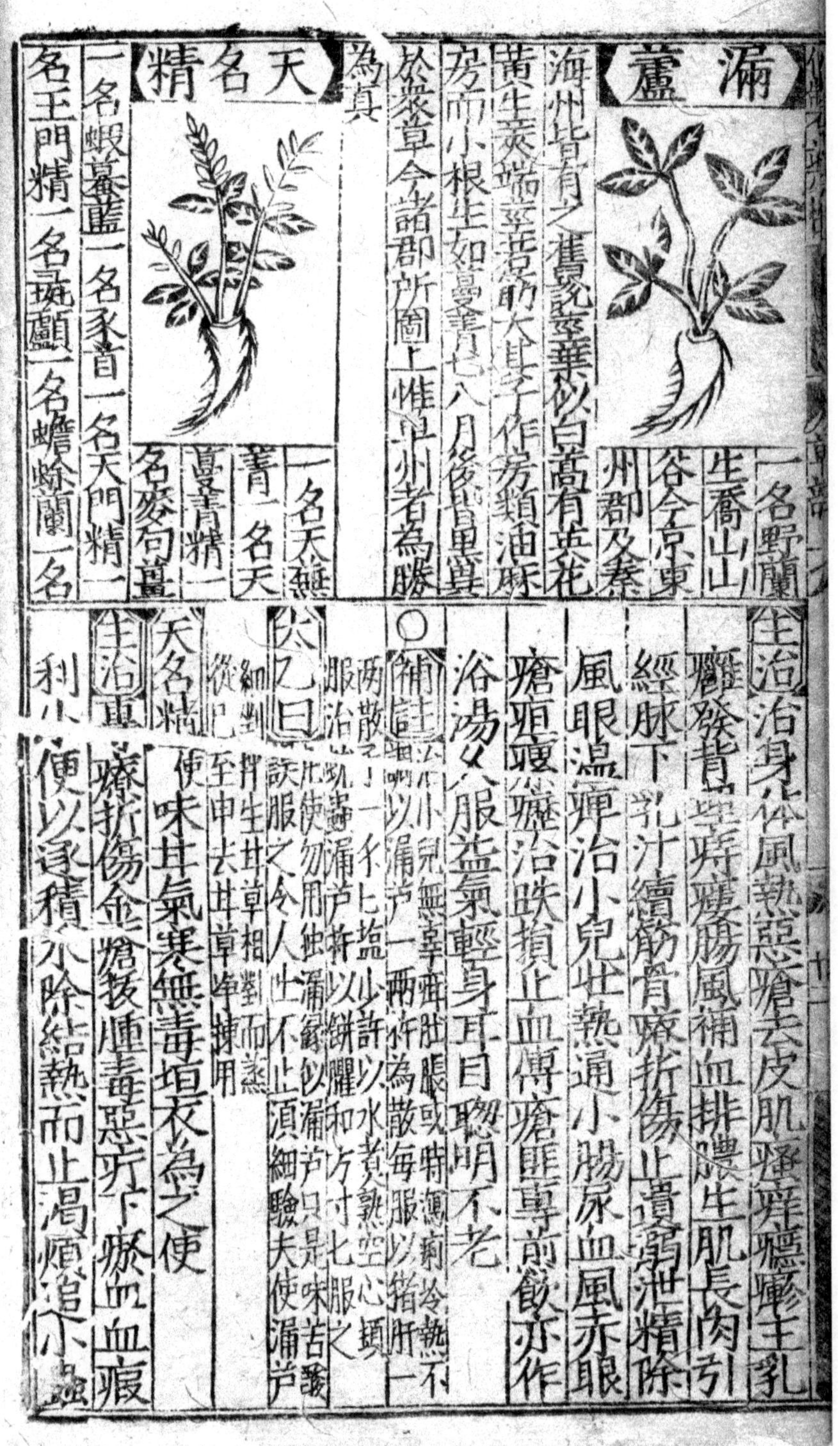

漏蘆

一名野蘭生喬山山谷今京東州郡及秦海州皆有之舊説莖葉似白蒿有莢花黄生莢端莖若箸大其子作房類油麻房而小根生如蔓菁七八月後皆黒異於衆草今諸郡所圖上惟單州者為勝為真

【主治】治身上体風熱惡瘡去皮肌瘙痒瘾疹主乳癰發背痔瘻腸風補血排膿生肌長肉引經脉下乳汁續筋骨療折傷止遺溺泄精除風眼濕痺治小兒壯熱通小腸尿血風赤眼瘡疽瘰癧治跌損止血傳瘡匪尊煎飲亦作浴湯久服益氣輕身耳目聰明不老

○【補註】治小兒無辜疳肚脹或時瀉痢冷熱不調以漏芦一兩杵為散每服以豬肝一兩散子一錢匕鹽少許以水煮熟空心頓服治蛔蟲漏芦杵以餅臛和方寸匕服之

【附乙曰】此使勿用鉄漏蘆以漏芦只是味苦酸誤服之令人吐不止須細驗夫使漏芦細剉拌生甘草相對而蒸從巳至申去甘草净揀用

天名精

一名天蔓青一名天蔓青精一名麥句薑一名蝦蟆藍一名豕首一名天門精一名玉門精一名彘顱一名蟾蜍蘭一名

【天名精】味甘氣寒無毒垣衣為之使

【主治】療折傷金瘡發腫毒惡瘡下瘀血血瘕利小便以逐積水除結熱而止渴煩逆小蟲

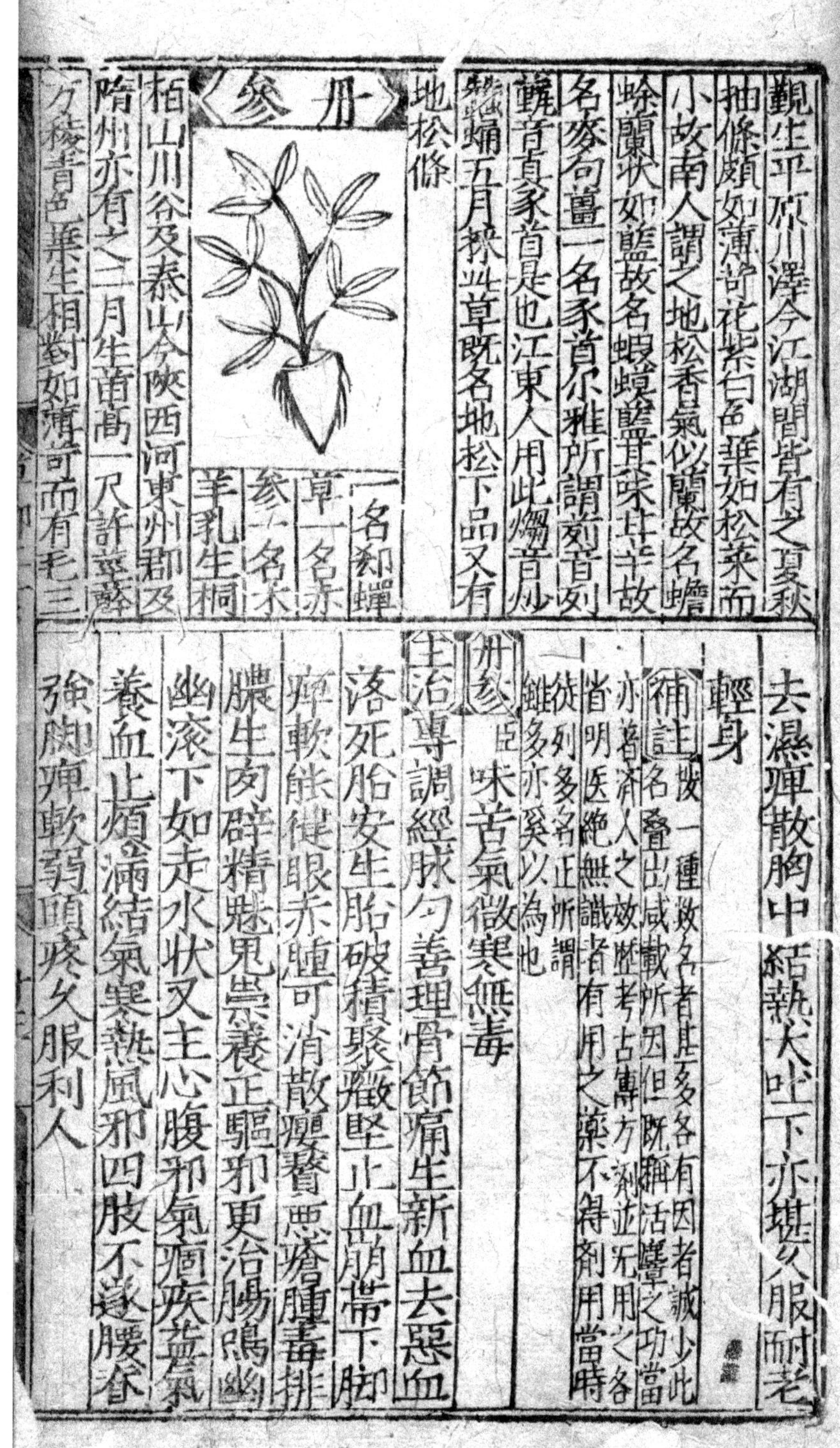

覲生平原川澤今江湖間皆有之夏秋抽條頗如薄荷花紫白色葉如松葉而小故南人謂之地松香氣似蘭故名蟾蜍蘭狀如藍故名蝦蟆藍其味辛故名麥句薑一名豕首爾雅所謂菟音刻蘢音貞豕首是也江東人用此爛音炒蟾蜍蝻五月採此草既名地松下品又有地松條

去濕痹散胸中結熱大吐下亦堪久服耐老輕身

補註 按一種數名者甚多各有因者誠少此名疊出咸載所因但既辨活譬之功當亦著濟人之效僅考古傳方劑並宜用之各皆明医絕無識者有用之藥不得剤用當時徒列多名正所謂雖多亦奚以為也

## 丹參



一名郄蟬草一名赤參一名木羊乳生桐栢山川谷及泰山今陝西河東州郡及隋州亦有之二月生苗高一尺許莖幹方稜青色葉生相對如薄荷而有毛三

丹參 臣 味苦氣微寒無毒

主治專調經脉匀善理骨節痛生新血去惡血落死胎安生胎破積聚癥堅止血崩帶下脚痺軟能健眼赤腫可消散癭贅惡瘡腫毒排膿生肉辟精魅鬼祟養正驅邪更治腸鳴幽幽滚下如走水狀又主心腹邪氣痼疾煩氣養血止煩滿結氣寒熱風邪四肢不遂腰脊強脚痺軟弱頭疼久服利人

## 玄參

一名重臺　一名玄臺　一名鹿腸　一名正馬　一名咸　一名端

生河間及冤句今處處有之二月生苗葉似脂麻又如槐柳細莖青紫色七月開花青碧色八月結子黑色亦有白花莖方大紫赤色而有細毛有節若竹者高五六尺葉如掌大而尖長如鋸齒其根尖長生青白乾即紫黑新者潤膩一根可生五七枚三月八月九月採暴乾或云蒸過日乾陶隱居云道家時用合香今人有傳其法以玄參甘松香各杵末均秤分兩盛以大酒瓶中投白蜜漬令瓶七八分瓷封緊頭

【玄參】使　味苦鹹　氣微寒　無毒　足少陰腎經君藥

【上治】惟療陰益精補腎明目治傷寒身熱支滿忽忽如不知人療溫瘧寒熱往來灑灑時常發顫除女人產乳餘疾祛男子骨蒸傳尸逐腸內血瘕堅癥散頸下痰核癰腫蓋此乃樞机之劑管領諸氣上下肅清而不致濁治空中氤氳之氣散無根浮遊之火惟此為最主暴中風腹中積聚除鬱氣下水止煩定五臟心腹疼痛治傷寒勞復泯忘

〇【補註】治患勞人燒香法用玄參一斤甘松六兩為末煉蜜一斤和勻入甕瓶內封閉地中埋窖十日取出更用灰末六兩煉蜜六兩和令勻入瓶內封更窨五日取出燒令其鼻中常聞其香疾自愈治瘰癧經年久不差生玄參搗碎傅上日二易之

【太乙曰】凡採得後須用蒲草重重相隔入甑蒸兩伏時後出乾然使用時勿令犯銅餌

安釜中煮不住火一伏時止火候冷破
瓶取出再搗熟焙乾更用熟蜜和劑搽
盛瓷瓮埋地中旋取使入龍腦枝亦可以
熏衣惡黄耆長乾姜大棗山茱萸反藜蘆

紫參

一名牡蒙
一名衆戎
一名童腸
一名馬行

生河西及冤句山谷今河中解晉齊及淮
蜀州郡皆有之苗長一二尺根淡紫色
如地黄狀莖青而細葉亦青似槐葉亦
有似羊蹄者五月開細白色似葱花亦
有紅紫而似水葒者根皮紫黑肉紅白
色肉淺而皮深三月採根火炙令紫色
又云六月採曬乾用

之後嗌入喉長人目 揀去蒲草盡了用之

【紫參】使 味苦辛氣寒無毒

【主治】主心腹積聚寒熱邪氣通九竅利大小便
療腸胃大熱唾血衄血腸中聚血癰腫諸瘡
止渴益精心腹堅脹婦人血閉仲景治痢用
之

【補註】仲景治痢紫參湯主之紫參半斤甘草二兩以水五升煎紫參取二升內甘草煎取半升分溫三服

【茜草根】君 味苦氣寒陰中微陽無毒

【主治】瘀補中多蠱毒吐下血如爛肝治跌久損
傷凝積血成瘀塊虛熱崩漏不止勞傷吐衄
時來女子經滯不行婦人産後血暈及諸血
溢並進奇功除乳結爲癰理躰黄疸主

# 茜草根

一名地血
一名茹藘
一名茅蒐
一名蒨草

喬山山谷今近處皆有之茜絨草也許慎說文解字以為人血所生葉似棗葉而頭尖下濶三五對生節間其苗蔓延草木上根紫色陸机草木疏云茹藘茅蒐蒨草也齊人謂之茜徐州人謂之牛蔓二月三月採根暴乾今圃人或作畦種蒔故貨殖傳云巵茜千石亦比千乘之家言地利也陶隱居云此醫家用治蠱毒尤勝周禮庶氏掌除毒蠱以嘉草攻之干寶以嘉草為蘘荷陳藏器以為蘘荷與茜主蠱之最也

風痺不足膀胱久服輕身益精可以染絳
解蠱毒止血又入肝補中

【補註】治吐血不定茜草一兩用搗羅為散每服二錢水一大盞煎至七分放冷食後服之良○治心痹心煩心中熱以根煮服之○治中蠱毒或吐下血如爛肝茜草根蘘荷葉根各三兩切以水四升煮取二升去滓適寒溫頓服即愈

【太乙曰】凡使勿用赤柳草根真似茜根只是味酸澀不入藥中用若服令人患內障眼速服甘草水解之即毒氣散凡使茜根用銅刀於槐砧上剉日乾勿犯鐵并鉛

【茅根】臣　味甘氣寒無毒

【主治】下五淋利小便通血閉逐瘀血除客熱在腸胃止吐衄因傷勞主男子虛羸治婦女崩漏解渴堅筋補中益氣（苗）破血且下水腫（花）止血仍署金瘡又有茅針一名茅筍禁崩漏塞鼻洪腫毒未潰服之一針便潰一孔（屋茅）

# 茅根

即白茅菅
一名蘭根
一名茹根
一名地菅

一名地筋一名兼杜生楚地山谷田野今處處有之春生苗布地如針俗間謂之茅針亦可啖甚益小兒夏生白花茸茸然至秋而枯其根至潔白亦甚甘美六月採根用今人取茅針又有菅亦茅類也草木疏云菅似茅而滑無毛根下五寸中有白粉者柔韌宜為索漚之尤善其未漚者名野菅詩所謂白茅菅兮是此也入藥與茅等功效

陳久酒浸煎濃吐衂血來服亦即止爛茅得醬汁和研斑瘡蠶咬瘡可敷屋四角茅收治鼻洪尤驗取茅屋滴流水飲殺雲母石毒錐知○又種菅花止濕無毒亦止吐衂可貼久瘡

○〔補註〕療熱淋取白茅根四升剉之以水一斗五升煎取五升適冷煖飲之日三服○治竹木刺在肉中不出取白茅根燒末脂膏和塗之亦治因風致腫

〔僊茅〕味辛氣溫有毒

〔主治〕主心腹冷氣不能食療腰足攣痺不行丈夫虛損勞傷老人失溺無子扶元氣益腎補虛弱風冷益咽膈明耳目助陽道長精神久久服之通神強記傳云十斤乳石不及一斤僊茅亦表其功力耳誤服中毒舌脹者急以

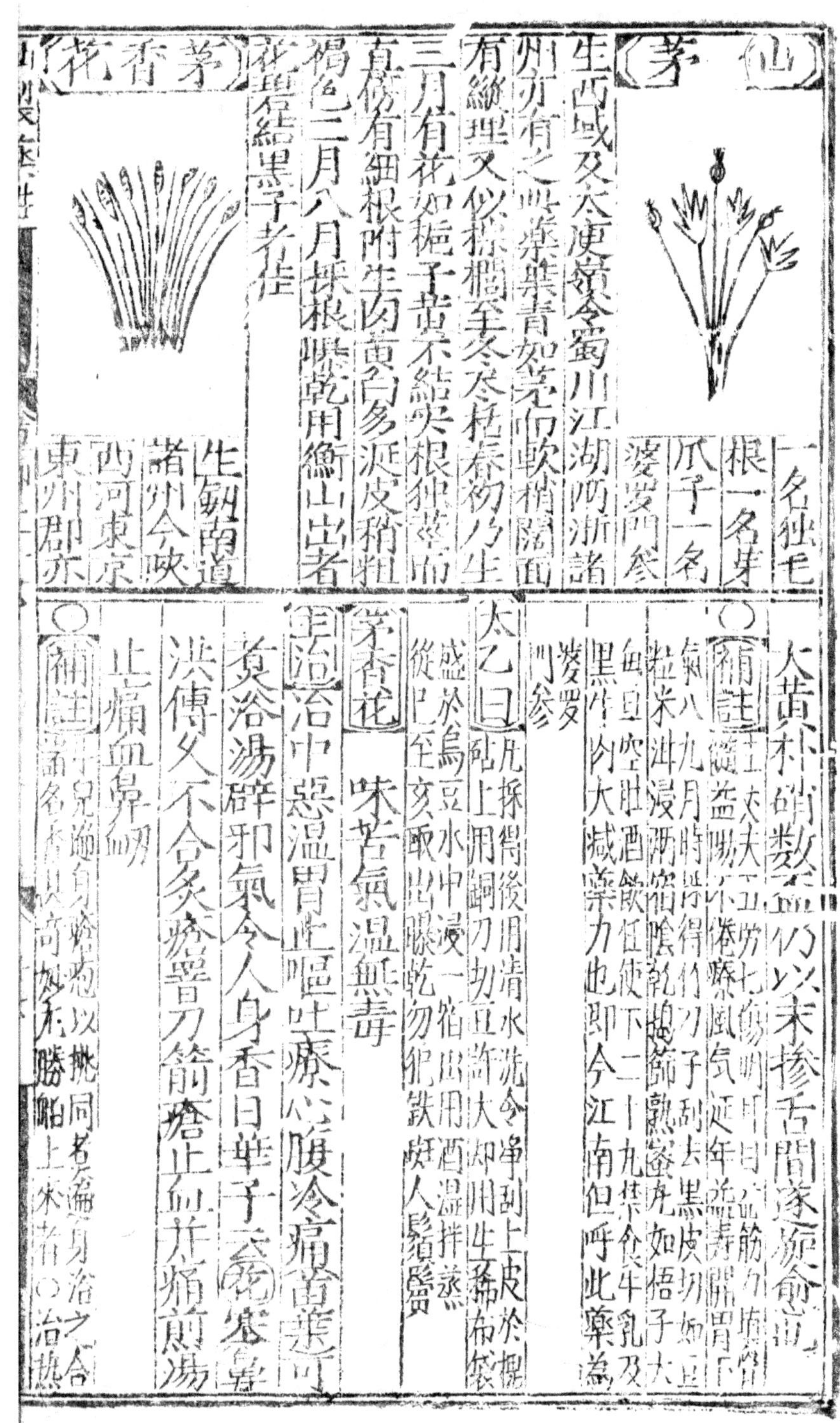

仙茅

生西域及大庾嶺今蜀川江湖兩浙諸州亦有之葉青如茅而軟稍闊面有縱理又似棕櫚至冬盡枯春初乃生三月有花如梔子黃不結實根獨莖而直傍有細根附生肉黃白多涎皮稍粗褐色二月八月採根曝乾用衡山出者花碧結黑子者佳

一名獨毛根一名茅爪子一名婆羅門參

茅香花

生劍南道諸州今陝西河東京東州郡亦

大黃朴硝數兩仍以末摻舌間遂瘥愈而

○補注續傳信方主五勞七傷明目益筋力填骨髓益陽不倦療風氣延年益壽開胃下氣八九月時採得竹刀子刮去黑皮切如豆粒米泔浸兩宿陰乾搗篩熟蜜丸如梧子大每旦空肚酒飲任使下二十九禁食牛乳及黑牛肉大減藥力也即今江南但呼此藥爲婆羅門參

太乙曰凡採得後用清水洗令淨刮上皮於槐砧上用銅刀切豆許大却用生稀布袋盛於烏豆水中浸一宿出用酒濕拌蒸從巳至亥取出曝乾勿犯鐵斑人鬚鬢

茅香花　味苦氣溫無毒

主治中惡溫胃止嘔吐療心腹冷痛苗葉可煮浴湯辟邪氣令人身香日華子云花塞鼻洪傅久不合灸瘡署刀箭瘡止血并痛煎湯止痛血鼻衄

○補注圖經主小兒遍身瘡疱以桃同煮湯遍身浴之合諸名香其奇妙尤勝舶上來者○治熱

有之三月生苗似大蓼五月開白花亦有黄花者或有結實者亦有無實者並正月二月採根五月採花八月採苗其莖葉黑褐色而花白者名曰茅香也

【艾葉】

艾葉舊不著所出州土但云生田野今處處有之以複道者爲佳云此種久百病在處初春布地生苗莖類蒿而葉背白以苗短者爲佳三月三日五月五日採葉曝乾經陳久方可用俗間亦生搗葉取汁飲止心腹惡氣古方亦用熟艾搨金瘡

【[illegible]牛草】[illegible]河[illegible]州山[illegible]間[illegible]皆[illegible]

淋及諸竹木刺在肉中不出者方見茅根下茅香花白根如茅但明潔而長皆可作浴湯同藁本木什仍入印香中合香附子用

【艾葉】使　味苦氣微温生寒熟熱温陰中之陽無毒

【主治】主灸百病亦可煎湯煎服宜新鮮氣則上達灸火宜陳久氣乃下行搗碎入四物湯安胎漏腹痛搗汁換四生飲止吐衄唾紅艾附丸同香附末醋糊丸開鬱結調月經温煖子宮使孕早結姜艾丸同乾姜末蜜丸厥冷氣去惡氣逐鬼邪氣燒煙久纏和研細雄黄熏下部䘌瘡濕痒及疥癬神效和蠟片紉子熏痢後寒熱急痛非常滿殊功作炷灸諸經穴不差醫[illegible]風濕毒不驗實取入藥令人有娠防水[illegible]煖腰膝明目

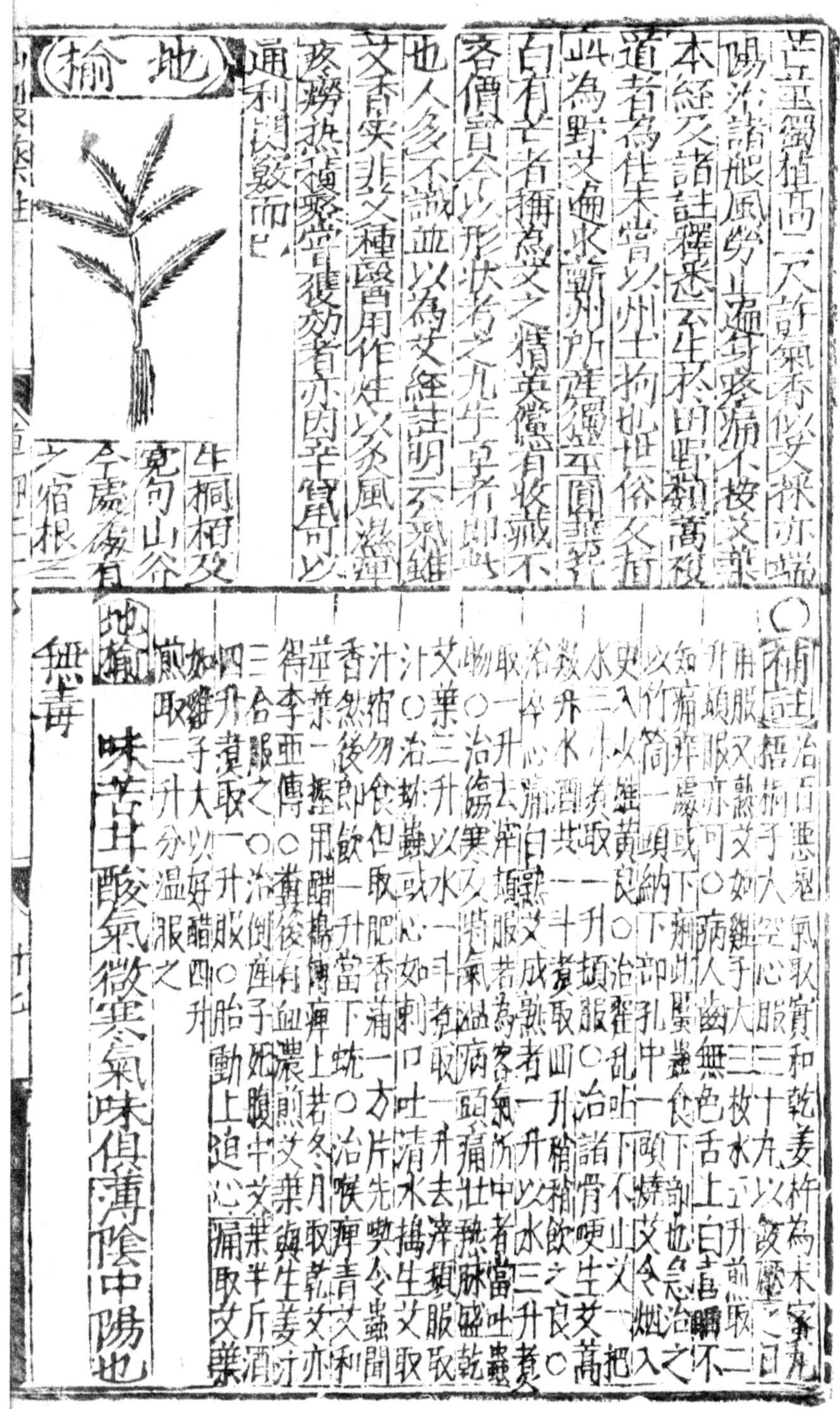

苦至鄧州順陽一尺許氣香似艾採亦端陽治諸般風勞止遍身疼痛不拘艾葉本經及諸註釋悉云生於田野類蒿複道者為佳未嘗以州土拘也世俗多指此為野艾遍求蘄州所產獨莖圓葉背白有芒者稱為艾之精英價昔收藏不吝價貴令以形狀者之九牛早者即此也人多不識並以為艾經註明云氣雖艾香實非艾種醫用作灶以灸風濕痺疼勞熱頑麻嘗獲効者亦因芒氣可以通利關竅而已

地榆

生桐栢及冤句山谷今處處有之宿根三

○補遺治百惡氣取實和乾姜杵為末蜜丸梧桐子大空心服三十丸以酒下一日用服又熱艾如雞子大三枚水五升煎取二升頓服亦可○病人齒無色舌上白或喉不知痛痒處或下部蟲蝕下部也急治之以竹筒一頭納下部孔中一頭燒艾令烟入吏入以雞黃良○治霍乱吐下不止艾一把水三小煮取一升頓服○治諸骨哽生艾蒿數升水酒共一斗煮取四升稍稍飲之良○治卒心痛白熟艾成熟者一升以水三升煮取一升去滓頓服若為客氣所中者當吐蟲物○治傷寒及時氣溫病頭痛壯熱脉盛乾艾葉三升以水一斗煮取一升去滓頓服取汁○治蚘蟲或心如刺口吐清水搗生艾取汁宿勿食但取肥香脯一方片先喫令蟲聞香熱後即飲一升當下蚘○治喉痺青艾和莖葉一握用醋搗傅痺上若冬月取乾艾亦得李亞傳○潰後有血膿煎艾葉與生姜汁三合服之○治倒産子死腹中艾葉半斤酒四升煮取一升服○胎動上迫心漏取艾葉如雞子大以好醋四升煎取二升分溫服之

地榆　味苦甘酸氣微寒氣味俱薄陰中陽也　無毒

月內生苗初生布地莖五高三四尺對分出葉，似榆少狹細長作鋸齒狀青色七月開花如椹子紫黑色根外黑裏紅似柳根二月八月採根乾葉不用山人之家尋採此葉作飲亦好其性沉寒入下焦熱血痢則可用若虛寒人及水瀉白痢則未可輕使如過毒蛇螫人可取地榆根擣取汁飲熱以漬惡熱瘡其汁釀酒能治風痹補腦

大小薊

大小薊葉皆刺似功力有殊雖係兩種氣味則一隨處田野俱生地平出者力勝蓋薊門以薊取名則可徵矣凡資治必

主治 鮮理血病惟治下焦止婦人胎前產後下崩中及月經不斷卻小兒瘡熱為痢惡肉蝕膿致積瘀時行塞痹瘻求紅赤腸風下血散乳痓愈金瘡

○補註 療下血二十年者取地榆鼠尾草各二兩水二升煮半煎頓服若小兒瘡痢亦單煮汁如飴服○治婦人漏下赤白不止令人黃瘦虛竭以地榆三兩細剉米醋一升煮十餘沸去滓食前稍熱服一合亦治吐血○代指逆腫單煮地榆作湯漬之半日愈○療虎犬咬人地榆根末服方寸匕日一二服傅瘡尤佳○治猘犬咬人煮地榆飲之兼末傅瘡上服方寸匕日三服忌酒若治瘡上服方寸匕已差者搗生韭汁三升服之兼末傅瘡

大小薊 味甘苦氣溫一云氣涼無毒

主治 主養精保血 大薊 破血排消腫毒吐衄唾咯立除沃漏崩中即止主女子赤白帶下活血安胎療癰疽腫金瘡出血瘀血又去蜘蛛蠍子咬毒

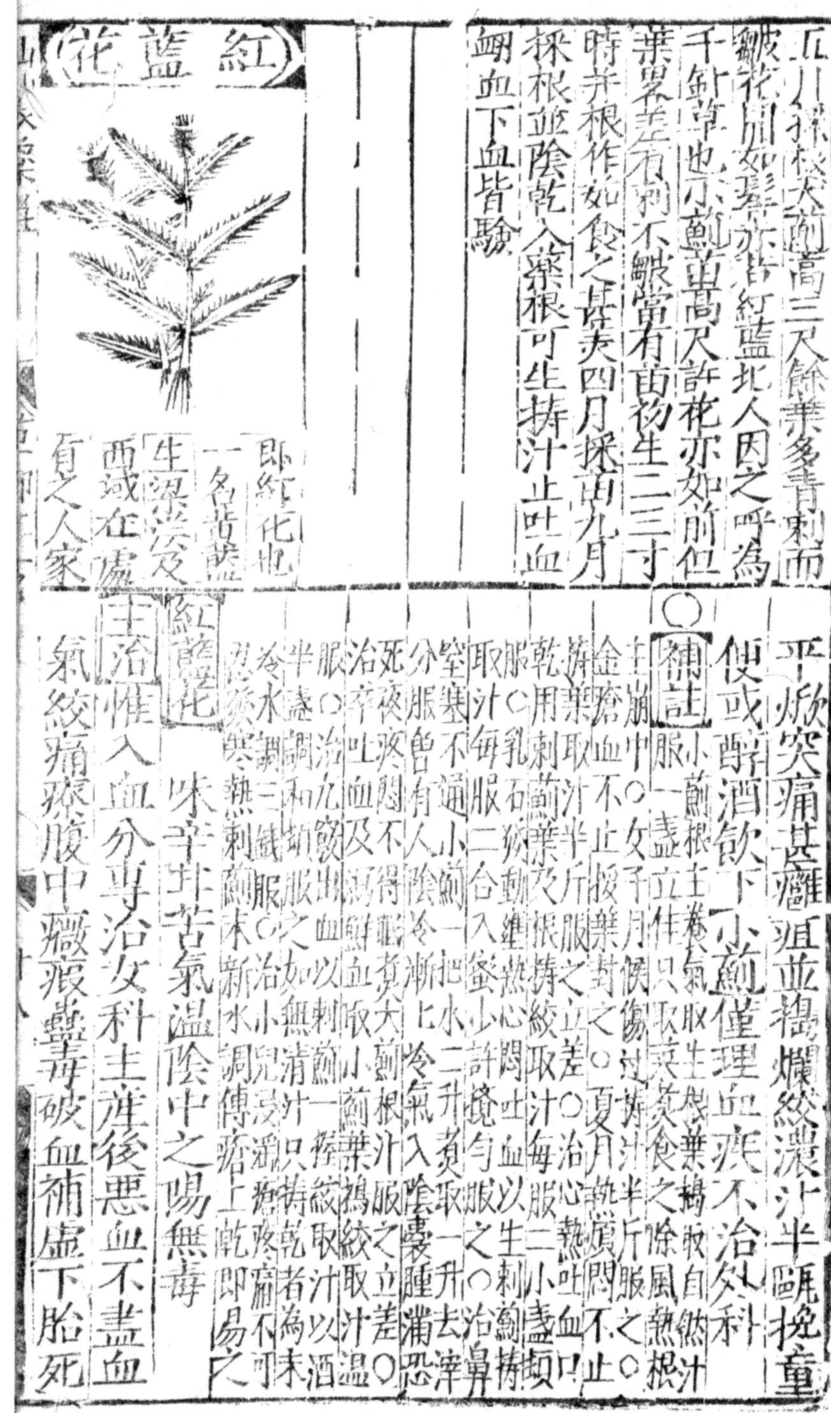

瓜川採[illegible]大薊高三尺餘葉多青刺而皺花朗如髻亦皆紅藍北人因之呼為千針草也小薊苗高尺許花亦如前但葉累差有刺不皺當有苗初生二三寸時并根作茹食之甚美四月採苗九月採根並陰乾入藥根可生擣汁止吐血衄血下血皆驗

紅藍花

即紅花也　一名黃藍

【生梁漢及西域在處有之人家】

平焮突痛甚癰疽並搗爛絞濃汁半甌挽童便或醇酒飲下小薊僅理血疾不治外科

〇【補註】小薊根主養氣取生根葉搗取自然汁服一盞立佳只取菜煮食之除風熱根主崩中〇女子月候傷过擣汁半斤服之〇金瘡血不止挼葉封之〇夏月熱煩悶不止擣葉取汁半斤服之立差〇治心熱吐血口乾用刺薊葉及根擣絞取汁每服二小盞頓服〇乳石發動壅熱心悶吐血以生刺薊擣取汁每服二合入蜜少許攪勻服之〇治鼻塞不通小薊一把水二升煮取一升去滓分服曾有人陰冷漸上冷氣入陰囊腫滿恐死夜疼悶不得眠煮大薊根汁服之立差〇治卒吐血及瀉鮮血取小薊葉搗絞取汁溫服〇治九竅出血以刺薊一握絞取汁以酒半盞調和頓服之如無清汁只擣乾者為末冷水調三錢服〇治小兒浸淫瘡疼痛不可忍發寒熱刺薊末新水調傅瘡上乾即易之

【紅藍花】味辛甘苦氣溫陰中之陽無毒

【主治】惟入血分專治女科主產後惡血不盡血氣絞痛臍腹中癥瘕蠱毒破血補虛下胎死

場圃所種冬而衍子於熱地至春生苗夏乃有花下作梂彙多刺花蘂出梂上圃人乘露採之採已復出至盡而罷梂中紅鬚白顆如小豆大其花曝乾以染真紅及作臙脂生產後血病爲勝其實亦同葉頗似藍故有藍名張仲景治六十二種風兼腹內血氣刺痛用此花一大兩分爲四分以酒一大升煎強半頓服之不止再服効

牡丹花

生巴郡山谷及漢中今丹延青越滁和州山中皆有之

腹中為末生聖藥療口噤血暈誠已產傷用多用則破血通經酒煮方妙少用則入心養血水煎却宜喉痺噎塞不通擣取生汁旋嚥天行痘瘡難出研細子末酒吞苗擣敷遊毒殊功作臙脂滴聤耳立効陰中之陽也

○【補註】治女子中風血熱煩渴者以紅藍子半斤微熬搗碎旦日取大匙以水一升煎取七合去滓細細嚥之○治喉痺壅塞不通者取花搗絞取汁一小升服之以差為度如冬月無濕花可浸乾者濃絞取汁服之極驗○治一切腫方以花熟爛搗取汁服之量腫大小而進之便差○治產後血暈心悶氣絕紅花一兩搗為末分作兩服酒二大盞煎取一盞并服如口噤斡開灌之子母秘錄同○治血暈絕不識人煩悶者紅花三兩新者佳無灰酒半升童便半升煮取一大盞去滓候冷頓服之新汲水煮之亦良

【牡丹】

木辛苦氣微寒陰中微陽無毒所貴治惟採根皮家園花千層根氣發奔無力山谷花

花有黄紫紅白數色此當是山牡丹其莖便枯燥黑白色二月於梗上生苗葉三月開花其花葉與人家所種者相似但花止五六葉耳五月結子黑色如雞頭子大根黄白色可五七寸長如筆管大二月八月採以銅刀劈去骨陰乾用此花一名木芍藥近世人多貴重圖人欲其花之詭異皆秋冬移接培以壤土至春盛開其狀百變故其根性殊失本真藥中不可用此品絶無力也牡丹主血乃去瘀滯用其根上皮花亦有緋者如西洛者鮮是也今禁苑又有深碧色者惟山中單葉花紅者為佳家種子次之若移接者不堪用[illegible]絲

单瓣根性无異有神（赤）專利多（白）兼補最入劑之際不可不知今市多取枝梗皮代充或採五加皮雜賣亦謬殊甚選擇宜精經入足腎少陰及手厥陰包絡

【主治】主寒熱中風瘈瘲安五臟虛勞勞氣腰疼除邪氣熱濕除火瘀癲疾血瀝下胎涼骨蒸不遺止吐衄必用除癥堅瘀血留舍於腸胃中散冷熱血氣攻作於生產後仍主神志不足更調經水欠勻治風癇定搐止驚療癰腫排膿住痛

○【補註】療傷損血瘀不散者取牡丹皮八分合宝蟲二十一枚熬過同搗篩每日溫酒和散方寸匕服血當化為水下○治蠱毒方取牡丹根搗為末服一錢匕日三服○下部生瘡已決潰者服牡丹方寸匕日三服

# 鬱金

鬱金本經不載所出州土蘇恭云生蜀地及西戎胡人謂之馬蒁今廣南江西州郡亦有之然不及蜀中者佳四月初生苗似薑黃花白質紅末秋出莖心無實根黃赤取四畔子根去皮火乾之古方稀用今小兒方及馬醫多用之謹按許慎說文解字云鬱芳艸也一云味苦性溫平無毒只十二葉為百藥之精英其花狀如紅藍採其花即是香也古人用鬱釀酒以降神今人用之以療病即此花草也

【雷公】曰凡使須採得後日乾用銅刀劈破去骨了細剉如大豆許用清酒拌蒸從巳至未

收　日乾　用

【鬱金】味苦氣寒純陰屬土與金有水無毒

【主治】療蠱野諸毒心氣鬼疰惡氣治女人宿血結聚止血金瘡涼心經下氣消腸毒生肌禁尿血除血淋熱嘔血氣作痛破血止吐血仍散積血歸經因性氣輕揚能致達酒氣於高遠如龍涎無香能散達諸香之氣耳為輕揚之性治鬱遏殊奇名由此得會載本經

○【補遺】治尿血不定以一兩搗為末葱白一握相和以水一大盞煎至三合去滓溫服日三服○治風痰鬱金一分藜蘆十分各為末和令勻每服一字用溫漿水一大盞先以少漿水調下餘者水漱口都服便以食壓之○治陽毒入胃下血頻疼痛不可忍鬱金五个大者牛黃一皂莢子別細研二味同為散每服用醋漿水一小盞同煎三沸溫服

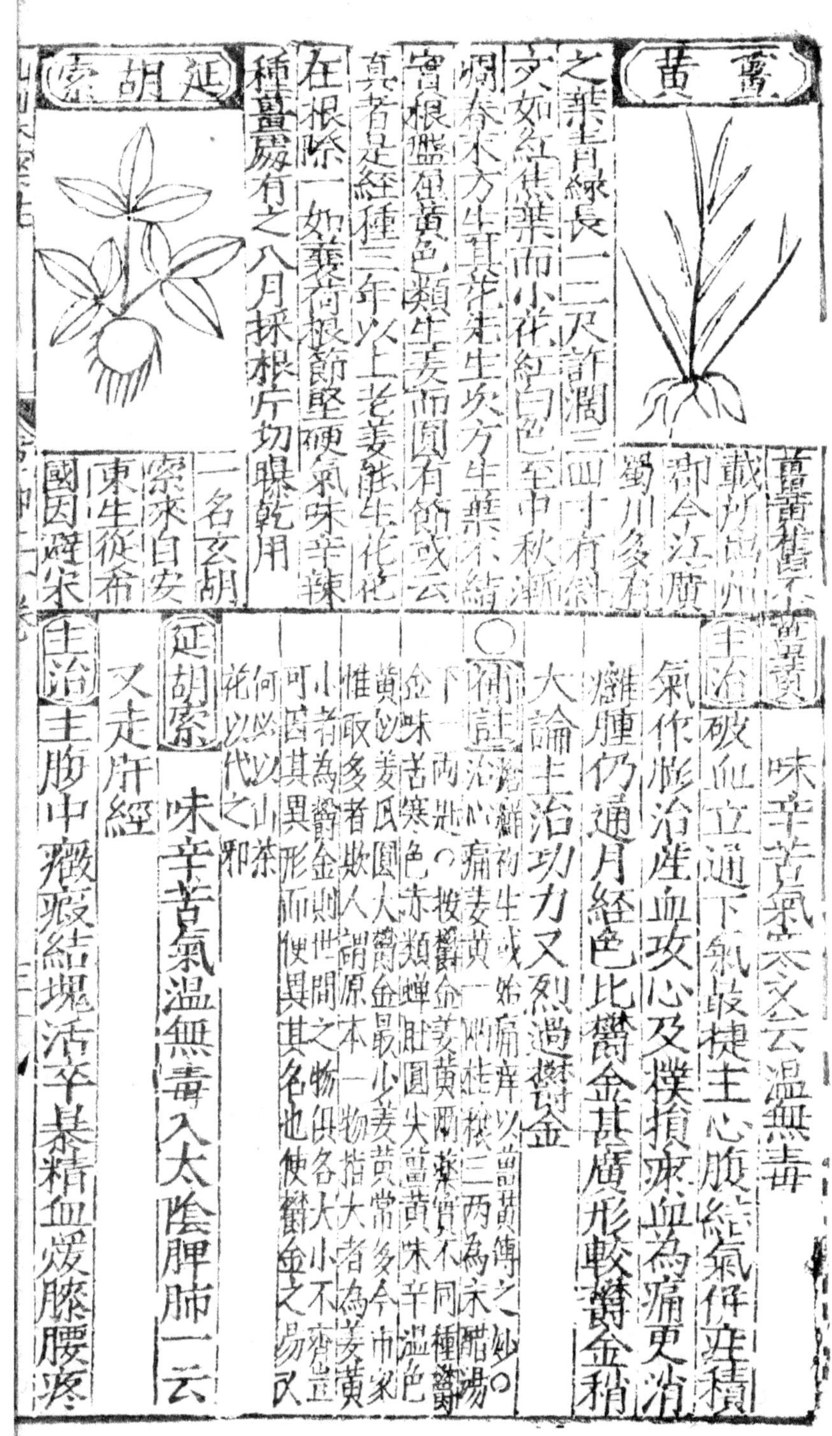

## 薑黃

薑黃舊不載所出州郡今江廣蜀川多有之葉青綠長一二尺許闊三四寸有斜文如紅蕉葉而小花紅白色至中秋漸凋春末方生其花先生次方生葉不結實根盤屈黃色類生姜而圓有節或云真者是經種三年以上老姜能生花花在根際一如蘘荷根節堅硬氣味辛辣種薑處有之八月採根片切暴乾用

## 延胡索

一名玄胡索來自安東生從希國因避宋

**薑黃** 味辛苦氣大寒又云溫無毒

**主治** 破血立通下氣最捷主心腹結積氣作脹治產血攻心及撲損瘀血為痛更消癰腫仍通月經色比鬱金甚廣形較鬱金稍大論主治功力又烈過鬱金

○**補註** 治癰初生或始痛癢以薑黃傅之妙○治心痛姜黃一兩桂枝三兩為末醋湯下一兩匙○按鬱金姜黃兩藥實不同種鬱金味苦寒色赤類蟬肚圓尖大薑黃味辛溫色黃似姜瓜圓大鬱金最少姜黃常多今市家惟取多者欺人謂原本一物指大者為姜黃小者為鬱金則世間之物但各大小不齊豈可因其異形而便異其名也使鬱金之易得何必以山茶花以代之耶

**延胡索** 味辛苦氣溫無毒入太陰脾肺一云又走肝經

**主治** 主腹中癥瘕結塊活血暴精血發膝腰疼

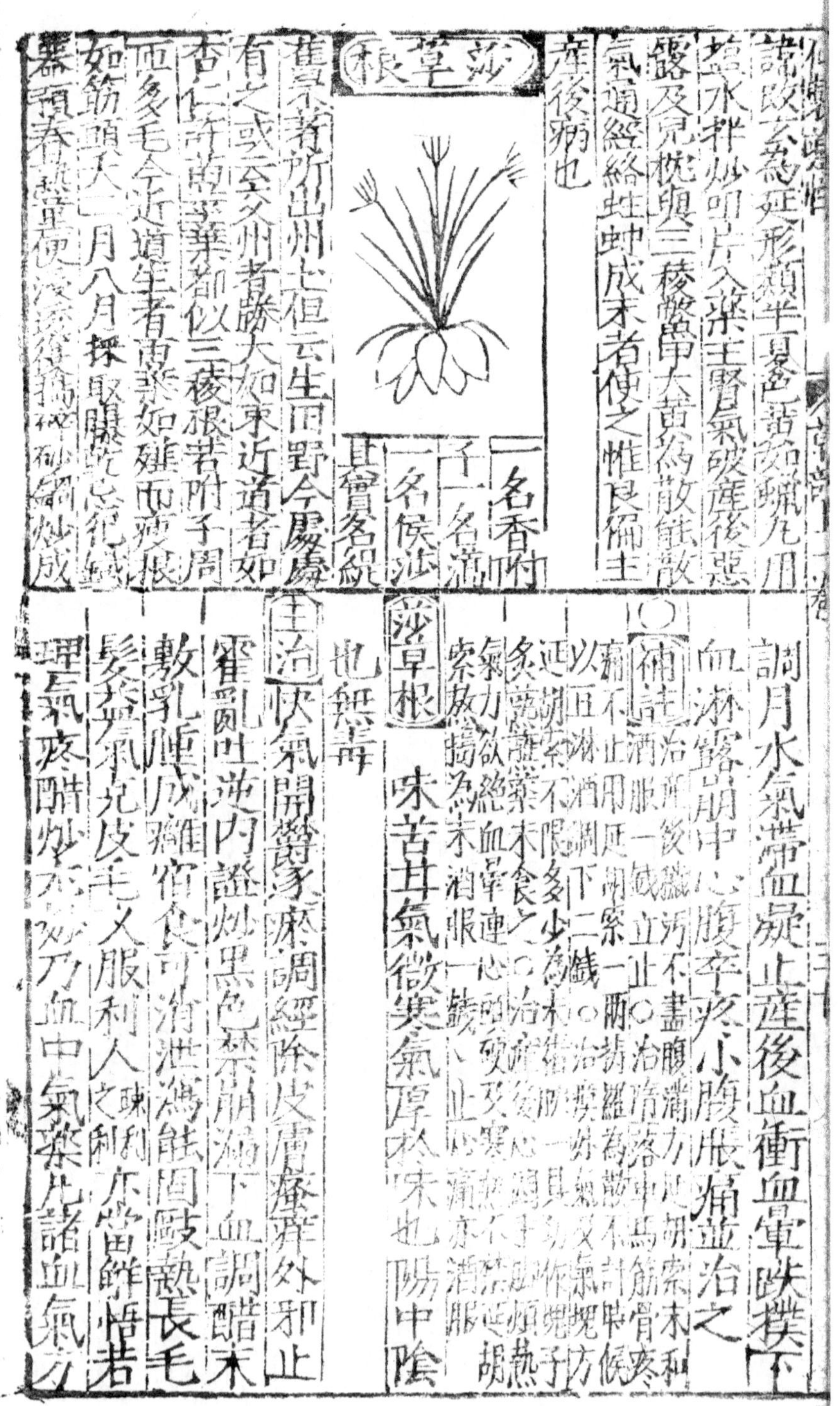

諸證玄參延形類半夏色黄如蠟凡用酷水拌炒可片入藥主腎氣破產後惡露及兒枕塊三稜鱉甲大黃為散能散氣通經絡蛀蚛成末者使之惟良偏主產後病也

莎草根

一名香附子一名雀頭香一名侯莎其實名緹

舊不著所出州土但云生田野今處處有之或云交州者勝大如棗近道者如杏仁許與苗葉都似三稜根若附子周匝多毛今近道生者苗葉如薤而瘦根如筋頭大二月八月採取曝乾忌犯鐵製須舂去毛使[illegible]炒成

調月水氣滯血凝止產後血衝血暈跌撲下血淋露崩中心腹卒疼小腹脹痛並治之

○補註 治產後惡露不盡腹滿方延胡索末和酒服一錢立止○治墮落車馬筋骨疼痛不止用延胡索一兩搗羅為散不計時候以豆淋酒調下二錢○治婦人血氣攻作痛延胡索不限多少為末猪胰一具切作塊子炙熟蘸藥末食之○治產後心悶手足煩熱氣力欲絕血暈連心頭硬及寒熱不禁延胡索熬搗為末酒服一錢止心痛亦酒服

莎草根 味苦甘氣微寒氣厚於味也陽中陰也無毒

主治 快氣開鬱豚痲調經除皮膚瘙痒外邪止霍亂吐逆內證炒黑色禁崩漏下血調醋末敷乳腫成癰宿食可消泄瀉能固毆熱長毛髮療氣充皮毛久服利人[illegible]常鮮悟若理氣疼醋炒[illegible]乃血中氣藥凡諸血氣方

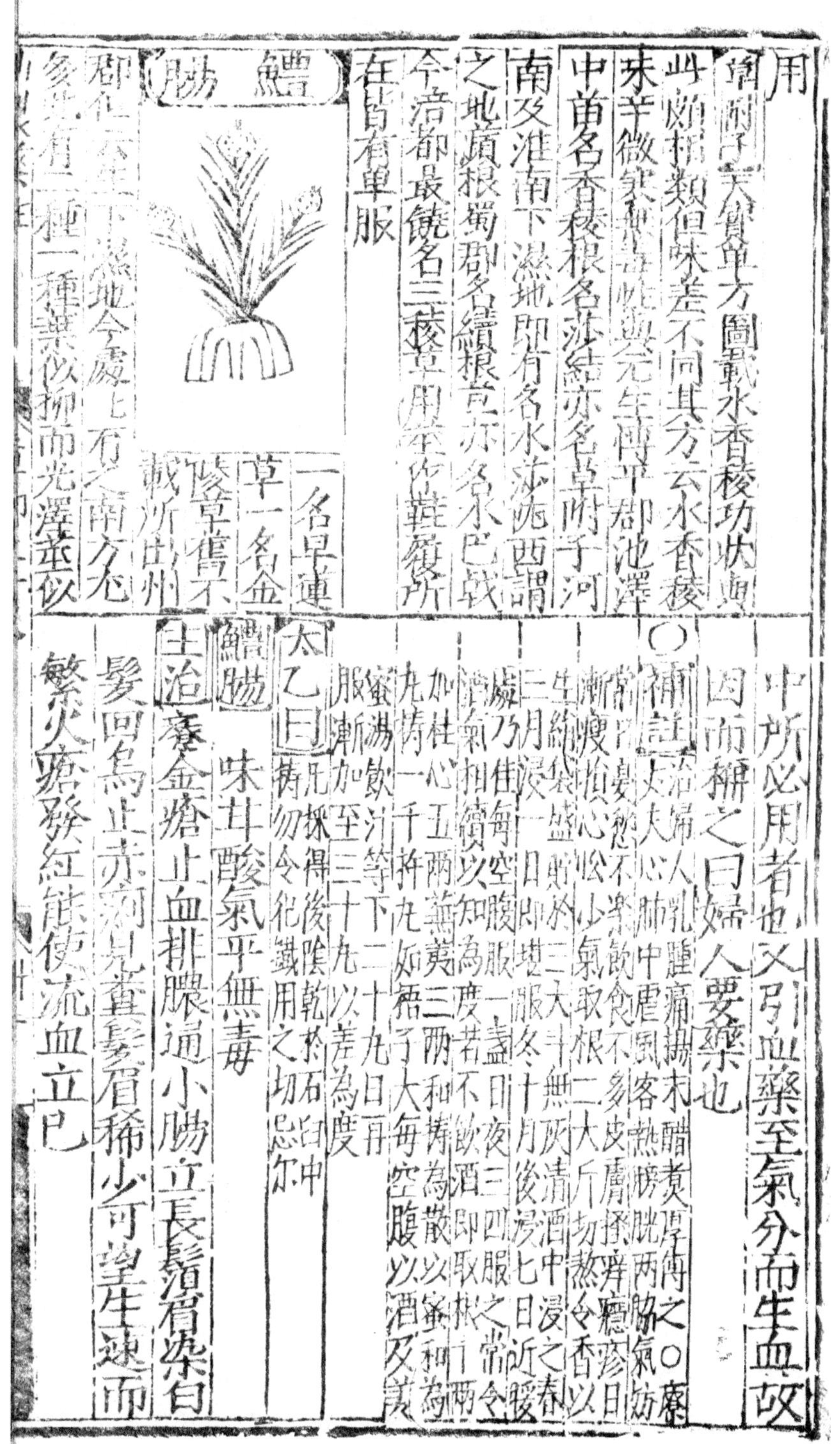

用

圖經曰天寶單方圖載水香稜功狀與此略相類但味差不同其方云水香稜味辛微寒無毒[illegible]元生博平郡池澤中苗名香稜根名莎結亦名草附子河南及淮南下濕地即有名水莎隴西謂之地藾根蜀郡名續根草亦名水巴戟今涪都最饒名三稜草用莖作鞋屨所在皆有單服

鱧腸

一名旱蓮草一名金陵草舊不載所出州郡生下濕地今處處有之南方尤多此有二種一種葉似柳而光澤莖似

中所必用者也又引血藥至氣分而生血故因而稱之曰婦人要藥也

○補註治婦人乳癰痛搗末醋煮厚傅之○療丈夫心肺中虛風客熱膀胱兩脇氣妨常覺憂愁不樂飲食不多皮膚搔痒癮疹日漸瘦損心忪少氣取根二大斤切熬令香以生絹袋盛貯於三大斗無灰清酒中浸之春三月浸一日即堪服冬十月後浸七日近暖處乃佳每空腹服一盞日夜三四服之常令酒氣相續以知為度若不飲酒即取根十兩加桂心五兩蕪荑三兩和搗為散以蜜和為丸搗一千杵丸如梧子大每空腹以酒及荑蜜湯飲汁等下二十丸日再服漸加至三十丸以差為度

太乙曰凡採得後陰乾於石臼中搗勿令犯鐵用之切忌尔

鱧腸　味甘酸氣平無毒

主治療金瘡止血排膿通小腸立長鬚眉染白髮回烏止赤痢見黃髮眉稀少可望生速而繁火瘡發紅能使流血立已

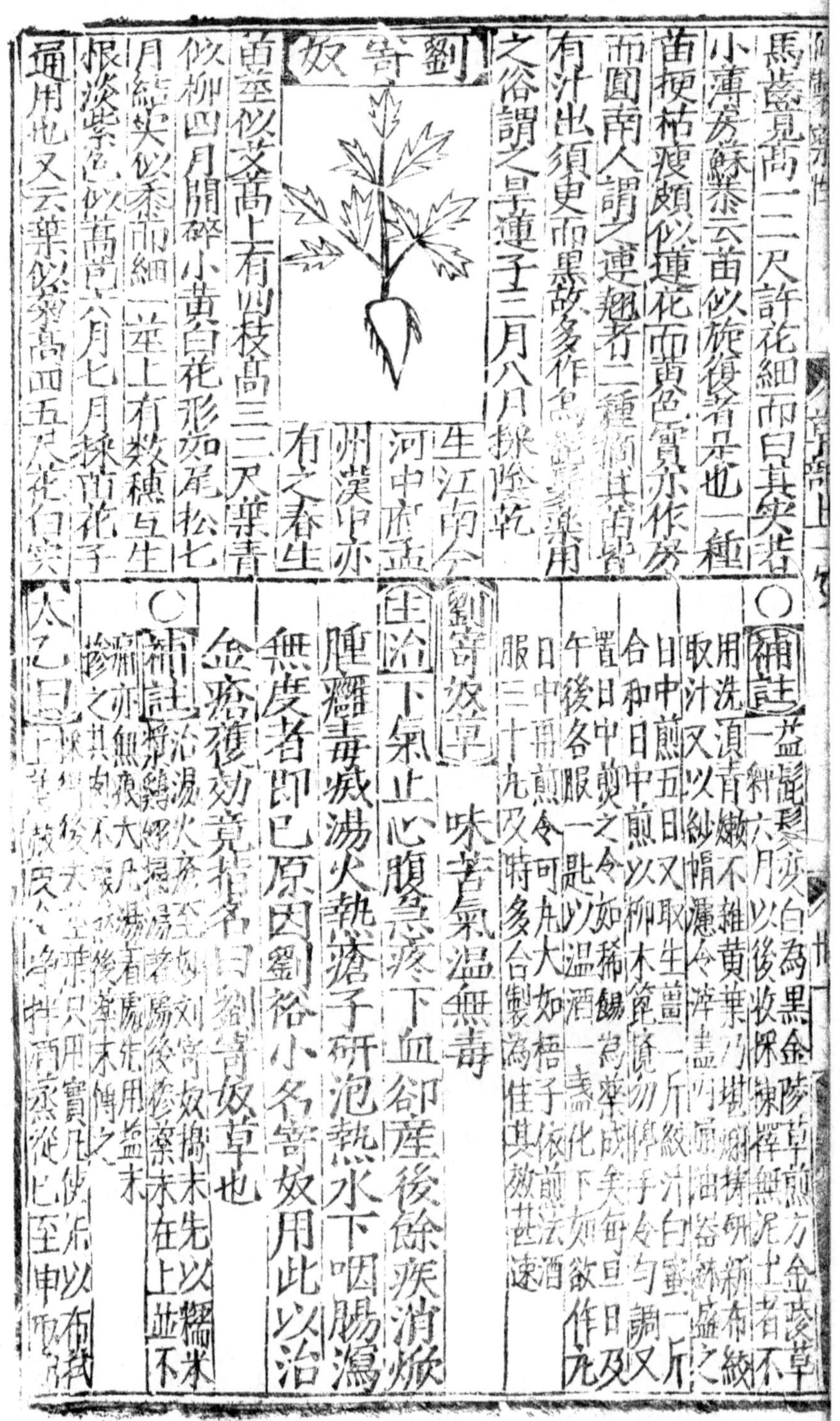

馬藍莧高一二尺許花細而白其實苦小薄芳蘇葉云苗似旋復者是也一種苗梗枯瘦頗似蓮花而黄色實亦作房而圓南人謂之連翹者二種俱其苗皆有汁出須臾而黒故多作鳥[illegible][illegible]藥用之俗謂之旱蓮子二月八月採陰乾

劉寄奴

生江南今河中府孟州漢中亦有之春生苗莖似艾蒿上有四枝高三二尺葉青似柳四月開碎小黄白花形如瓦松七月結實似黍而細一莖上有數穗互生根淡紫色似萵苣六月七月採苗花子通用也又云葉似菊高四五尺花白實

○補註一益髭髮變白為黑金陵草煎方金陵草一秤六月以後收採揀擇無泥土者不用洗須青嫩不雜黄葉乃堪爛擣研新布絞取汁又以紗帛濾令滓盡内通油器鉢盛之日中煎五日又取生薑一斤絞汁白蜜一斤合和日中煎以柳木篦攪勿停手令匀調又置日中煎之令如稀餳藥成矣每旦及午後各服一匙以温酒一盞化下如欲作丸日中再煎令可丸大如梧子依前法酒服三十丸及時多合製為佳其效甚速

劉寄奴草　味苦氣温無毒

主治　下氣止心腹急疼下血卻產後餘疾消癥腫癰毒滅湯火熱瘡子研泡熱水下咽腸瀉無度者即已原因劉裕小名寄奴用此以治金瘡獲效竟指名曰劉寄奴草也

○補註　治湯火瘡至妙劉寄奴擣末先以糯米漿雞翎掃湯着處後摻藥末在上並不痛亦無痕大凡湯着處先用鹽末摻之其痛不可忍後藥末傅之

太乙曰　[illegible]採得後去莖葉只用實凡使以布拭上[illegible]令淨拌酒蒸從巳至申[illegible]

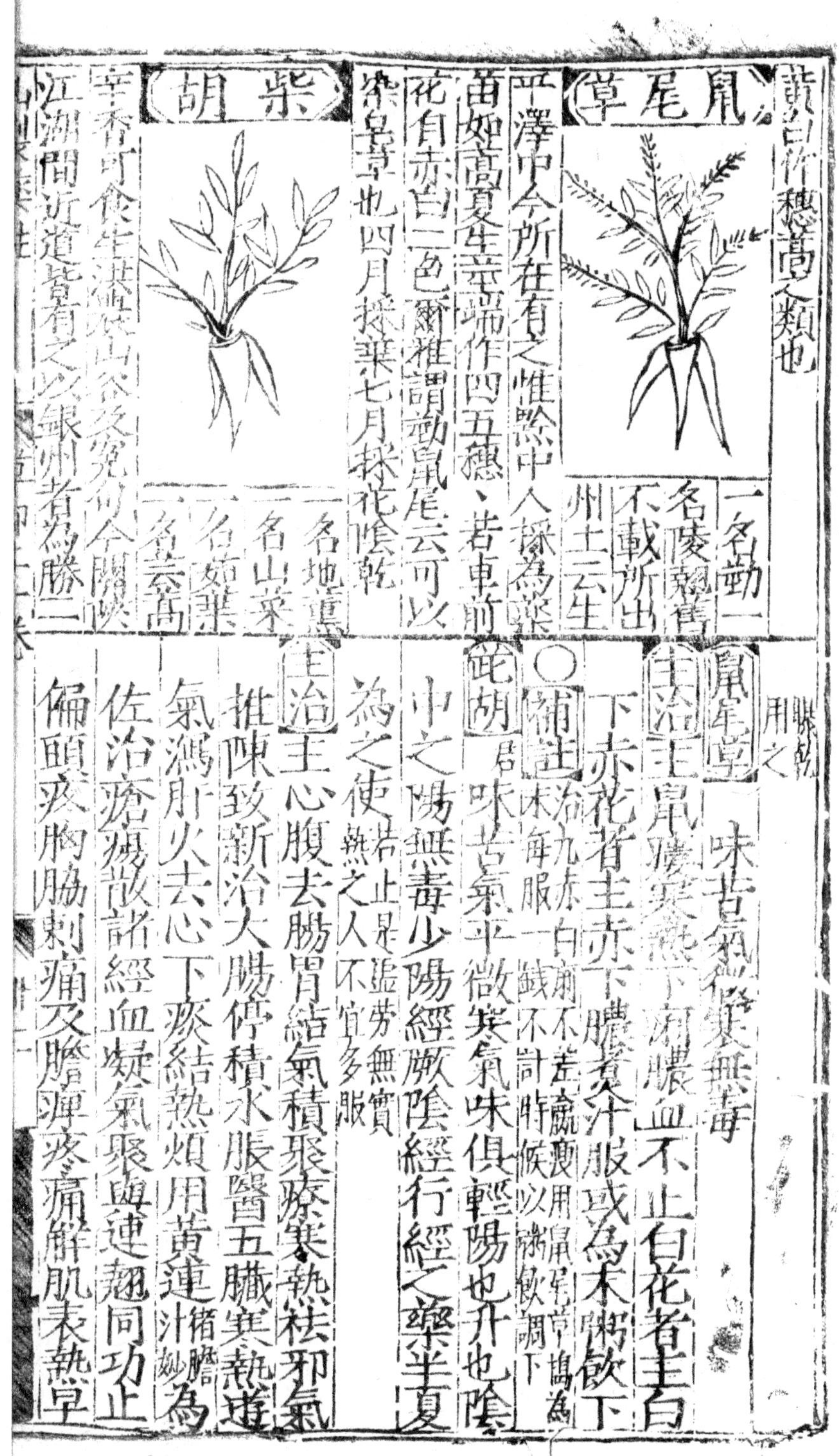

黄白作穗莖似蒿之類也

鼠尾草

一名勤一名陵翹舊不載所出州土云生平澤中今所在有之惟黔中人採為藥苗如蒿夏生莖端作四五穗穗若車前花有赤白二色爾雅謂葝鼠尾云可以染皁草也四月採葉七月採花陰乾

柴胡

一名地薰一名山菜一名茹草一名芸蒿辛香可食生洪農山谷及宛句今關陝江湖間近道皆有之以銀州者為勝二

曝乾用之

鼠尾草　味苦氣微寒無毒

主治　主鼠瘻寒熱下痢膿血不止白花者主白下赤花者主赤下膿者煮汁服或為末飲下

○補註　治久赤白痢不差羸瘦用鼠尾草搗為末每服一錢不計時候以粥飲調下

柴胡　君　味苦氣平微寒氣味俱輕陽也升也陰中之陽無毒少陽經厥陰經行經之藥半夏為之使　若止是詭勞無實熱之人不宜多服

主治　主心腹去腸胃結氣積聚寒熱祛邪氣推陳致新治大腸停積水脹醫五臟寒熱遂氣瀉肝火去心下痰結熱煩用黄連　猪膽汁炒　為佐治瘡瘍散諸經血凝氣聚與連翹同功止偏頭疼胸脇刺痛及膽痺疼痛解肌表熱早

月生苗甚香莖青紫葉似竹葉稍緊亦有似斜蒿亦有似麥門冬而短者七月開黃花生丹州結青子與他處者不類根赤色似前胡而強蘆頭有赤毛如鼠尾獨窠長者好二月八月採根曝乾惡皂莢畏藜蘆女菀

銀柴胡味苦微寒無毒功効略與柴胡同解皮膚熱及骨蒸熱治暴赤痛火眼喉痺瘰癧大人小兒一切熱症瀉手少陰太陰足厥陰諸經火邪防風為之使得明黃連良

謹按柴胡惟銀夏者最良根如鼠尾長一二尺香味甚佳今雖不見於圖經俗亦不識其真故市人多以同華者代之然亦勝於他處者蓋銀夏地多沙同華

晨潮熱併寒熱往來傷寒門實為要劑溫瘧證誠作主方且興濕痺拘攣可作濃湯浴洗在臟主血在經主氣亦婦人胎前產後血熱必用之藥也經脉不調加四物秦艽牡丹皮治之最效產後積血佐巴豆三稜蓬莪茂攻之即安又引清氣順陽道而上行更引胃氣司春令以首達亦堪久服明目輕身

○補遺　按衍義云本經並無一字治勞今人治勞方中鮮有不用誤世甚多嘗原勞怯雖有一種真臟虛損復受邪熱亦因虛致故曰勞者牢也亦須斟酌微加熱去即當已也設若無熱得此愈增經驗方治勞熱青蒿煎丸少佐柴胡正合宜爾故服之無不效者日華子竟信為實就註本經條下謂補五勞七傷除煩而益氣力藥性論云治勞之羸瘦熱醫者執而用之不死何待方世之後所誤無窮明淺之醫罔知去取中下之士寧不習其禍哉非比仲景治傷寒寒熱往來如瘧之證用大小柴胡及柴胡加龍骨柴胡加芒硝等

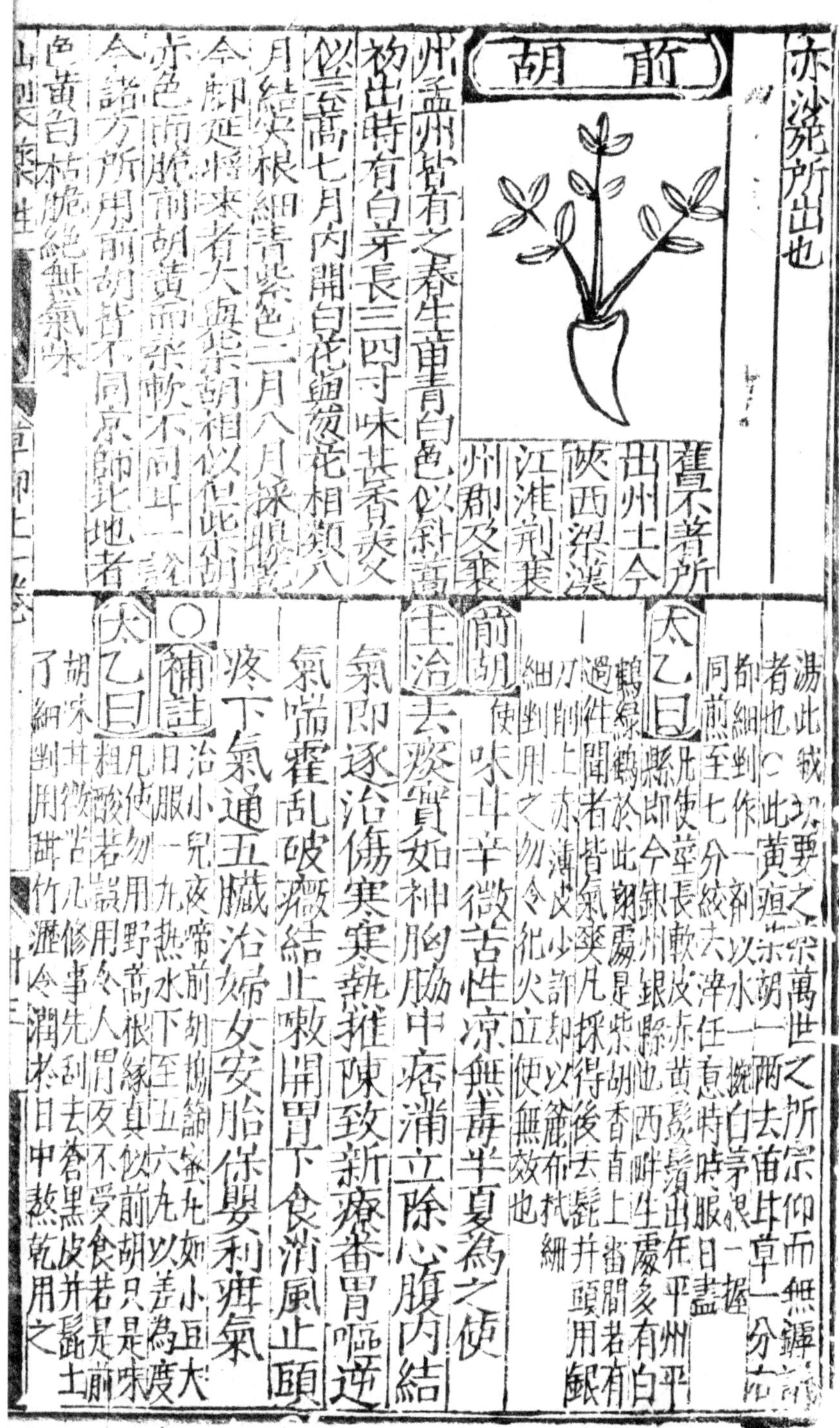

赤淡施所出也

# 前胡

舊不著所出州土今陝西梁漢江淮荊襄州郡及襄州孟州皆有之春生苗青白色似斜蒿初出時有白芽長三四寸味甚香美又似芸蒿七月內開白花與葱花相類八月結實根細青紫色二月八月採曝乾今鄜延將來者大與柴胡相似但柴胡赤色而脆前胡黃而柔軟不同耳一說今諸方所用前胡皆不同京師北地者色黃白枯脆絕無氣味

湯此載功要之宗萬世之所宗仰而無鑠論者也○此黃疸柴胡一兩去苗甘草一分右銼細剉作一劑以水一盞白茅根一握同煎至七分絞去滓任意時時服日盡

太乙曰　凡使莖長軟皮赤黃髭鬚出在平州平縣即今銀州銀縣也西畔生處多有白鶴綠鶴於此翔處是柴胡香直上雲間若有過往聞者皆氣爽凡採得後去髭并頭用銀刀削上赤薄皮少許却以麁布拭細細剉用之勿令犯火立便無效也

前胡　味甘辛微苦性涼無毒半夏為之使

主治　去痰實如神胸脇中痞滿立除心腹內結氣即逐治傷寒寒熱推陳致新療番胃嘔逆氣喘霍乱破癥結止嗽開胃下食消風止頭疼下氣通五臟治婦女安胎保嬰利斑氣

○補註　治小兒夜啼前胡搗篩蜜丸如小豆大日服一丸熱水下至五六丸以差為度

太乙曰　凡使勿用野蒿根緣真似前胡只是味粗酸若誤用令人胃反不受食若是前胡味甘微苦凡修事先刮去蒼黑皮并髭土了細剉用甜竹瀝令潤於日中熬乾用之

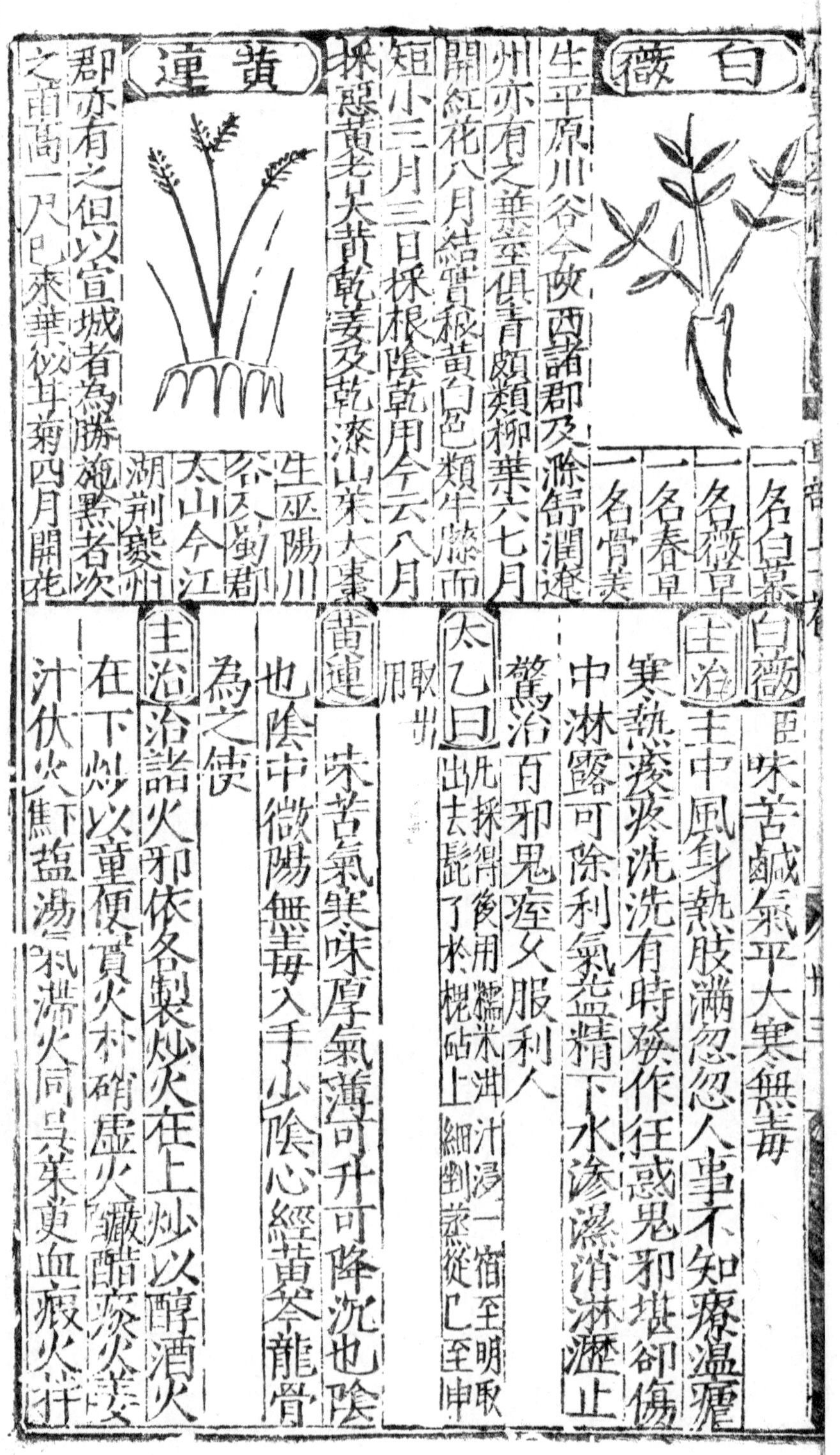

白薇

一名白幕
一名薇草
一名春草
一名骨美

生平原川谷今陝西諸郡及滁舒潤遼州亦有之莖葉俱青頗類柳葉六七月開紅花八月結實根黃白色類牛膝而短小三月三日採根陰乾用今云八月採惡黃耆大黃乾姜及乾漆山茱大棗

黃連

生巫陽川谷及蜀郡太山今江湖荊夔州郡亦有之但以宣城者為勝施黔者次之苗高一尺以來葉似甘菊四月開花

白薇 臣 味苦鹹氣平大寒無毒

主治 主中風身熱肢滿忽忽人事不知療溫瘧寒熱痠疼洗洗有時發作狂惑鬼邪堪卻傷中淋露可除利氣益精下水滲濕消淋瀝止驚治百邪鬼疰久服利人

太乙曰 凡採得後用糯米泔汁浸一宿至明取出去鬚了於槐砧上細剉蒸從巳至申暴乾用

黃連 味苦氣寒味厚氣薄可升可降沉也陰也陰中微陽無毒入手少陰心經黃芩龍骨為之使

主治 治諸火邪依各製炒火在上炒以醇酒火在下炒以童便實火朴硝虛火釅醋痰火薑汁伏火鹽湯氣滯火同吳茱萸血瘕火拌

黄花六月結實似芹子色亦黄二月八月採根用生江左者根黄連珠其苗經冬不凋葉如小雉尾草正月開花作細穗淡白微黄色六七月根紫始堪採【宣連】出宣城属南直隸肥麤苗少去苗收者【川連】生川谷瘦小苗多帶苗收者並取類鷹爪連珠不必分地土優劣日曝待其乾燥布裹挼淨鬚苗古方以黄連為治痢之最胡洽方載凡諸湯主下痢不問冷熱赤白穀滯休息久下悉主之惡菊花芫花玄參畏款冬勝烏頭解巴豆毒忌豬肉惡冷水○又忌白鮮皮姜蠶

按衍義云今人多用治痢蓋熱以苦燥之義下俱但見腸虚滲泄微似有

乾漆不食積瀉亦可服陳壁土向東者炒研炒之（研葉滓上俱研細調水和炒）肝膽火盛欲歐必求猪膽汁炒又治赤眼人乳浸蒸或點或吞立能劫痛巴豆過之其毒即解可熬膏煎液任合散為丸香連丸廣木香和搗為腹痛下痢要藥茱連丸吴茱萸佐助乃吞吐酸水神方如止消渴便多单研蜜丸亦效同枳殼治血痔同當歸治眼瘡佐桂蜜煎服空心（黄連為君佐官桂少許煎百沸入蜜空心服之）使心腎交於頃刻鎮肝凉血（凡治血防風為上使黄連為中地榆為下使）調胃厚腸益膽止驚癎瀉心除痞滿去婦人陰户作腫愈小兒食土成疳消惡瘡惡癰却濕熱鬱熱療下焦虚堅理腎弱惡心欲吐破宿舊血養新血腸澼血膿調

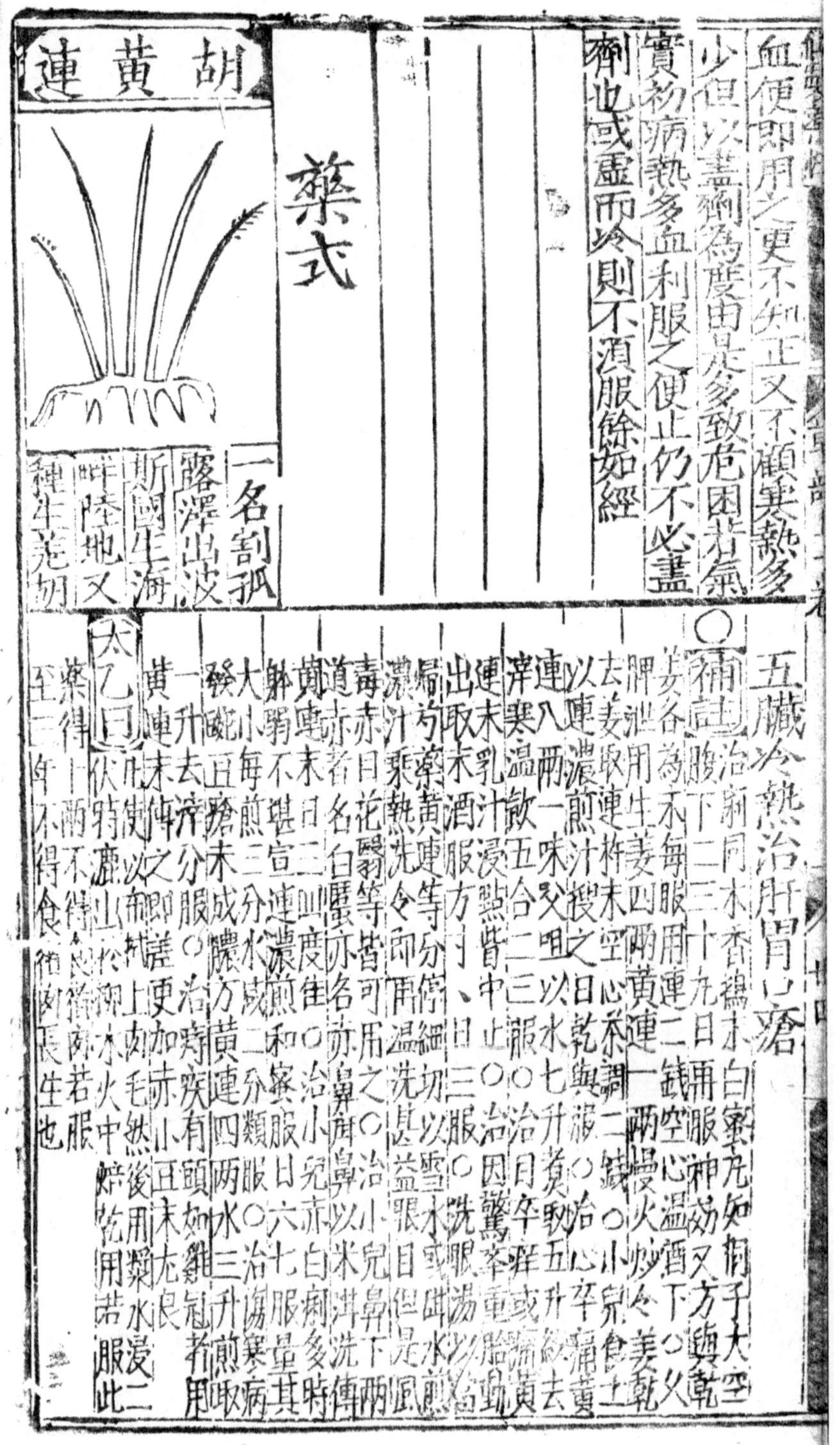

血便即用之更不知止又不顧寒熱多少但以盡劑為度由是多致危困若氣實初病熱多血利服之便止仍不必盡劑也或虛而冷則不須服餘如經

藥式

胡黃連

一名割孤露澤出波斯國生海畔陸地又種生苑切

五臟冷熱治肝胃口瘡〇補註治痢同木香鶴木白蜜丸如桐子大空腹下二三十丸日再服神効又方與乾姜各為末每服用連二錢空心溫酒下〇久脾泄用生姜四兩黃連一兩慢火炒令姜乾去姜取連杵末空心米調二錢〇小兒食土以連濃煎汁搜之日乾與服〇治心卒痛黃連八兩一味㕮咀以水七升煮取五升絞去滓溫飲五合二三服〇治目卒癢或痛黃連末乳汁浸點眥中止〇治因驚卒重胎動出取末酒服方寸匕日三服〇洗眼湯以當歸芍藥黃連等分停細切以雪水或甜水煎濃汁乘熱洗冷即再溫洗甚益眼目但是風毒赤目花翳等皆可用之〇治小兒鼻下兩道赤者名曰䘌亦名赤鼻疳以米泔洗傅黃連末日三四度佳〇治小兒赤白痢多時體弱不堪宜連濃煎和蜜服日六七服量其大小每煎三分水減二分類服〇治傷寒病發豌豆瘡未成膿方黃連四兩水三升煎取一升去滓分服〇治痔疾有頭如雞冠者用黃連末傅之即差更加赤小豆末尤良

太乙曰凡使以布拭上肉毛然後用漿水浸二伏時漉出於柳木火中焙乾用若服此藥得十兩不得食豬肉若服至三年不得食豬肉長生也

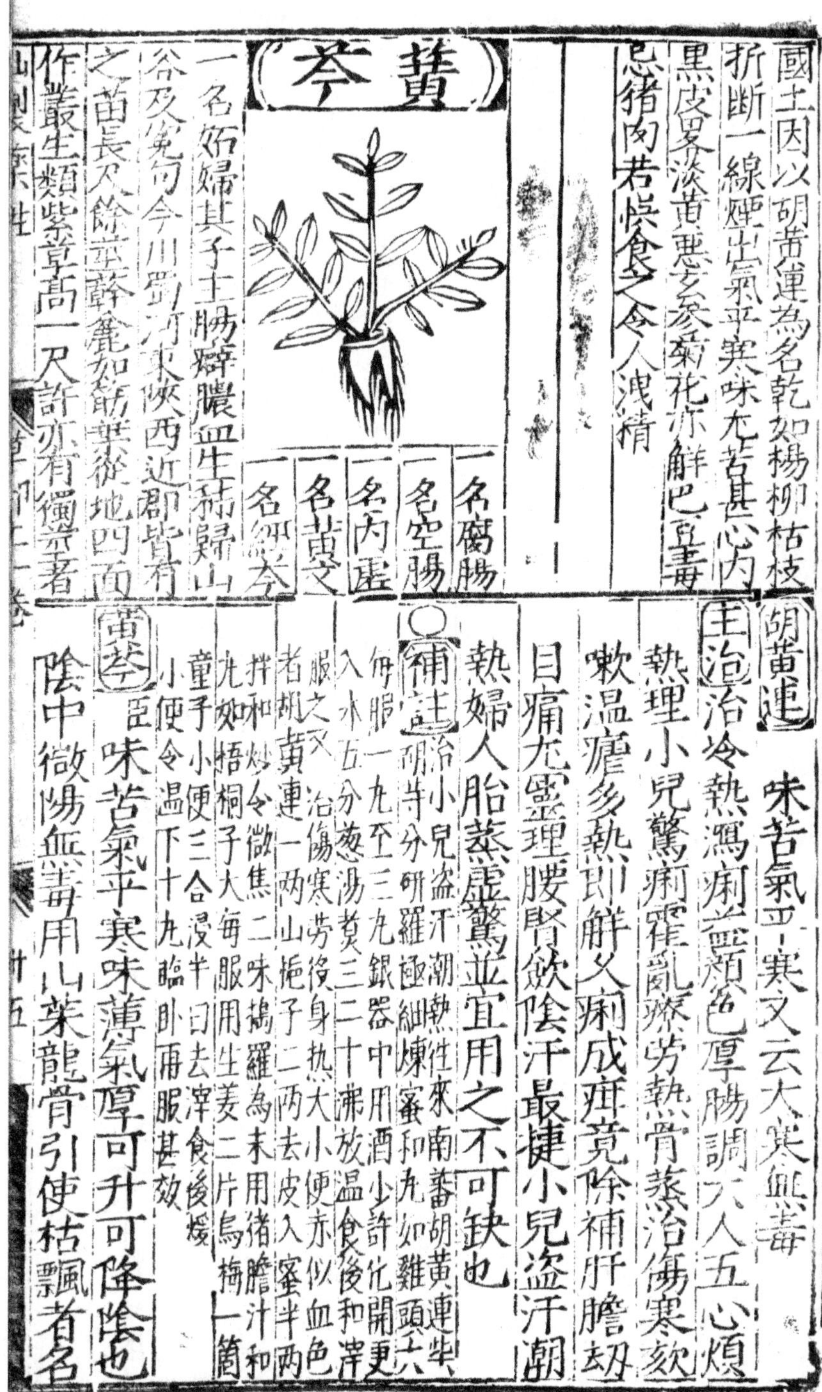

國土因以胡黄連為名乾如楊柳枯枝折斷一線煙出氣平寒味大苦其心內黑皮外淡黄惡玄參菊花亦解巴豆毒忌猪肉若悞食之令人泄精



一名腐腸
一名空腸
一名內虛
一名黄文
一名經芩

一名妒婦其子主腸癖膿血生秭歸山谷及寃句今川蜀河東陝西近郡皆有之苗長尺餘莖幹麄如筯葉從地四面作叢生類紫草高一尺許亦有獨莖者



胡黄連　味苦氣平寒又云大寒無毒

主治　治冷熱瀉痢益顏色厚腸調大人五心煩熱理小兒驚痢霍亂勞熱骨蒸治傷寒欬嗽温瘧多熱則解久痢成疳竟除補肝膽却目痛尤靈理腰腎斂陰汗最捷小兒盜汗潮熱婦人胎蒸虛驚並宜用之不可缺也

補註　治小兒盜汗潮熱往來南番胡黄連柴胡等分研羅極細煉蜜和丸如雞頭大每服一丸至三丸銀器中用酒少許化開更入水五分葱湯煎三二十沸放温食後和滓服之又治傷寒勞復身熱大小便赤似血色者胡黄連一兩山梔子二兩去皮入蜜半兩拌和炒令微焦二味搗羅為末用猪膽汁和丸如梧桐子大每服用生姜二片烏梅一箇童子小便三合浸半日去滓食後煖小便令温下十丸臨卧再服甚效

黄芩　臣　味苦氣平寒味薄氣厚可升可降陰也陰中微陽無毒用山茱龍骨引使枯飄者名

葉細長青色兩兩相對六月開紫花根黄如知母麄細長四五寸二月八月採根曝乾用之呉普本草云黄芩又名印頭一名内虚一月生赤黄葉兩兩四四相對其莖空中或方圓高三四尺花紫紅赤五月实黑根黄二月九月採惡葱實畏丹砂牡丹藜芦去腐爛入藥

## 草龍膽

一名陵游生齊朐山谷及寃句今近道亦有之宿根黄白色下抽根十餘本類牛膝直上生苗高尺餘四月生葉而細莖如小竹枝七月開花如牽牛花作鈴鐸形青碧色

宿芩入手太陰上膈酒炒為宜堅實者名子芩又名片芩又名實芩入手陽明下焦生用最妙

**主治** 宿芩瀉肺火消痰利氣更除濕熱不留積於肌表間子芩瀉大腸火養陰退陽又滋化源常充溢於膀胱内一赤痢頻併可止一赤眼脹痛能消得五味子牡蒙牡蛎育妊娠得白术砂仁安胎孕療鼠瘻同治腹疼同厚朴黄連又煎小清空膏单味而清頭腦總除諸熱收盡全功 子 研細煎湯治腸澼膿血瀉痢腹痛後重堅實者治奔豚臍下熱痛治女子淋露下血療小兒腹痛痰熱治五淋安胎之聖藥若上部積血非此不能除

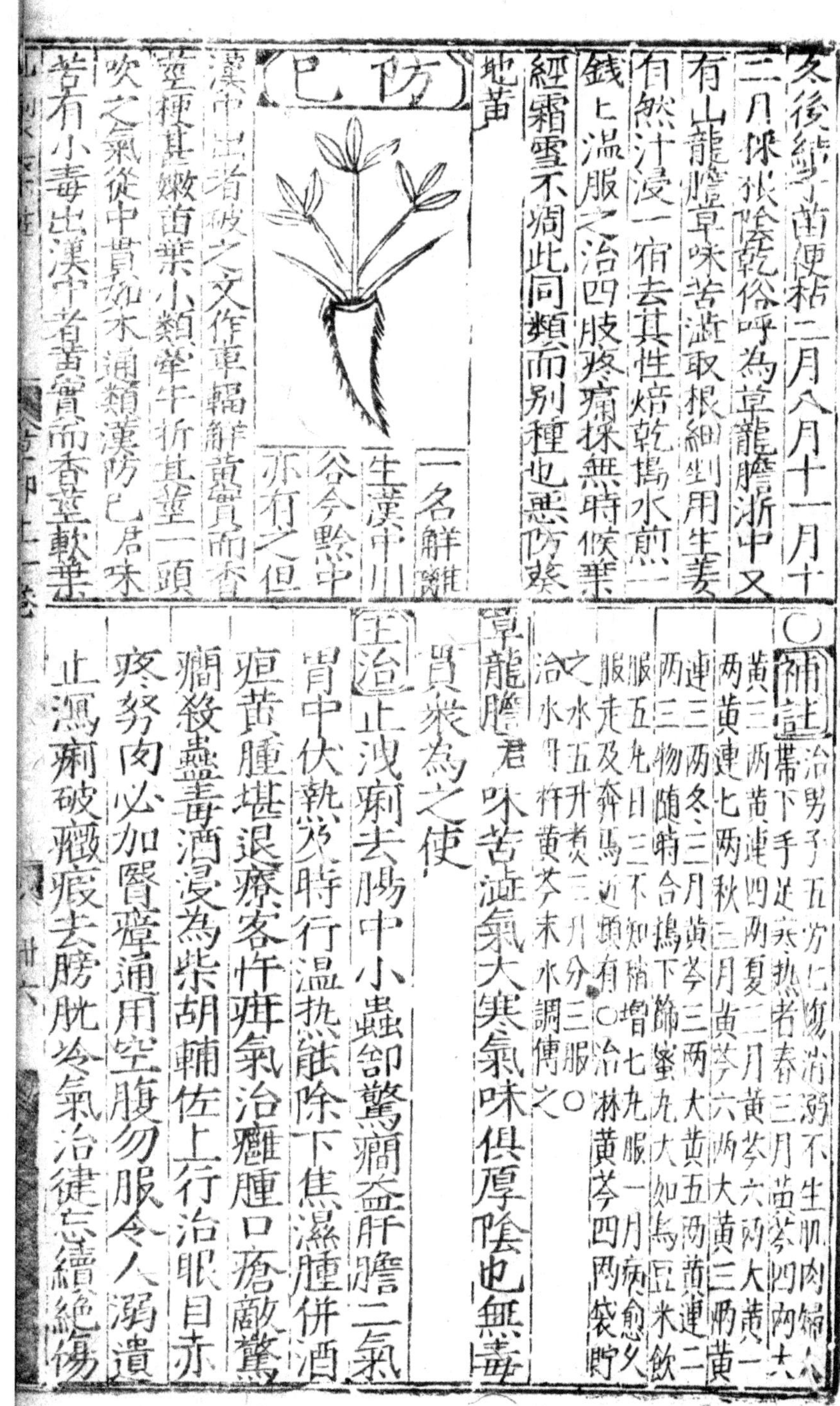

冬後結子苗便枯二月八月十一月十二月採根陰乾俗呼為草龍膽浙中又有山龍膽草味苦澁取根細剉用生姜有然汁浸一宿去其性焙乾擣水煎一錢匕溫服之治四肢疼痛採無時候葉經霜雪不凋此同類而別種也惡防葵地黃

## 防己

一名解離

生漢中川谷今黔中亦有之但漢中出者破之文作車輻解黃實而香莖梗甚嫩苗葉小類牽牛折其莖一頭吹之氣從中貫如木通類漢防己居味苦有小毒出漢中者黃實而香莖軟葉

○補註 治男子五労七傷消渴不生肌肉婦人帶下手足寒熱者春三月黃芩四兩大黃三兩黃連四兩夏三月黃芩六兩大黃一兩黃連七兩秋三月黃芩六兩大黃三兩黃連三兩冬三月黃芩三兩大黃五兩黃連二兩三物隨時合擣下篩蜜丸大如烏豆米飲服五丸日三不知稍增七丸服一月病愈久服走及奔馬近頻有○治淋黃芩四兩袋貯之水五升煑取二升分三服○治水腫杵黃芩末水調傅之○

草龍膽 君 味苦澁氣大寒氣味俱厚陰也無毒 貫衆為之使

主治 止泄痢去腸中小蟲卻驚癇益肝膽二氣胃中伏熱及時行溫熱能除下焦濕腫併酒疸黃腫堪退療客忤疳氣治癰腫口瘡敵驚癇殺蠱毒酒浸為柴胡輔佐上行治眼目赤疼努肉必加瞖障通用空腹勿服令人溺遺止瀉痢破癥瘕去膀胱冷氣治健忘續絕傷

細吹之氣從中貫如木通破之紋如車輻者為漢防已木防已使味苦辛出他處者青白虛軟又有腥氣皮皺若今市中貨者漢已小木已大七澤云大抵漢防已主治水氣木防已主治風氣八月採陰乾惡細辛殺雄黃毒畏女菀鹵鹹萆薢○按東垣云防已性苦寒純陰能瀉血中濕熱通血中滯塞補陰泄陽助秋冬瀉春夏之藥也凝諸於人則險而健者類之故凡瞑眩之藥聖人安得因之而便廢耶亦必存之以待善用今夫防已聞其臭則可惡下咽則令身心煩亂飲食減少藥之瞑眩誠為摑甚至於通行十二經以去濕熱壅塞腫疼及治下疰腳氣除膀胱積熱而庇其寒誠行

退肝經邪熱少服益智不忘輕身耐老

○補註 穀疸丸苦參三兩龍膽一兩二物下篩牛膽和丸先食以麥飲服之如梧子五九日三不知稍增刪繁方治勞疸同用此龍膽加至一兩更增梔子仁三七枚三物同篩擣丸以猪膽服如前法以飲下之○治蛔蟲攻心如刺吐清水龍膽去頭剉水二盞煮取一盞去滓隔宿不食平旦時一頓服之即去治卒下血不止龍膽一虎口以水五升煮取二升半分為五服去○治卒心痛龍膽四兩酒三升煮取一升半頓服

太乙曰 採得後陰乾欲使時用銅刀切去髭土頭了剉於甘草湯中浸一宿至明漉出曝乾用勿空腹餌之令人溺不禁

防已 君 味辛苦氣平寒陰也無毒通行十二經

主治 漢者主水氣名載君行木者理風邪戢命使列故去腰已下至足濕熱腫痛腳氣及利大小二便退膀胱積熱消癰散腫惡結諸瘑疥癬蟲瘡非用漢者不能成功若療肺氣喘

經之仙藥也然雖藥力之能亦在人善用而不能耳今悉條陳數端使知警省如飲食勞倦陰虛內熱元氣穀氣已虧之病而已防已瀉去大便則重亡其血此不可用一也如人大渴引飲是熱在下焦氣分宜滲瀉之其防已乃下焦血藥此不可用二也如外感風寒邪傳肺經氣分濕熱而小便黃赤甚至不通此上焦熱病禁用血藥此不可用三也若人久病津液不行上焦虛渴宜補以人參葛根之甘溫儻用苦寒之劑則從危亡此不可用四也仍不止如此但上焦濕熱者皆不可用若係下焦濕熱流入二經以致二陰不通必須審用可也

嗽膈間支滿併除中風攣急風寒傷寒寒濕痺邪氣濕痺熱邪此又全仗木香以助奇效故曰漢主水氣木主風氣所以通腠理利九竅

○補註 服雄黃中毒防己汁解之防己實焙乾為末如茶法煎服俗用治脫肛○治肺痿喀血多痰防己葶藶等分為末糯米飲調下一錢

太乙曰 凡使勿使木條以其木條已黃腥皮皺上有丁足子不堪用夫使防己要心花文黃色者佳細剉又剉車前草根相對同蒸半日後出揀去車前草根細剉用之

葛根 臣 味甘平性微寒又云性浮輕氣味俱薄體輕上行浮而微降陽中陰也陽明引經之藥陽明行經之藥

主治 療傷寒發表解肌治肺虛生津止渴解酒毒卒中卻溫瘧往來散外瘡疹止疼是中胃氣除熱主身熱治諸痺嘔吐療脾虛金瘡止

葛根

一名雞齊根一名鹿藿一名黃斤生汶山川谷今處處有之江浙尤多春生苗引藤蔓長一二丈紫色葉頗似楸葉而青七月著花似豌豆花不結實根莖如手臂紫黑色五月五日午時採根曝乾以入土深者為佳今人多以作粉食之甚益人下品有葛粉條即謂殺野葛巴豆百藥毒

葛粉味甘大寒解酹後且餐除煩熱利大小便壓丹石解鳩毒止渴療小兒熱痞以葛浸搗汁飲之良或壯熱嘔吐不住食蘗粥方葛粉二大錢以水二合調

痛花消酒不醉殼治痢實腸生根汁乃大寒專理天行時病止熱毒吐衄去熱燥渴消婦人熱悶能吐小兒熱瘡堪罨(葉)敷金瘡搗亂蔓袪喉痺燒灰

○補註 治腸筋絕搗葛根汁飲之葛白昝蒸令黃傅瘡止血治妊娠熱病心悶取葛根汁二升分作三服○治熱毒下血或因喫熱物發動用生葛根汁飲一二升并藕汁一升和服○治卒乾嘔不息搗根取汁一升服差○治心熱吐血不止搗根取汁半升頓服立差○治虎傷人瘡取葛根煮濃汁洗瘡燕搗葛末○水服方寸匕日夜五六服○治傷寒物患二三日頭痛發熱葛根五兩香豉一升細剉以童子小便六升煎取二升分作三服如汗出避風食忽或粥○服藥失度心中苦煩飲生葛根汁大良無生者搗乾葛末水服五合亦可煮服之○食諸菜中毒發狂煩悶吐下欲死者煮葛根汁飲之差○治小兒止渴久不止用葛根半兩細剉水一中盞取汁六分去滓頓溫服○治中鴆毒氣欲絕者用葛粉三合水三鍾調飲之如口禁者以物開灌之治胃中煩熱或渴心煩熱粉四兩先以水浸

令人瀉痢蘋蘩中傾側令遍重湯中煑
令淡以漿飲相和食之

栝樓實

一名黃瓜
一名果臝
實乔牛山
野俗處治

條聯莖引長葉似人有毛花淺黃六瓣
實結拳大青漸赤黃皮合黃帶小正圓者
名栝皮赤蒂麁銳長者名樓名俾雖異
證治相同霜降採收囫圇搗爛或煅蛤
蜊粉和或研明礬末拌各以新瓦貯盛
置於風日處所待其乾燥復研細霜明
礬者號如聖丹用薑汁打糊丸號蛤蜊
者勝真海粉可多備應用一年並主痰
喘多效睡服下神効立獲取子剝殼用仁

粟米半升細研漉出与葛粉相拌令勻煑熟食之○治傷寒有數種庸醫不能分辨令取一藥無治天行病者初覺頭痛內熱脈洪起至二日取葛根四兩水三升內豉一升煑取半升服搗生根汁尤佳

栝樓實　味苦平氣寒味厚氣薄屬土有水陰也無毒枸杞為之使

主治　補虛勞口乾潤心肺下氣令垢滌鬱開故傷寒結胸必用俾火彌痰降凡虛怯癆嗽當求解消渴生津悅皮膚去皺下乳汁炒香酒調末服止諸血並炒入藥煎湯一切吐血腸風瀉血血痢等證並治

○補註　下乳汁栝樓子淘洗控乾炒令香熟瓦上搗令白色為末酒調下一匙合面臥少時○治胸膈痛徹背心腹痞滿氣不得通及治痰嗽大栝樓去瓤取子熟炒別研和子皮麵糊為丸如梧桐子大米飲下十五丸○治乳癰痛栝樓黃色老大者一枚熟搗以白

滲油只一度免人惡心毋多次失藥潤
性畏牛膝乾漆及附子烏頭惡乾姜

## 天花粉

即栝樓根
一名地樓
一名果蓏
一名天瓜

一名澤姑生洪農山谷及山陰地今所在有之實名黃瓜詩所謂果蓏之實是也根亦名白藥皮黃肉白三四月內生苗引藤蔓葉如甜瓜葉作叉有細花七月開花似壺蘆花淺黃色實在花下大如拳生青至九月熟赤黃色二月八月採根刮去皮曝乾三十日成止實有正圓者有銳而長者功用皆同凡根惟歲久入土深者佳鹵地生者有毒諱接栝

酒一斗煮取四升去滓溫一升日三服若無大者小者二枚黃熟為上○治熱病頭痛發熱進退方用栝樓一枚大者取其瓤細剉置瓷椀中用熱湯一盞沃之蓋却良久去滓不計時候頓服○治中風口眼喎斜用栝樓絞取汁和大麥麵搜作餅炙令熱熨正便止勿令太過○治消渴利方生栝樓根三十斤以水一碩煮取一斗半去滓以牛脂五合煎取水盡以浸酒先食服如雞子大日三服即妙○治二三年聾耳方栝樓根三十斤細切之以水煮用釀酒如常法久久服之甚良○治腸隨肛出轉久不可收入搗生栝樓汁溫服之以豬肉汁洗手隨接之令緩自得入

**天花粉** 即栝樓根味苦其氣寒入地深者良採深土者曝乾刮麤皮淨咀片

**主治** 善潤心中枯渴大降膈上熱痰腫毒排膿潰瘍長肉消撲損瘀血除時疾熱狂毆酒疸去身面黃通月水止小便利仍治偏疝酒浸微煎如法服之佳痛如刀切米以綿衣包煖安去囊取天花粉五錢

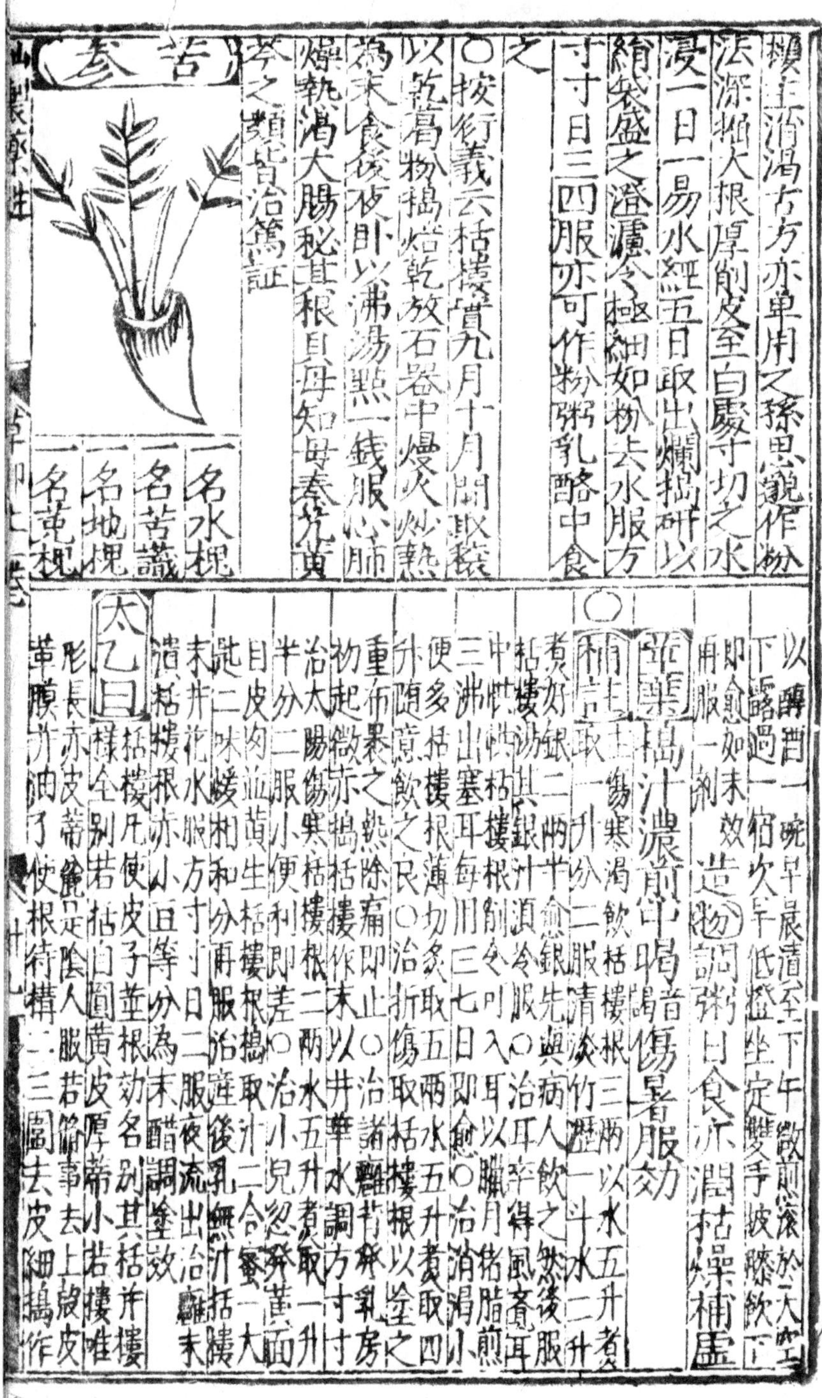
積主消渴古方亦单用之孫思邈作粉法深掘大根厚削皮至白處寸切之水浸一日一易水經五日取出爛擣研以絹袋盛之澄濾令極細如粉去水服方寸寸日三四服亦可作粉粥乳酪中食之

○按衍義云栝樓實九月十月間取穣以乾葛粉擣焙乾放石器中熳火炒熟為末食後夜卧以沸湯點一錢服心肺燥熱渴大腸秘甚根貝母知母秦艽黄芩之類皆治熱証

苦參



以醇酒一碗早晨浸至下午微煎滚於大空下露過一宿次早低溫坐定雙手披膝飲下即愈如未效用服一劑

造粉　調粥日食亦潤枯燥補虛

經驗　擣汁濃煎呷嗎音謁傷暑服效

○補遺　主傷寒渴飲栝樓根三兩以水五升煮取一升分二服清淡竹瀝一斗水二升煮粉銀二兩廿愈銀先與病人飲之然後服栝樓湯其銀汁須冷服○治耳卒得風聋耳中烘烘栝樓根削令可入耳以臘月猪脂煎三沸出塞耳每用三七日即愈○治消渴小便多栝樓根薄切炙取五兩水五升煮取四升隨意飲之良○治折傷取栝樓根以塗之重布裹之熱除痛即止○治諸癰背乘乳房初起微赤擣栝樓作末以井華水調方寸治太腸傷寒栝樓根二兩水五升煮取一升半分二服小便利即差○治小兒忽發黄面目皮肉並黄生栝樓根擣取汁二合蜜一大匙二味煖相和分再服治產後乳無汁栝樓末井花水服方寸匕日二服夜流出治癰潰栝樓根赤小豆等分為末醋調塗效

太乙曰　栝樓凡使皮子莖根効名別其栝并樓樣全別若栝自圓黄皮厚蒂小若樓唯形長赤皮蒂麄是陰人服若節事去上殼皮革膜并油了使根待構二三圓去皮細擣作

一名驕槐一名白莖一名虎麻一名岑莖一名鹿白一名陵郎生汝南山谷及田野今近道處處皆有之其根黃色長五七寸許兩指麤細三五莖並生苗高三五尺已來葉碎青色極似槐葉故有水槐名春生冬凋其花黃白七月結實如小豆子河北生者無花子五月六月八月十月採根暴乾用今方用治瘡疹最多亦可治癩疾宜法用苦參五斤切以好酒三斗漬三十日每飲一合日三常服不絶若覺痺即差取根皮末服之亦良其味嚼之極苦故名苦參反藜蘆惡貝母菟絲使宜玄參准作丸服不入湯散

煎濃取汁冷飲任用也

【苦參】味苦氣寒沉也純陰無毒玄參為之使

【主治】治腸風下血及熱痢刮痛難當療溫病狂言致心燥結胸垂死赤癩眉脱者驅風有功黃疸遺溺者逐水立効掃遍身痒癮止卒暴心疼除癰腫殺疥蟲破癥瘕散結氣養肝氣明目止淚益腎精解渴生津利九竅通便安五臟定志（子）生妥炎十月堪收亦明目輕身性久服有驗

【補註】有人用揩齒歲久遂得腰重之疾苦[illegible]參補陰氣降而不升故也○癩疾惡物取五斤切以好酒三斗漬一月每飲一合日三服不絶○臨病狂言心燥結胸垂死取一二兩以酒二升煮取一升頓服之有汗無汗或吐皆差○腸風瀉血并熱痢如茵烟出為末飯飲下○治時氣垂死一兩以酒二升半煮取一升半去滓服之當聞苦參吐毒如溶

# 防葵

一名梨盖
一名房慈
一名爵離
一名農果

一名利茹一名方盖生臨淄川谷及嵩高大山少室諸郡雖有獨莖襄陽一本三莖三葉中抽一尺餘花開於端色白如葵餘開花葉類葵莖色青根若防風香氣故因名防葵也三月三日採根曝乾依時入水能浮切勿誤用狼毒藥劑修合製法須知甘草湯浸成塊子宵黃精汁拌咀片炒燥○按此二物一是上品而圖云防葵與狼毒根同但置水中不沉爾然此二物善惡不同形質又別陶既為此說後人因而用之防葵將以破

腸更愈○治小腹疼青黑或赤不能喘可時苦參一兩醋一斤半煎八合分二服○治毒熱足腫疼欲脫酒煮苦參以漬之○治穀疸食勞頭旋心怫鬱不安而發黃由失飢大食胃氣衝熏所致苦參三兩龍膽一合為末牛膽丸如梧子大生大麥汁服五丸日三服○治傷寒四五日頭痛壯熱胸中煩痛苦參五兩烏梅二十枚細剉以水二升煎取一升分服

太乙曰　凡使不計多少先須用糯米濃泔浸一宿上有腥穢氣並在水面上浮並須重重淘過卻蒸從巳至申出蒸乾細剉用之

防葵　君　味甘辛苦氣寒無毒一云有小毒

主治　療膀胱熱結溺不通治兒癲癇驚邪狂走疝瘕腸洩堪理小腹支滿能歐強志除腎邪益氣堅筋骨血氣瘤大如椀摩醋塗上即消中火者不可服之令恍惚如見鬼狀

○補遺　癲狂疾防葵末溫酒服一刀圭至二三服身潤有小不仁為候

太乙曰　凡使勿誤用狼毒緣真似防葵而驗之有異效又不同功須審之恐誤疾人其

堅積為下品之物与狼毒同功今古因
循錄无甄別此別殊誤也

## 藍實

生河內平澤今處處有之人家蔬圃中作

【時】種蒔三月四月生苗高三二尺許葉似水蓼花紅白色實亦若蓼子而大黑色五月六月採實按藍有數種有木藍出嶺南不入藥有松藍可以為澱者亦名馬藍尔雅所謂葴馬藍是也有蓼藍但可染碧而不堪作澱即医方所用者也又福州有一種馬藍四時俱有葉類苦益菜土人連根採之焙擣下篩酒服錢匕治婦人敗血甚佳又江寧有一種

防葵在蔡州沙土中生採得二十日便與用之准輕為妙欲使先須揀去蚛末用甘草湯浸一宿漉出曝乾用黃精自然汁一二升拌了土器中炒令黃精汁盡

【質】味苦甘氣寒無毒即大葉藍

【主治】殺蠱蚑疰鬼惡毒毆五臟六腑熱煩益心力填骨髓補虛聰耳目利關節通竅久服勿厭黑髮輕身

〇【補遺】食杏仁中毒藍子汁解之〇治上氣咳嗽呷呀息氣喉中作声唾粘以藍實葉水浸良久搗絞取汁一升空腹頓服須臾以杏仁研取汁煑粥食之一兩日將息依前法更服吐痰盡方差

【葉】可作靛染青生搗堪絞汁頻飲

【主治】散熱風赤腫愈疔毒金瘡和麝香點諸蟲咬傷單飲下追蟲瘕脹痛中百藥毒總解注諸惡瘡並毆衍義云藍靛為水有木能使散毆

其藍二三月內生如蒿狀葉青花白性
寒味鹹能解諸毒止吐血此二種雖不類而
俱有藍名又古方多用吳藍者或恐是
此故并附之
染成青布　青布味鹹寒主解諸物毒天
行煩毒小兒寒熱丹毒並水漬取汁飲
燒作黑灰傅惡瘡經年不差者及灸瘡
止血令不中風水和蠟熏惡瘡入水不
爛熏嗽殺蟲熏虎狼咬瘡出水毒又於
器中燒令煙出以器口熏人中風水惡
露等瘡行下得惡汁知痛痒差又入𤸰
膏藥療丁腫狐刺等惡瘡又浸汁和生
薑煮服止霍亂真者入用假者不中堪
煎燒灰外科方中亦每單用敷惡瘡經
年不愈貼灸瘡出血難差

之血分諸經絡故解諸毒而得效之速焉又
治小兒壯熱成斑更療婦人產後血暈消赤
眼暴發止吐血特來天行瘟疫熱往並宜急
取煎服丹溪普濟消毒飲中加板藍根者即
此是也
○補註　一蟲豸傷咬取大藍汁一碗入雄黃麝香
二物隨意看多少細研投藍汁中以點
咬處若是毒者即並細服其汁神異之極也
昔張薦被蜘蛛咬項上一宿咬處有二道赤
色細如筯繞項上從胷前下至心經兩宿頭
面腫疼如數升盆大肚漸腫幾至不救遂令
醫者日前一合藥醫云不惜方當祭人性命耳
遂取藍汁一瓷盆取蜘蛛投之藍汁加麝香
末更取蜘蛛投之至汁而死又更取藍汁麝
香復加雄黃和之更取一蜘蛛投汁中頓化
為水張相甚異之遂令點於咬處兩日悉平
愈○治小兒中蠱下血欲死擣汁頻頻服半
合○治小兒赤痢擣藍汁二升分四服○治
背上生癰連年不差以藍葉一斤擣取汁洗
不过三日差○治自縊死以藍汁灌之又極
須安定其心徐緩解慎勿割斷繩抱取心下

【補註】蠍傷人瘡燒青布熏瘡口毒出仍煮葛根令濃汁以洗瘡口十度并搗葛根為散煮葛根汁服方寸匕日五服差○虎傷人瘡取青布緊捲作纏燒一頭內竹筒中射瘡口令煙熏入瘡中佳○服藥过劑煩悶中毒欲死擣藍取汁數升服如无藍漬青絹取汁飲亦佳

【青黛】君味鹹甘氣寒染甕上浮沫紫碧花者即靛花雖名青黛非真真者出波斯國真青黛形狀與靛花不同類略遠罕有此却因功効相類特假為名旋收曬乾色甚紫碧市家多取乾靛充賣殊不知靛有黑重實花嬌嫩輕浮不可不細擇研以水飛淨於腳合丸製散隨宜

猶溫者刺鷄冠血滴著口中即活也男雌女雄○中水毒搗藍青汁以少水和傳頭面身上令匝○治𧏾螫用藍葉一斤搗以水三升絞取汁服一升日二服

【青藍造澱】藍造澱按澱多是槐藍蓼藍作者入藥勝槐藍澱寒傅熱瘡解諸毒瘁傅小兒禿瘡熱腫初六上沫堪染如青黛解毒小兒丹熱和水服之藍有數種蓼藍最堪入藥井藍此人食之去熱黃也亦入藥方火瘹火丹塗之即退

〇【補註】特氣熱毒心神煩躁用藍澱半大匙以新汲水一盞服○急瘀衄鼻口數日欲死取藍澱傅人令遍日十度夜四度差○治小兒丹藍澱傅熱即易○按廣五行記水徼中絳州僧病噎不下食告弟子吾死之後便可開吾胸喉視有何物言終而卒弟子依言而開視胸中得一物形似魚而有兩頭遍體是肉鱗弟子致器中跳躍不止戲以諸味詩隨化盡特身中藍盛作澱有一僧以澱致器中此蟲遂遶器中走須臾化為水矣

治小兒發熱驚癇調小兒斑蝕消瘦瀉痢止悸止下毒殺惡蟲收五臟鬱火消功消上膈痰火最効毆痔疫頭痛欬傷寒亦或水調服之應如桴鼓●

按藍花雖非青黛然治小兒斑蝕消瘦發熱屢有奇功古傳歌括一章附後令人便覽歌曰小兒雜病變成疳不問強羸女與男腹內時時如下痢青黃赤白一般般眼澁面紅鼻孔赤穀道開張不欲看煩熱已焦渴皮膚枯槁四肢癱瘓焦嘔逆不乳哺壯熱增寒卧不安此方便是青黛散取效猶如服聖丹

【吳藍】君　味苦甘冷無毒治天行熱狂丁瘡遊風熱毒腫毒風癢除煩止渴殺斑解毒箭金瘡血悶蟲蛇傷毒刺鼻洪吐

【景天草】君　味苦酸氣平無毒一云有小毒

【主治】主大熱火瘡身熱煩治蠱毒風疹邪惡氣療金瘡止血即住理痒熱用肺立差煎湯浴小兒熱刺痱瘡搗爛敷小兒赤遊丹毒蟲毒煎療風驚熱燥縈醫花香細茂紅帶赤白能止久服輕身明目女人赤白帶下

○【補註】治癮疹以草一斤擣絞取汁傅上熱炙換之即差○小兒丹發用一握擣絞汁以拭之日擣十遍夜三四遍○産後陰下脫用一斤陰乾酒五升煮取汁分溫四服○小兒赤遊行於身上下至心即死生擣傅瘡上○療煙火丹發從背起或兩脇及兩足赤如火用草真珠末一兩搗和如泥塗之

【茵陳蒿】使　味苦辛氣平微寒陰中微陽無毒入足太陽經

【主治】專治疸症發黃入劑仗為君主佐梔子附

血排膿寒熱頭痛亦眼産後血暈觧金石藥毒觧狼毒射罔毒小兒壯熱丹斑

## 景天草

一名戒火
一名避火
一名救火
一名火母

一名據火一名愼火生太山山谷今南北皆有之人家多種於中庭或以盆盛植於屋上云以辟火謂之愼火草春生苗葉似馬齒而大作層而上莖極脆弱夏中開紅紫碎花秋後枯死亦有宿根者四月四日七月七日採其花并苗葉陰乾攻治瘡毒及嬰孺風疹在皮膚不出者生取苗葉五兩和塩三兩同研絞取汁以熱手摩塗之日再但是熱毒丹

子分陽熱陰寒陽黄熱多有濕有燥濕黄加梔子大黄湯服燥黄加梔子橘皮湯煎茹苗澇則濕黄旱則燥黄温則溼之燥則潤之意也陰黄寒多只有一證須加附子共劑成功觧傷寒大熱仍除退瘴瘧風熱悉逐行滯止痛寬膈化痰久服輕身益氣耐老面白悅長年白兒食之仙

○補註治遍身風痒生瘡疥不計多少煎濃汁先之立差○大熱黄疸傷寒頭痛風熱瘧疾利小便切碎炙生食之亦宜人○傷寒熱甚發黄者身面悉黄用之極效又一僧因傷寒後發汗不徹有留熱面身皆黄多熱期年不愈醫作食黄治之不對病不去問之食不減尋此藥服五日病減三分之一十日減三分之二二十日病悉去方用山茵陳山梔子各三分秦艽升麻各四錢每用三錢水四合煎及二合去滓食後温服以差為度然此藥以茵陳蒿為本故書之

焉皆可如此用之

## 茵陳蒿

生太山及丘陵坡岸上今近道皆有之而不及太山者佳春初生苗高三五寸似蓬蒿而葉緊細無花實秋后葉枯莖幹經冬不死至春更因舊苗而生新葉故名茵陳蒿五月七月採莖葉陰乾今謂之山茵陳江寧府又有一種茵陳葉大根麄黄白色至夏有花實階州有一種名白蒿亦似青蒿而背白本土皆通入藥用之今南方醫人用山茵陳乃有數種或著其説云京下及北地用者葉細青蒿雖同葉背白色却異大抵以此藥

太乙曰 凡使須用葉有八角者採得陰乾去根細剉用勿令犯火

## 知母

君 味苦辛氣寒氣味俱厚沉而降陰也陰中微陽無毒去净皮毛忌犯鐵器引經上頸酒炒絶升盐腎滋陰盐炒便入乃足少陰本藥而又入足陽明入手太陰也

主治 補腎水瀉去無根火邪消浮腫為利小便佐使初痢臍下痛者能卻久瘧煩熱甚者堪除治有汗骨蒸熱癆瘵往來傳屍疰病潤燥解渴患人虛熱口乾宜倍用之止欬消痰久服不宜令人作瀉仍治溪毒河澗澡洗先以藥末投水上流自無患矣

○補註 辟射工亦可和水作湯浴之甚佳治妊娠月未足似欲産腹中痛用知母二兩末蜜丸如梧桐子大不計時候粥飲下二十丸楊氏産乳同○治溪毒大勝其法連根葉

為主各隨寒熱而佐以他藥

# 知母

一名蚳母　一名連母　一名野蓼　一名地參

一名水參一名水浚一名貨母一名蝭母一名女雷一名女理一名兒草一名鹿列一名韭逢一名兒踵草一名東根一名水須一名沉燔一名蕁一名昌支生河內川谷今瀕河諸郡及解州徐州亦有之根黃色似菖蒲而柔潤葉至難死掘出隨生須燥乃止四月開青花如韭花八月結實二月八月採根曝乾用爾雅謂之薚徒南切又謂之蕁(沈)音林切藩是也柔軟肥白有力枯黯無功

搗作散服之亦可接水攪絞取汁一二升飲效

太乙曰 凡使先於槐砧上細剉焙乾木臼杵搗勿令犯鐵器

○按東垣云仲景用此為白虎湯治不得眠者煩燥也蓋煩者肺燥者腎以石膏為君佐以知母之苦寒以清腎之燥緩以甘草粳米之甘使不速下也經云胸中有寒者瓜蒂散表熱裏寒者白虎湯瓜蒂知母味皆苦寒何謂治胸中寒也曰讀者當逆識之

# 貝母

臣 味辛苦氣平微寒無毒厚朴白薇為使

主治消膈上稠痰久欬嗽者立効散心中逆氣多愁鬱者殊功仲景治寒實結胸製小陷胸湯以栝樓子黃連輔斯作主因味辛散苦瀉故能下氣今方改用半夏假也海藏療産後無乳立三母散用牡蠣

# 貝母

一名空草
一名藥實
一名苦花
一名苦菜

一名商草一名勤母生晉地今河中江陵府郢壽隨鄧蔡潤滁州皆有之根有瓣子黃白色如聚貝子故名貝母二月生苗莖細青色葉亦青似蕎麥葉隨苗出七月開花碧綠色形如鼓子花八月採根曬乾又云四月蒜熟時採之良此有數種鄘詩言採其蝱音萌陸璣疏云貝母也其葉如栝樓而細小其子在根下如芋子正白四方連累相著有分解今近道出者正類此郭璞注爾雅云白花葉似韭此種罕復見之此藥亦治惡

知母尊此為君（健脾湯調服）足生人面惡瘡燒灰油敷收口產難胞衣不出研末酒服離懷時瘰黃疸能敺赤眼膚瞖堪點除疝瘕候痺止消湯熱煩○又川龍墳係獨顆無分瓣儻誤前服令遍身筋不收持藍汁黃精合飲即解

〔補遺〕○產難及胞衣不出取七枚作末酒調下○人畜惡瘡燒灰油調傅之○昔有人左膊有瘡如人面歷試諸藥無苦至貝母瘡乃聚眉閉口因以小葦筒毀其口灌之數日成痂愈○謹按貝母能散胸中鬱結之氣殊有功效即詩所謂言采其蝱者是也世俗多以半夏有毒棄而不用每以貝母代之殊不知貝母乃太陰肺經之藥半夏乃太陰脾陽明胃經之藥安得而相代耶且欬嗽吐痰虛勞吐血咯血痰中見血咽痛喉閉肺癰肺痿婦人乳癰癰疽及諸鬱證皆貝母為向導也半夏乃為禁用若涎者脾之液也美味膏粱炙煿太料皆生脾胃濕熱故涎化稠粘為痰久則生火痰火上攻故令昏憒不省人事口

瘡惡桃花畏秦艽輿石叉烏頭凡用以滚水泡五七次去心入藥與連翹同

## 紫菀

一名紫蒨　一名青菀　生房陵山谷及真定

邯鄲今耀成泗寿台孟州興國軍皆有之三月內布地生苗葉其葉三四相連五月六月內開黃紫白花結黑子今有白毛根甚柔細二月三月內採根用水洗淨去頭蜜浸宿焙用忌雷丸遠志惡瞿麥天雄畏茵蔯蒿又有一種白者名白菀蘇恭云白菀即女菀也療體並同

禁偏瘀僵仆蹇澁不語生死旦夕非半夏南星曷可治乎若以貝母代之則束手待斃矣哀哉

**太乙曰**　凡使先於柳木灰中炮令黃擘破去內口鼻上有米許大者心一小顆後拌糯米於鐵上同炒待米黃熟然後去米取出其中有獨顆團不作兩片無皺者號為冊老精不入藥用若誤服令人筋脉未不收用黃精小鹽汁合服立愈

**紫菀**　臣　味苦辛氣温無毒款冬為之使

**主治**　主欬逆痰喘肺痿吐膿治小兒驚癇寒熱結氣安五臟益肺止咳血止渴通結氣添骨髓調中清痰止喘潤肌膚虛勞不足能補蠱毒痿蹷堪驅仍佐百部款冬研末姜梅湯下共治久嗽立建神功

○**補註**　久嗽紫菀款冬蕊各一兩百部五錢為末每服三錢生姜烏梅湯送下食後及臨卧○婦人卒不得小便為末以井花水服三撮便通小便血服五撮立止○纏喉風䘙

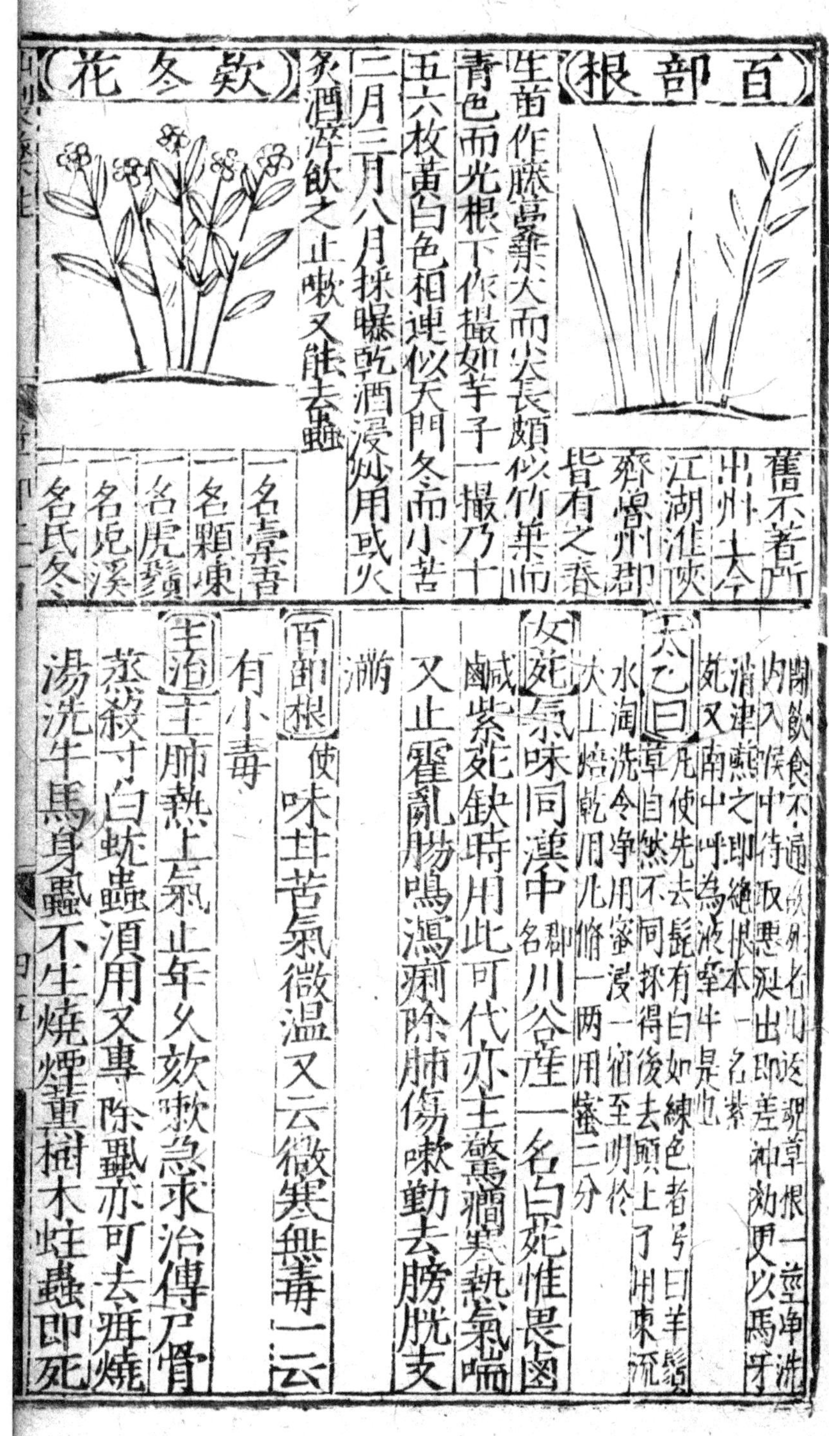

（百部根）

舊不著所出州土今江湖淮陝齊魯州郡皆有之春生苗作藤蔓葉大而尖長頗似竹葉面青色而光根下作撮如芋子一撮乃十五六枚黃白色相連似天門冬而小苦二月三月八月採曝乾酒浸炒用或火炙酒浸飲之止嗽又能去蟲

（款冬花）

一名橐吾　一名顆凍　一名虎鬚　一名兎奚　一名氐冬

開飲食不通以外右川送現草根一莖淨洗內入喉中待取惡涎出即差神效更以馬牙消津熱之即絕根本一名紫菀又南中呼為液牽牛是也

【雷公曰】凡使先去鬚有白如練色者號曰羊鬚草自然不同採得後去頭上了用東流水淘洗令淨用蜜浸一宿至明於火上焙乾用凡修一兩用蜜二分

【女菀】氣味同。漢中郡名川谷產一名白菀惟畏鹵鹹紫菀缺時用此可代亦主驚癇寒熱氣喘又止霍亂腸鳴瀉痢除肺傷欬嗽去膀胱支滿

【百部根】使　味甘苦氣微溫又云微寒無毒一云有小毒

【主治】主肺熱上氣止年久欬嗽急求治傳尸骨蒸殺寸白蛕蟲須用又專除虱亦可去疳燒湯洗牛馬身蟲不生燒煙薰樹木蛀蟲即死

出常山山谷及上黨水傍今関中亦有之根紫色莖青紫葉似萆薢成叢大者似葵花出根下如菊黄色青紫萼十一二月雪中開花百草惟此不顧冰雪最先春者也原呼鑽凍今名欵冬擇未舒嫩蕋採收去向外裹花零殼甘草湯浸一宿待乾揉碎緫煎惡硝石皂莢玄參畏麻黄辛夷貝母仍畏黄芩黄連黄耆青葙子陶隱君所謂出高麗百濟者近此類也又有紅花者葉如荷而斗直大者容一升小者容數合俗呼為蜂斗葉又名水斗葉則唐注所謂大如葵而叢生者是也或云採花於冰下正月旦採

人家燒燼盡逐蟓蝱暴嗽久嗽同生姜二物各絞汁合煎服又单用擣絞汁煎如飴服方寸匕日三服

〇補註 治暴嗽百部藤根擣自然汁和蜜等分沸湯煎成膏熬之〇治誤吞錢百部根四两酒一升漬一宿温服一升日再服

太乙曰 凡使採得後用竹刀劈破去心皮花作數十條於簷下懸令風吹待土乾然後却用酒浸一宿漉出焙乾細剉用忽一窠自有八十三條者号曰地仙苗若修事餌之可千歲也

欵冬花 君 味辛甘氣温陽也無毒杏仁為之使

得紫菀良

主治 治勞嗽連連不絕補勞劣喉痺消痰主肺癰膿血腥臭止肺欬痰唾稠粘潤肺瀉火邪下氣定喘促卻心虛驚悸去邪熱驚癇補劣除煩洗肝明目又驅久嗽燒烟吸之

# 白前

舊本不載所出州土陶隱居云出近道今江浙蜀川生洲渚砂磧葉如柳樹葉苗似欵花苗根麁長杺細辛白嫩亦似牛膝但堅脆而柔軟鮮有凡資入藥秋後採根甘草湯浸一宿折去頭鬚漉焙乾用之渾似白薇今用要生者味苦非眞也按白薇白前近道俱有苗莖根葉形色頗同儻誤採收殺人頃刻必辨認的實方入藥㨿病白前似牛膝麁長堅脆易断白薇似牛膝短小柔軟能彎仍溢汁味相參庶不失於差誤此医家大関鍵匪特一藥為然凡相類者俱不可不細

○補註久欬熏法每旦取花如雞子許少蜜拌花使潤內一升鐵鐺中又用一瓦碗鑽一孔孔內安一小竹筒筆管亦得其筒稍長作碗鐺相合及插筒処皆麪泥之勿令漏氣鐺下着炭少時欵冬煙自從筒出則口含筒吸取煙嚥之如胸中少悶須舉頭即將指頭捻筒頭勿使漏煙氣及煙使盡止凡如是五日一為之待至六日則飽食羊肉餺飥一頓永差

太乙曰凡採得須去向裏裹花蘂殼并向裏實如粟零殼者并枝葉用以甘草水浸一宿却取欵冬葉相拌裛一夜晒用待即乾曬去兩件拌者葉了用

白前味甘辛氣微温無毒

主治欬嗽上氣能降胷脇逆氣坐臥氣壅膈倒唾不得者殊功氣衝喉呼吸欲絶者立效仍治氣塞咽嗌時作水雞声鳴故古人氣嗽方中每每用之不遺亦以其善主一切氣也又能保定肺氣温藥仍使尤奇

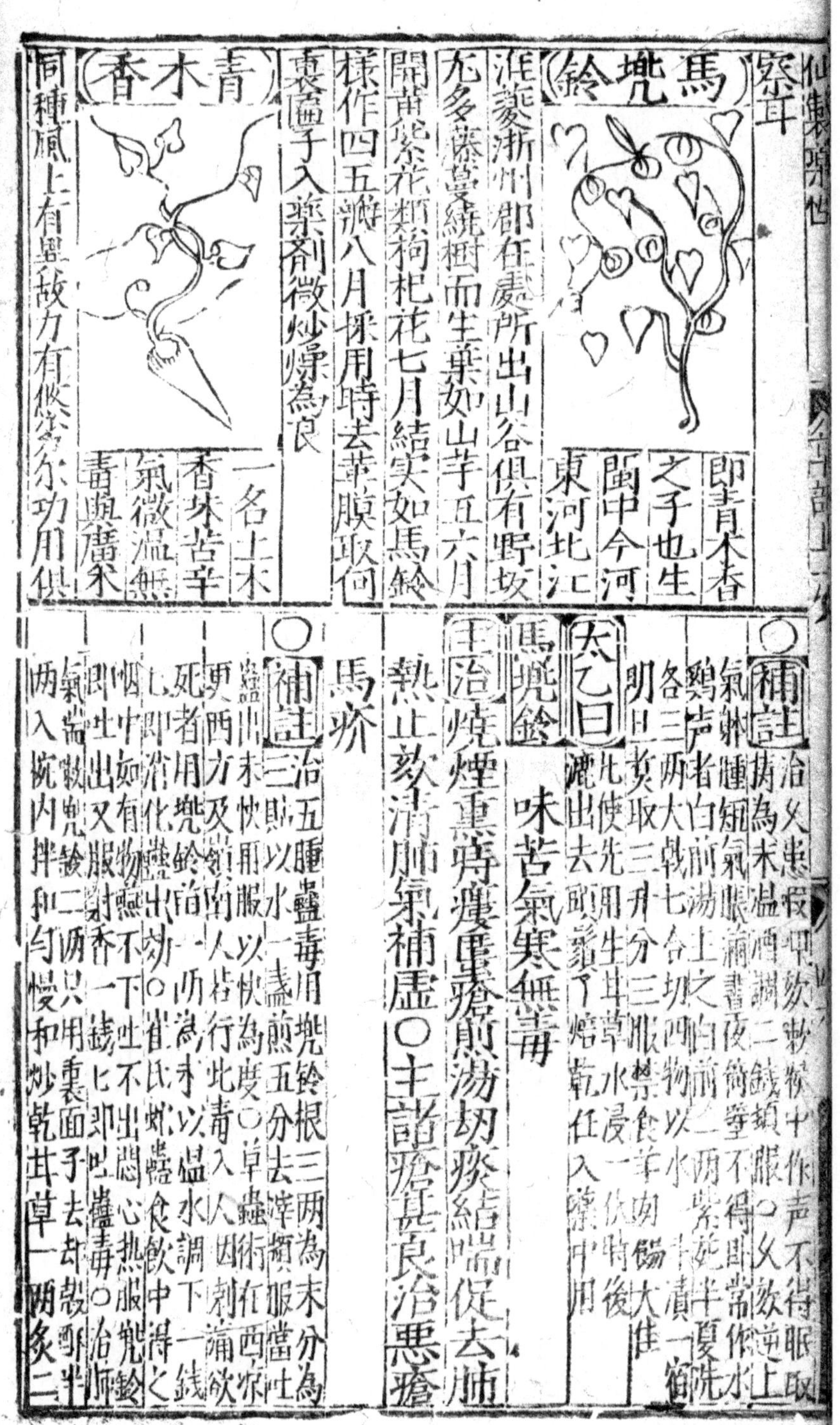

察耳

馬兜鈴

即青木香之子也生蜀中今河東河北江淮夔浙州郡在處所出山谷俱有野坡尤多蔓莖纏樹而生葉如山芋五六月開黄紫花類枸杞花七月結實如馬鈴様作四五瓣八月採用時去革膜取向裏扁子入藥剤微炒燥為良

青木香

一名土木香味苦辛氣微温無毒與廣木同種風土有異故力有彼參尔功用俱

○補註 治久患暇呷欬嗽喉中作声不得眠取搗為末温酒調二錢頓服○久欬逆上氣體腫短氣脹滿晝夜倚壁不得臥常作水鷄声者白前湯主之白前二兩紫菀半夏洗各三兩大戟七合切四物以水一斗漬一宿明日煮取三升分三服禁食羊肉餳大佳

太乙曰 先使先用生甘草水浸一伏時後漉出去頭鬚了焙乾任入藥中用

馬兜鈴 味苦氣寒無毒

主治 燒煙熏痔瘻瘡煎湯切痰結喘促去肺熱止欬清肺氣補虛○主諸瘡甚良治惡瘡馬疥

○補註 治五種蠱毒用兜鈴根三兩為末分為三貼以水一盞煎五分去滓頓服當吐蠱出未快再服以快為度○草蠱術在西凉更西方及嶺南人若行此毒入人咽刺痛欲死者用兜鈴苗一兩為末以温水調下一錢匕即消化蠱出効○崔氏蠱食飲中得之咽中如有物嚥不下吐不出悶心熱服兜鈴即吐出又服射香一錢匕即吐蠱毒○治肺氣喘欬兜鈴二兩只用裏面子去殼酥半兩入椀內拌和勻慢和炒乾甘草一兩炙二

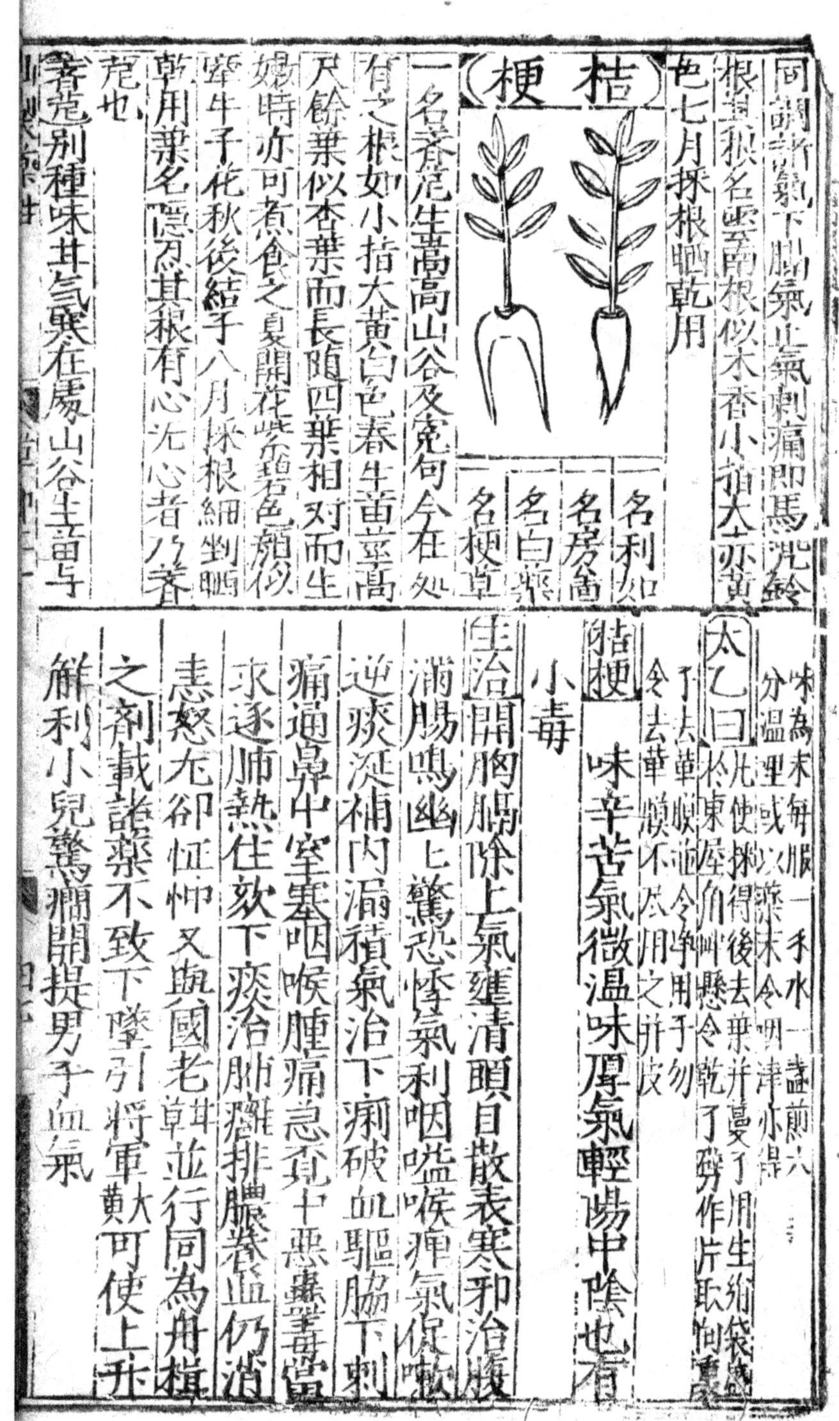

同胡荽新氣下胸氣止氣刺痛即馬兜鈴根其根名雲南根似木香小指大亦黄色七月採根晒乾用

## 桔梗

一名利如　一名房圖　一名白藥　一名梗草

一名薺苨生嵩高山谷及冤句今在処有之根如小指大黄白色春生苗莖高尺餘葉似杏葉而長隨四葉相对而生嫩時亦可煑食之夏開花紫碧色頗似牽牛子花秋後結子八月採根細剉晒乾用葉名隱忍其根有心无心者乃薺苨也

薺苨別種味甘気寒在處山谷生苗与

味為末每服一乎水一盞煎六分温服或以藥末含咽津亦得

太乙曰凡使採得後去莖并蔓了用生絹袋盛於東屋角畔懸令乾了劈作片取泔重浸了去蘆頭焙令净用子勿令去蘆頭不必用之并皮

桔梗　味辛苦氣微温味厚氣輕陽中陰也有小毒

主治　開胸膈除上氣壅清頭目散表寒邪治腹滿腸鳴幽幽驚恐悸氣利咽嗌喉痺氣促嗽逆痰涎補内漏積氣治下痢破血驅脇下刺痛通鼻中窒塞咽喉腫痛急疼中惡蠱毒當求逐肺熱住欬下痰治肺癰排膿養血仍消恚怒尤卻怔忡又與國老甘草並行同為舟楫之劑載諸藥不致下墜引將軍大黄可使上升解利小兒驚癇開提男子血氣

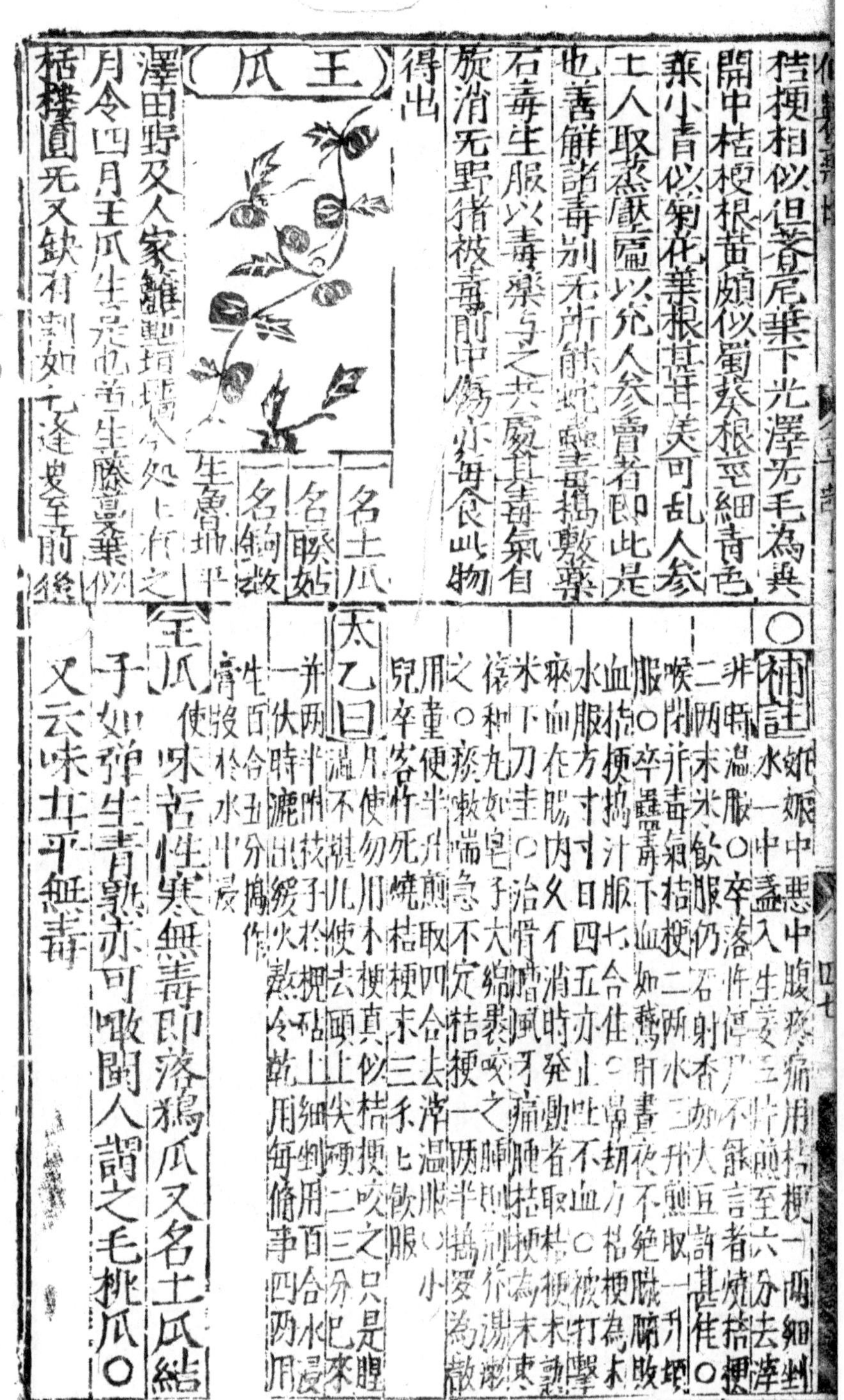

桔梗相似但薺苨葉下光澤无毛為異開中桔梗根黄頗似蜀葵根莖細青色葉小青似菊花葉根甚甘美可乱人参土人取蒸壓匾以充人参賣者即此是也善解諸毒别无所能蛇虫毒搗敷藥石毒生服以毒藥与之共處其毒氣自旋消无野猪被毒箭中傷亦每食此物得出

## 王瓜

一名土瓜　一名𦬶姑　一名鈎𤓰　生魯地平澤田野及人家籬壁垣墻間處處有之月令四月王瓜生是也苗生蔓葉似栝樓圓无叉缺有刺如毛逢皮至前後

○補註姙娠中惡中腹疼痛用桔梗一兩細剉水一中盞入生姜三片煎至六分去滓并時温服○卒客忤停尸不能言者燒桔梗二兩末米飲服仍吞射香如大豆許甚佳○喉閉并毒氣桔梗二兩水三升煎取一升頓服○卒蠱毒下血如鷄肝晝夜不絶臟腑敗血桔梗搗汁服七合佳○鼻衄方桔梗為末水服方寸匕日四五亦止吐下血○被打擊瘀血在腸內久不消時發動者取桔梗末熟米下刀圭○治骨槽風牙痛腫桔梗為末棗穣和丸如皂子大綿裹咬之肺癰則作湯漱之○痰嗽喘急不定桔梗一兩半搗羅為散用童便半升煎取四合去滓温服○小兒卒客忤死燒桔梗末三錢匕飲服

太乙曰凡使勿用木梗真似桔梗咬之只是腥澁不堪凡使去頭上尖硬二三分已來并兩畔附枝子於槐砧上細剉用百合水浸一伏時漉出緩火熬令乾用每修事四兩用生百合五分搗作膏投於水中浸

王瓜　使　味苦性寒無毒即落鴉瓜又名土瓜結子如弾生青熟赤可啖閩人謂之毛桃瓜○又云味甘平無毒

開花淡黃單瓣結實二三寸許其殼紅黃如瓜蔞狀中子亦似螳螂頭根謂之赤雹子其根即土瓜根也北間者其實累累相連大如棗皮黃肉白苗葉都相似但根狀不同三月采根陰乾均房間人呼為老鴉瓜亦曰菟瓜謹按爾雅曰黃茟菁功菟瓜郭璞注云似土瓜而土瓜自謂之蔙與蔙同菇與姑同又名鉤菰蔙菟瓜別是一種也又云芴音物菲亦謂之土瓜自別是一物詩所謂采葑采菲者非此土瓜也大凡物有異類同名甚多不可不辯也采入医方根子兩用

【主】治療小便數遺不禁潤心肺解蠱毒却黃病黃疸用子宜生療下痢赤白雜來敺腸風除肺痿止血溢血泄用子須炒根搗汁去小兒閃癖痞滿及天行熱疾發狂惑瘧暴生並可服也但少為奇若多服則吐下根煎湯破婦人血瘕堅癥併撲損瘀血作痛乳汁不下俱當飲之過多不妙仍逐骨節中伏水更消項頸上瘿瘡去溫痺痿疼散癰疽瘀腫通經墮孕益氣愈聾

○【補註】治蠱毒取根搗汁和[illegible]服當吐下○乳汁取根為末酒服一[illegible]日三服○黃疸黑疸取根搗汁六合頓服當有黃水隨小便出如未出更服之○療面上痱瘰子用之仍得光潤皮急以土瓜根搗篩漿水勻和入夜先漿水洗面傅藥旦復洗之百日光華射人小兒四歲發黃生搗絞汁三合與飲不過三飲已○小便不通及關格方生土瓜根搗

菰根

陶隱居云菰根亦如蘆根又云菰蔣草也

舊不載所出州土今江湖陂澤中皆有之即江南人呼為茭草者生水中葉如葉如蒲葦刈以秣馬甚肥春亦生笋甜美堪啖即菰菜也又謂之茭白其歲久者中心生白臺如小兒臂謂之菰手今人作菰首非是爾雅所謂蘧蔬注云似土菌生菰草中正謂此也故南方人至今謂菌為菰亦緣此義也其臺中有黑者謂之茭鬱其根亦如蘆根冷利更甚二浙下澤處菰草最多其根相結而生久則并土浮於水上彼人謂之菰葑○

取汁以少水解之 筍中欠下剖取通

【菰根】味甘氣大寒無毒

【主治】治心腹卒痛雜鯽魚為羹解酒毒開胃冊石熱發頭食即差須防滑中不宜食多又菰首當時菰手係歲久中生白臺與小兒臂同故取為名與食少追風去熱止上膈渴消食多發氣弱陽令下焦冷滑石同白蜜痼疾復生其臺中有黑者茭鬱名用之治小兒赤痢效

【禁】利五臟亦驗食巳且人忌之【子】細若青麻黃名彫胡米俗每合黍粟煮過凶荒年大抵菰之種類皆極冷利不可過食惟服金石人相宜爾

○

【補訂】毒腫石熱發和鯽魚煮作羹食之三兩頓即復差耳○治湯火所灼未成瘡者

刈去其莖使可耕莳其苗有根梗者謂之菰蔣草至秋結實乃彫胡米也按衍义云菰根蒲類四時取根搗絞汁用河朔边人止以此飼馬曰菰蔣及作薦花如葦結青子細若青麻黄長幾寸彼人收之合粟為粥食之甚濟飢此杜甫所謂願作冷秋菰者是也為其皆生水中及岸際多食令人利

## 苧根

山不載所出州土今閩蜀江浙多有之其皮可以績布苗高七八尺葉如楮葉面青背白有短毛夏秋間著細穗青花其根黄而輕虛二月八月採又有一種山

菰萌根燒取灰用雞子煎和封之○治毒蛇齒方菰蔣草根灰取以封之其草似鷹犀者○小兒風瘡久不差燒菰蔣節末以傅上

苧根　使　味甘氣寒

主治　入藥搗敷小兒赤遊丹毒及諸癰疽發背乳房煎療女人胎動不安併產前後発熱煩悶塞胎漏下血署箭毒蛇傷時疫大渴狂呼非此莫卻金石服多燥熱飲下立除苧皮藏留產婦堪用作枕眠止血暈安臍上去腹疼漬苧汁嘗大解消渴蠶咬中毒一飲即毆故近蠶室種之則蠶竟不產也

○補註　妊娠胎動欲墮腹痛不可忍者用根二刃剉銀五刃酒水各半煎不拘時作二服效○治白丹用根三斤小豆四升水二三斗煮湯浴三四遍浸洗妙丹者惡毒之瘡五色无常根三升水三斗煮浴每日塗之○如胎動不安用根如足大指者一尺細剉水五升

苧亦相似謹按陸机草木疏云苧一科數十莖宿根在地中至春自生不須栽種荆楊間歲三刈官令諸園種之歲再刈便剥取其皮以竹刮其表厚處自脫得裏如筋者煮之用緝

## 甘蕉根

舊不著所出州郡陶隱居云本出廣州江東並有根葉無異惟二不堪食今出二廣閩中川蜀者有花閩廣者實極美可啖他處雖多而作花者亦少近歲仰下性七種之甚盛皆芭蕉也其類芭蕉亦多此云甘蕉乃是有子者葉大抵與芭蕉相類但是卷心中抽幹作花初生大萼如

煑汁三升去滓服○五腫淋用根刃搗碎水煎頓服妙○諸瘡癰疽發背乳房初起微赤用根搗爛同生油擂敷之立消○妊娠忽下黃汁如膠或如小豆汁苧根切二升去黑皮以銀一斤水九升煎取四升每服入酒半升或一升和藥汁一升分作二服

**甘蕉根** 君

味甘氣大寒無毒

**主治** 主天行狂熱悶煩渴服金石燥渴産後脹悶奇効悉臻搗爛敷去小兒赤遊用毒大人發背癰疽風疹頭瘡神功立應蕉油在於皮内竹筒插入吸來如取漆法煩渴飲差鬚髮染黑暗風癇悶暈欲倒急飲下一吐便甦**子**生青熟黃可晒乾寄遠北地以為珍果食每蒸熟取仁潤心肺生津通血脉填髓○**芭蕉根**性雖相類医方内不載拯痾但吸其油亦能黑髮

倒垂莖有十數層ㄈ皆作瓣漸大則花出瓣中極繁盛紅者如火炬謂之紅蕉白者如蠟色謂之水蕉其花大類象牙故謂之牙蕉其實亦有青黃之別品類亦多食之大甘美閩人灰理其皮令錫滑績以爲布如古之錫衰焉

## 芦根

旧不載所出州土今在處有之生下濕陂澤中其狀都似竹而葉抱莖生无枝花白作穗若茅花根而節疎二月八月採日乾用之當掘取水底其甘者其露出其浮水中者並不堪用爾雅謂芦根爲葭華郭璞云芦葦也或謂之荻ㄈ至秋堅

○補註　發背欲死以根搗爛塗上○小兒赤遊行於上下至心即死搗根汁煎塗之○治時疾往熱及消渴金石發動躁熱並用根搗汁飲之效○治暗風癇病涎作暈悶欲死者以芭蕉汁飲之得吐便差極有奇功取之用竹筒摘皮中如取漆法

芦根　使　味甘氣寒無毒

主治　主消渴止小便瀉痢發渴治吐逆解大熱時氣傷寒解酒毒退熱除煩止嘔噦開胃下食ㄈ魚蟹中毒即刼懷胎孕發熱即驅○花白名白蓬茸　主卒霍乱危急煮汁頻飲霎時可安

○補註　治食馬肉中毒癢痛用根五刃切以水八升煮取二升分爲三分治乾嘔噦若手足厥冷以根三斤濃煮汁飲之○食鯸鮧魚肝鯸鮧魚中毒剉根煮汁一二升飲之治食狗肉不消心下堅或䐜脹口乾忽發熱妄語煮根飲之○治五噎心膈氣滯煩悶吐逆不下食芦根五刃剉以水三大盞煮取二盞去滓不時溫服

成卯謂之萑其華皆苕切其萌蒼皆名蘿君然所謂芦蒹通一物也今作蘆者是也所謂荻人以當薪爨者是也北人以蘆与芦為二物水傍下濕所生者皆名蘆其細不及芦人家池圃所植者為芦其幹差大深碧色者謂之碧芦亦難得然則本草所用芦今北地謂蘆者皆可通用也

## 蘭草

俗呼為燕尾香陶公俱載澤蘭八月開花殊誤今按衍义云蘭草諸家之說異同是曾未的識故無定論葉不香惟花香今江陵鼎澧州山谷之間頗有山外平

【太乙曰】凡使須要逆水芦其根逆水生并黄泡肥厚者味甘採得后去節鬚并上赤黄了細剉用

【蘭草】味辛甘氣平寒無毒

【主治】利水道劫痰癖益氣生津殺蠱毒辟不祥潤膚逐痺膽癉必用消渴消渴求東垣有云能散積久陳鬱之氣內經亦曰治之以蘭除陳氣也久服不老輕身通神

○【補註】按蘭草生於深林似慎独也故称幽蘭其葉長青其莖深紫与蕙相類逢春出芽一幹一花而香有餘者名蘭一幹五六花而香不足者名蕙花同春開但蘭先而蕙繼之然江南之蘭只春芳御荆楚閩廣秋復開芳故有春蘭秋蘭不同爾所溪云幽蘭藥稟金水清氣而似有火人知花香之貴不知葉俱有芳如東垣之所云也况蘭味載諸內經其心血蘭徑偏名非深有功力其能致乎

【澤蘭】味苦甘一云苦辛氣微溫無毒防己為

田間無多生陰地生於幽谷益可驗矣葉如麥門冬而潤且韌長及一二尺四時常青花黄中間葉上有細紫點有春芳者為春蘭色深秋芳者為秋蘭色淡秋蘭稍難得二蘭移植小檻中置座右花開時滿室盡香與他花香又別居人樂天有種蘭不種艾之詩正謂此蘭矣

## 澤蘭

非蘭草也又云都梁香今東吳間有之水澤多生家園亦種苗高二三尺許紫莖方莖葉尖對生有毛但不光潤八月花開白色狀如薄荷花同初採微辛此為異耳採收入藥廣志云都梁香出淮南

之使

【主治】理胎產百病淹纏女科須覓消身面四肢浮腫溫中宜求破宿血去癥瘕殊功行瘀血療撲損易效散頭風目痛追癰腫瘡膿長肉生肌利關通竅○根色紫黑如箭為名地筍根相併凡血證俱治女人產後堪作菜蔬○又種益妳草收彷彿澤蘭葉莖色異細認總知果益妳續斷乳如神仍去痔收脫肛最捷炙令香燥漬酒飲之

○【補註】惡氣香澤可作膏塗髮生澤中葉光潤陰小紫五月六月採陰乾婦人和油澤頭故云蘭澤李云都梁是也

【杜若】味辛氣微溫無毒得辛夷細辛良

【主治】主胷脇下逆氣溫中風入腦戶頭痛腫多

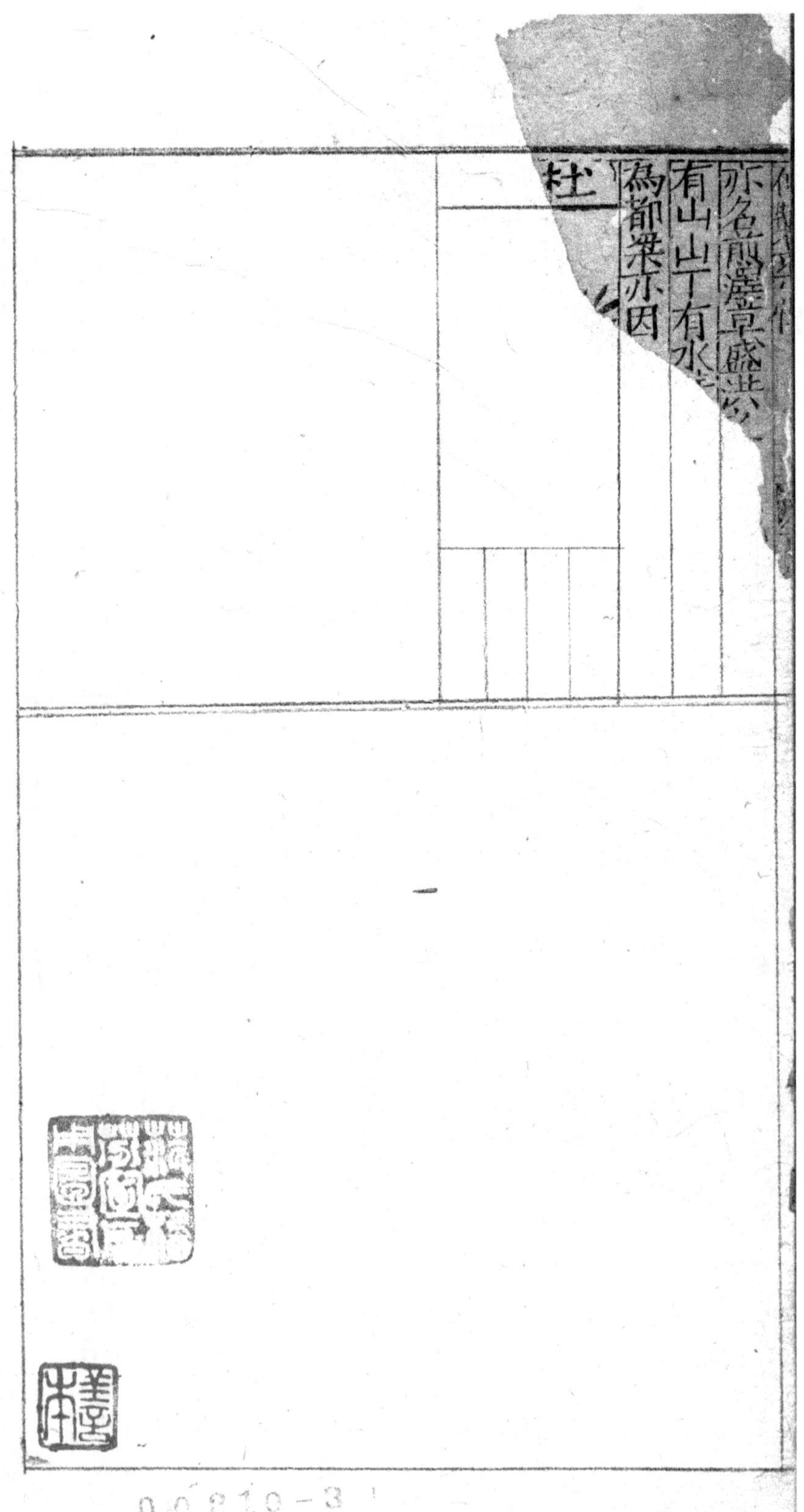

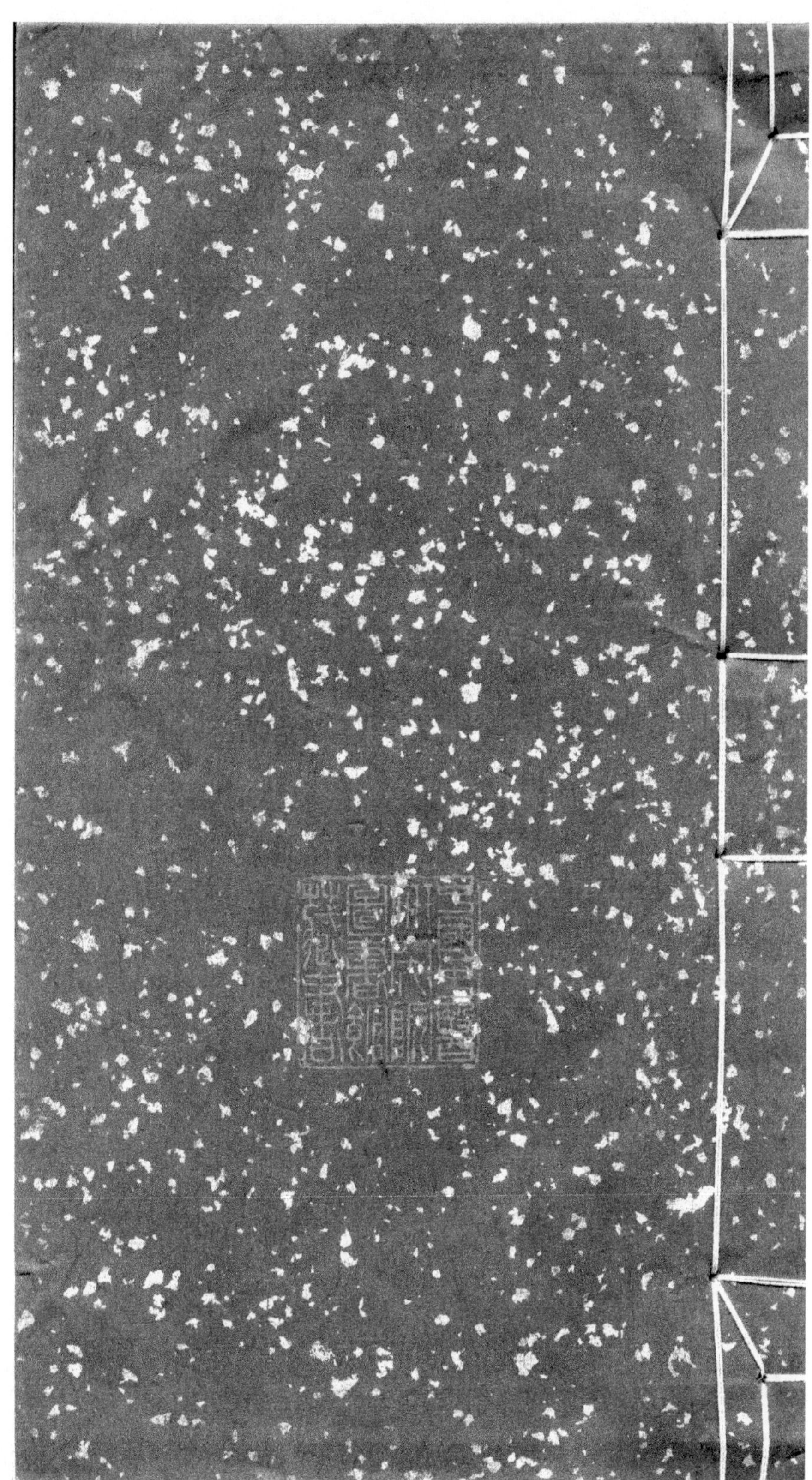

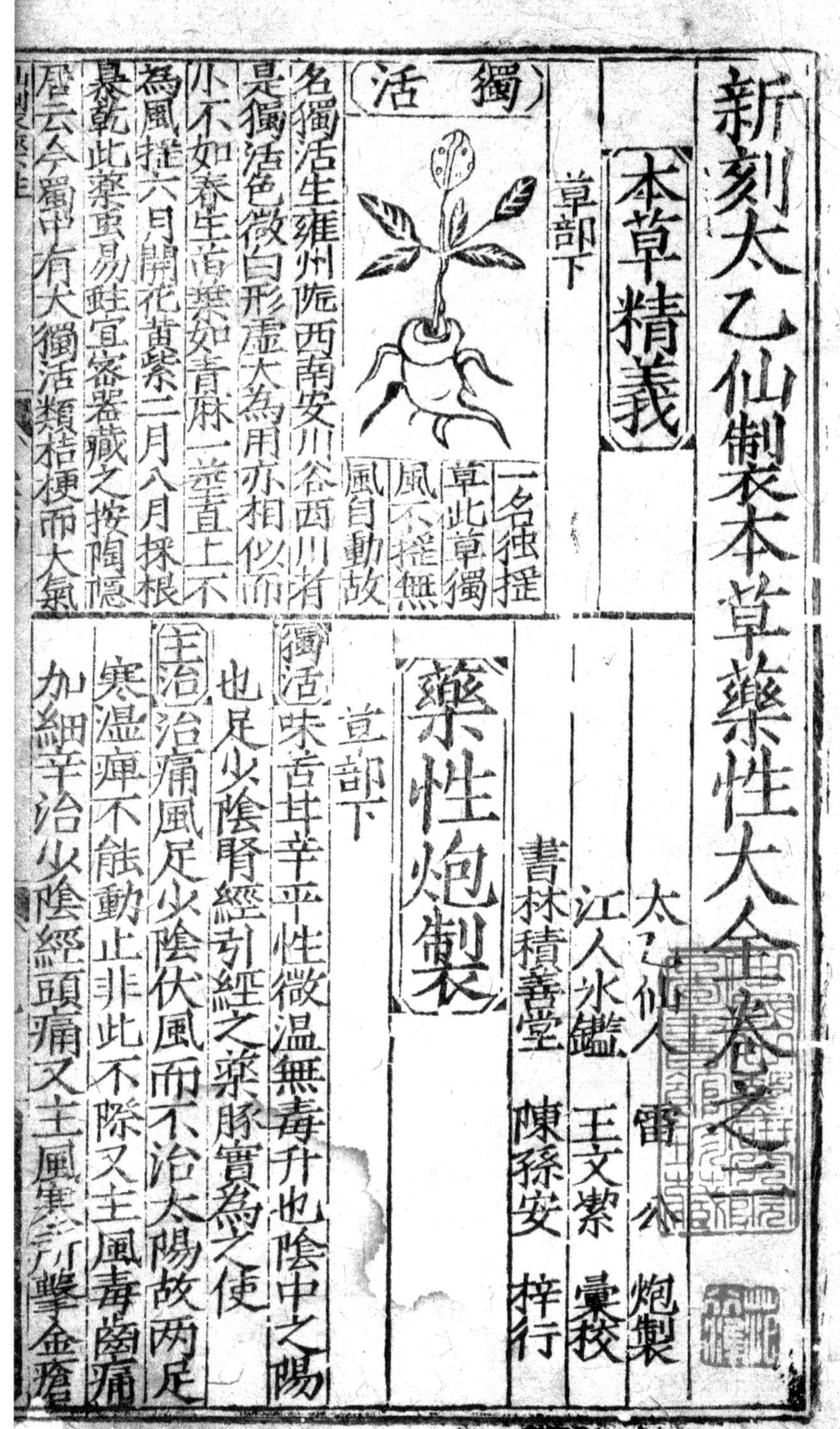

# 新刻太乙仙製本草藥性大全卷之二

太乙仙人　雷公　炮製
江人氷鑑　王文絜　彙校
書林積善堂　陳孫安　梓行

## 本草精義

草部下

獨活

一名独搖草此草獨風不搖無風自動故

名獨活生雍州隴西南安川谷西川者是獨活色微白形虛大為用亦相似而小不如春生苗葉如青麻一莖直上不為風搖六月開花黃紫二月八月採根暴乾此藥更易蛀宜密器藏之按陶隱居云今蜀中有大獨活類桔梗而大氣

## 藥性炮製

草部下

獨活　味苦甘辛平性微溫無毒升也陰中之陽也足少陰腎經引經之藥豚實為之使

主治　治痛風足少陰伏風而不治太陽故兩足寒濕痺不能動止非此不除又主風毒齒痛加細辛治少陰經頭痛又主風寒所擊金瘡

味亦不與羌活同用之徵異而必刻会又有独活亦自蜀中來形類羌活徵黃而極大收時寸解乾之氣味亦芳烈少類羌活又有槐葉氣者京下多用之極效驗意此為真者又人或擇羌活之大者為独活殊未為當大抵此物有兩種西蜀者黃色香如蜜隴西者紫色秦隴人呼為山前独活古方但用独活今方用独活而又用羌活茲為謬矣

〔賦〕云治諸風頭眩目暈頸項難伸除兩足風寒濕痺不能動止療金瘡止痛賁豚癇痓諸賊風百節疼痛辟風不論久新及治女人疝瘕諸風必用之藥

止痛賁豚癇痓女子疝瘕療諸賊風百節痛風無久新者

〔補註〕治較羌稍殊乃足少陰表裏引經專治痛風与少陰經伏風而不治太陽經也故兩足濕痺不能動履非此莫痊風毒齒痛頭眩目暈有此堪治雖伏治風又資燥濕經云風能勝濕故也但今賣者多採土當帰假充不可不細辨尔〇中風通身冷口禁不知人独活四兩好酒一升煎取半升分溫再服〇風齒疼頰腫独活酒煮熱含之〇中風不語独活一兩判酒二升煎一升大豆五合炒有声將藥酒熱投蓋良久溫服三合未差再服即瘥

〔羌活〕君 味苦甘辛氣平微溫無毒去土用肝經膀胱腎經之藥也

〔主治〕主風寒所擊金瘡止痛賁豚癇痓女子疝瘕療諸賊風百節痛風無久新者久服輕身耐老本經不分羌活手足太陽經風藥又

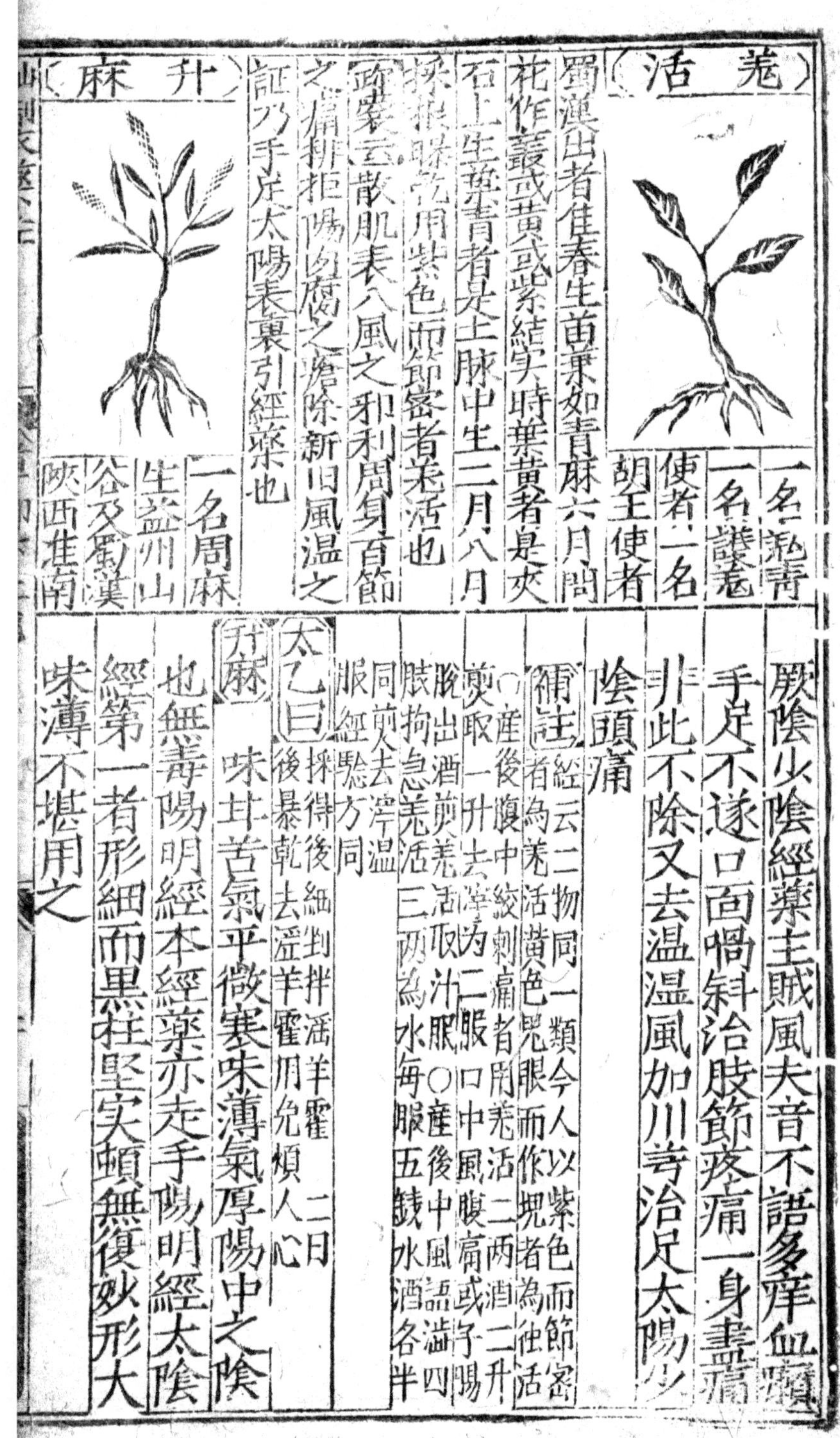

（羌活）

一名羌青

一名護羌使者

一名胡王使者

蜀漢出者佳春生苗葉如青麻六月開花作叢或黃或紫結實時葉黃者是夾石上生葉青者是土脉中生二月八月採根曝乾用紫色而節密者羌活也

象云散肌表八風之邪利周身百節之痛排拒陽肉腐之瘡除新舊風溫之証乃手足太陽表裏引經藥也

厥陰少陰經藥主賊風失音不語多痒血癩手足不遂口面喎斜治肢節疼痛一身盡痛非此不除又去溫濕風加川芎治足太陽少陰頭痛

補註經云二物同一類今人以紫色而節密者為羌活黃色兒脹而作塊者為独活○產後腹中絞刺痛者用羌活二兩酒二升煎取一升去滓為二服口中風腹痛或子腸脫出酒煎羌活取汁服○產後中風語澁四肢拘急羌活三兩為水每服五錢水酒各半同煎去滓溫服經驗方同

（升麻）

一名周麻

生益州山谷及蜀漢陝西淮南

太乙曰採得後細剉拌酒羊霍二日後暴乾去酒羊霍用免煩人心

升麻味甘苦氣平微寒味薄氣厚陽中之陰也無毒陽明經本經藥亦走手陽明經太陰經第一者形細而黑極堅實頓無復外形大味薄不堪用之

州郡皆有之以出蜀川者爲勝及春生苗高三尺葉似麻葉並青色四月五月着花似粟穗白色六月以後結實黑色根紫如蒿根多鬚二月八月採日曝乾今醫家以治咽喉腫痛口舌生瘡解傷寒頭痛乜腫毒之屬將水煎取濃汁服之入口即吐出毒氣蜀人多用之

[珍珠囊]云引葱白散手陽明之風邪引石膏止足陽明之齒痛引諸藥遊行四經升陽氣於至陰之下

藥性賦云消風熱腫毒發散瘡瘍升提陽氣上行

[主治]主解百毒殺百精老物殃鬼辟瘟疫瘴氣邪氣蠱毒煎濃汁服之入口皆吐出治中惡腹痛時氣毒癘頭痛寒熱小兒風癇時氣熱風腫癰喉痛口瘡肺痿肺癰欬唾膿血爲瘡家之聖藥主脾胃解肌肉間熱手足陽明經傷風之的藥又發散本經風邪若元氣不足陽氣在下者用此升提陽氣上行又脾痺非此不除

[補註]天行特病發斑瘡頭面及身須臾周匝如火燒不治數日死用五兩水煎綿沾汁洗之小兒斑瘡及豌豆瘡心煩不安治方同上○朱氏云鼻血吐血者犀角地黄湯乃陽明經聖藥如無犀角以升麻代之二藥性味相遠何以代之蓋升麻能引地黄等藥入陽明耳

[太乙曰]採得後刀刮上麄皮一重了用黄精自然汁浸一宿出暴乾細剉蒸了暴乾用

# 細辛

一名小辛
山澤尋蓮
華陰獨良
葉類馬蹄

莖如麥藁其根甚細其味甚辛藥中性
採根頗故因名曰細辛二月八月採根
陰乾賞者多以杜衡假代殊不知氣雖
小異入口吐人不可不擇耳惡藜蘆忌
生菜畏滑石硝石與狼毒黃耆雖手少
陰引經乃足少陰補藥或用獨活為使
賦云止少陰合病之頭痛散三陽數變
之風邪又曰去頭風止嗽療齒痛

【細辛】臣　味大辛氣溫氣厚於味升也陽也無毒
少陰經藥手少陰經引經之藥

【主治】療欬逆頭痛腦痛百節拘攣風濕痺痛消
死肌溫中下氣破痰開胸中滯除齒痛口臭
喉痺齆鼻眼風淚下風癇頭疾下乳結汗不
出血閉不行安五藏益肝膽通精氣久服明
目利九竅輕身長年治少陰頭痛如神當少
用之獨活為使諸風通用之藥溫陰經去內
寒治邪在裏之表頭面風痛不可缺

【○補註】得當歸芍藥白芷芎藭牡丹藁本甘草共療婦人得決明鯉魚膽青羊肝共療目痛止風淚目疼切剤寒邪發在裏之表合麻附三味煎湯麻黃附子細辛湯載仲景方口臭及匿齒腫疼煮濃汁熱含冷吐过半不單服令氣塞命傾

【太乙曰】凡使一一揀雙叢服之害人須去頭土了田瓜水浸一宿至明漉出晒乾用之

## 防風

一名銅芸　一名茴草　一名百枝　一名屏風

一名蕑根一名百蜚生沙苑川澤及邯鄲上蔡今京東淮浙濟川兗青二郡皆有之葉似牡蒿附子苗根類蜀葵秋後採收曝乾入藥殺烏頭大毒惡藜芦白歛芫花乾姜擇堅實脂潤為良去芦頭釵股不用有毒

東垣云用防風身治人身半已上之風稍去身半已下之風邪能制黃芪黃得防風其功愈大得澤瀉藁本療風得當芍藥陽起石禹餘粮療女人臟風

防風　臣　味甘辛氣温純陽升也無毒脾胃二經行經藥太陽經本經藥乃卒伍卑賤之職隨所引而至者也

主治　主大風頭眩痛惡風風邪目盲無所見風行周身骨節疼痺煩滿頭面去來四肢攣惡字乳金瘡內痙治風通用瀉肺實散頭目中滯氣除上焦風邪之仙藥誤服瀉人上焦元氣又能去濕諸風藥皆然風能勝濕故也又藥中潤劑也

○補註　身去身半已上風稍去身半已下風疾收滯氣面頰太瀉肺實有餘療眩暈頭顛更開目盲無見故云除上焦風邪要藥當或誤服反瀉人上焦元氣為害豈淺也哉秘止痛骨節間亦治風效子消穀胃脘亦又調食香藥收採煎湯主風熱汁出得澤瀉藁本療風得當歸芍藥陽起石禹餘粮療婦人子臟風

## 生姜

處處有之生犍為川谷及荆州楊州以漢溫池三州者為勝高二三尺葉似箭竹葉兩對八九月採用若去其皮則熱留其皮則冷殺半夏莨菪毒惡黃芩黃連天鼠糞

【姜皮】性寒無毒

【賦云】製半夏有觧毒之功佐大棗有厚腸之說溫經益氣發散表邪之風寒開胃益脾熱止胃翻之噦嘔

【生姜】臣　味辛甘氣性微溫無毒氣味俱輕升也陽也秦椒為之使

【主治】經云主傷寒頭痛發散風邪鼻塞咳逆上氣入肺開胃口益脾胃散風寒止嘔吐治痰嗽及心下急痛益元氣與大棗同若與芍藥同用溫經散寒嘔家之聖藥久服去臭氣通神明恐損目

○【補註】無病人夜不宜食之夜宜淨姜動氣故也佐大棗能厚腸生和半夏主心下急痛搗汁和蜜服主中熱不能食又汁和杏仁泥煎成膏水調服下一切結氣實心胸擁膈冷熱氣神效○治痢切如麻粒大和細茶煎一碗勿撥任意呷之大妙○霍亂注痢轉筋欲死取三兩搗碎以酒一升煮三四沸即服○狐臭用汁塗腋下絕根本○暴赤眼無瘡者以古銅錢刮淨姜上取汁於錢唇點目熱淚出今日點來日愈

【乾姜】臣　味辛氣溫大熱味薄氣厚可升可降陽

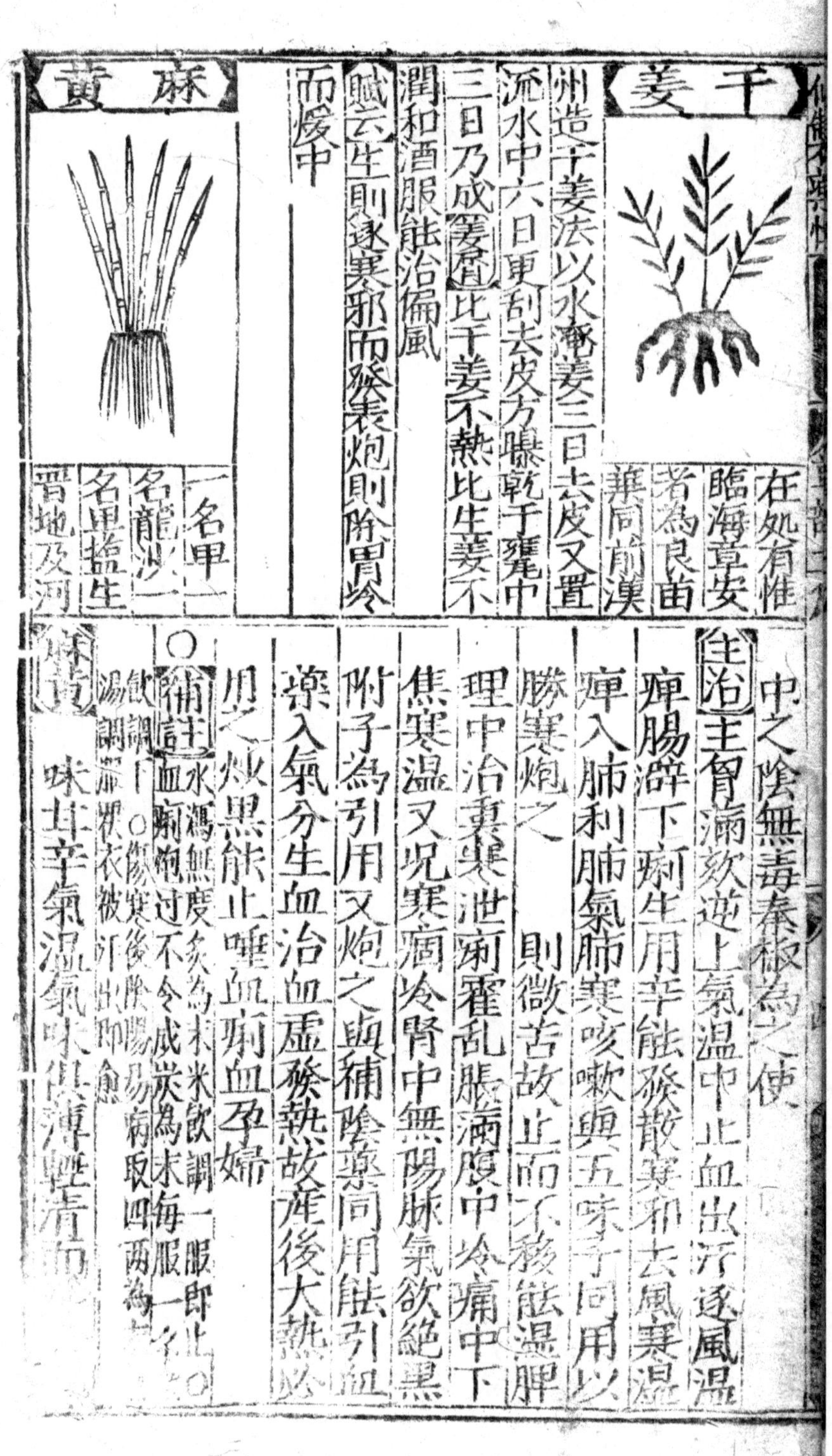

**干姜**

在処有惟臨海章安者為良苗華同前漢州造干姜法以水淹姜三日去皮又置流水中六日更刮去皮方曬乾于甕中三日乃成【炮姜】比干姜不熱比生姜不潤和酒服能治偏風

【賦】云生則逐寒邪而發表炮則除胃冷而守中

中之陰無毒秦椒為之使

【主治】主胃滿欬逆上氣温中止血出汗逐風濕痹腸澼下痢生用辛能發散寒邪去風寒濕痺入肺利肺氣肺寒咳嗽與五味子同用以勝寒炮之　則微苦故止而不移能温脾理中治裏寒泄瀉霍乱脹滿腹中冷痛中下焦寒濕又呪寒痼冷腎中無陽脉氣欲絶黒附子為引用又炮之與補陰藥同用能引血藥入氣分生血治血虚發熱故産後大熱必用之炒黒能止唾血痢血孕婦

○【補註】水瀉無度炙為末米飲調一服即止○血痢炮过不令成炭為末每服一钱米飲調下○傷寒後除陽易病取四兩為末湯調服衣被汗出即愈

**麻黄**

一名甲一名龍沙一名卑塩生晋地及河

【[illegible]】味甘辛氣温氣味俱薄輕清而

今近京多有之以滎陽中牟者爲勝苗春生至夏五月則長及一尺稍上有黄花結實如百合瓣而小又似皂莢子味辛有麻黄氣外紅皮裏仁子黑根紫赤色俗說有雌雄二種雌者於三月四月内開花六月内結子雄者無花不結子至立秋後收採其莖陰乾令青又云鄭州鹿臺及關中沙苑河傍沙洲上大悪細辛石葦宜陳久年深者欲用之須依法製去根節先煮數沸傾上沫用火焙乾仟合丸散煎湯方不令人煩悶以厚朴爲使入手太陰經手太陰經本經之藥陽明經榮衛之藥而又入足太陽經手少陰經也

東垣云麻黄治衛實桂枝治衛虛雖俱

陽也無毒手太陰之藥入足太陽經手少陰經陽明經榮衛藥也厚朴爲之使

【主治】其用有二其形中虛發汗解表治冬月正傷寒神祛風散邪理春杪真溫疫果勝泄衛實消黑斑赤疹去榮寒除身熱頭疼消身上毒風主中風邪熱春末溫瘧勿加夏秋寒疫切禁因時已變溫熱難抵劑之輕揚仍破積聚癥堅更劫欬逆痿痺山嵐瘴氣亦可禦之着蜜炒煎湯主小兒瘡疱患者多服恐致亡陽根節中閉止盜汗而固裏又曰表實邪而療咳嗽

○【補註】治産後腹痛及血下不盡麻黄去節杵末酒服方寸匕一日二三服血下盡即止澤蘭湯服亦妙若小兒瘡疱倒黶黑者秉熱盡服之避風若其瘡復出鄭州麻黄去

治太陽之經其實榮衛藥也肺主衛心主榮麻黃為手太陰之劑桂枝為手少陰之劑故冬月傷寒傷風咳嗽者用麻黃桂枝即湯液之源也然麻黃又為在地之陰上當下行何謂發汗而升上經云味之薄者陰中之陽麻黃屬陰氣味俱薄薄則陰中之陽可知矣安得不為輕揚之劑升上而發汗乎但入手太陰經終亦不能離乎陰之本體也

節半兩淨以蜜一匙同炒良久以水半升煎沸去上沫再煎去三分之一不用滓熱服法用無灰酒煎但小兒不能飲酒者難服但效更速以此知此藥入表也若瘡病以麻黃膝酒湯煮之用麻黃一把去節綿裹以美酒五升煮取半升去滓頓服又治傷寒表熱發痓宜汗之則愈冬月用酒春宜用水煮之良

太乙曰凡使去節并沫若不盡服之令人悶夾刀剪去節并頭槐砧上用銅刀細剉煎三四十沸竹片掠去上沫盡漉出曬乾用之

傷寒雪煎　麻黃十斤去節杏仁四升去兩仁尖皮熬大黃一斤十二兩金色者先以雪水五碩四斗漬麻黃於東向竃釜中三宿後內大黃攪令調以桑薪煮之得二碩汁去滓復內釜中又搗杏仁內汁中復煮之可除之七斗絞去滓置銅器中更以雪水三斗合煎令得二斗四升藥成丸如彈子有病者以沸白湯五合研一丸入湯中滴寒溫服之立汗出若不愈者復服一丸封藥勿令泄也

白芷

一名芳香　一名白茝　一名蘺一名莞一名

白芷　君　味辛氣溫氣味俱輕升也陽也無毒陽明經引經手陽明經本經藥當歸為之使重

不蛀者為良

得繖一名澤芬葉名蒿麻可作浴湯生河東川谷下澤今所在有之吳地尤多根長尺餘白色粗細不等枝幹去地五寸已上春生葉相對婆娑紫色闊三指許花白微黃入伏後結子立秋後葉枯以處暑日採曝乾不蛀色取黃澤者為佳劾速惡旋復花手足陽明三經又為手太陰經之引使也

【主治】乃本經頭痛中風寒熱解利之要藥亦令人漏下赤白血閉陰腫之仙丹宜炒黑用作面脂去面瘢散目癢止目淚去肺經風寒治風通用療心腹血痛止痛多宜外散乳癰背疽內托揚風痔瘻排膿消毒長肉生肌一切瘡瘍並用調治與細辛辛夷作料治久患鼻塞如神〇葉名蒿麻道家常採煎湯浴體祛侵尸蠱

【補註】治小兒身熱白芷煎湯浴兒避風治冊癮疹白芷及根葉煮汁洗之效治帶下腸有敗膿淋露不已腥穢殊甚遂至臍腹更生冷痛此蓋為敗膿血所致卒無已期須以此排膿白芷一兩單葉紅蜀葵根二兩芍藥根白者白礬各半兩礬燒枯別研餘為末同以蠟丸如梧子大空肚及飯前米飲下十丸或十五丸俟膿盡乃別以他藥補之

【太乙曰】凡採得後勿用四條作一處生者此名袞公様兼勿用馬藺並不入藥中採得

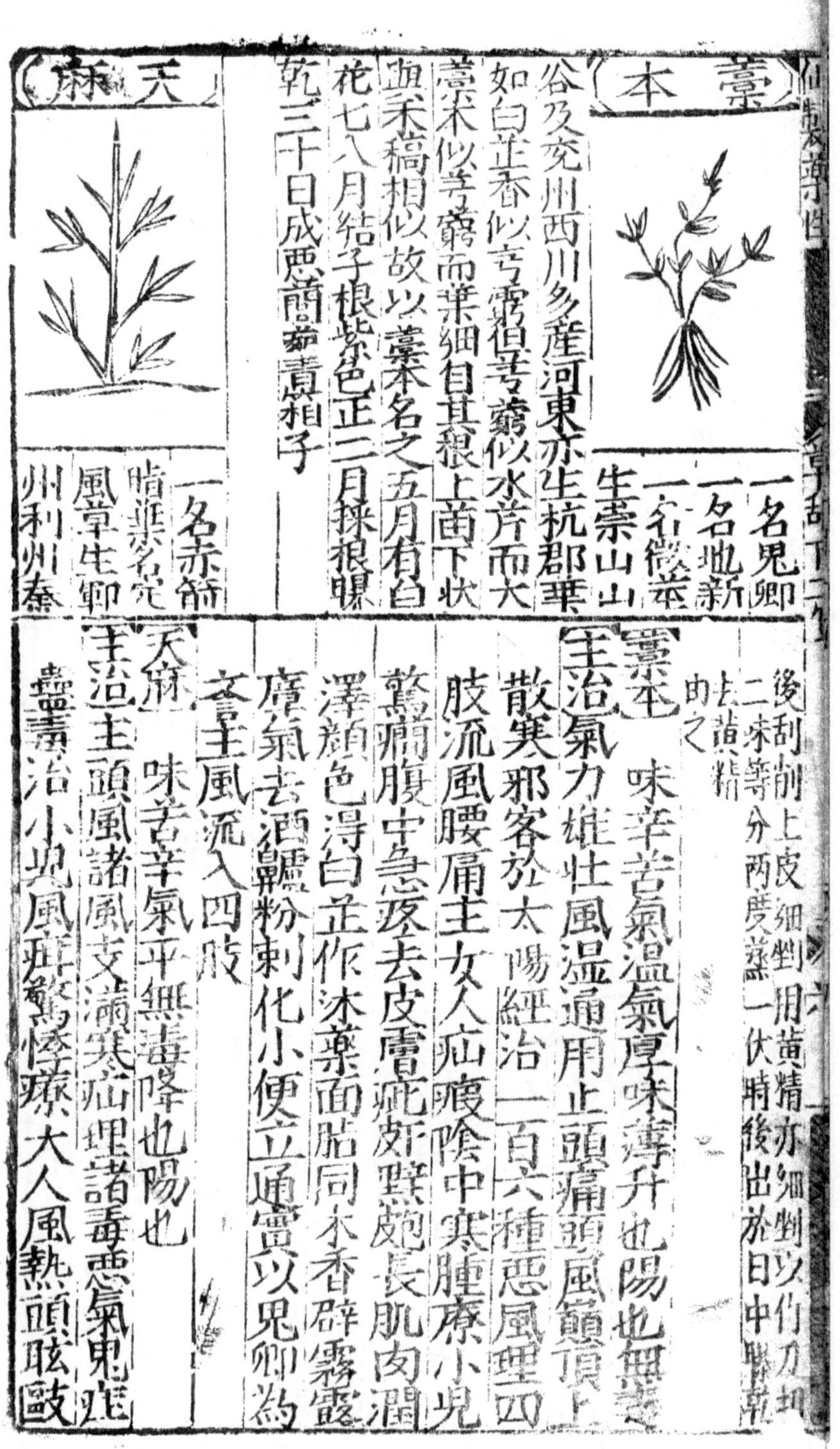

槀本

一名鬼卿
一名地新
一名微莖
生崇山山谷及兖州西川多產河東亦生杭郡華如白芷香似芎藭但芎藭似水芹而大槀本似芎藭而葉細自其根上苗下狀與禾稿相似故以槀本名之五月有白花七八月結子根紫色正二月採根曝乾三十日成惡蔄茹青葙子

天麻

一名赤箭
晴巢名定
風草生鄆
州利州泰

後刮削上皮細剉用黃精亦細剉以竹刀切二味等分兩度蒸一伏時後出於日中曝乾去黃精用之

槀本 味辛苦氣溫氣厚味薄升也陽也無毒

主治 氣力雄壯風濕通用止頭痛頭風巔頂上散寒邪客於太陽經治一百六種惡風理四肢流風腰扁主女人疝瘕陰中寒腫療小兒驚癇腹中急疼去皮膚疵奸䵟皰長肌肉潤澤顏色得白芷作沐藥面脂同木香辟霧露瘴氣去酒齇粉刺化小便立通實以鬼卿為之主風流入四肢

天麻 味苦辛氣平無毒降也陽也

主治 主頭風諸風支滿寒疝埋諸毒惡氣鬼疰蠱毒治小兒風癇驚悸療大人風熱頭眩毆

山崂山諸山今京東京西湖南淮南州郡亦有之春生苗初出若芍藥獨抽一莖直上高三四尺如箭簳狀青赤色故名赤箭脂莖中空依半以上貼莖微有尖小葉梢頭生成穗開花結子如豆粒大其子至夏不落却透虛入莖中潛生土內其根形如黃瓜連生一二十枚大者有重半斤或五六兩其皮黃色名白龍皮肉名天麻二月三月五月八月內採初取得乘潤刮去皮沸湯略煮過暴乾收之嵩山衡山人或取生者蜜煎作果食之甚珍

濕痺拘攣主癱瘓蹇滯通血脉開竅利腰膝強筋諸毒癰疽並堪調愈久服益氣輕身長年不老

葉名定風草味甘氣平治冷氣瘙痺癱瘓不遂語多恍惚多驚失志又云性寒主熱毒癰疽

○補遺 又取子作飲去熱氣　熱毒癰腫擣莖葉傅之

太乙曰 凡使勿用御風草與天麻相似只是葉莖不同其御風草根莖斑葉背白有青點使御風草根切使天麻二件若同用即令人有腸結之患修事天麻十兩用蒺藜子一鎰緩火熬焦熟後便先安置天麻十兩於瓶中上用火熬過蒺藜子蓋內外便用三重紙蓋并係從巳至未時又出蒺藜子再入熬炒准前安天麻瓶內用炒了蒺藜子於中依前蓋又准一伏時後出如此七遍瓶盛出後用布拭上氣汗用刀劈焙之細剉單擣然用御風草修事法亦同天麻

衍義云 天麻用根須別藥相佐使然後見其功仍須加而用之人或蜜漬為果或蒸煮

赤箭

一名離母　一名鬼督

郵生陳倉川谷雍州及太山少室今江湖間亦有之然不中藥用宜箭獨茎如箭簳葉生其端四月開花結穗微赤實似枯苦楝子核作五六稜中有肉如麪日曝則枯萎其根大類天門冬惟無心脉耳去根五六寸有十餘子為衛似芋三四八月採根暴乾今三四月採苗七八九月採根謹按此草有風不動無風自搖抱朴子云按仙方中有合離草一名獨搖一名離母所以謂之合離離母者此草為物下根如芋魁有游子十二枚周環之去大魁數

食用天麻者深思之則得矣苗則赤箭也

【赤箭】即天麻苗也　味辛氣溫無毒

【主治】益氣力強陰下支滿除疝殺鬼精蠱毒消惡氣腫癰久服增年輕身肥健

○【補注】赤箭則言苗用之有自表入裏之功天麻則言根用之有自內連外之理根則抽苗徑直而上苗則結子成熟而落返從幹中而下至土而生似此粗可識其外內主治之理○赤箭天麻苗也然與天麻治療不同故後人分之為二經中言八月採根曝乾知此即苗也

【耆五實】即華中　味苦甘氣溫無毒

【主治】散腫癬細瘡遍身瘙癢者立効毆風溫周痺四肢攣急者殊功止頭痛眩暈通頂門追風毒住在骨髓殺邪蟲溫瘧主惡肉死肌益氣開聰明強志堅腰膝亦堪久服明目輕身

尺雖相須而實不連但以氣相屬耳

## 蒼耳

一名葈耳　一名胡葈　一名地葵　一名葹

名常思生安陸川谷及陸安田野今處處有之謹按詩人謂之卷耳爾雅謂之蒼耳廣雅謂之葈耳皆以實得名也陸機疏云葉青白似胡荽白華細莖蔓生可煮為茹滑而少味四月中生子正如婦人耳璫今或謂之耳璫草鄭康成謂是白胡荽幽州人呼為爵耳郭璞云形似鼠耳叢生如盤今之所有皆類此但不作蔓生耳或曰此物本生蜀中其實多刺因羊過之毛中粘綴遂至中國故

〇【補註】治婦人風瘙癮疹身痒不止用蒼耳花葉子等分搗羅為末豆淋酒調服二錢匕　治牙痛以蒼耳子五升水一斗煮取五升熱含之疼即吐吐後復含不過三劑差莖葉亦得　除一切風濕痺四肢拘攣蒼耳子三兩搗末以水一升半煎取七合去滓呷　治身体手足卒腫爛潰蒼耳搗傅之立効春用心冬用子

【太乙曰】凡採得去心取黃精用竹刀細切拌之同蒸從巳至亥去黃精取出陰乾用

【根莖】味辛微寒有小毒逢端午收藏辟惡病家無畏

【主治】汁搽小便同飲去疔腫如神援安舌下流涎治目黃好睡若被犬咬急服弥佳痔發肛門頰瘍累効

〇【補註】治產後諸痢神効蒼耳葉搗絞汁溫服半中盞日三四服　救急療齒風動痛蒼耳一握以漿水煎入鹽含治　一切丁腫取蒼耳根莖和葉燒作火以醋泔澱和如泥塗上乾即易不過十餘度即拔出其根　治五痔方蒼耳莖葉以五月五日採乾為末以水服方

名羊負來俗呼為道人頭實熟時採之古今方書多單用治丁腫甚者生搗根葉和小兒溺絞取汁令服一升日三又燒作灰和臘月豬脂封上須臾拔出根愈秋採微炒入藥最忌豬肉米泔

【蒼耳酒】當以五月五日午時附地刈取莖耳葉洗曝乾搗下篩酒若漿水服方寸匕日二夜三作散若吐逆可蜜和為丸準計一方寸匕數也風輕易治者日再服若身體有風處皆作粟飢出或如麻豆粒此為風毒出也可以鍼刺潰去之皆黃汁出乃止五月五日多取陰乾著大甕中稍取用之皆能辟惡若欲省病看病者便服之令人無所畏[illegible]若時氣不和舉家服之若[illegible]悶發熱

寸寸立效治卒得惡瘡以蒼耳桃皮作屑內瘡中佳療熱毒病攻手足腫疼痛欲脫方取蒼耳汁以浸之治婦人血風攻腦頭旋悶絕忽死忽倒地不知人事者用喝起草取其嫩心不限多少陰乾為末以常酒服一大錢不拘時候其功大效服之多連腦蓋善通頂門今蒼耳是也治毒蛤并射工沙虱等傷眼黑白禁手腳強直毒攻腹內成塊逡巡不救宜用此方蒼耳嫩葉一握研取汁溫酒和灌之將滓厚罨所傷處治誤吞錢蒼耳頭一把以水一升浸水中十餘度飲水即愈

【太乙曰】凡採取日乾或煎湯洗患處去風用水煎酒煎服隨症施治

【參元】味苦辛平微溫無毒可降可升陰中陽也菖蒲為之使入手太陽經

【主治】主寒熱邪氣療瀉血腸風治中風通身攣急理口噤舌瘡牙疼養血榮筋除風痺肢節俱痛通便利水散黃疸遍體如金誅頭風解酒毒止腸風下血去骨蒸傳尸

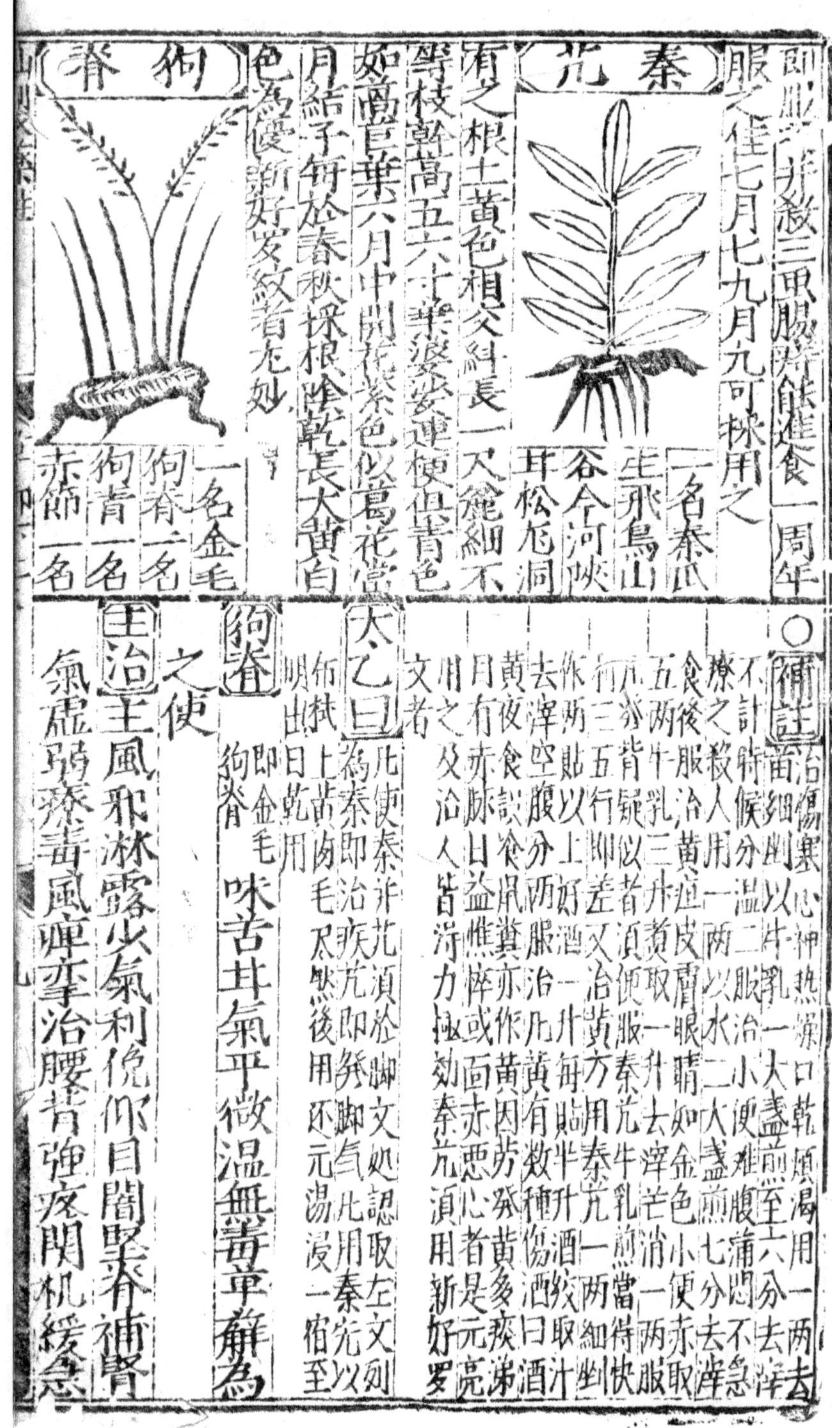

即服之并殺三虫服藥能進食一周年服之佳七月七九月九可採用之

秦艽

一名秦瓜　生飛鳥山谷今河陝耳松龙洞有之根土黃色相交糾長一尺麄細不等枝幹高五六寸葉婆娑連梗俱青色如萵苣葉六月中開花紫色似葛花當月結子每於春秋採根陰乾長大黃白色為優新好窊紋者尤妙

狗脊

一名金毛　狗脊一名　狗青一名　赤節一名

○補註　治傷寒心神熱燥口乾煩渴用一兩去苗細剉以牛乳一大盞煎至六分去滓不計時候分溫二服治小便難腹滿悶不急療之殺人用一兩以水二大盞煎七分去滓食後服治黃疸皮膚眼睛如金色小便赤取五兩牛乳三升煮取一升去滓芒消一兩服凡發背疑似者須便服秦艽牛乳煎當得快利三五行即差又治黃方用秦艽一兩細剉作兩貼以上好酒一升每貼半升酒絞取汁去滓空腹分兩服治凡黃有數種傷酒曰酒黃夜食誤食鼠糞亦作黃因勞發黃多痰涕目有赤脉日益憔悴或面赤惡心者是元亮用之及治人皆得力極効秦艽須用新好羅文者

太乙曰　凡使秦并艽須於腳文處認取左文列為秦即治疾艽即發腳气凡用秦艽以布拭上黃肉毛盡然後用还元湯浸一宿至明出日乾用

狗脊　即金毛狗脊　味苦甘氣平微温無毒萆薢為之使

主治　主風邪淋露少氣利俛仰目闇堅脊補腎氣虛弱療毒風痺攣治腰背強疼閑机緩急

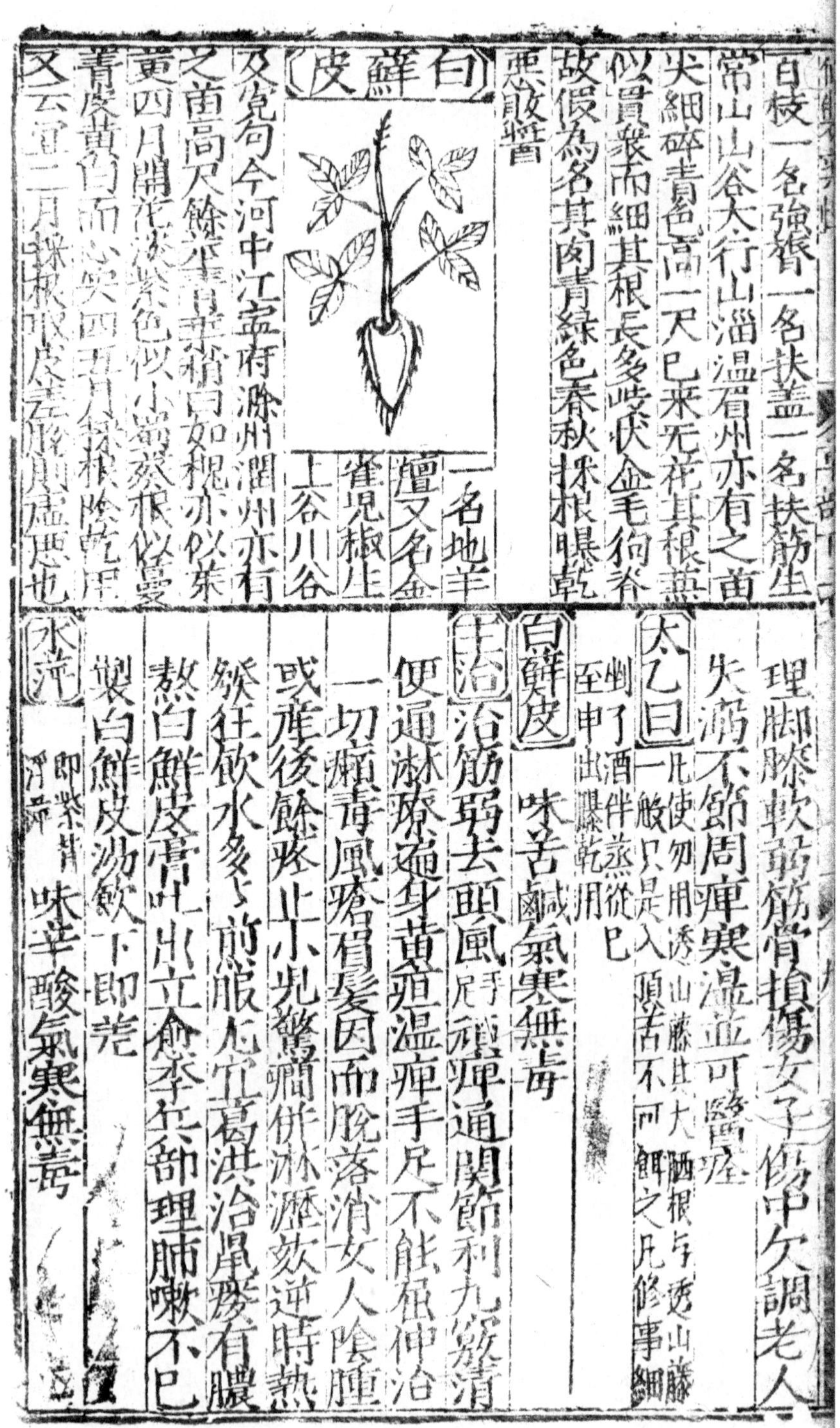

百枝一名強膂一名扶蓋一名扶筋生常山山谷太行山淄温眉州亦有之苗尖細碎青色高一尺已來无花其根葉似貫衆而細其根長多岐狀金毛狗脊故假為名其肉青緑色春秋採根暴乾惡敗醬

白鮮皮

一名地羊羶又名金雀兒椒生上谷川谷及冤句今河中江寧府滁州潤州亦有之苗高尺餘莖青葉稍白如槐亦似茱萸四月開花淡紫色似小蜀葵花根似蔓菁皮黄白而心實四月五月採根陰乾用又云宜二月採根根皮若腸則虛惡也

理脚膝軟弱筋骨損傷女子傷中欠調老人失溺不節周痺寒濕並可醫痊

太乙曰 凡使勿用透山藤其大麵根与透山藤一般只是入頭苦不可餌之凡修事細剉了酒伴蒸從巳至申出曝乾用

白鮮皮 味苦鹹氣寒無毒

主治 治筋弱去頭風手足頑痺通關節利九竅消便通淋瘀遍身黄疸温痺手足不能屈伸治一切癩毒風瘡眉髪因而脫落消女人陰腫或産後餘疼止小兒驚癇併淋瀝欬逆時熱發狂飲水多多煎服宜葛洪治鼠瘻有膿熬白鮮皮膏汁出立愈李氏部理肺嗽不已製白鮮皮湯飲下即痊

水萍 即紫背浮萍 味辛酸氣寒無毒

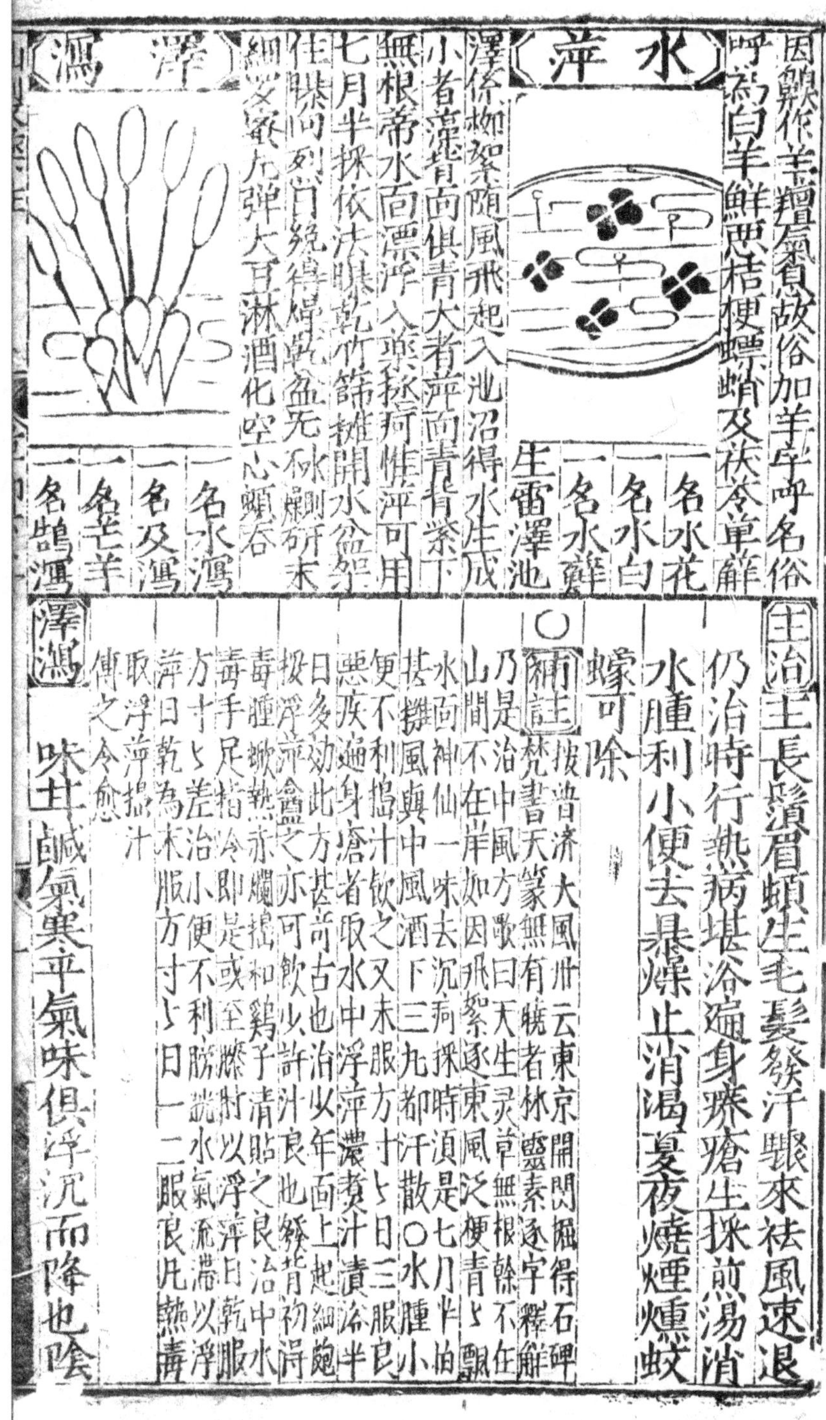

因類作羊羶氣息故俗加羊字呼名俗呼為白羊鮮恶桔梗螵蛸及茯苓萆薢

## 水萍

一名水花
一名水白
一名水蘋
生雷澤池

澤傍柳絮隨風飛起入池沼得水生成小者藻背面俱青大者萍面青背紫下無根帝水面漂浮入藥採莉惟萍可用七月半採依法曝乾竹篩攤開水盆架住曝向烈日總得燥乾盃无水則研末細爻為丸弾大豆淋酒化空心嚥吞

【主治】主長鬚眉頓生毛髮發汗驟來祛風速退仍治時行熱病堪浴遍身疥瘡生採煎湯消水腫利小便去暴熱止消渴夏夜燒煙燻蚊蟓可除

○【補註】按普濟大風冊云東京開閃掘得石碑梵書天篆無有曉者林靈素逐字釋解乃是治中風方歌曰天生灵草無根幹不在山間不在岸始因飛絮逐東風泛梗青青飄水面神仙一味去沉疴採時須是七月半甚擲風與中風酒下三九都汗散○水腫小便不利搗汁飲之又末服方寸匕日三服良惡疾遍身瘡者取水中浮萍濃煮汁漬浴半日多効此方甚奇古也治少年面上起細疱搗浮萍盦之亦可飲少許汁良也發背初得毒腫熱赤爛搗和鷄子清貼之良治中水毒手足指冷即是或至膝肘以浮萍日乾服方寸匕差治小便不利膀胱水氣流滞以浮萍日乾為末服方寸匕日一二服良凡熱毒取浮萍搗汁傅之令愈

## 澤瀉

一名水瀉
一名及瀉
一名芒芋
一名鵠瀉

【澤瀉】味甘鹹氣寒平氣味俱浮沉而降也陰

生汝南池澤今山東河陝江有之淮北雖生不堪入藥涇中所出方可採蒔蓋因形大而長毛有兩歧為異耳春生苗多在淺水中葉似牛舌獨莖而長秋時開白花作叢似穀精草五月六月八月採根陰乾今人秋末採暴乾用此物極易朽蠹常須密藏畏海蛤文蛤二藥入太陽少陽足經

【澤瀉木煮法】先以水二升煮二物取一升又以水一升煮澤瀉取五合々此二汁為再服病甚欲眩者服之必差仙方亦單服澤瀉一物搗篩取末水調日分服六兩百日体輕久而健行

也陰中微陽無毒

【主治】主風寒濕痺乳難消水養五臟益氣肥健補虛除五勞痞滿止夢洩遺精君五苓散中因其功長於行濕佐八味丸內引桂附等歸就腎經去胞汗大利小便瀉伏水微養新水故經云除濕止渴【聖藥】通淋利水仙丹【命鵲】云多服昏目久服耳目聰明面貌光澤輕身延年能行水之藥

○【補遺】澤瀉皂莢水煮爛焙乾為末煉蜜為丸如梧子大空心以溫酒下十五丸至二十九甚妙治腎藏風生瘡常服尤良身熱解墮汗出如浴惡風少氣名曰酒風治之以澤瀉朮十分麋銜五分合以三指撮為後飯後飯者飯後藥先謂之後飯病心下有支飲苦冒澤瀉湯主之以其行水停水為最

【太乙曰】不計多少細剉酒浸一宿漉出暴乾任用也

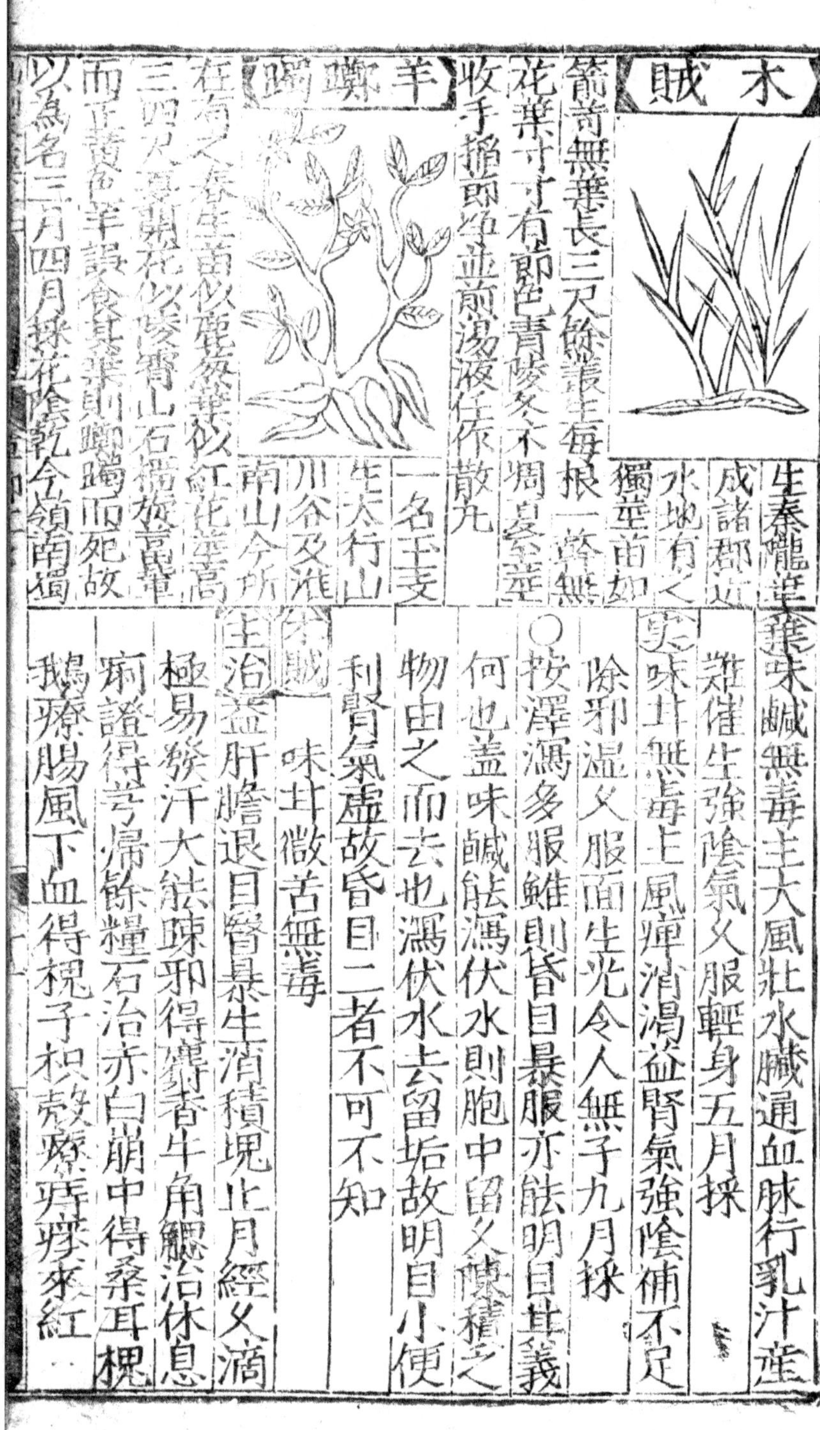

【木賊】

生秦隴華成諸郡近水地有之獨莖苗如箭笴無葉長三尺餘叢生每根一莖無花葉寸寸有節色青陵冬不凋皇采莖收手搗節即細並煎湯液任作散丸

【羊躑躅】

一名玉支生太行山川谷及淮南山今所在有之春生苗似鹿葱葉似紅花莖高三四尺夏開花似凌霄山石榴旋葍輩而正黃色羊誤食其葉則躑躅而死故以為名三月四月採花陰乾今嶺南蜀

【葉】味鹹無毒主大風壯水臟通血脉行乳汁産難催生強陰氣久服輕身五月採

【實】味甘無毒主風痺消渴益腎氣強陰補不足除邪濕久服面生光令人無子九月採

○按澤瀉多服雖則昏目暴服亦能明目其義何也蓋味鹹能瀉伏水則胞中留久陳積之物由之而去也瀉伏水去留垢故明目小便利腎氣虛故昏目二者不可不知

【木賊】味甘微苦無毒

【主治】益肝膽退目瞖暴生消積塊止月經久滴極易發汗大能疎邪得麝香牛角䚡治休息痢諸得芎歸餘糧石治赤白崩中得桑耳槐鵝療腸風下血得槐子枳殼療痔瘻來紅

道山谷徧生苗深紅色如錦綉然或云
此種不入藥

附子

附子側子生犍為山谷及廣漢烏頭烏喙生朗陵山谷天雄生少室山谷並皆獨生然四品都是一種所產其種出於龍州種之法冬至前先將肥瘦陸田耕五七次以猪糞糞之然後布種逐月耘耔至次年八月後方成其苗高二四尺以來莖作四稜葉如艾花紫碧色作穗實小子黑色如桑椹本只種附子一物至成熟後有此四物收時每一処造醸方成醸之法先於六月內踏造大小麥麴

○補註治痔血不止木賊十二分切以水一升入合煎取八合去滓空心溫分二服如人行五里再服腸痔多年不差下血不止用木賊枳殼各二兩乾薑一兩大黃一分四味並剉一処於銚子內炒黑色存心分性搗羅溫粟米飲調食前服二手匕甚效

衍義云木賊細剉微ヒ炒搗為末沸湯點一手飯前服治小腸膀胱氣緩ヒ服必効

味辛氣溫有大毒

主治主風濕戩肌肉戩ヒ痺痲治賊風在皮膚中淫ヒ掣痛鬼疰蠱毒並卻瘟瘴惡毒音毆

○補註古方多用蜘蛛如胡合治特行赤散及治五般四痛凡之類及治風諸酒方皆用之又治百病風溫昔魯正酒中亦用花分医方採脚痛中多用之南方治古氣厂白有

附子使味辛甘氣溫大熱浮也陽中之陽也有大毒通行諸經引藥又云入手少陽三焦命門之劑也地膽為之使冬月採者為附子

至收採前半月預先用大麥煮成粥後將上作麴造醋候熟淋去糟其醋不用大酸七則水觧之便將所收附子等去根須於新甕內淹浸七日每日攪一遍日足撈出以疎篩攤之令生白衣後向慢風日中晒之百十日以透乾為度若猛日晒則皺而皮不附肉其長三二寸者為天雄割削附子傍尖芽角為側子附子之絕小者亦名為側子元種者母為烏頭其餘大小者皆為附子以八角者為上如方藥要用須炮熠裂去皮臍使之綿州彰明縣多種之惟赤水一鄉者最佳然收採時月與本經所說不同蓋今時所種如此其內地所出者與此殊別今稀用故本經冬採為附子

主治

補三陽之厥逆去五臓之沉寒噤閉牙関末納鵝管中吹入紅突疔毒末調釅醋塗消口瘡久不差醋麵和末貼脚底脚氣暴発腫醋汁攪末敷止患間漏瘡剉片如錢封口加艾可灸㬉脚膝徒步堅筋骨強陰傲八味丸中壯元陽益腎非附子不能補下焦陽虛故八味丸加桂附乃補腎經之陽六味丸去桂附盖補腎經陰也丹溪云加為以陰向導恐恐是非君朮附湯內散寒濕溫脾所經直中真寒薑附湯煎可禦此消生用不在製拘助甘緩參耆成功徒潤滯地黃建効內傷熱甚速入勿疑此藥治外感症非浔身表凉四肢厥者不可借用經云壯火食氣故也治內傷

春採爲烏頭而廣雅云奚毒附子也一歲爲前與側同子二歲爲烏喙三歲爲附子四歲爲烏頭五歲爲天雄今一年種之便言此五物豈今人種蒔之法用力倍至故爾然然也然能蒔力當幾於滿久者耳

蒙筌云係烏頭傍出故附子爲名皮黑体圓底平山芋狀相彷彿畏人參黄耆甘草防黑豆烏韭防風惡蜈蚣使地膽種蒔川蜀七人春每種蒔冬月收採若汁全頂擘正圓一兩一枚者力大製宜陶氏煨法以刀去淨皮臍先將童便鹽水各半觔入砂鍋煮浸沸次用甘草黄連各半兩加童便緩煮一時撈貯磁中埋伏地內晝夜過畢囫圇漏腺乾

症縱身表熱甚而氣虛脉細者正宜速入經云温能除大熱是也俗医不知誤爲補劑曰相習羽寧不殺人孕婦忌煎墮胎甚速

○補註 偏風半身不遂癱瘓用附子一兩生用無灰酒一升右㕮咀內於酒中經一七日隔日飲之服一小合差丁瘡腫甚者用末醋和塗之乾再塗自愈治大風冷痰癖脹滿諸痺用大附子一枚重半兩者二枚亦得炮之酒漬春冬五日夏秋三日服一合差卒忤停尸不能言口禁不開生附子末置管中吹入舌下即差嘔逆翻胃用大附子一个生薑二斤細剉煮研如麪糊米飲下之大人久患口瘡生附子爲末醋麪調男左女右貼脚心日再換元藏傷冷及開胃附子炮过去皮尖搗羅爲末以水兩盞入藥二錢鹽葱棗薑煎取一盞空心服腳氣連腿腫滿久不差用一个去皮尖生搗末生薑汁調如膏塗腫上乾再塗之腫消爲度大瀉霍乱不止用一枚重七錢炮去皮臍爲末每服四錢水兩盞鹽半錢煎一盞温服眼暴赤腫磣痛不開淚出不止削附子赤皮末如蚕屎著眥中以定爲度耳聾風牙閉急不開取八角附子一枚醋漬三宿令潤微削一頭內耳中灸上十四壯[illegible]

濈濈汗出用瓶薄封仍文火復炒麼勞性大除氣因浮中有沉功專走而不守凡和群藥可使通行諸經以為引導佐佐使之劑也

【制法】凡用以水煮火炮令裂表裏皆黃去皮臍用丹溪云用童便浸煮以殺其毒且可助下行之力入鹽尤捷此佐使之行藥世俗用為治風及補藥殺人多矣提金云治傷寒用附子者去皮臍无一兩一個者用黃連甘草各二錢鹽水薑汁各一盞煮附子一沸又入童便半盞煮三沸撈起晒乾入磁器盛貯伏地氣一晝夜出火毒庶不為害一兩重一枚者無毒生用不宜製炒又云烏頭附子天雄側子之類水浸炮裂去皮臍用

氣逼耳中即差頭亂至驗以一個生去皮臍用菉豆一合同入銚內煮豆熟為度去附子服豆即差每箇煮五服後為末服之亦好

【太乙曰】凡使先須細認勿誤用有烏頭烏喙天雄側子木鱉子烏頭少有莖苗長身烏黑少有傍尖烏喙皮上蒼有大頭許者孕八九个周圍底陷黑如烏鐵宜於文武火中炮令皺折即劈破用天雄身全矮無尖周匝四面有附孕十一个皮蒼色即是天雄宜炮皴折後去皮尖底用不然陰制用並得側子只是附子傍有小顆附子如棗核者是宜生用治風疹癬神妙木鱉子只是諸家附雄烏側中毗槵者号曰木鱉子不入藥中用若服令人喪目若附子底平有九角如鐵色一个个重一兩即是氣全堪用夫須事十兩於文武火中炮令皺折者去之用刀刮上孕子并去底尖微細劈破於屋下午地上掘一坑可深一尺安於中一宿至明取出焙乾用夫欲炮者灰火勿用雜木火只用柳木最妙若陰制使即生去尖皮底泊切用東流水并黑豆浸五日夜然後漉出於日中晒令乾用凡使須陰制去皮尖了每十兩用生烏頭五兩東流水六升

【烏頭】即附子嫩小者　味辛甘溫又云大熱有大毒行

之多有外黄裏白烈性尚在直若乘熱切作片再炒令表裏皆黄烈性盡去為良世人罕有此製也

## 【烏頭】

一名茛一名千秋一名毒公一名耿子[illegible]

附子同根爾雅云芨堇草即烏頭是也正月始生葉厚莖方中空葉四四相當與蒿相似立春生者謂烏頭因有腦類烏烏頭𩑦竟假名為醫家呼嚶氣味製度與附子同本經云春採為烏頭冬採為附子又云附子頂圓正烏頭頂歪斜宗此別之[illegible]忌豉汁惡藜蘆反半夏栝蔞貝母及白及白歛

諸經之劑遠志為之使春採者為烏頭

【主治】主中風惡風洗洗出汗治腰臍冷疼隱隱而疼有脚痛不可俛仰目中疼不可久視理風痺卻風痰散寒邪除寒濕破諸氣積聚去心下痞堅亦善墮胎孕婦切忌

○【補註】腰脚冷痺疼痛用三分去皮臍生搗羅醋調塗故帛上傅之痛止又療癬方用七枚生搗碎水三盞煎至一盞去滓洗之頭風頭痛臘月用一升炒令黃末綿裹盛酒三升浸溫服耳鳴如流水声耳痒及風声不治又成聾生搗一个承溫刻如棗核大塞耳旦易夜易不三日愈癰攻腫若有息肉突出者用五枚以苦酒三升漬三日洗之夜三四度耳鳴不分夜用烏灰菖蒲等分為末綿裹塞耳中神效瘍汗入瘡腫痛漸甚遲則難治以生末傅瘡口良久黃水出方愈瘡中剖中成瘡連年不差用烏頭尖黃蘗等分為末洗貼□齦搗以末少許頭醋調傅之治[illegible]墜并用一箇好者燒灰火燒烟欲盡取出地上[illegible]同合良久細研用酒糊丸如大麻子每服[illegible]丸赤痢用黃連甘草黑豆煎湯冷吞下[illegible]

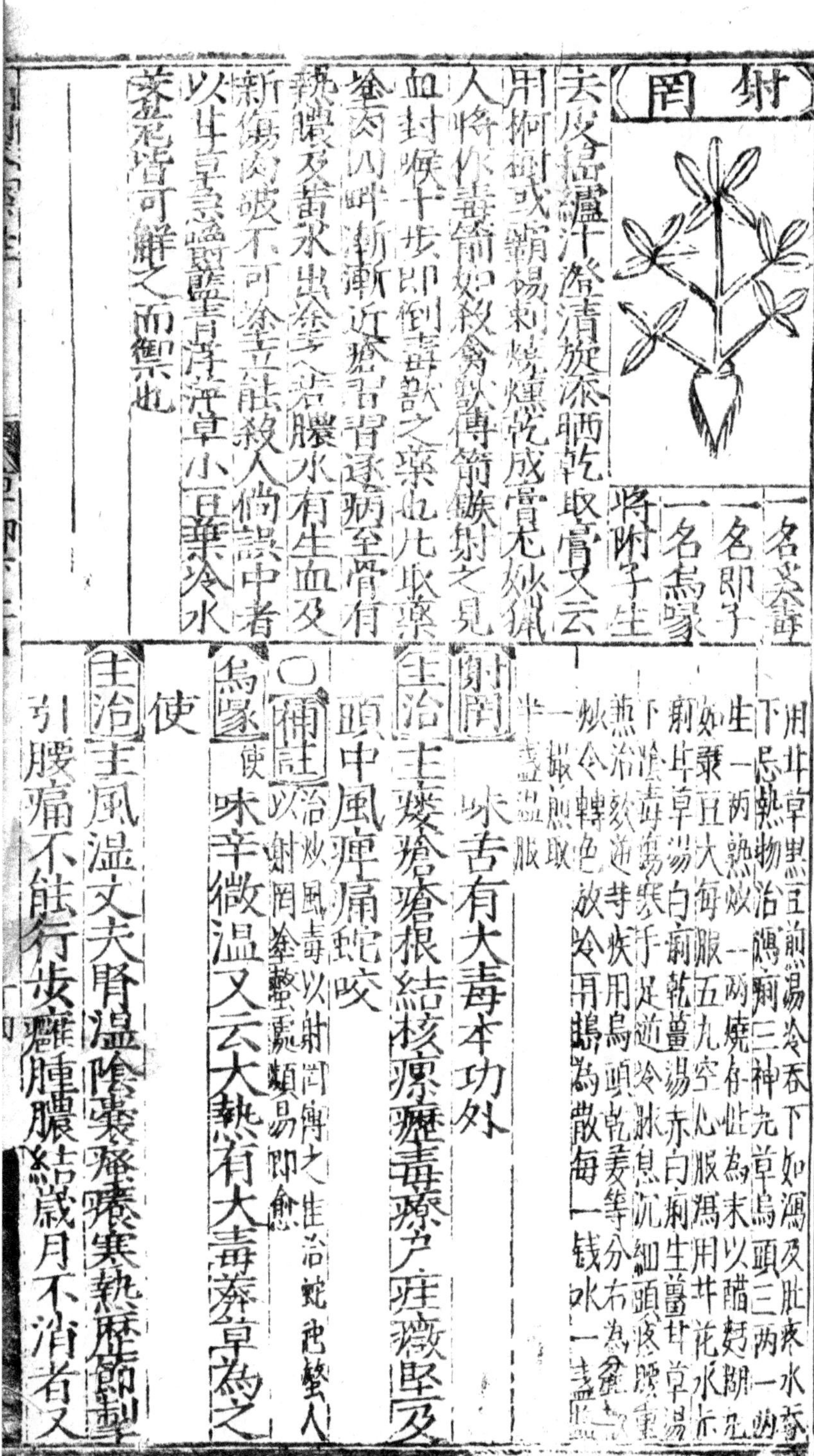

## 射罔

一名奚毒
一名即子
一名烏喙
將附子生

去皮搗爛汁澄清旋添曬乾取膏又云用柳鐵或鞘湯和爐煉乾成膏尤妙獵人將作毒箭如殺禽獸傳箭鏃射之見血封喉十步即倒毒獸之藥也凡取藥塗肉四畔漸漸近瘡習習逐痛至骨有熱膿及黃水出塗之若膿水有生血及新傷肉破不可塗並能殺人倘誤中者以甘草藍青浮萍草小豆葉冷水薺苨皆可解之而禦也

用甘草黑豆煎湯冷吞下如瀉及肚疼水飲下忌熱物治瀉痢三神丸草烏頭三兩一兩生一兩熟炒一兩燒存性為末以醋麪糊丸如菉豆大每服五丸空心服瀉用井花水下痢甘草湯白痢乾薑湯赤白痢生薑甘草湯下陰毒傷寒手足逆冷脉息沉細頭疼腰重兼治欬逆等疾用烏頭乾姜等分右為麄炒令轉色放冷用搗為散每一錢水一盞鹽一撮煎取半盞溫服

射罔　味苦有大毒本功外

主治　主瘻瘡瘡根結核瘰癧毒瘵尸疰癥堅及頭中風痺痛蛇咬

〇補註　治炒風毒以射罔傅之生治蛇蟲螫人以射罔塗螫處頻易即愈

烏喙　使　味辛微溫又云大熱有大毒莽草為之使

主治　主風濕丈夫腎濕陰囊癢寒熱歷節掣引腰痛不能行步癰腫膿結歲月不消者又

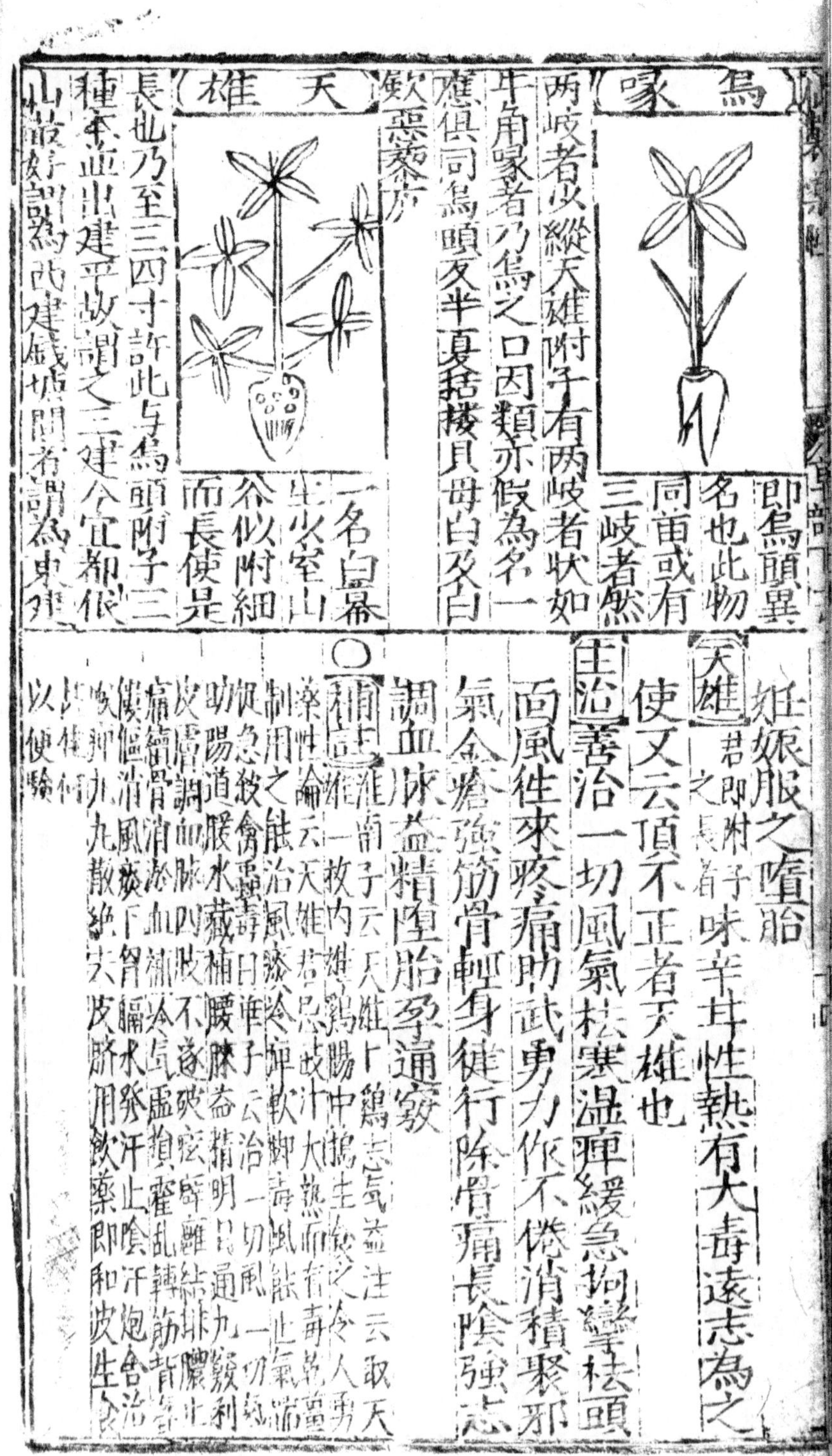

烏喙

即烏頭異名也此物同苗或有三岐者然兩岐者少縱天雄附子有兩岐者狀如牛角喙者乃烏之口因類亦假為名一應俱同烏頭反半夏括樓貝母白及白斂惡藜蘆

天雄

一名白幕生少室山谷似附子細而長便是長也乃至三四寸許此與烏頭附子三種本並出建平故謂之三建今宜都佷山最好謂為西建錢塘間者謂為東建

姙娠服之墮胎

天雄 君即附子之長者 味辛甘性熱有大毒遠志為之使又云頂不正者天雄也

主治 善治一切風氣袪寒濕痹緩急拘攣袪頭面風往來疼痛助武勇力作不倦消積聚邪氣金瘡強筋骨輕身健行除骨痛長陰強志調血脉益精墮胎孕通竅

○補遺 淮南子云天雄上雞志氣益注云取天雄一枚內雄雞腸中擣生飲之令人勇藥性論云天雄君忌豉汁大熱而有毒堪制用之能治風痰冷痺軟脚毒風能止氣喘促急殺禽蟲毒日華子云治一切風一切氣助陽道暖水藏補腰膝益精明目通九竅利皮膚調血脉四肢不遂破痃癖癰結排膿止痛續骨消瘀血補冷氣虛損霍乱轉筋背脊傴僂消風痰下胸膈水發汗止陰汗炮含治喉痺凡丸散炮去皮臍用飲藥即和皮生使甚佳何以使驗

氣力小力弱不相似故曰西水猶勝東白而用灰殺之時有水強巨兩切者不住岸本云天雄附子烏頭等並以蜀道綿州龍州出者佳餘處縱有造得者力弱都不相似江南來者全不堪用又云天雄大長少角刺而虛烏喙似天雄而附子大短有角平穩而實烏頭次於附子側子小於烏頭連聚生者名為虎掌並是天雄一裔子母之類力氣乃有殊等即宿根子嫩者耳已上並忌豉汁○陳藏器云天雄身全短無尖周匝四面有附子孕十一個皮蒼色即是天雄炮製行從去皮尖底用之不然陰制用並得

**側子** 使　味辛氣大熱有大毒即附之傍出者

**主治** 主癰腫歷節治腰脚疼冷理脚氣驗散癮疹良掃鼠瘻惡瘡劫寒热濕痹如前墮胎女科當知

**木鼈子** 乃附烏側中毗穗令人喪目藥中忌之

○**補註** 側子冷酒調服治遍身風癮疹

**太乙曰** 側子只是附子傍有小顆側子如棗核者是宜生用治風癮疹神驗也木鼈子只是諸家附雄烏側中毗穗者號曰木鼈子不入藥中

○按附子烏頭烏喙天雄側子附而木鼈子七名雖出一種但治各有不同今尊會編附其總論天雄長而尖者其氣親上故曰非天雄不能補上焦陽虛附子圓而矮者其氣親下故曰非附子不能補下焦陽虛烏頭原生苗腦

## 側子

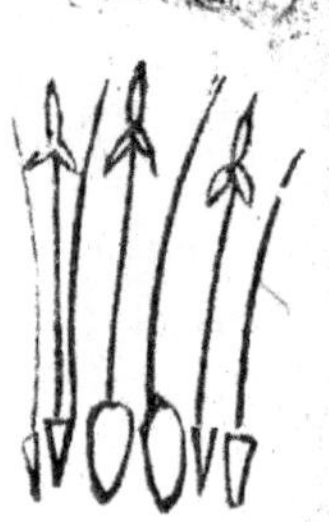

一名莨即附子邊角之大者削取之蘇云只是烏頭不共附子向生小者為側子大者為附子有角如大棗核及檳榔已來者形狀亦自是一頭仍不小是則烏頭傍出附子附子傍出側子明矣是五物同出而異名苗高二尺許葉似石龍芮及艾其花紫赤其實紫黑今以龍州綿州者為佳作之法以生熟湯浸半日勿令滅氣出以白灰裛之數易使乾又法以米粥及糟麴等並不及前法

形如烏鳥之頭得母之氣守而不移居乎中者也側子散生傍側体無定在其氣輕揚宜其發四肢充皮毛為治風瘮之神妙也烏喙兩岐相合形如烏嘴其氣鋒銳宜其通經絡利關節尋蹊達徑而直抵病所也煎為射罔禽獸中之即死非氣之鋒銳捷利者能如是乎又有所謂木鼈子乃雄喙烏附側中有毗槵者其形摧殘其氣消索譬如痿癃殘疾之人百無一能徒為世累且又令人喪目故不入藥也

白附子　味辛氣溫純陽無毒一云有小毒

主治　治面上百病可作面脂主血痺冷疼且行藥勢陵諸風冷氣癬中風失音摩醋[illegible]

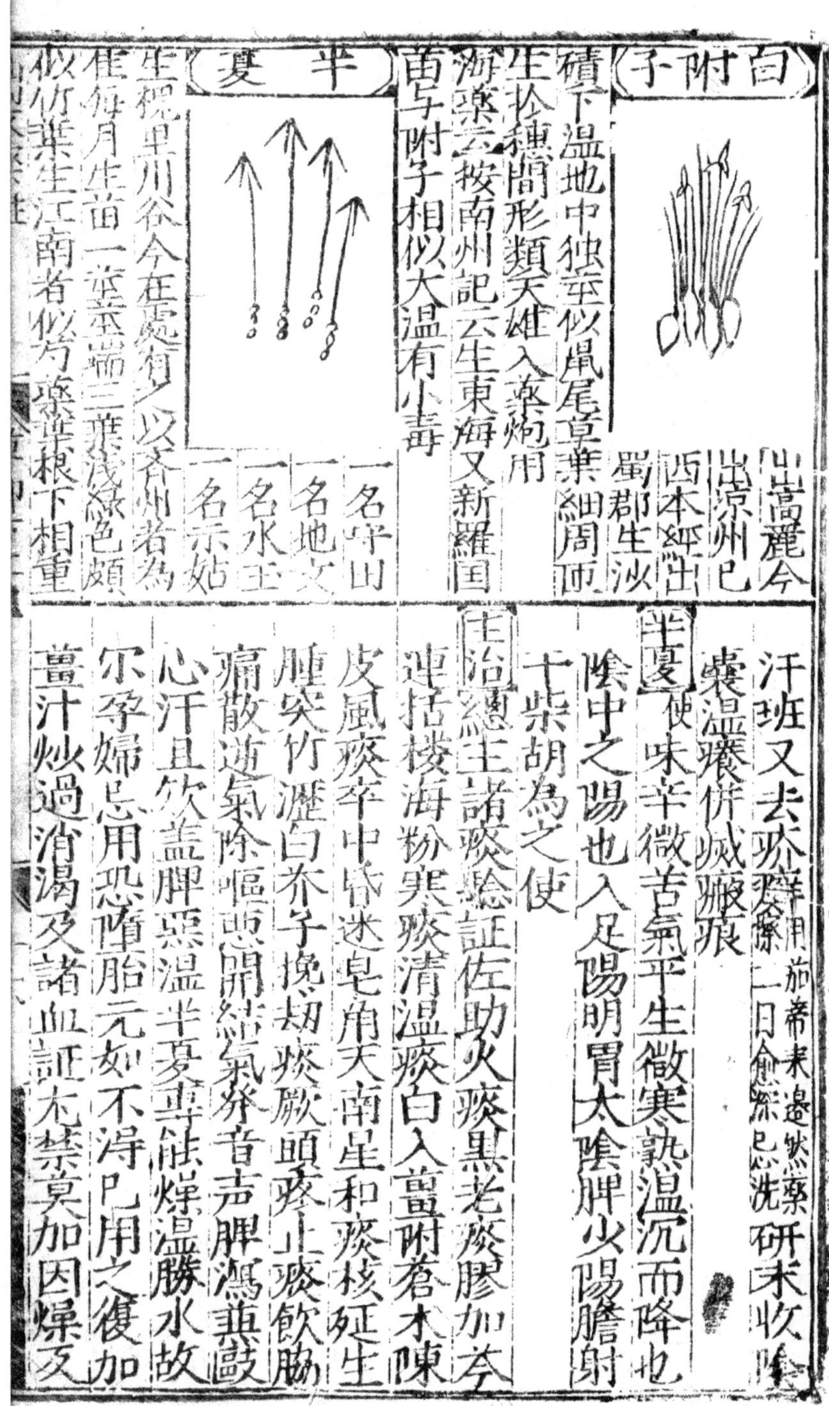

白附子

出高麗今出涼州已西本經出蜀郡生沙磧下温地中独茎似鼠尾草葉細周匝生於穗間形類天雄入藥炮用海藥云按南州記云生東海又新羅国苗与附子相似大温有小毒

半夏

一名守田　一名地文　一名水玉　一名示姑

生槐里川谷今在處有之以齊州者為佳每月生苗一莖莖端三葉淺綠色頗似竹葉生江南者似芍藥葉根下相重

汗斑又去疥癬用茄蒂末邊蘸藥一日愈深忌洗研末收斂瘡温癢併滅瘢痕

半夏　使　味辛微苦氣平生微寒熟温沉而降也陰中之陽也入足陽明胃太陰脾少陽膽射干柴胡為之使

主治　總主諸痰驗証佐助以痰黑老痰膠加芩連括樓海粉寒痰清温痰白入薑附蒼朮陳皮風痰卒中昏迷皂角天南星和痰核延生腫突竹瀝白芥子挽切痰厥頭疼止痰飲脇痛散逆氣除嘔惡開結氣發音声脾濕甚齁心汗且飲蓋脾惡濕半夏專能燥濕勝水故尔孕婦忌用恐墮胎元如不得已用之復加薑汁炒過消渴及諸血証尤禁莫加因燥又

生上大下小皮黃肉白五月八月內採根以灰裹二日湯洗曝乾一云五月採者虛小八月採者實大然以圓白陳久者為佳其平澤生者甚小名羊眼半夏又由跋絕類半夏而苗高近一二尺許根如鷄卵大多生林下或云即虎掌之小者足以相亂半夏主胃冷嘔噦方藥之最要及為頭眩苦表畏雄黃生薑秦皮鼈甲忌羊肉血海藻飴糖使宜射干柴胡經入足膽脾胃久藏入藥同橘皮謂二陳生嚼戟喉生用則麻戟人喉嚨宜沸湯制七遍仍加薑制纔可入藥若研末攙少枯礬再炮過半夏四兩入枯礬一兩共研拌薑汁捏作小餅楮葉包裹風際陰乾此又名半夏麴也片則力

助火邪真陰渙破敗害津枯血耗危殆日侵不得不預防也生半夏消癰腫成顆者磨水敷蠍子螫人塗上即愈婦人產後暈絕為丸塞兩鼻中能頃刻回甦此扁鵲捷法也

〇【補遺】時氣嘔逆不下食用半兩湯浸洗七遍去滑生薑一兩同剉水一盞煎至六分去滓分二服不拘時候治瘻瘡五孔相通用一分為末水調傳之治胃開二兩天南星二兩為末水五升入罈內與藥攪勻浸一宿去清水焙乾重碾每服水二盞藥二錢薑三片煎至八分溫服至五歎神效治喉痹用末方寸用鷄子一個去黃白盛淳苦酒令小滿用末攪和鷄子內以鐶子坐之於炭上煎成置杯中稍暖嚥之治蠍子螫人以水研塗之立止傷寒病噦不止用末一錢生薑湯服小兒腹脹搗末酒和丸如粟米大每服二丸生薑湯吞不差以火炮之為末貼臍亦佳自縊墻壁壓水溺魘魅產乳凡五絕以一兩為細末作丸如豆大入鼻中愈心溫者一日可治

【雷公曰】凡使勿誤用白傍蔻子真似半夏只是咬着微酸不入藥用若修事半夏四兩

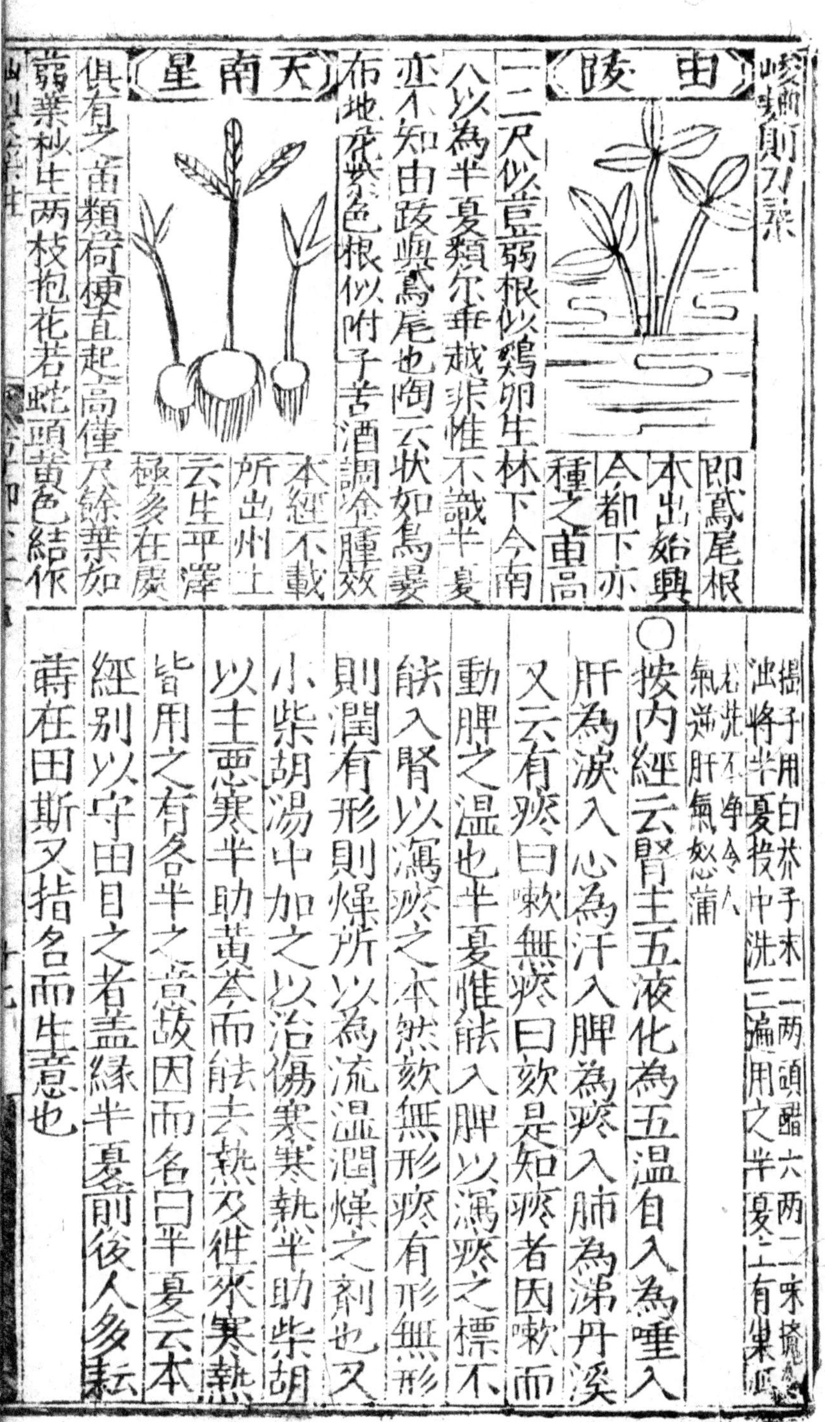

峻劑則可采

## 由跋

即鳶尾根本出始興今都下亦種之苗高一二尺似鳶弱根似鷄卵生林下今南人以為半夏頻尔乖栽非惟不識半夏亦不知由跋與鳶尾也陶云狀如鳥翼布地花紫色根似附子苦酒調塗腫效

## 天南星

本經不載所出州土云生平澤極多在處俱有之苗類荷梗直起高僅尺餘葉如蒻葉秋生兩枝抱花若蛇頭黄色結作

搗子用白芥子末二兩頭醋六兩二味攪油將半夏投中洗三遍用之半夏上有巢涎若洗不淨令人氣逆肝氣怒滿

○按内經云腎主五液化為五溼自入為唾入肝為淚入心為汗入脾為痰入肺為涕丹溪又云有痰曰嗽無痰曰欬是知痰者因嗽而動脾之溼也半夏惟能入脾以瀉痰之標不能入腎以瀉痰之本然欬無形痰有形無形則潤有形則燥所以為流溼潤燥之劑也又小柴胡湯中加之以治傷寒寒熱半助柴胡以主悪寒半助黄芩而能去熱及往來寒熱皆用之有各半之意故因而名曰半夏云本經别以守田目之者盖緣半夏前後人多耘蒔在田斯又指名而生意也

總鮮紅根比芋猶圓肌細膩且白本經載虎掌草即此後人以天南星假称亦與鬼蒟蒻相侔每逢冬月間悞採殊不知蒟蒻莖斑花紫根極大肌麄南星莖青花黄根累小肌細炮之易裂㕘得此幾真製須多泡生薑湯七八次隹用臘月黑牯牛膽一個用南星研末取汁拌勻填入風乾过年成塊剉碎復炒拯痾方也謂之牛膽南星即此是也倉卒不能得此依前薑湯泡或火炮並殺毒堪用但性猶烈也乃上行治肺經本藥欲下行資黄蘗引之畏生薑及黑附子岩中又有白蒟蒻亦曰鬼芋根都似天南星生下平澤極多皆雜採以為天南星了不可辨市中所收往往是也但天南星

【由跋】即半眼半夏 味同半夏

【主治】主毒腫結熱胃冷嘔噦方藥之最要

【天南星】

味苦辛氣平可升可降陰中陽也有毒

【主治】散跌撲即凝瘀血墜中風不語稠痰利胷膈下氣墮胎破堅積消癰疽消腫水摩疥癬蛇蟲咬毒醋調貼破腦傷風瘤突額顱麝加敷愈先用小鍼十數枚作一把瘤上微刺通竅用新南星醋摩加麝少許日數二次任如桃大半月全消

○【補註】中風目瞋不禁搖末白龍腦各等分研為五月五日午時合每用中指點末揩齒上二三十次效○小兒走馬疳蝕及小塊餌用一个當心作坑子安雄黄一塊在内煨裹燒候雄黄作汁以盞子合定出火毒去熱為末入射香少許掃瘡效○婦人一切風攻

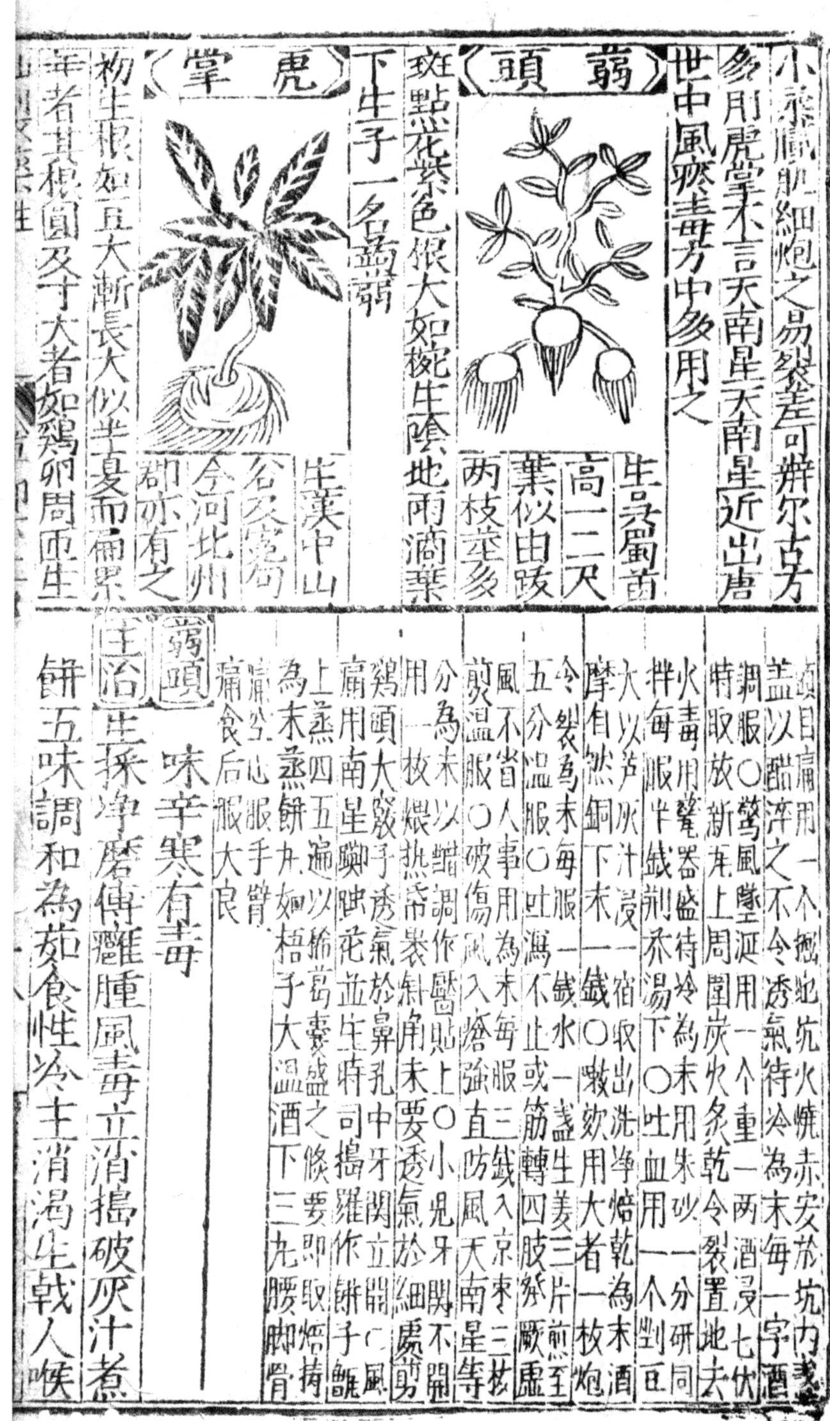

小癥膚肌細炮之易裂差可辨爾古方多用虎掌不言天南星天南星近出唐世中風痰毒方中多用之

蒻頭

生吳蜀苗高一二尺葉似由跋两枝莖多斑點花紫色根大如椀生陰地雨滴葉下生子一名蒟蒻

虎掌

生漢中山谷及寃句今河北州郡亦有之初生根如豆大漸長大似半夏而扁累年者其根圓及寸大者如鷄卵周匝生

頭目痛用一个撫蛇先火燒赤安於坑内我盖以醋淬之不令透氣待冷為末每一字酒調服○驚風墜涎用一个重一两酒浸七伏時取放新瓦上周圍炭火炙乾令裂置地去火毒用瓷器盛待冷為末用朱砂一分研同拌每服半錢荊芥湯下○吐血用一个剉豆大以芦灰汁浸一宿取出洗净焙乾為末酒摩自然銅下末一錢○嗽欬用大者一枚炮令裂為末每服一錢水一盞生姜三片煎至五分温服○吐瀉不止或筋轉四肢發厥虚風不省人事用為末每服三錢入京棗三枚煎温服○破傷風入瘡強直防風天南星等分為末以蠟調作靨貼上○小兒牙關不開用一枚煨熱帛裹斜角末要透氣於細處剪鷄頭大竅子透氣於鼻孔中牙關立開○風痛用南星躑躅花並生時同搗羅作餅子甑上蒸四五遍以稀葛囊盛之候要即取焙搗為末蒸餅丸如梧子大温酒下三丸腰脚骨痛空心服手臂痛食后服大良

**蒻頭** 味辛寒有毒

**主治** 生採淨磨傅癰腫風毒立消搗破灰汁煮餅五味調和為茹食性冷主消渴生戟人喉

圓牙二三枚成五六枚二四月生苗高尺餘独莖上有葉如爪五六出分布尖而圓一窠生七八莖時出一莖作穗直上如鼠尾中生一葉如匙裹莖作房傍間一口上下尖中有花微青褐色結實如麻子大熟即白色自落布地一子生一窠九月苗殘取根以湯入器中漬五七日湯冷乃易日換三四次洗去涎曝乾用之或再火炮今冀州人採園中種之亦呼為天南星江州有一種草葉大如掌面青背紫四畔有牙如虎掌生三四葉為一本冬青治心痛寒熱積氣不結花實與此名同故附見之

出血

【虎掌】使 味苦溫微寒有大毒蜀漆為之使

【主治】主心痛治寒熱結氣利水道療目轉風眩破積聚伏梁傷筋痿拘緩理疝瘕腸痛隂溫

主傷寒時疾強隂

【何首烏】 味甘苦澁氣微溫無毒茯苓為之使

【主治】治積年癆瘦痰癖虛敗痿黃療五痔骨軟風腰身痒膝痛主瘰癧癰疽療頭面風瘡長筋骨悅顏色益血氣止心疼久服添精令人有子婦人帶下為末酒調原取名曰夜交藤後因順州南河縣何翁服之白髮變黑故改稱為何首烏也

花採九蒸九曝久服亦駐顏容

# 何首烏

一名野苗
一名交藤
一名夜合
一名地精

一名陳知白。出順州南河縣嶺外江南諸州亦有今在處有之以西洛嵩山及南京柘城縣者為勝春生苗葉葉相對如山芋而不光澤其莖蔓延竹木牆壁間夏秋開黃白花似葛勒花結子有稜似蕎麥而細小纔如粟大秋冬取根大者如拳各有五稜瓣似小甜瓜此有二種赤者雄白者雌採時乘濕以布帛拭去土後用苦竹刀切米泔浸一宿曝乾忌禁傷鐵器以木臼杵搗之茯苓引使忌猪羊血汁惡蘿蔔菜蔬

○【補註】諸處皮裡向痛為末薑汁調成膏痛處以帛裹之用火炙鞋底熨之○大疥癬痛身作瘡同艾各等分水煎令濃於盆內洗之甚解痛生肌○新採者去皮土後用銅竹刀薄切片上甑如炊飯熱下用甆石鍋忌鐵旁更別燒一鍋常滿添水待蒸甑氣上逐旋以熱水從上淋下勿令滿溢直候首烏絕无氣息然後取下一匙頭汁白湯亦可此是藥之精英与常不同治骨欺風腰膝疼行履不得遍身瘙痒首烏大而有花紋者同牛膝剉各一斤以好酒一斤浸七宿曝乾於木臼內搗末蜜丸每日空心食前酒下三五十丸

【九真藤】治瘰癧或破未破以至下胸前者皆治之取其根如鷄卵大洗生嚼常服又取葉搗覆瘡上数服即愈其葉又服黑髮延年或取其頭覆之九數者服之九數者乃仙矣其葉如杏其根亦類瘰癧子用之如神又堪為利術伏沙子自有法亦名何首烏又名赤葛

○按李遠曰首烏乃仙草也五十年者如拳大服一

【威靈仙】

出商州上洛山及華山并平澤今陝西州軍等及河東河北京東江湖州郡或有之初生比衆草最先莖梗如釵股四稜葉似柳葉作層每層六七葉如車輪有六層至七層者七月內生花淺紫或碧白色作穗似莆臺子亦有似菊花頭者實青根稠密多鬚似穀每年以朽敗九月採根陰乾仍以丙丁戊巳日採以不聞水聲者佳去蘆酒洗陰乾用但忌茶及麪湯

年則鬚髮黑百年者如擬大服一年則顏色悅百五十年者如盆大服一年則齒更生二百年者如斗栲栳大服一年則貌如童子走及奔馬三百年者如三斗栲栳大其中有鳥獸山嶽形狀號山精純陽之精也服則成地仙也李君斯言必有所考不然豈妄誕以欺人哉况今臺閣名公競相採取異法精製為九日吞亦因獲效異常曾令鋟梓傳世或僉曰八仙丹或曰延壽丹或曰八珍至寶丹徵實取名一以重藥[illegible]一以表李君之不誣矣

【威靈仙】味苦氣溫可升可降陰中陽也無毒

【主治】主腸風宜通五臟去腹內冷滯心疼急治膀胱宿膿惡水消膈中久積痰涎除腹中痃

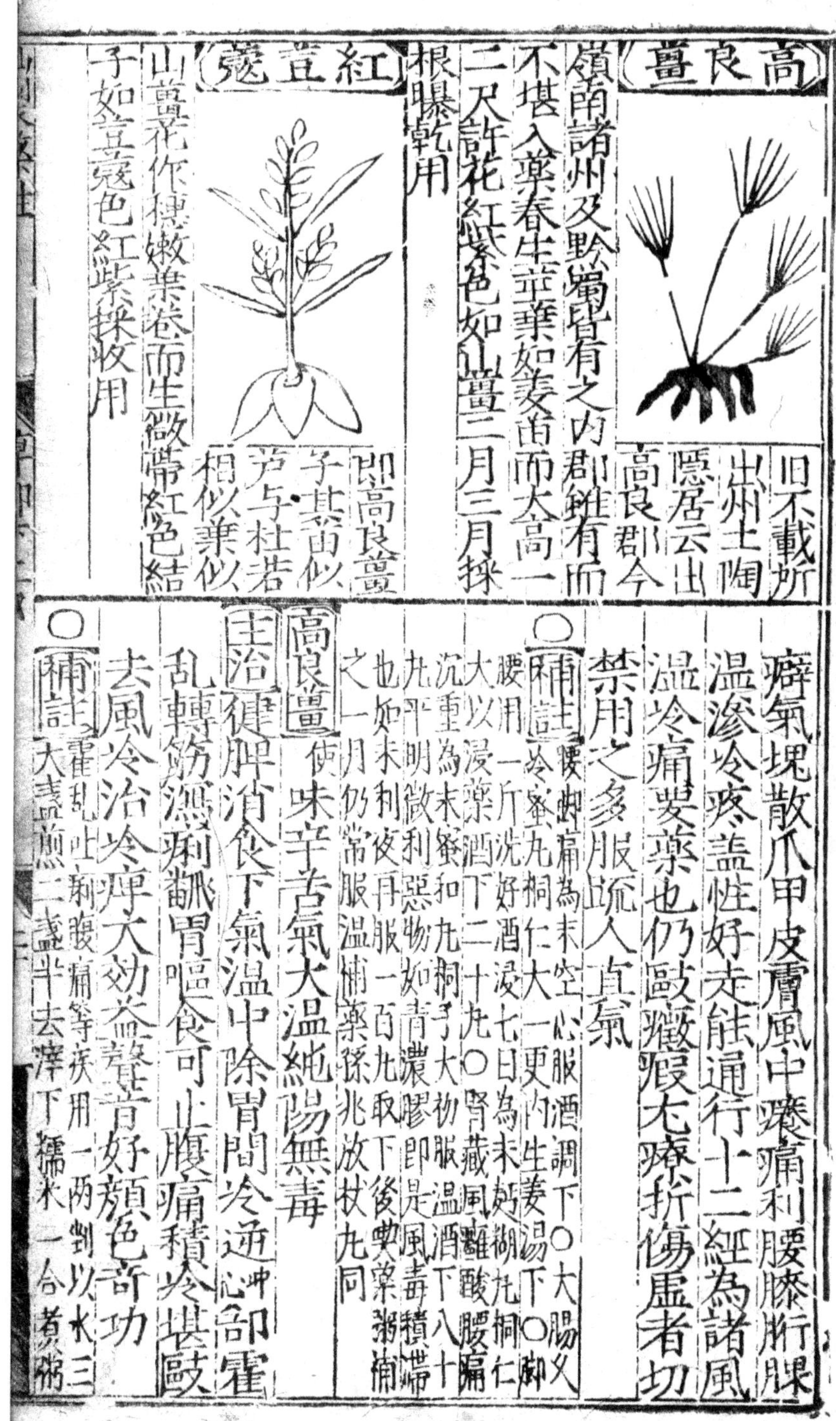

## 高良薑

旧不載所出州土陶隱居云出高良郡今

嶺南諸州及黔蜀皆有之内郡雖有而不堪入藥春生莖葉如姜苗而大高一二尺許花紅紫色如山薑二月三月採根曝乾用

## 紅豆蔻

即高良薑子其苗似芦与杜若相似葉似

山薑花作穗嫩葉卷而生微帶紅色結子如豆蔻色紅紫採收用

癖氣塊散爪甲皮膚風中痰痛利腰膝腑腠温滲冷疼蓋性好走能通行十二經為諸風温冷痛要藥也仍敺瘴瘕尤療折傷虛者切禁用之多服損人真氣

○【補註】腰脚痛為末空心服酒調下○大腸久冷蜜丸桐仁大一更内生姜湯下○脚腰用一斤洗好酒浸七日為末麪糊丸桐仁大以浸藥酒下二十丸○腎藏風癰酸腰漏沉重為末蜜和丸桐子大初服温酒下八十丸平明微利惡物如青濃膠即是風毒積滯也如未利夜再服一百丸取下後喫粟粥補之一月仍常服温補藥孫兆放杖丸同

【高良薑】使　味辛苦氣大温純陽無毒

【主治】健脾消食下氣温中除胃間冷逆衝心部霍乱轉筋瀉痢翻胃嘔食可止腹痛積冷堪敺去風冷治冷痺大効益聲音好顔色奇功

○【補註】霍乱吐痢腹痛等疾用一兩剉以水三大盞煎二盞半去滓下糯米一合煮粥

## 萆薢

一名赤節

生真定山谷今河陝京東荊蜀

諸郡有之根黄白色多節三指許大苗葉俱青作蔓生葉作三叉似山芋又似菉豆葉花有黄紅白數種亦有无花結白子者春秋採根曝乾一種莖有刺者根白實一種莖无刺者根軟虚種雖兩般白者為勝又与菝葜小異凡收切勿混其蓋菝葜根作塊赤黄萆薢根細長淺白博物誌亦曰菝葜与萆薢相乱時人每呼曰白菝葜者即萆薢也和刀切片酒浸烘乾凡用採[illegible]忌食牛肉畏葵根牡蠣及柴胡大黄

食○滿急霍乱吐利方火炙令焦香每用五兩打破以酒一升煮以三四沸頓服○腹痛不止但嚼食之亦效○心脾痛細剉散炒為末米飲調下一錢立止○忽心中惡口吐清水者取根如骰子塊含之嚥津後悉即差若臭亦含嚥更加草豆蔻同為末煎湯常服

**紅豆蔻** 味辛温無毒

**主治** 主腸虚水瀉止霍乱嘔吐去宿食温腹腸痢疾神效解酒毒吐酸水瘴霧消除[illegible]医腹痛害治心疼又服令人舌麄不思飲食

**海藥云** 釋擻者加以塩槩上作朶不散落須以朱槿染令色深善醒於醉解酒毒此外無諸要使也

**萆薢** 味苦甘氣平無毒薏苡為之使

**主治** 主癰緩軟風治頭旋癇疾補水臟堅筋骨明目益精療惡瘡不瘳熱氣傷中恚怒調老人五緩陰痿失溺惡中風不遂寒温頑痺[illegible]

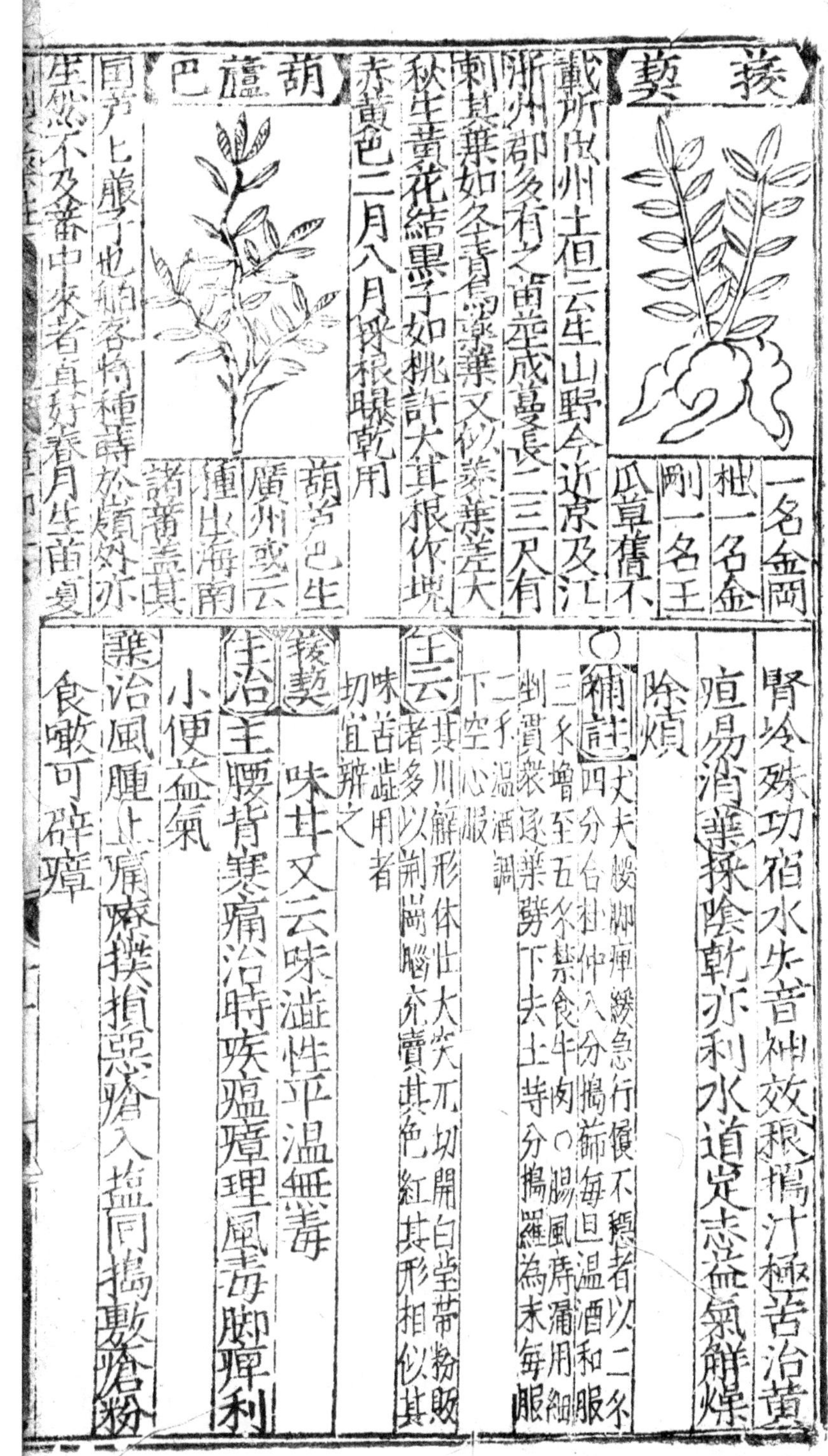

菝葜

一名金剛根，一名金剛，一名王瓜草。舊不載所出州土，但云生山野，今近京及江浙州郡多有之。苗莖成蔓，長二三尺，有刺，其葉如冬青、烏藥葉，又似菱葉差大。秋生黃花，結黑子，如櫻桃許大，其根作塊，赤黃色。二月八月採根，曝乾用。

葫蘆巴

葫芦巴生廣州，或云種出海南諸番，蓋其國芦匕菔子也。舶客將種蒔於嶺外，亦生，然不及番中來者真好。春月生苗，夏

〔菝葜〕味甘，又云味澁，性平温，無毒。

〔主治〕主腰背寒痛，治時疾瘟瘴，理風毒脚痺，利小便，益氣。

〔葉〕治風腫，止痛，療撲損惡瘡，入鹽同擣，敷瘡。粉食歒，可辟瘴。

腎冷殊功，宿水失音神效。〔根〕擣汁，極苦，治黄疸易消。〔葉〕採陰乾，亦利水道，定志益氣，解燥除煩。

○〔補註〕丈夫腰脚痺緩急，行履不穩者，以二匕、三匕增至五匕，禁食牛肉。○腸風痔漏，用細剉貫衆，逐葉擘下，去土，等分，擣羅為末，每服二錢，温酒調下，空心服。

〔土云〕其川觧形体壯大，突兀，切開白堂帶粉。販者多以荊湖嶺充賣，其色紅，其形相似，其味苦澁。用者切宜辨之。

開結子子作細莢至秋採收

## 白頭翁

一名野丈人　一名胡王使者　一名奈何草

生高山山谷今近京州郡皆有之正月生苗作叢狀如白薇而柔細稍長葉生莖端上有細白毛而不滑澤近根有白茸正似白頭老翁故名焉根紫色深如蔓菁二月三月開紫花黄蘂五月六月結實其苗有風則靜無風而搖與赤箭獨活同七八月採根陰乾用今俗醫用合補下藥服之大效亦衝人

○【補註】弱瘴用根浸赤汁煮粉食噉之即愈○風腫惡瘡用葉同塩搗敷効○今貧家亦取以釀酒治風毒脚弱痺補上氣甚佳宜用

【胡芦巴】味苦氣温純陽無毒本經云乃番國蘿蔔子也

【主治】得桃仁大茴香治膀胱疝氣三味熬焦各等分研末半以酒糊丸半為散每用五七十丸鹽湯下散以熱米飲調下与丸子相間空心服日各一二服即效得硫黄黑附子療腎臟虛冷佳毆脹滿腹脹腸中退青黄向頂上

【白頭翁】一味苦氣温可升可降陰中陽也無毒一云味甘苦有小毒得酒良

【主治】主温瘧陽狂寒熱治癥瘕積聚腹痛逐血愈金瘡毆風燥腰膝消瘰癧散癭瘤小兒頭禿羶腥及衂鼻血効神效男子陰疝偏腫并

# 木香

一名蜜香生永昌山谷今惟廣州舶上有來者他無所出陶隱居云此即青木香也根窠大類茄子葉似羊蹄而長大花如菊實黃黑亦有葉似山芋而開紫花者不拘時月採根芽爲藥江淮間亦有之此種名土青木香不堪入藥用偽蜀王昶苑中亦常種之云苗高三四尺葉長八九寸皺軟而有毛開黃花恐亦是土木香種也凡買者必自外番來欲聞藿形如枯骨者口粘牙凡欲用之勿見火日合丸散日際熏乾煎熟湯臨時以

百節骨痛殊功牙齒痛亦除赤毒痢必用云

胃欲緊斂苦以收之痢則下應故以則用

〇補遺　陰癩用根生搗傅腫處一宿成瘡一十日愈〇小兒頭禿取根搗傅一宿作瘡二十日愈

木香　君　味甘苦氣溫味厚於氣降也陰中陽也無毒

主治　主邪氣辟毒疫瘟鬼治女人血刺痛淋露氣劣氣不足能補氣脹氣窒塞能通和胃氣如神行肝氣最捷散滯氣於肺上膈破結氣於中下焦毆九種心疼逐積年冷氣尊之佐使亦各不同破氣使枳榔和胃佐薑橘止霍乱吐瀉嘔逆翻胃除痞癖癥塊臍腹脹疼安胎健脾誅癰散毒和黃連治暴痢用火煨實

未調服

○按王海藏謂本經云主氣劣氣不足藥性論謂安胎健脾是皆補也衍義謂瀉胸腹痞塞積年冷氣日華子謂除痞癖癥瘕是皆破也易老總謂調氣之劑不言補不言破諸說不同何耶恐與補藥為佐則補瀉藥為佐則瀉故云然也

# 大茴香

一名懷香子一名八角茴香本經不載

所出今交廣諸番及近郡皆有之入藥多用番舶者或云不及近處者有力三月生花似老胡荽極辣細作叢至五月

大腸辟瘟殃邪禦霧露瘴易老云總謂調氣之劑不宜久久服之

○補注 治丈夫婦人小兒痢用一塊方圓一寸黄連半兩用水半升同煎乾去黄連只薄切木香焙乾為末三服第一橘皮湯第二陳米飲第三甘草湯調下此方李景純傳有一婦人久患痢將死夢中觀音授此方服之遂愈

大茴香 即懷香子 味辛氣平無毒入手少陰心經足太陽膀胱經得酒良

主治 主腎勞疝氣小腸吊氣攣疼理乾濕腳氣膀胱冷氣腫痛開胃止嘔下食調餌止臭氣香為諸瘻霍乱捷方補命門不足要藥

根 療腫紅癰毒照順疝瘀折發善療陰脬療病

根葉 爭攣小腹急痛搗汁服之用渣貼腫

○補注 主惡毒癰腫或連陰髀刺痛爭攣小腹不可忍不然則殺用茴葉搗汁一升服之

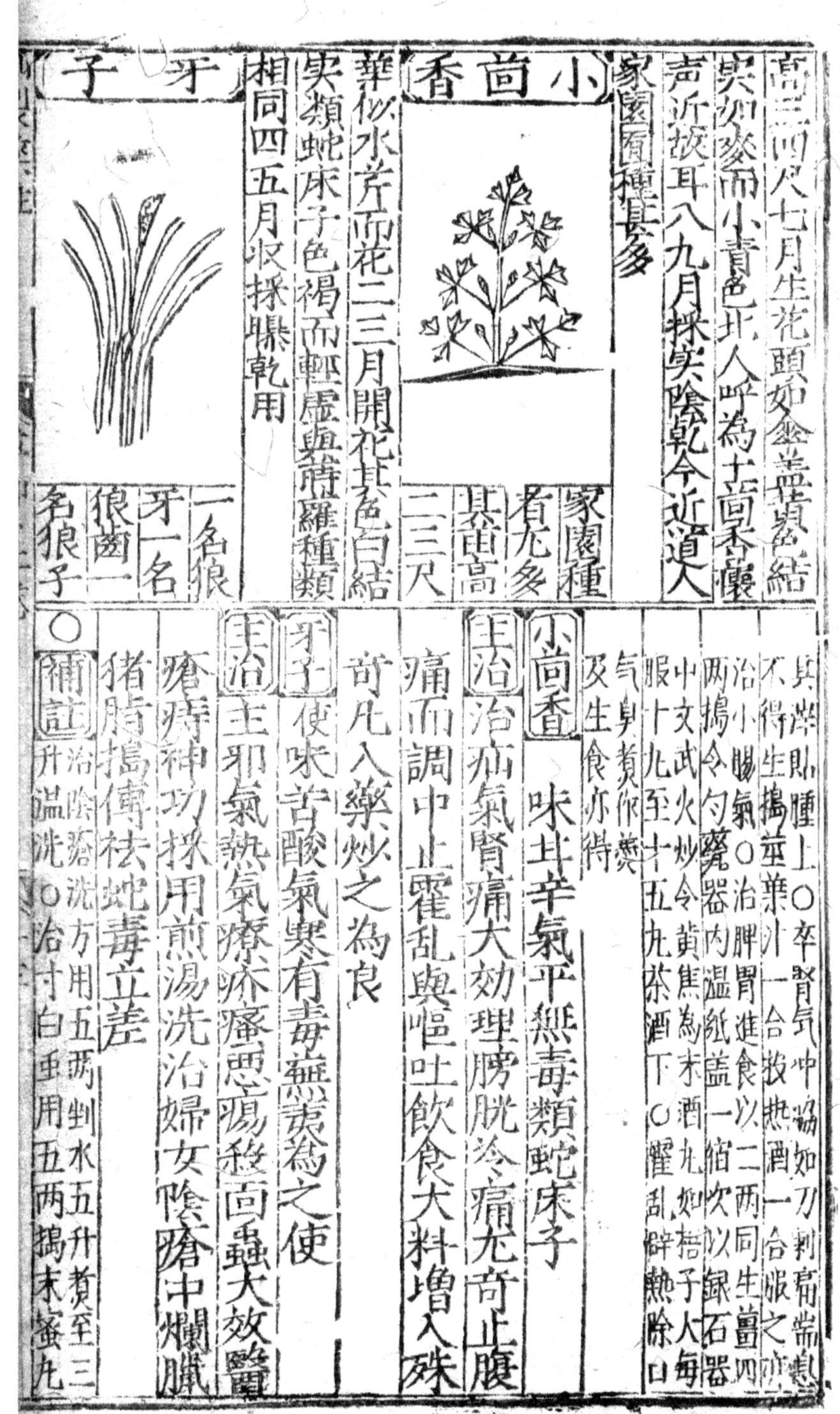

高二四尺七月生花頭如傘蓋黃色結實如麥而小青色北人呼為土茴香廣西近道耳八九月採實陰乾今近道人家園圃種甚多

## 小茴香

家園種者尤多其苗高二三尺

葉似水芹而花二三月開花其色白結實類蛇床子色褐而輕虛與蒔蘿種類相同四五月收採曝乾用

## 牙子

一名狼牙一名狼齒一名狼子

其瘀貼腫上○卒腎氣沖脇如刀刺痛喘息不得生搗莖葉汁一合投熱酒一合服之亦治小腸氣○治脾胃進食以二兩同生薑四兩搗令勻磁器內溫紙蓋一宿次以銀石器中文武火炒令黃焦為末酒丸如梧子大每服十丸至十五丸茶酒下○霍乱辟熱除口气臭煮作羹及生食亦得

【小茴香】味甘辛氣平無毒類蛇床子

【主治】治疝氣腎痛大效理膀胱冷痛尤奇止腹痛而調中止霍乱與嘔吐飲食大料增入殊香凡入藥炒之為良

【牙子】使　味苦酸氣寒有毒蕪荑為之使

【主治】主邪氣熱氣療疥瘙惡瘍殺白蟲大效醫瘡痔神功採用煎湯洗治婦女陰瘡中爛臟猪脂搗傅祛蛇毒立差

○【補註】治陰瘡洗方用五兩剉水五升煮至三升溫洗○治寸白蟲用五兩搗末蜜丸

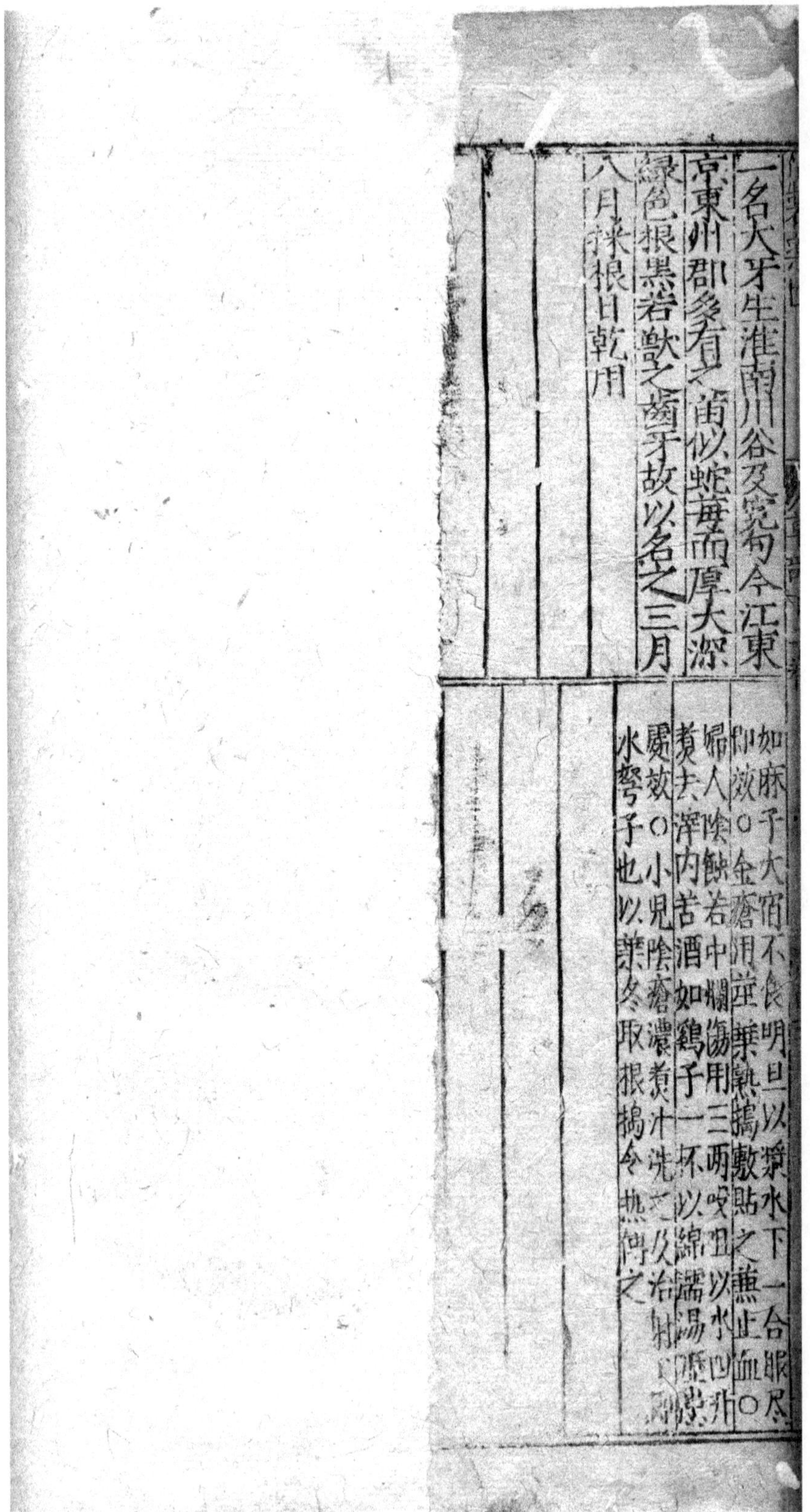

一名犬牙生淮南川谷及冤句今江東
京東州郡多有之葉似蛇莓而厚大深
綠色根黑若獸之齒牙故以名之三月
八月採根日乾用

如麻子大宿不食明旦以井華水下一合服盡
即效○金瘡[illegible][illegible]葉熟擣敷貼之兼止血○
婦人陰蝕若中爛傷用三兩㕮咀以水四升
煑去滓內苦酒如鷄子一杯以綿濡湯瀝瘡
處效○小兒陰瘡濃煑汁洗之及治射[illegible][illegible]
水弩子也以葉冬取根擣令熱傅之

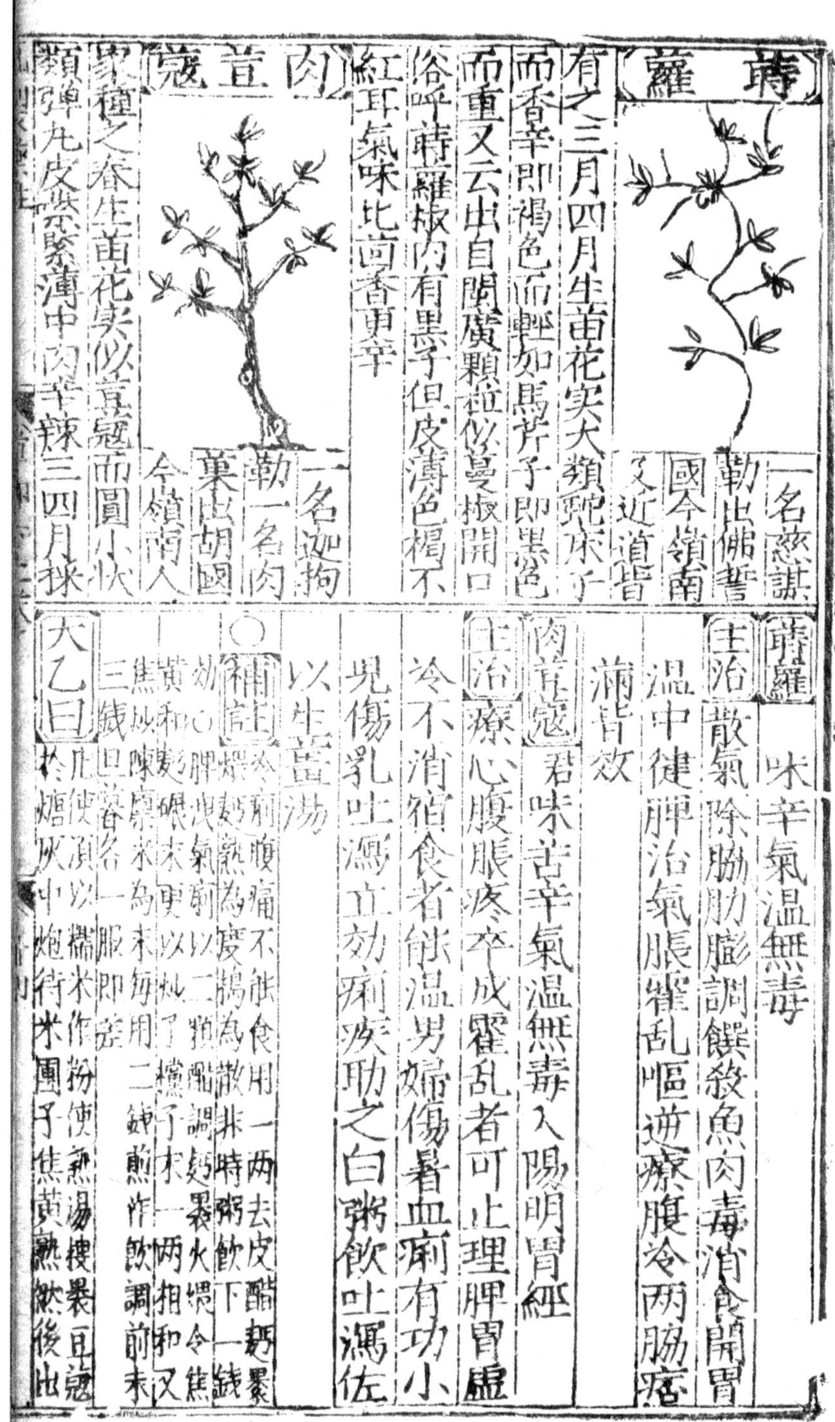

## 蒔蘿

一名慈謀勒出佛誓國今嶺南又近道皆有之三月四月生苗花实大類蛇床子而香辛即褐色而輕加馬芹子即黑色而重又云出自閩廣顆粒似蔓椒開口俗呼蒔蘿椒內有黑子但皮薄色褐不紅耳氣味比茴香更辛

## 肉荳蔻

一名迦拘勒一名肉菓出胡國今嶺南人家種之春生苗花实似荳蔻而圓小状類彈丸皮紫緊薄中肉辛辣三四月採

**蒔蘿** 味辛氣温無毒

**主治** 散氣除脇肋脹調鮮殺魚肉毒消食開胃温中健脾治氣脹霍乱嘔逆療腹冷兩脇痞滿皆效

**肉荳蔻** 君 味苦辛氣温無毒入陽明胃經

**主治** 療心腹脹疼卒成霍乱者可止理脾胃虛冷不消宿食者能温男婦傷暑血痢有功小兒傷乳吐瀉立効痢疾功之白粥飲吐瀉佐以生薑湯

○**補註** 冷痢腹痛不能食用一兩去皮醋麪裹煨麪熟為度搗為散非時粥飲下一錢効○脾泄氣痢以二顆醋調麪裹火煨令焦黄和麪碾末更以炒了欓子末一兩相和又焦炒陳廩米為末每用二錢煎作飲調前末三錢日落各一服即差

**大乙曰** 凡使須以糯米作粉使熱湯捜裹荳蔻於熄灰中炮待米團子焦黄熟然後出

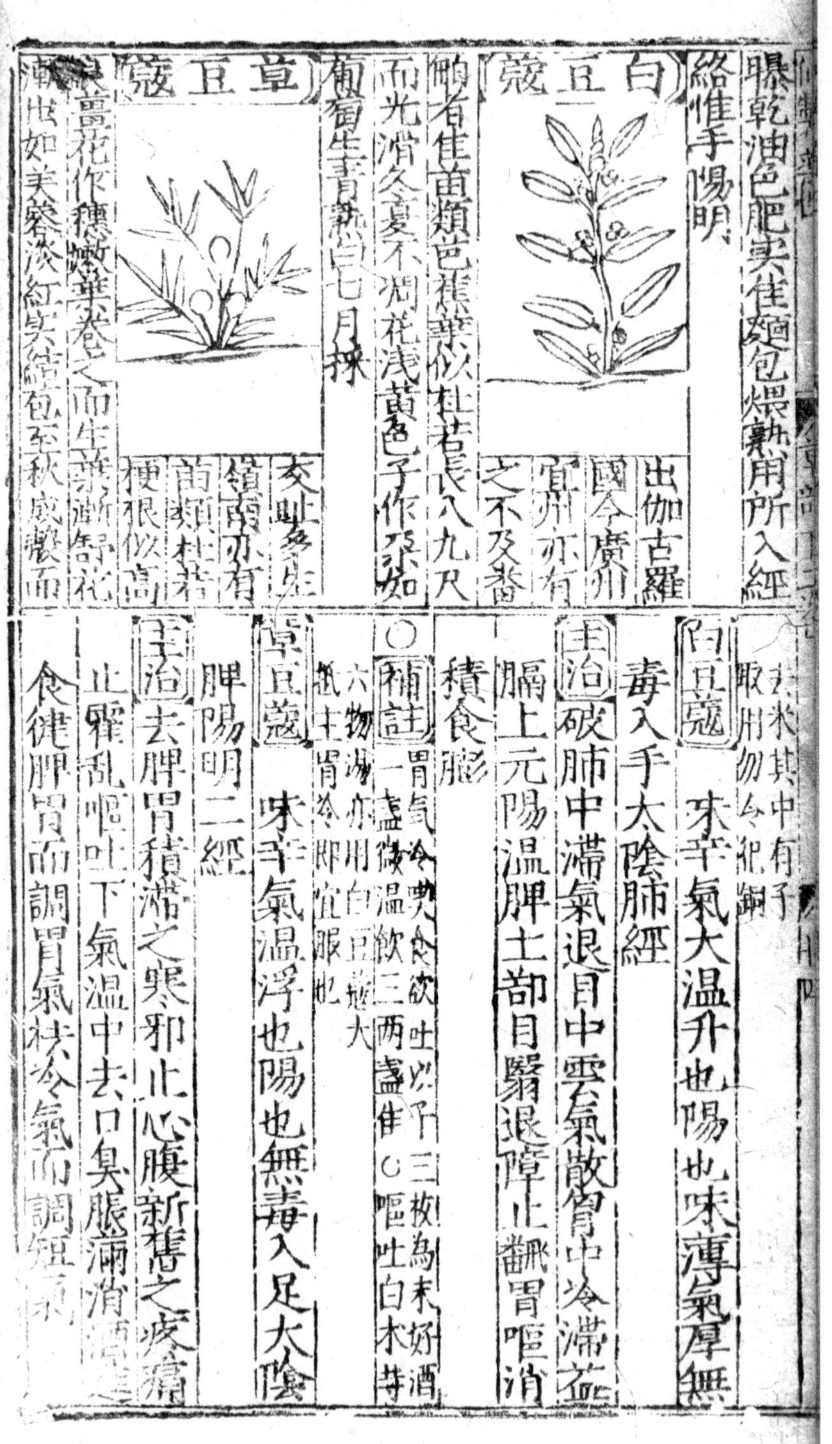

暴乾油色肥實佳麵包煨熟用所入經絡惟手陽明

白豆蔻

出伽古羅國今廣州宜州亦有之不及番舶者佳苗類芭蕉葉似杜若長八九尺而光滑冬夏不凋花淺黃色子作朵如葡萄生青熟白七月採

草豆蔻

交趾多生嶺南亦有苗類杜若梗根似高良薑花作穗嫩葉卷之而生初漸舒花葉出如芙蓉淡紅實結包至秋成熟而

去米其中有子取用勿令犯銅

【白豆蔻】味辛氣大溫升也陽也味薄氣厚無毒入手太陰肺經

【主治】破肺中滯氣退目中雲氣散胸中冷滯益膈上元陽溫脾土部目翳退障止翻胃嘔消積食膨

○【補註】胃氣冷吃食欲吐以下三枚為末好酒一盞微溫飲三兩盞佳○嘔吐白朮等六物湯亦用白豆蔻大抵主胃冷即宜服也

【草豆蔻】味辛氣溫浮也陽也無毒入足太陰脾陽明二經

【主治】去脾胃積滯之寒邪止心腹新舊之疼痛止霍亂嘔吐下氣溫中去口臭脹滿消酒進食健脾胃而調胃氣袪冷氣而調短氣

熟狀方老殼方黃砂龍眼微鈍外皮有
稜如梔子稜無鱗甲中子連綴亦似白
豆蔻多粒其辛香㞐時採暴乾收貯入
劑中剝殼取子行經惟胃與脾

## 縮砂蜜

生南地
今惟嶺
南山澤
間有之
荳蔻類

高良薑高一二四尺葉青長八九寸闊半
寸色黑三月四月開花在根下五六月
成實五七十粒作一穗狀似益智皮緊
厚而皺如栗文外有刺黃赤色皮間細
子一團八漏可四十餘粒如黍米大微
黑色七月八月採

十五

六乜曰

**縮砂蜜** 凡使用真者有刻製煨熟研碎入藥用

味辛苦氣溫無毒得訶子鱉甲豆蔻
白蕪荑良

**主治** 與益智子人參為使入脾與白檀香豆蔻為使入肺黃蘗茯苓為使入膀胱腎赤白石脂為使入大小腸除霍乱止惡心卻腹痛安胎溫脾胃下氣治虛勞冷瀉併宿食不消止赤白洩痢及休息痢諸總因通行結滯服之悉應如神起酒味甚香調食饌亦妙

○**補註** 姙娠因氣動胎痛不可忍炒熟為末酒調服二錢即安○冷氣腹痛休息痢腸滑刺作膿炒為末以羊肝薄切糝末逐片捲上焙乾為末用入干姜末飯為丸日二服五十丸又方炮附子末乾薑厚朴橘皮等分為丸日二服四十丸

**纂增加** 味辛氣溫無毒一云即嫩胡椒帶青採

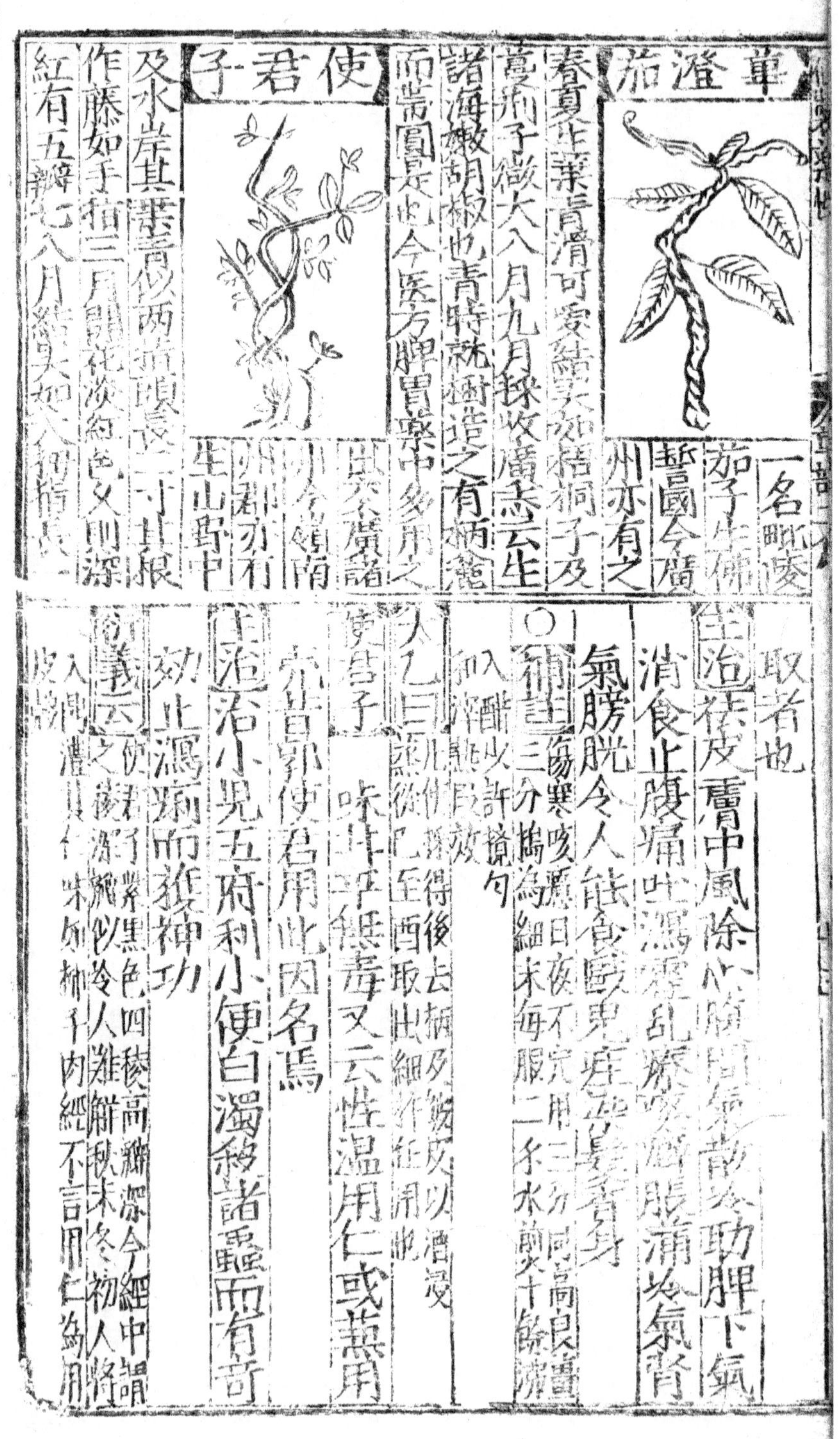

畢澄茄

一名毗陵茄子生佛誓國今廣州亦有之春夏生葉青滑可愛結實大如梧桐子及蔓荆子微大八月九月採收廣志云生諸海嫩胡椒也青時就樹摘之有柄澁而蒂圓是也今医方脾胃藥中多用之取者也

【主治】袪皮膚中風除心腹間氣脹助脾下氣消食止腹痛吐瀉霍乱療痰癖脹滿冷氣背氣膀胱令人能食辟鬼疰治長髮香身

○【補註】傷寒咳噦日夜不定用三分同高良薑三分擣為細末每服二錢水煎十餘沸入酢少許攪勻和滓熱服取效

使君子

出交廣諸州今嶺南州郡亦有生山野中及水岸其葉青似兩指頭長二寸其根作藤如手指三月開花淡紅色久則深紅有五瓣七八月結實如拇指長一寸許入九月採此時採得後去柄多皺皮以酒浸蒸從巳至酉取出細作在用也

【使君子】味甘無毒又云性溫用仁或兼用殼昔郭使君用此因名焉

【主治】治小兒五疳利小便白濁殺諸蟲而有奇效止瀉痢而獲神功

【衍義】云使君子紫黑色四稜高瓣深今經中謂之緩洩痢以冷人難解秋末冬初人將入閩漕貨賣味如柿子肉經不言用仁為用皮殼

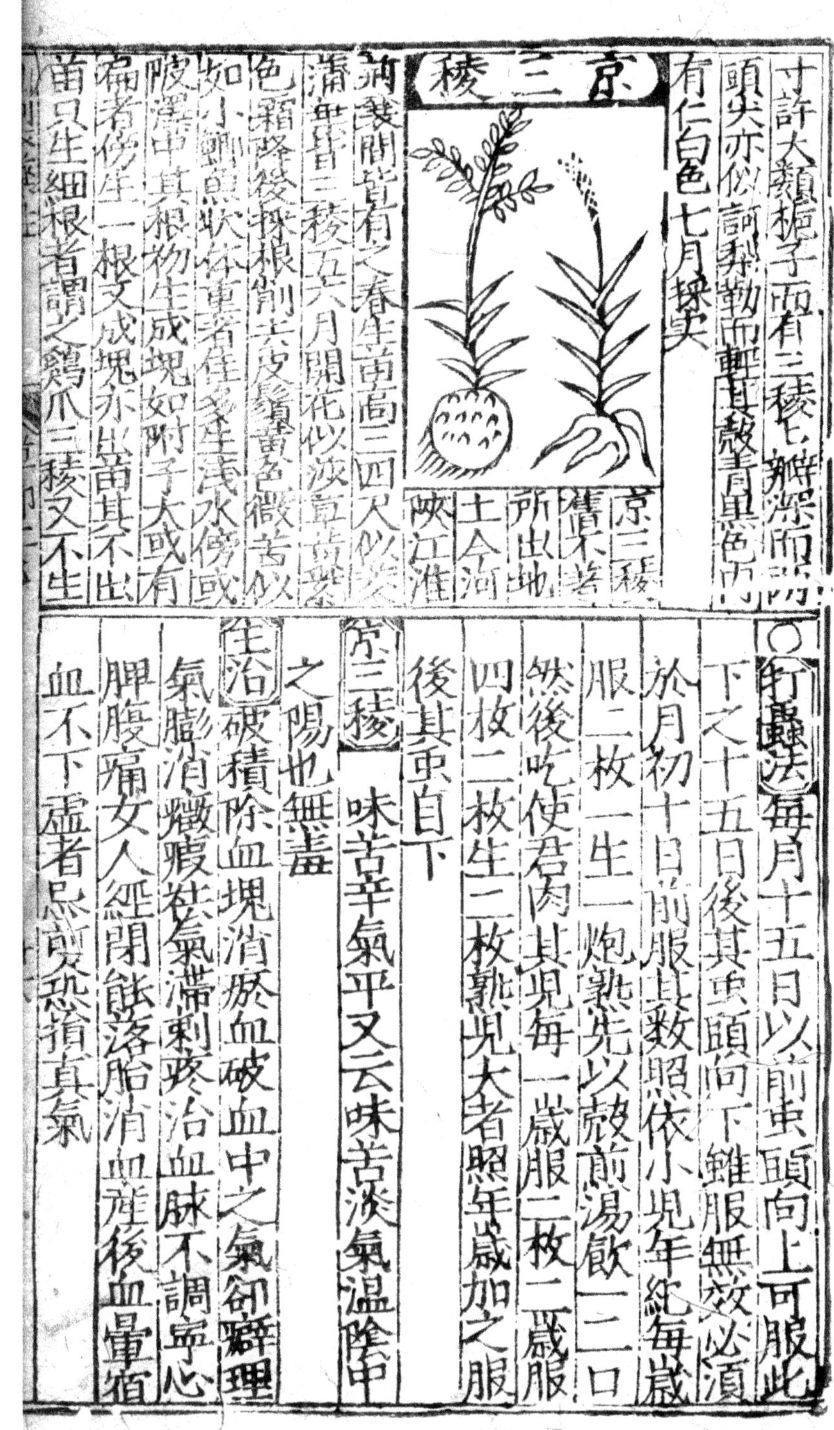

寸許大類梔子而有三稜七瓣潔而照防
頭尖亦似訶梨勒而輕其殼青黑色內
有仁白色七月採實

京三稜

京三稜舊不著所出地土今河陝江淮
荊襄間皆有之春生苗高三四尺似茭
蒲葉皆三稜五六月開花似莎草黃紫
色霜降後採根削去皮鬚黃色微苦以
如小鯽魚狀体重者佳多生淺水傍或
陂澤中其根初生成塊如附子大或有
扁者傍生一根又成塊亦出苗其不出
苗只生細根者謂之鷄爪三稜又不生

○打蟲法　每月十五日以前虫頭向上可服此下之十五日後其虫頭向下雖服無效必須於月初十日前服其數照依小兒年紀每歲服二枚一生一炮熟先以榖煎湯飲一二口然後吃使君肉其児每一歲服二枚二歲服四枚二枚生二枚熟児大者照年歲加之服後其虫自下

京三稜　味苦辛氣平又云味苦淡氣溫陰中之陽也無毒

主治　破積除血塊消瘀血破血中之氣卻辟理氣膨消癥瘕并氣滯刺疼治血脉不調寧心脾腹痛女人經閉能落胎消血産後血暈宿血不下虛者忌用恐損真氣

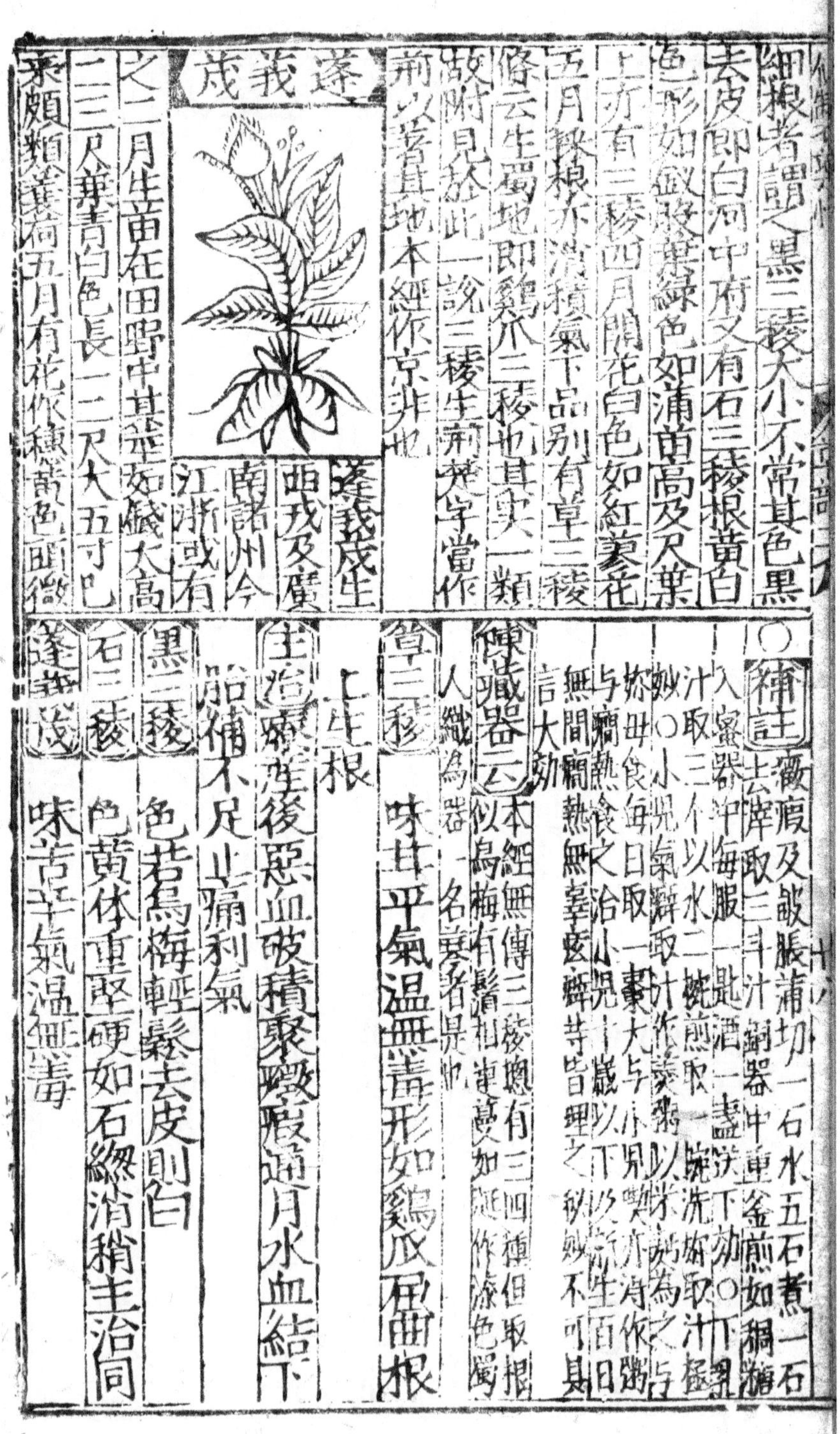

細根者謂之黑三稜大小不常其色黑去皮即白河中府又有石三稜根黃白色形如釵股葉綠色如蒲苗高及尺葉上亦有三稜四月開花白色如紅蓼花五月採根亦消積氣下品別有草三稜條云生蜀地即雞爪三稜也其實一類故附見於此一說三稜生荊楚字當作荊以著其地本經作京非也

蓬莪茂



蓬莪茂生西戎及廣南諸州今江浙或有之二月生苗在田野中其莖如錢大高二三尺葉青白色長一二尺大五寸已來頗類蘘荷五月有花作穗黃色頭微

○補註 癥瘕及鼓脹蒲切一石水五石煮一石去滓取三斗汁銅器中重釜煎如稠糖入密器中每服一匙酒一盞下之效○下乳汁取三个以水二椀煎取一椀洗奶取汁極妙○小兒氣癖取汁作羹粥以米粉為之与奶母食每日取一棗大与小兒喫亦消作粥与癖熱食之治小兒十歲以下及新生百日無間癖熱無辜痃癖等皆理之秘妙不可具言大効

陳藏器云 本經無傳三稜總有三四種但取根似烏梅有髭相連蔓如綖作漆色蜀人織為器一名鬼茗者是也

草三稜 味甘平氣溫無毒形如雞爪屈曲根上生根

主治 療産後惡血破積聚癥瘕通月水血結下胎補不足止痛利氣

黑三稜 色若烏梅輕鬆去皮則白

石三稜 色黃体重堅硬如石總消稍主治同

蓬莪茂 味苦辛氣溫無毒

紫根如生薑而茂在根下似鷄鴨卵大小不常九八月採削去麁皮蒸熟曬乾用此物極堅硬難擣治用時熟炭火中煨令透熟乘熱入臼中擣之即碎如粉古方不見用者今醫家治積聚諸氣為最要之藥與京三稜同用之良婦人藥中亦多使

## 大黃

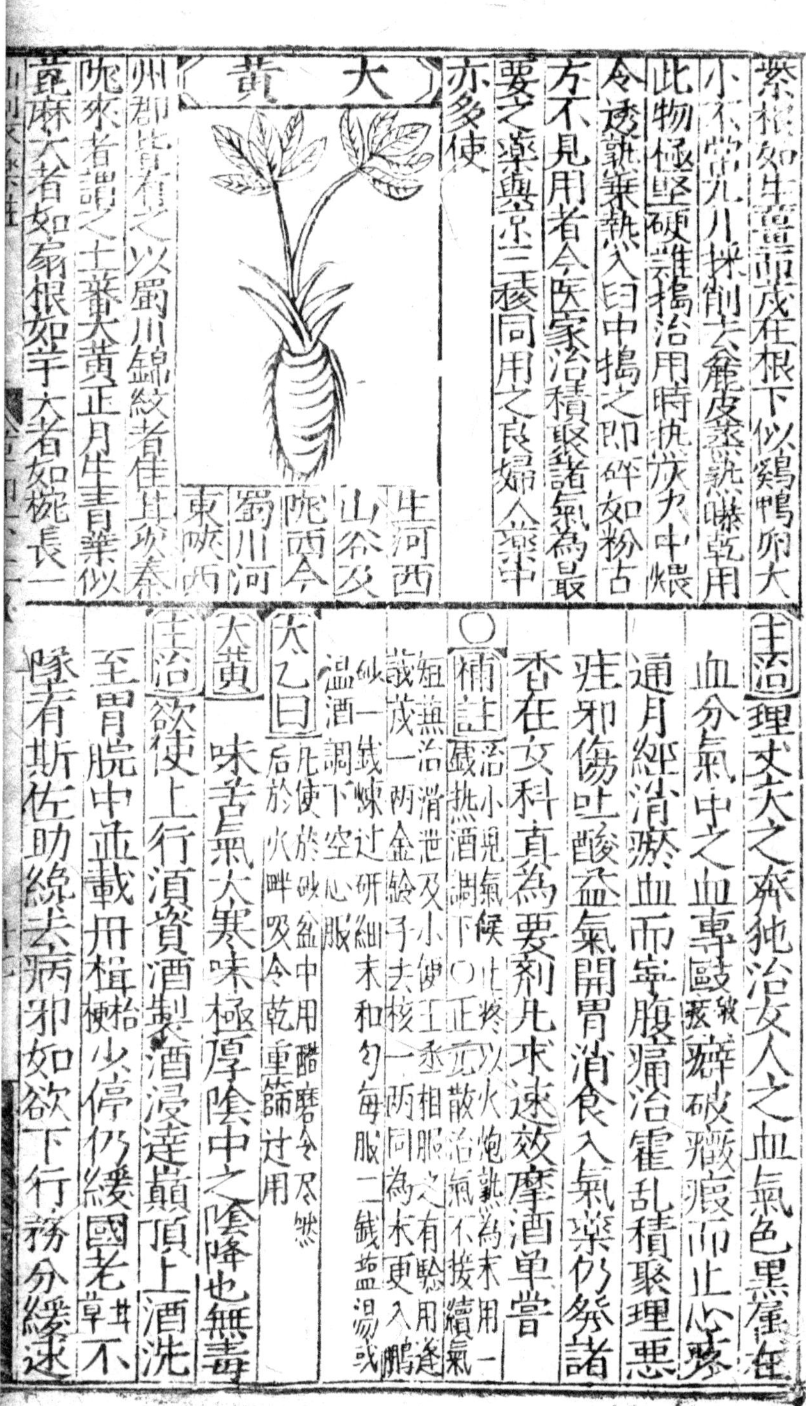

生河西山谷及隴西今蜀川河東陝西州郡皆有之以蜀川錦紋者佳其次秦隴來者謂之土蕃大黃正月生青葉似蓖麻大者如扇根如芋大者如椀長一

主治　理丈夫之痃癖治女人之血氣色黑屬在血分氣中之血專毆痃癖破癥瘕而止心疼通月經消瘀血而寧腹痛治霍乱積聚理惡疰邪傷吐酸益氣開胃消食入氣藥仍能諸香在女科真為要劑凡求速效摩酒單嘗

○補註　治小兒氣候比疼以火炮熟為末用一錢熱酒調下○正元散治氣不接續氣短兼治滑泄及小便王丞相服之有驗用蓬莪茂一兩金鈴子去核一兩同為末更入鵬砂一錢煉过研細末和匀每服二錢盐湯或溫酒調下空心服

太乙曰　凡使於砂盆中用醋磨令盡然后於火畔吸令乾重篩过用

大黃　味苦氣大寒味極厚陰中之陰降也無毒

主治　欲使上行須資酒製酒浸達巔頂上酒洗至胃脘中並載卅楫稍少停仍緩國老甘草不墜有斯佐助總去病邪如欲下行務分緩速

二尺傍生細根如牛蒡小者亦如芋四月開黃花亦有青紅似蕎麥花者莖青紫色形如竹二月八月採根去黑皮火乾江淮出者曰土大黃二月開花結細實又鼎州出一種羊蹄大黃療疥瘙甚効初生苗葉如羊蹄累年長大即葉似商陸而狹尖四月內於抽條上出穗五七莖相合花葉同色結實如蕎麥而輕小五月熟即黃色亦呼為金蕎麥三月採苗五月收實並陰乾九月採根破之亦有錦紋日乾之亦呼為土大黃凡收大黃之法蘇公云依時燒石使熱橫寸截著石上煿之一日微燥以繩穿晾之至乾今土番大黃往往作横片曾經入煿蜀大黃乃作緊片如牛舌形謂之牛

欲速生使投滾湯一泡便吞欲緩熟宜同諸藥久煎方服入劑多寡看人虛實蓋性惟沉不浮故用直走莫停調中化食霎時水穀利通推陳致新頃刻腸胃蕩滌奪土鬱無壅滯定禍乱建太平因有峻烈威風特加將軍名號仍導瘀血更滾頑痰破癥堅積聚止疼敗癰疽熱毒消腫勿服太過下多亡陰若研末雞清調稠可敷上火瘡取效

○【補註】治時氣發豌豆瘡用川大黃半兩微炒以水一大盞煎至七分去滓分為二服○熱病狂語及諸黃用川大黃五兩剉炒微赤搗為散用臘月雪水五升煎如膏每服不計時候冷水調下半匙○療癖用十兩杵篩醋三升和勻白蜜兩匙煎堪丸如梧子大一服三十丸生薑湯吞利為小者減之○產后惡血沖心或胎衣不下腹中血塊等用錦紋大黃一兩杵羅為末頭醋半升煎成膏丸如梧子大用溫醋七分盞化五丸服之良久下

古大黄二者用之皆尊本經大黄推陳致新其效最神故古方下積滯多用之

○按大黄極寒硫黄極熱一黄氣味懸隔何號將軍相同蓋硫黄乃至陽之精大黄乃至陰之類一能破邪歸正扶出陽精一能推陳致新戡定禍乱並有功乎諸藥之能宜其同得居上之號也

## 葶藶

一名丁歷一名蕇蒿一名大室一名大適一名狗薺生藁城平澤及田野今京東陝西河北州郡皆有之曹州者尤勝

亦治馬墜內損○婦人血氣攪痛用三兩搗篩以酒二升煮十沸頓服○卒外腎偏腫疼痛用為末酒調塗之乾即易之○腰痛用半兩入生薑半分同切如小豆大鐺內炒黃色投水兩盞至五更初頓服天明取下腰間惡血物用盆器盛如鴨肝樣即痛止○急黃病錐切二兩水三升半漬一宿煎汁一升半內芒硝二兩緩服須臾當快利○小兒腦熱常閉目用一分麁剉以水三合浸一宿一歲兒每日服半合餘者塗頂上乾即便塗○骨節熱積漸黃瘦用八四分童便五六合煎四合去滓空心二服如若人行回五里再服○心腹諸疾卒暴百病用大黄乾薑巴豆各一兩須精好者搗末蜜和更搗一千杵丸如小豆服三丸小斟量之為散不及丸也若中惡客忤心腹脹滿卒痛如錐刀刺痛氣急口噤停尸卒死者以煖水苦酒服之若不下捧頭起灌令下咽須臾差未知更與三丸腹當鳴轉即吐下便愈

太乙曰　凡使細切內紋如水旋斑緊重剉蒸從巳至未晒乾又酒臈水蒸從未至亥如此蒸七度晒乾却洒薄蜜水再蒸一伏時其大黄臂如烏膏樣於日中晒乾用之為妙

葶藶　味辛苦氣大寒陰中之陽沉也無毒一

初春生苗葉高六七寸有似薺根白枝莖俱青三月開花微黃結角子扁小如黍粒微長黃色立夏後採實曝乾用月令孟夏之月靡草死許慎鄭康成注皆云靡草薺葶藶之屬是也至夏則枯死故此時採之粒如黍扁小微黃紙隔紙文火略炒恐壞蚕石龍芮伊榆皮得酒良種因甜苦兩般證量輕重各用

## 旋花

一名筋根花一名金沸一名美草文謂鼓子花生豫州平澤今處處皆有之蘇恭云即平澤所生旋葍是也其

云有小毒榆皮為之使

【苦葶藶】行水走泄迅速形壯證重者堪求

【甜葶藶】行水走泄緩遲形瘦證輕者宜服苟或輕率易致殺人逐膀胱伏留熱氣殊功消面目浮腫水氣立効肺癰喘不得卧非此難痊（葶藶大棗瀉肺湯主之出仲景方）痰飲欬不能休用之即愈主癥瘕積聚結氣理風熱瘙癢痱瘡利水道療積滯之水飲下膀胱及皮間之邪水久服虛人須記勿犯

○【補註】上氣喘急遍身浮腫用甜葶藶一升隔紙炒紫色搗末絹袋盛酒五升浸三日每服一匙以粥飲下○肺癰喘不得卧炒黃搗末為丸大如彈丸每服用大棗二十枚水三升煎取二升然後內一彈丸再煎取一升頓服○支飲不得息大腹水腫喘促不止用葶藶三兩隔紙炒紫色搗如膏每服彈丸大以水一中盞棗四枚煎九分去滓服○飲食

根似筋故一名筋根别録云根主續筋故南人皆呼為續筋根苗作叢蔓葉似山芋而狹長花白夏秋生遍田野根無毛節蒸煑堪啖甚甘美五月採花陰乾二月八月採根日乾花今不見用者下品有旋徐元切復花與此殊别

## 旋復花

一名戴椹一名盛椹一名金沸草一名金錢花生平澤川谷今所在有之二月已後生苗多近水傍似紅藍而無刺長一二尺已來葉如柳莖細六月開花如菊花小銅錢大深黃色上黨田野人呼

不得息用子三两熬黄搗末以水三升煑大棗三十枚煎汁一升入藥中每服如棗大煎取七合頓服○腹脹積聚癥瘕用子一升熬以酒五升浸七日日服三合○頭風搗子以湯淋取汁洗頭上○小兒白禿用為末以湯洗訖塗上○遍身腫浮小便澁用子二兩大棗二十枚水一大升煎一小升去棗肉葶藶於棗汁煎丸如梧子飲下六丸○孩兒血虫用子二兩生為末以水三合煎一合一日服盡○肺壅氣喘急不得眠以子三兩炒大棗三十枚水三升煑棗取二升又煎取一升去滓并二服○小兒水氣腹腫熱下痢膿血小便澁用子小半兩微炒搗如泥以棗肉同搗為丸如菉豆大每服五丸棗湯下空心晚後量兒大小加減服之○一切毒入腹不可療及馬汗用子一兩炒研以水一升浸湯服取下惡血

【太乙曰】凡使勿用赤鬚子真相似葶藶子只是味微甘苦葶藶子入頂苦凡使以糯米相合於鏊上微火焙待米熟去米單搗用

【旋復花】味甘氣温無毒

【主治】主益氣媚好色去面皯黑色【根苗】搗汁治刑毒治小兒毒熱【其根】味辛續筋骨合金瘡

為金錢花七八月採花曝乾一十日成今近者人家園圃所蒔金錢花七葉並如上說極易繁盛恐即此旋復也

## 石龍芻

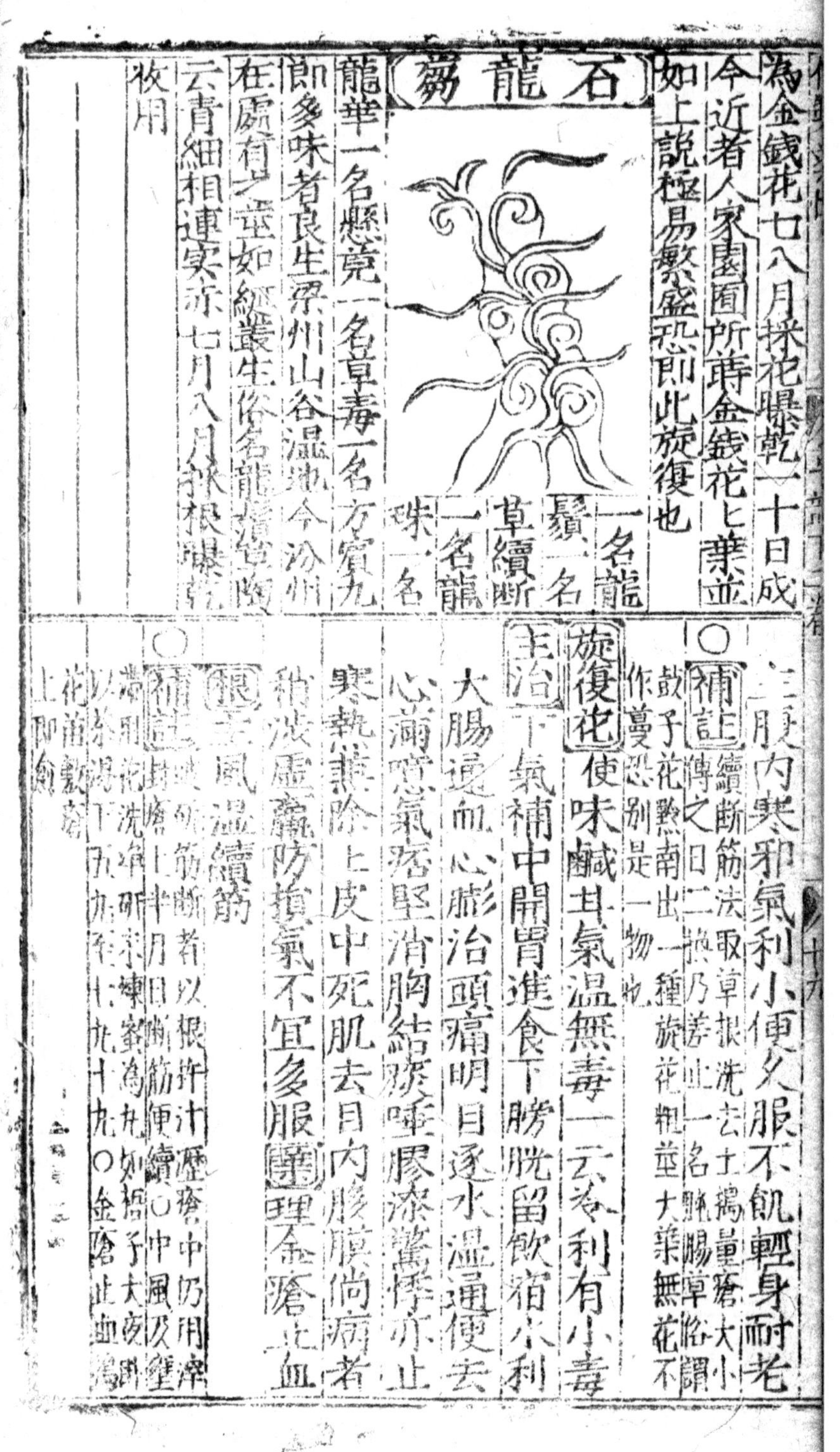

一名龍鬚一名草續斷一名龍珠一名龍華一名懸莞一名草毒一名方賓九節多味者良生梁州山谷濕地今汾州在處有之莖如綖叢生俗名龍鬚草陶云青細相連實亦七月八月採根曝乾收用

主腹內寒邪氣利小便久服不飢輕身耐老

○補註 續斷筋法取草根洗去土搗量瘡大小傅之日二換乃差止一名鰊腸草俗謂鼓子花黔南出一種旋花粗莖大葉無花不作蔓恐別是一物也

旋復花 使 味鹹甘氣溫無毒一云冷利有小毒

主治 下氣補中開胃進食下膀胱留飲宿水利大腸通血心脇治頭痛明目逐水溫通便去心滿噫氣痞堅消胸結痰唾膠漆驚悸亦止寒熱止除上皮中死肌去目內眵膜尚病者稍減虛羸防損氣不宜多服 藥 理金瘡止血

根 主風濕續筋

○補註 [illegible]破筋斷者以根搗汁瀝瘡中仍用滓封瘡上半月日斷筋便續○中風及壁濕用花洗淨研末煉蜜為丸如梧子大夜卧以茶湯下五丸加至七丸九丸十丸○金瘡止血為花苗敷瘡上即愈

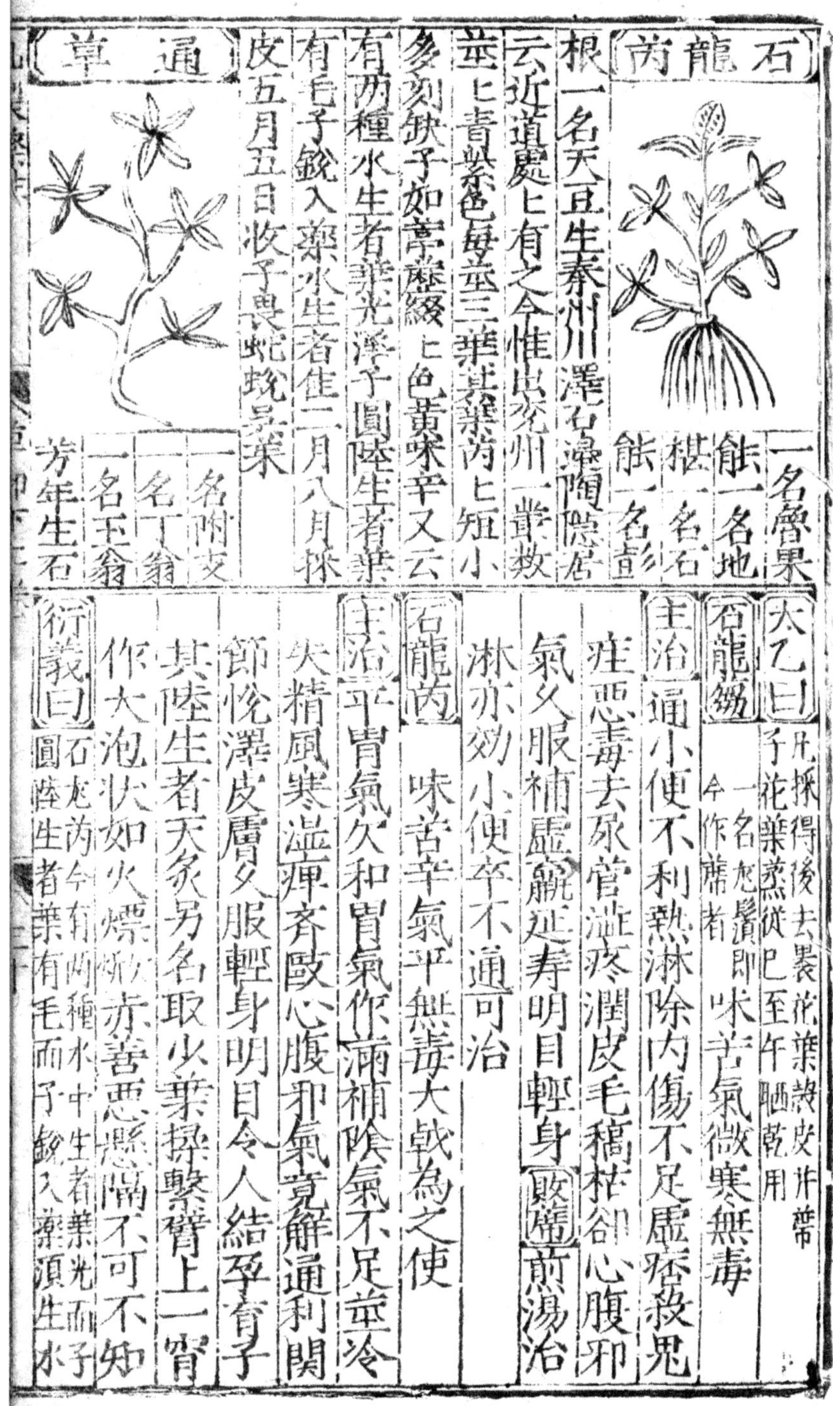

石龍芮

一名魯果能一名地椹一名石能一名彭根一名天豆生泰州川澤石邊陶隱居云近道處處有之今惟出兖州一叢數莖莖青紫色每莖三葉其葉芮芮短小多刻缺子如葶藶綴綴色黃味辛又云有兩種水生者葉光澤子圓陸生者葉有毛子銳入藥水生者佳二月八月採皮五月五日收子畏蛇蛻吳茱

通草

一名附支一名丁翁一名王翁芳年生石

太乙曰 凡採得後去裹花葉殼皮并蒂子花葉蒸從巳至午曬乾用

石龍芻 一名龍鬚即今作蓆者 味苦氣微寒無毒

主治 通小便不利熱淋除內傷不足虛瘧殺鬼疰惡毒去莖管澁疼潤皮毛稿枯卻心腹邪氣久服補虛羸延壽明目輕身 敗蓆 煎湯治淋亦效小便卒不通可治

石龍芮 味苦辛氣平無毒大戟為之使

主治 平胃氣久和胃氣作痛補陰氣不足莖冷失精風寒濕痹齊毆心腹邪氣寬解通利關節悅澤皮膚久服輕身明目令人結孕育子其陸生者天炙另名取出葉揉繫臂上一宵作大泡狀如火熛燬亦善惡熛不可不知

衍義曰 石龍芮今有兩種水中生者葉光而子圓陸生者葉有毛而子銳入藥須生水

城山谷及山陽今澤路漢中江淮湖南州郡亦有之生作藤蔓大如指其莖幹火者徑三寸每節有二三枝枝頭出五葉頗類石韋又似芍藥三葉相对夏秋開紫花亦有白花者結實如小木瓜核黒瓤白食之甘美南人謂之鷰覆亦云烏覆正月二月採枝陰乾用或以為葡萄苗非也今人謂之木通

鷰覆子

一名烏覆子一名桴棪子並名木通實子

通子也大者徑三寸每節有二三枝枝頭生五葉其子長三四寸核黒瓤白食之甘美七八月採之

者陸生者又謂之天炙取火藥採係腎上一夜作大泡如火燎者是惟陸生者補腎不足前常冷失精餘如經

通草 臣 今謂之木通 味辛甘氣平味薄降也陽也陽中陰也無毒

主治 瀉小腸火鬱不散非他藥可偷利膀胱水閉不行與琥珀相等消癰疽作腫療脾疸嗜眠解煩噦開耳聾出音声通鼻塞行經下乳催産墮胎 實 結如小木瓜名曰鷰覆白瓤黒核亦能治翻胃證除熱三焦 根 治項下癭瘤多取絞汁頻服

○補註 諸瘻瘡喉痹痛及喉痺並宜煎服擘亦得○通婦人血氣濃煎三五盞服之即通○療寒熱不通之氣消鼠瘻金瘡踒折煮汁釀酒服甚佳

鷰覆子 味甘氣寒無毒

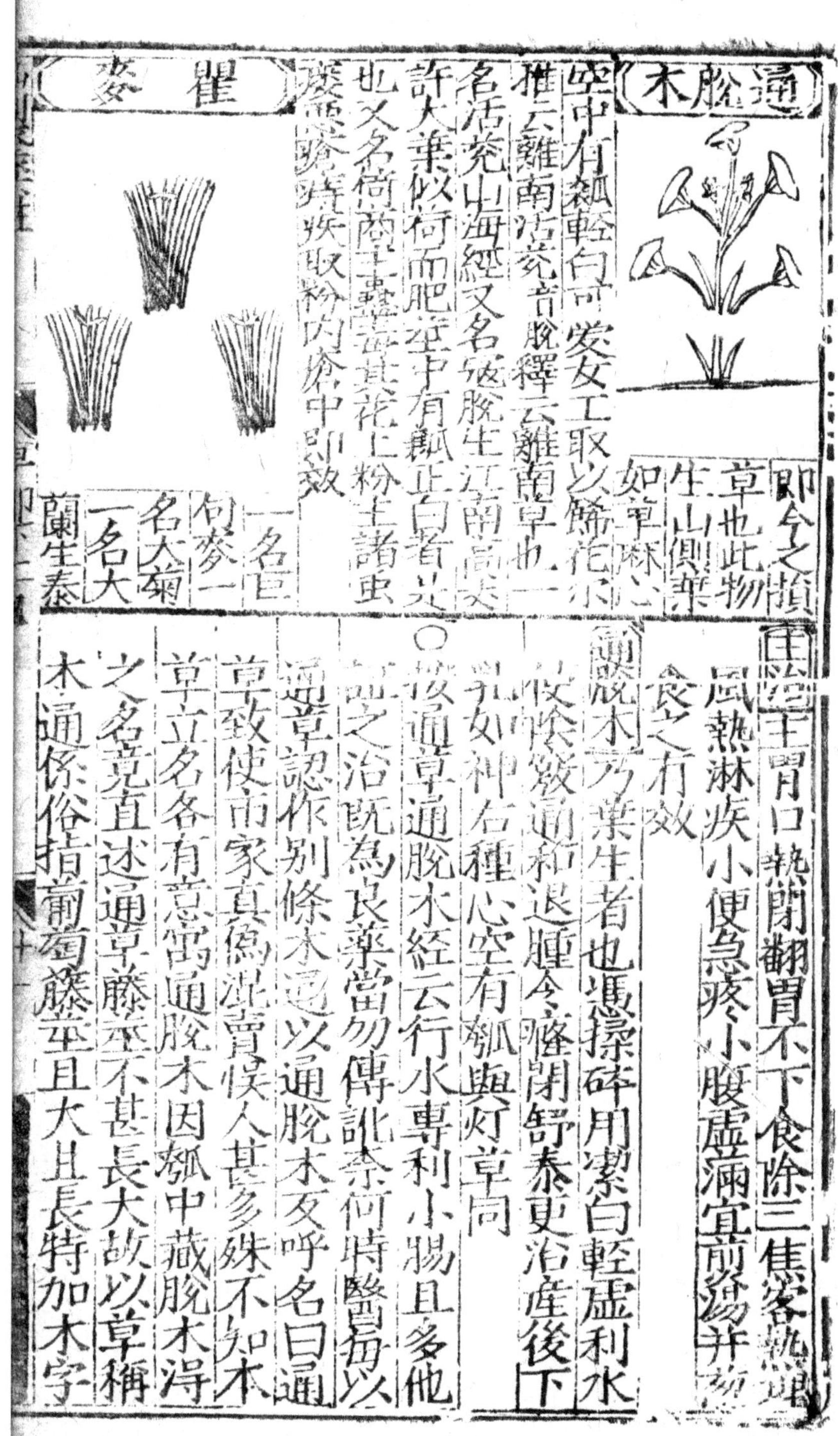

通脫木

即今之摃草也此物生山側葉如萆麻心空中有瓤輕白可愛女工取以飾花亦雅云離南活莌音脫釋云離南草也一名活莌山海經又名寇脫生江南高丈許大葉似荷而肥莖中有瓤正白者是也又名倚商亡蟲其花上粉主諸蟲瘻惡瘡痔疾取粉內瘡中即效

瞿麥

一名巨句麥一名大菊一名大蘭生泰

【主治】主胃口熱閉翻胃不下食除三焦客熱道風熱淋疾小便急疼小腹虛滿宜煎湯并葱食之有效

【通脫木】乃叢生者也憑採碎用潔白輕虛利水收除痰瘕通和退腫令癃閉舒泰更治產後下乳如神右種心空有瓤與燈草同

○按通草通脫木經云行水專利小腸且多他証之治既為良藥當勿傳訛奈何時醫每以通草認作別條木通以通脫木反呼名曰通草致使市家真偽混賣悮人甚多殊不知木草立名各有意當通脫木因瓤中藏脫木得之名竟直述通草藤莖不甚長大故以草稱木通係俗指蜀藤莖且大且長特加木字

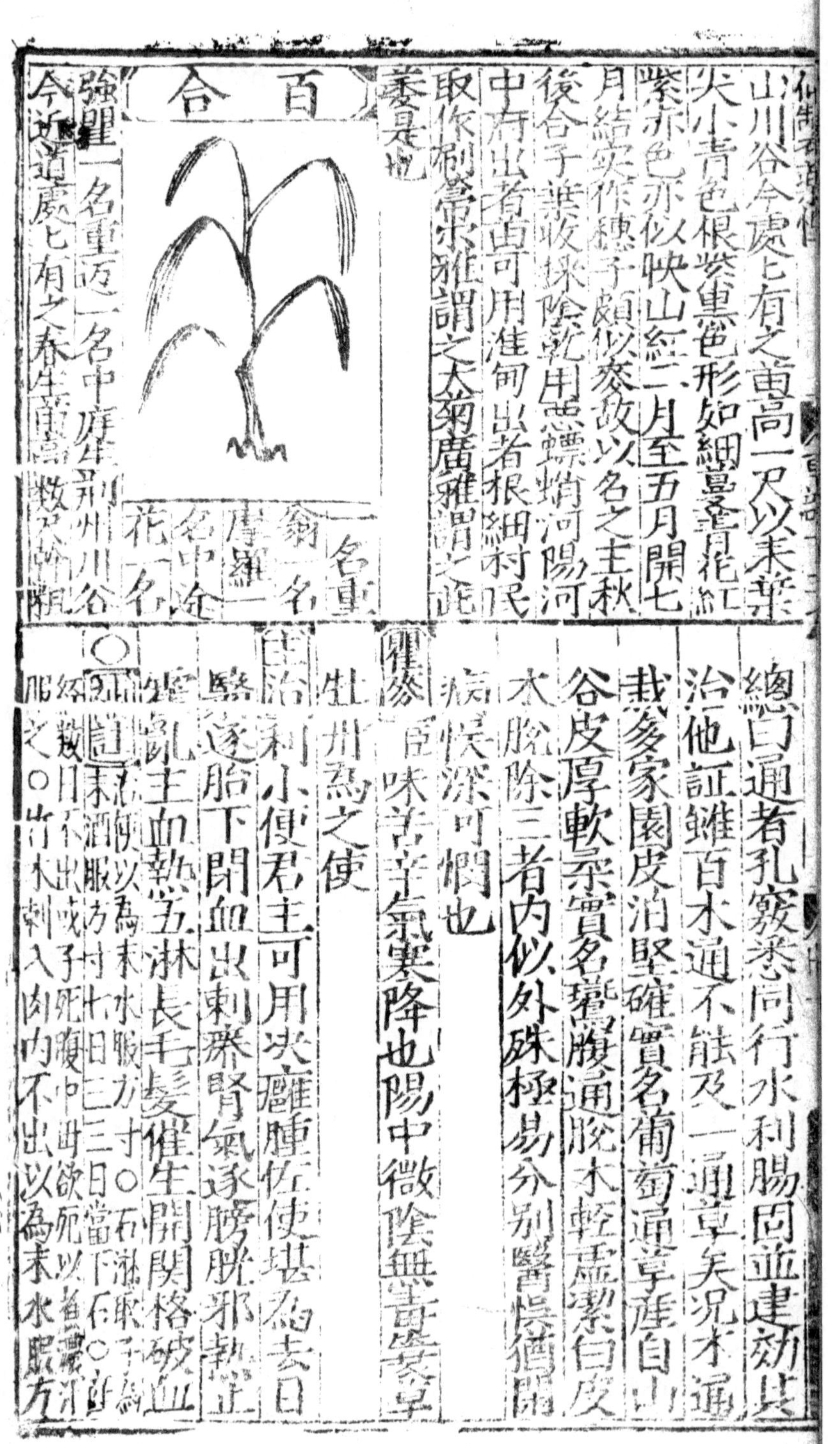

[illegible]山川谷今處處有之苗高一尺以來葉尖小青色根紫黑色形如細藁青花紅紫赤色亦似映山紅二月至五月開七月結實作穗子頗似麥故以名之主秋後合子莢收採陰乾用忌蠐螬河陽河中府出者尤可用淮甸出者根細村民取作帚菜雅謂之大菊廣雅謂之蘧麥是也

百合

一名重翦一名麥羅一名中逢花一名強瞿一名重迈一名中庭生荊州川谷今近道處處有之春生苗高數尺枝葉開

總曰通者孔竅悉同行水利腸固並建効其治他証雖百木通不能及一通草矣況木通莪參家園皮治堅確實名葡萄通草產自山谷皮厚軟柔實名籰觚通脫木輕虛潔白皮木脫除三者內似外殊極易分別醫愼循開

[illegible]疳候深可憫也

瞿麥 臣 味苦辛氣寒降也陽中微陰無毒[illegible]

牡丹為之使

主治 利小便君主可用炎癰腫佐使堪為去目

驗 逐胎下閉血出刺療腎氣逐膀胱邪熱

[illegible]亂主血熱五淋長毛髮催生開閉格破血

○ 合治 [illegible]以為末水服方寸○石淋取子為圖經末酒服方寸七日三三日當下石○治婦人數日不出或子死腹中母欲死以瞿麥濃汁服之○竹木刺入肉內不出以為末水服方

如箭四向有葉如鷄距又似柳葉青色
葉近莖微紫莖端有四五月開紅白花
如石榴嘴而大根如葫蒜重叠生二三
十瓣二月八月採根曝乾人亦蒸食之
甚益氣又有一種花黃有黑斑細葉七
間有黑子不堪入藥
○按衍義云莖高二尺許葉如大柳葉
四向攢枝而上其顛即有淡黃白花四
垂向下覆長蘂花心有檀色每一枝顛
須五六花紫色圓如梧子生於枝葉間
每葉一子不在花中此又異也根即百
合其色白其形如松子殼四向攢生中
間出苗

汁七或煮汁飲之一日三服○魚骨瘡毒酒
燒灰和油傅腫上甚佳

【太乙曰】凡使只用藥瓣不用莖葉若一時使卻令人氣咽小便不禁凡欲用先須以金重竹瀝浸一伏時漉出晒乾用

【百合】使　味甘氣平無毒

【主治】百花者養臟益志定膽安心逐驚悸狂叫
之邪消浮腫痞滿之氣止遍身痛利大小便
辟鬼氣除時疫欬逆殺蠱毒治外科癰疽乳
腫喉痺殊功發背搭背立效又張仲景治傷
寒壞後已成百合病証用此治之因取名同
然未識有何義也蒸食能補中益氣作麪可
代粮過荒赤花者僅治外科不理他病凡採
用務必分留

○【補遺】云平主心急黃蒸過蜜和食之作粉尤
佳紅花者名山丹不甚良○肺藏壅熱

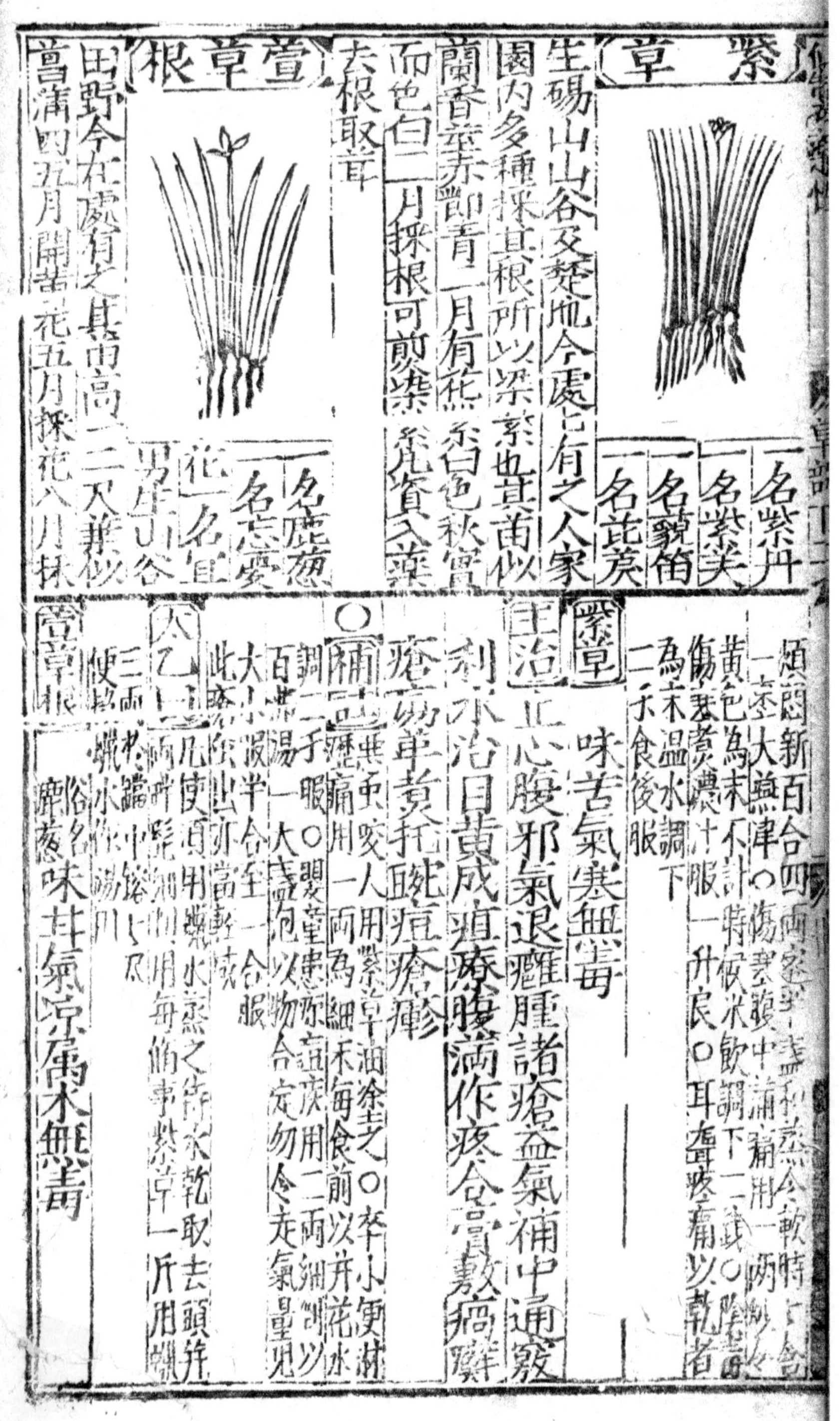

煩悶新百合四兩蜜半盞和蒸令軟時時含一枣大嚥津○傷寒腹中滿痛用一兩炒令黄色為末不計時候米飲調下二錢○陰毒傷寒煮濃汁服一升良○耳聾疼痛以乾者為末温水調下二錢食後服

## 紫草

一名紫丹　一名紫芙　一名藐　一名茈䓞

生碭山山谷及楚地今處處有之人家園圃多種採其根所以染紫也其苗似蘭香莖赤節青二月有花紫白色秋實而色白三月採根可煎藥紫凡資入藥去根取茸

【紫草】味苦氣寒無毒

【主治】止心腹邪氣退癰腫諸瘡益氣補中通竅利水治目黄成疸療腹滿作疼合膏敷痛癬瘡[illegible]單煎托豌痘瘡疹

○【補遺】惡蟲咬人用紫草油塗之○卒小便淋瀝痛用一兩為細末每食前以井花水調一二錢服○嬰童患瘡疹用二兩細剉以百沸湯一大盞泡以物合定勿令走氣量兒大小服半合至一合服此藥能出亦當斟酌

【大乙曰】凡使須用蠟水蒸之待水乾取去頭并兩畔髭細剉用每修事紫草一斤用蠟三兩於鐺中鎔鎔盡便投蠟水作湯用

## 萱草根

一名鹿葱　一名忘憂　花一名宜男

生山谷田野今在處有之其苗高一二尺葉似菖蒲四五月開黃花五月採花八月採

【萱草根】俗名鹿葱　味甘氣涼屬木無毒

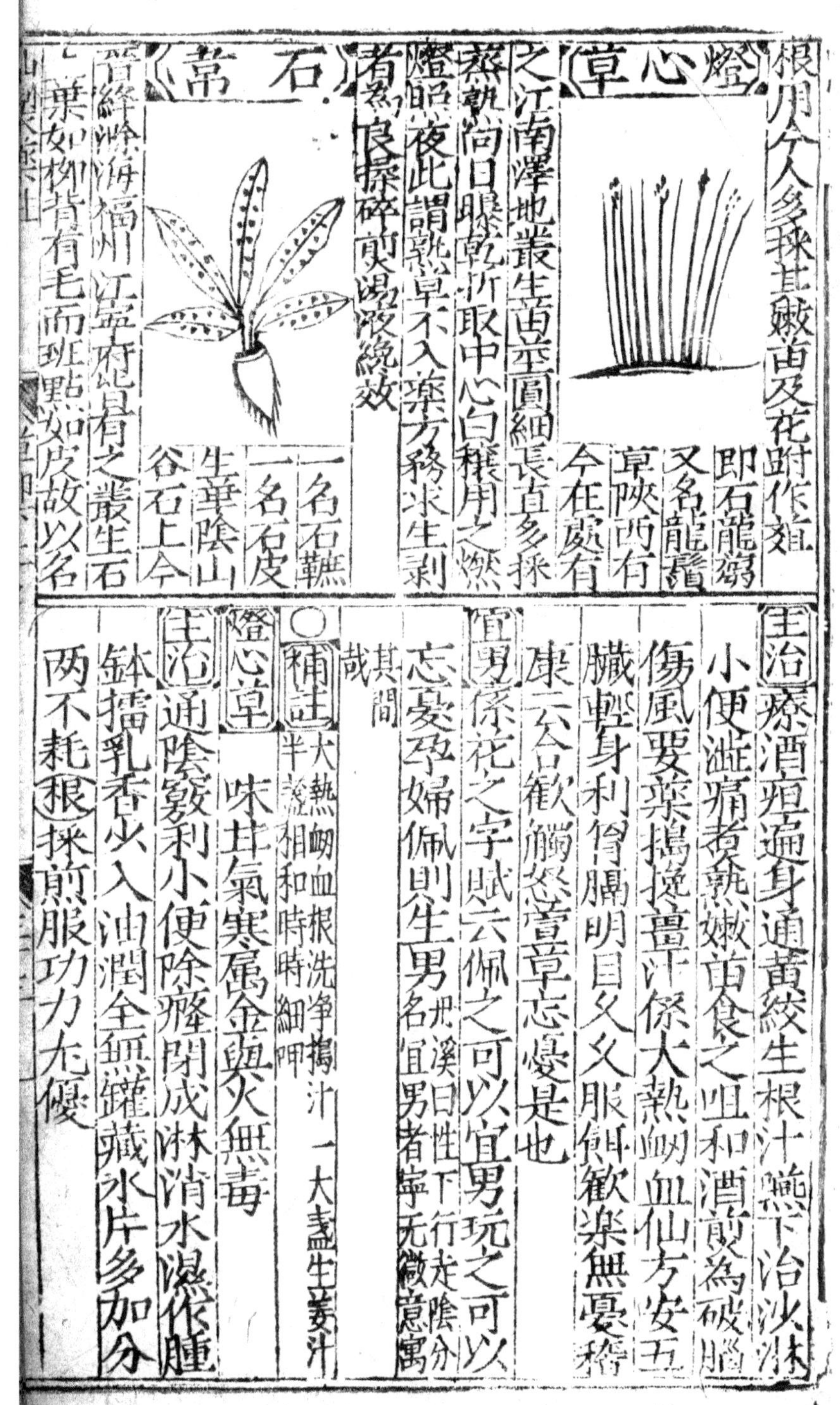

根用今人多採其嫩苗及花時作菹

燈心草

即石龍芻　又名龍鬚草陝西有今在處有

之江南澤地叢生苗莖圓細長直多採蒸熟向日曝乾折取中心白穰用之燃燈照夜此謂熟草不入藥方務求生剝者爲良採碎煎湯液純效

石韋

一名石韉　一名石皮　生華陰山谷石上今

晋絳滁海福州江寧府皆有之叢生石上葉如柳背有毛而斑點如皮故以名

主治 療酒疸遍身通黃絞生根汁藥下治火淋小便澁痛者熟嫩苗食之亦和酒煎爲破腦傷風要藥搗捷甞汁係大熟衄血仙方安五臟輕身利智腸明目久服與歡樂無憂稽康云合歡蠲忿萱草忘憂是也宜男係花之字賦云佩之可以宜男玩之可以忘憂孕婦佩則生男名宜男肥溪曰性下行走陰分宜男者寧无微意寓其間哉

補註 大熱衄血根洗淨搗汁一大盞生薑汁半盞相和時時細呷

燈心草 味甘氣寒屬金與火無毒

主治 通陰竅利小便除癃閉成淋消水濕作腫本鉢擂乳香少入油潤全無鑵藏冰片多加分兩不耗 根 採煎服功力尤優

亦以不聞水声者良二月七月採葉陰乾用但葉背黄毛不去則射人肺中却成欬嗽難治務先去淨復拌羊脂炒變焦黄方入藥剤得菖蒲炒使杏仁良

【海藻】

一名落首一名藫一名海蘿生東海池澤

出登萊諸州海中凡水中皆有藻水草生水底有二種一種葉如雞蘇莖如筯長四五尺一種莖如釵股葉如蓬謂之聚藻扶風人謂之藻聚為発声也二藻皆可食熟挼其腥氣米麪糝蒸為茹甚佳荊揚人飢荒以當穀食今謂海藻者乃是海中所生根着水底石上黑色

【燈花】止小兒夜啼治大人喉痹金瘡敷上血禁肌生

○【補註】小兒夜啼燒灰塗乳上与兒吃○破傷以口嚼爛和唾貼之再用帛裹血立止○小虫蠓入目挑不出者以油浸入目鉤出虫

【石膏】使 味甘氣平微寒無毒杏仁為之使

【主治】治遺溺成淋通膀胱利水療癰疽發背去惡氣止煩益精氣補五勞除邪熱安五臟止煩下氣益氣通淋○生死上者【死膏】為名治淋亦佳不經曾試

○【補註】發背炒研為末冷酒調服效

【海藻】臣 味苦鹹氣寒無毒一云有小毒沉也陰中陰也

【主治】主宿食不消五膈痰壅消項間瘰癧頸下

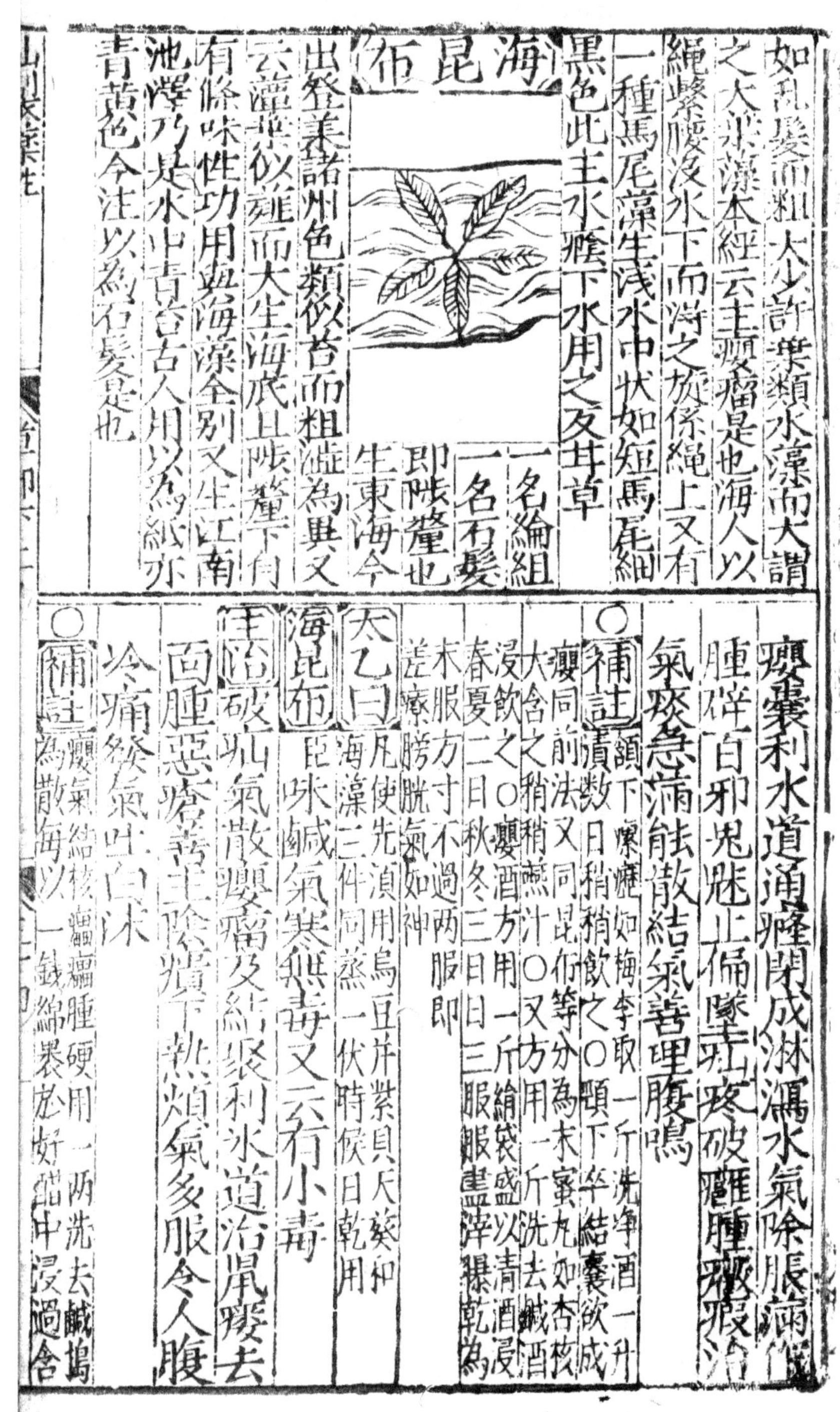

如亂髮而粗大少許葉類水藻而大謂之大葉藻本經云主癭瘤是也海人以繩繫腰沒水下而刈之旋係繩上又有一種馬尾藻生淺水中狀如短馬尾細黑色此主水癃下水用之及甘草

## 海昆布

一名綸組　一名石髮　即陂蘺也　生東海今

出登萊諸州色類似苔而粗澁為異又云藻葉似薤而大生海底巨陂蘺下有有條味性功用與海藻全別又生江南池澤乃是水中青苔古人用以為紙亦青黃色今注以為石髮是也

癭囊利水道通癃閉成淋瀉水氣除脹滿偏腫碎白邪鬼魅止偏墜疝疼破癰腫癥瘕治氣痰急滿能散結氣善理腹鳴

○補註 頸下卒癭結如梅李取一斤洗淨酒一升漬數日稍稍飲之○頸下卒結囊欲成癭同前法又同昆布等分為末蜜丸如杏核大含之稍稍嚥汁○又方用一斤洗去鹹酒浸飲之○癭酒方用一斤絹袋盛以清酒浸春夏二日秋冬三日日三服服盡滓曝乾為末服方寸匕不過兩服即差療膀胱氣如神

太乙曰 凡使先須用烏豆并紫貝天葵和海藻三件同蒸一伏時候日乾用

海昆布 臣 味鹹氣寒無毒又云有小毒

主治 破疝氣散癭瘤及結氣利水道治鼠瘻去面腫惡瘡善主陰㿉下熱煩氣多服令人腹冷痛發氣吐白沫

○補註 癭氣結核㿉㿉腫硬用一兩洗去鹹搗為散每以一錢綿裹於好醋中浸過含

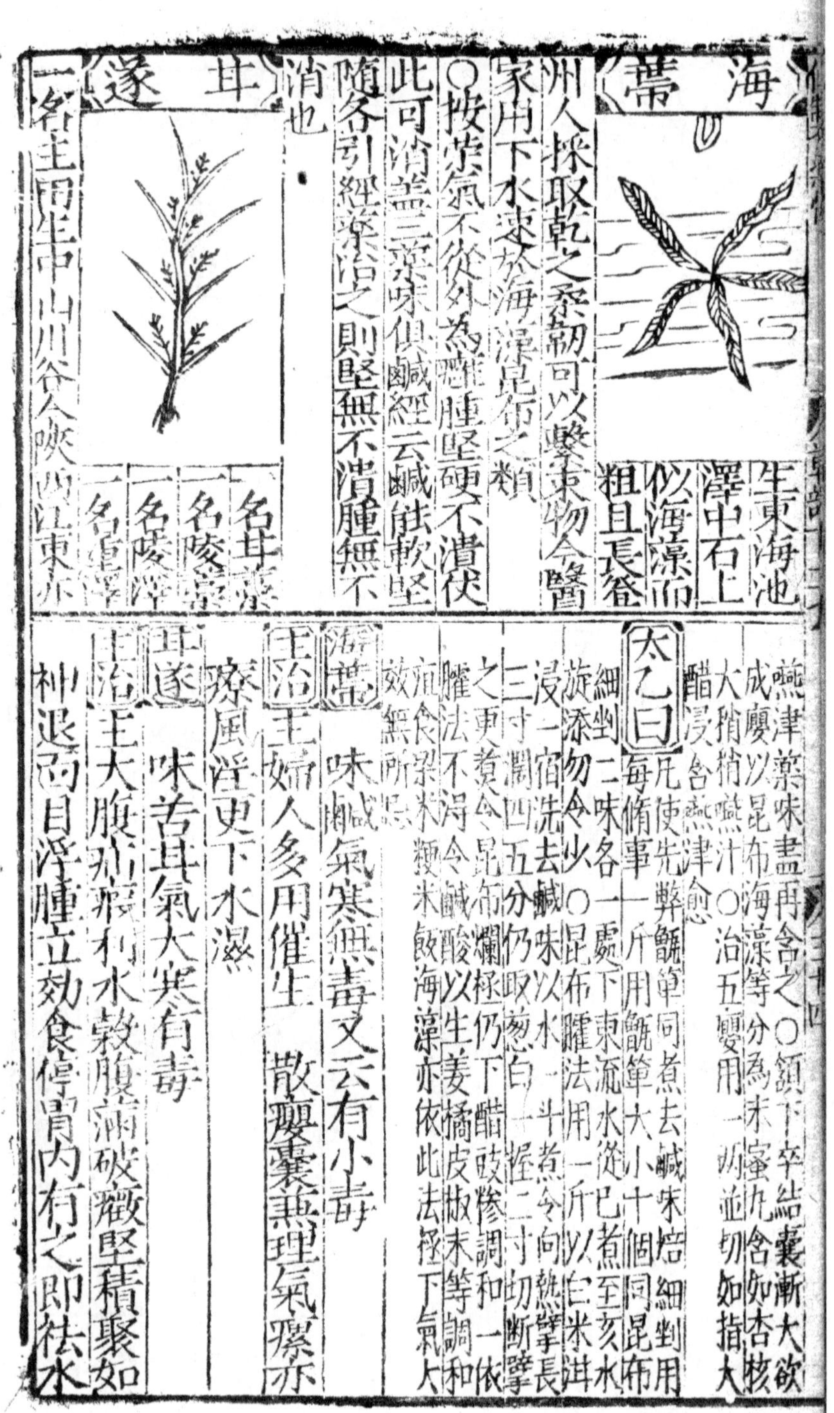

海帶

生東海池澤中石上似海藻而粗且長登州人採取乾之柔韌可以繫束物今醫家用下水速於海藻昆布之類

○按癭氣不從外為癰腫堅硬不潰俟此可消蓋三藻味俱鹹經云鹹能軟堅隨各引經藥治之則堅無不潰腫無不消也

甘遂

一名甘藁　一名陵藁　一名陵澤　一名重澤

一名主田生中山川谷今陝西江東亦

嚥津藥味盡再含之○須下卒結囊漸大欲成癭以昆布海藻等分為末蜜丸含如杏核大稍稍嚥汁○治五癭用一兩並切如指大醋浸含嚥津愈

太乙曰　凡使先弊甑箄同煮去鹹味焙細剉用每修事一斤用甑箄大小十個同昆布細剉二味各一處下東流水從巳煮至亥水旋添勿令少○昆布臛法用一斤以白米泔浸一宿洗去鹹味以水一斗煮令向熟擘長三寸闊四五分仍取葱白一握二寸切斷擘之更煮令昆布爛極仍下醋豉糝調和一依臛法不得令鹹酸以生姜橘皮椒末等調和病食粱米粳米飯海藻亦依此法極下氣大效無所忌

海帶　味鹹氣寒無毒又云有小毒

主治　主婦人多用催生　散癭囊兼理氣癃亦療風淫更下水濕

甘遂　味苦甘氣大寒有毒

主治　主大腹疝瘕利水穀腹滿破癥堅積聚如神退面目浮腫立効食停胃內有之即祛水

有之或云京西出者最佳汴滄吳淄者為次苗似澤漆莖短小而葉有汁根皮赤肉白作連珠又似和皮法草二月採根節切之陰乾以實重者為勝反甘草惡遠志又有一種草甘遂苗一莖端六七葉如蓖麻兜日葉用之殊悉生食一升亦不能下唐註云草甘遂即蚤休也

## 大戟

一名邛鉅生常山今近道多有之春生紅芽漸長作叢高一尺已來葉似初生楊柳小團三月四月開黃紫花團圓似杏花又似蕪荑根似細苦參皮黃黑肉黃白色秋冬採根陰乾惡薯蕷反甘草海

結胸中非此不解蓋氣直透所結之處專於行水攻決利從穀道出也凡用斟酌切勿妄投

○【補註】卒腫滿身面皆洪大用一分粉之猪腎一枚分為七臠入甘遂於中以火炙之令熟日乾食至四五當覺腹脇鳴小便利○腹滿大小便不利氣急用二分為散分五服熱水下如覺心下煩渴微利日一服

【太乙曰】凡採得後去蘆於攪砧上細剉用生甘草湯小薺苨自然汁二味攪浸三日其水如墨汁更漉出用東流水淘六七次令水清為度漉出於土器中熬令脆用之

【大戟】使味苦甘氣大寒陰中微陽有小毒小豆為之使

【用治】治痞塊而療腹鳴破積聚而利小便消水腫腹滿急疼除中風皮膚燥痛驅蠱毒破癥堅通月信墮胎散頸癧逐瘀能理吐逆頭痛

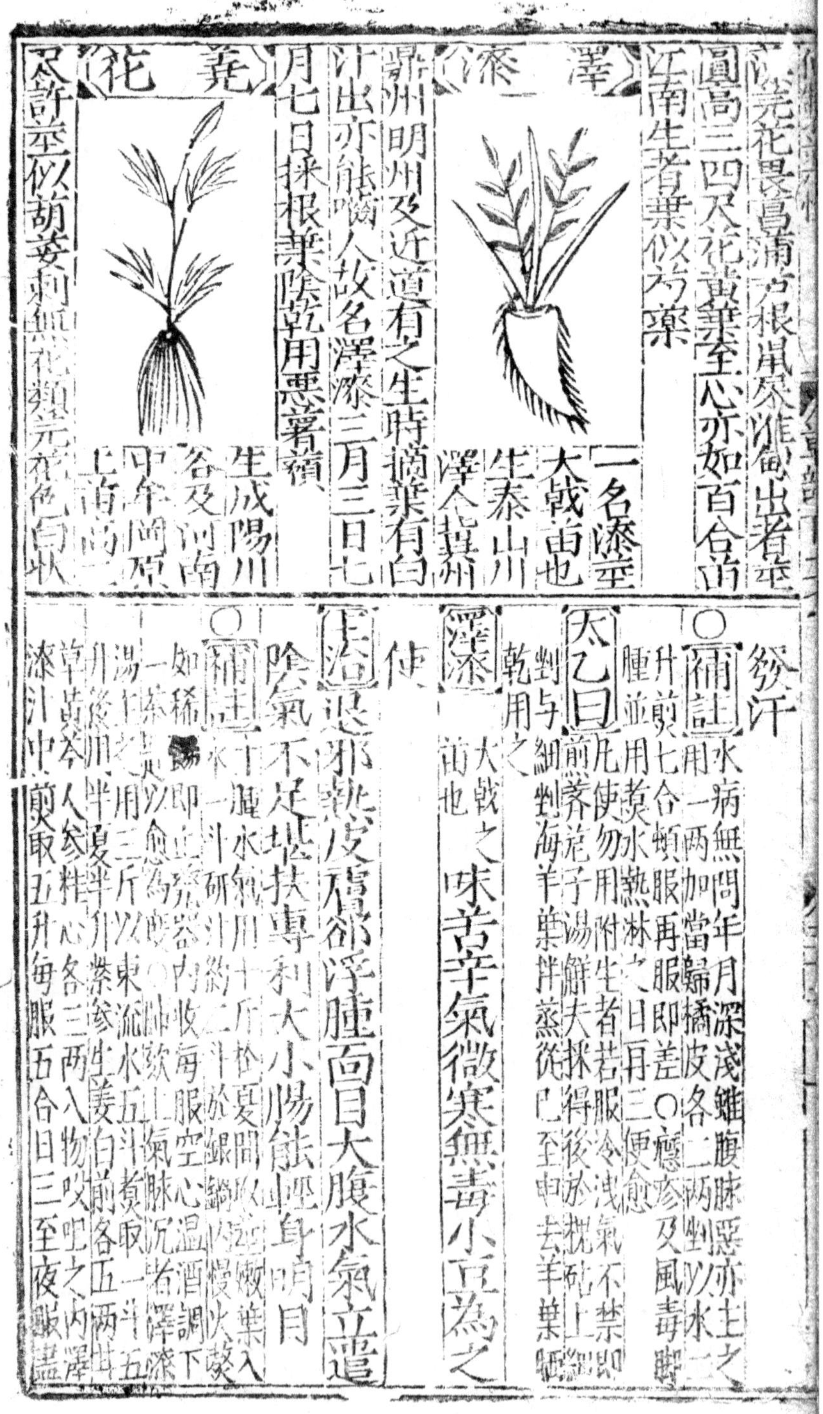

芫花畏菖蒲方根黑灰雕蜀出者莖圓高三四尺花黃葉至心亦如百合苗江南生者葉似芍藥

澤漆

一名漆莖大戟苗也生泰山川澤今冀州鼎州明州及近道有之生時摘葉有白汁出亦能嚙人故名澤漆三月三日七月七日採根葉陰乾用惡薯蕷

蕘花

生咸陽川谷及河南中牟[illegible]今許莖似胡荽莖刺無花類芫花色白狀

發汗

〔補註〕水病無問年月深淺雖腹脹懸亦主之用一兩加當歸橘皮各二兩剉以水二升煎七合頓服再服即差○癮疹及風毒脚腫並用煮水熱淋之日再三便愈

〔太乙曰〕凡使勿用附生者若服冷洩氣不禁即煎薺苨子湯解夫採得後於槐砧上細剉與細剉海芋葉拌蒸從巳至申去芋葉曬乾用之

〔澤漆〕大戟之苗也 味苦辛 氣微寒 無毒 小豆為之使

〔主治〕退邪熱皮膚浮腫面目大腹水氣亦遣陰氣不足填扶專利大小腸能堅身明目

〔補註〕十種水氣用十斤於夏間取嫩葉入水一斗研汁約二斗於銀鍋內以慢火熬如稀餳即止於瓷器內收每服空心溫酒調下一茶匙以愈為度○肺欬上氣脈沉者澤漆湯主之用三斤以東流水五斗煮取一斗五升後用半夏半升紫參生薑白前各五兩甘草黃芩人參桂心各三兩入物㕮咀之內澤漆汁中煎取五升每服五合日三至夜服盡

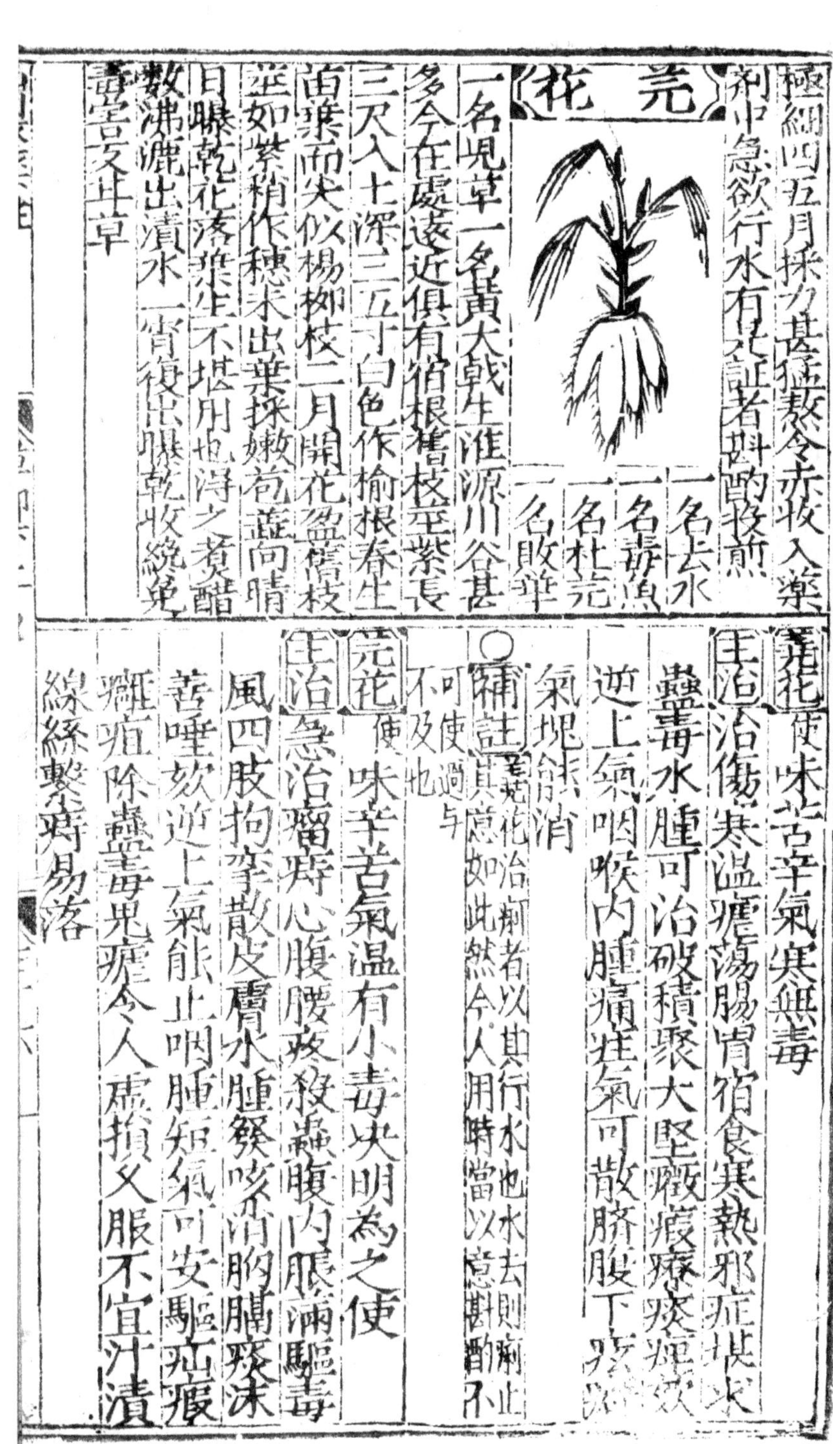

極細四五月採力甚猛熬令赤收入藥
剂中急欲行水有此証者斟酌投煎

## 芫花

一名去水
一名毒魚
一名杜芫
一名敗華

一名兒草一名黃大戟生淮源川谷甚
多今在處遠近俱有宿根舊枝莖紫長
三尺入土深三五寸白色作榆根春生
苗葉而尖似楊柳枝二月開花盈舊枝
莖如紫荊作穗未出葉採嫩苞蘆向晴
日曝乾花落葉生不堪用也得之煮醋
數沸漉出漬水一宵復晒乾收絕
毒害反甘草

蕘花 使 味苦辛氣寒無毒

主治 治傷寒溫瘧蕩腸胃宿食寒熱邪症堪求
蠱毒水腫可治破積聚大堅癥瘕療痰癖欬
逆上氣咽喉內腫痛狂氣可散臍腹下痰涎
氣塊能消

○補註 蕘花治痢者以其行水也水去則痢止
其意如此然今人用時當以意斟酌不
可使過與
不及也

芫花 使 味辛苦氣溫有小毒決明為之使

主治 急治瘤癖心腹腰疼殺蟲腹內脹滿驅毒
風四肢拘攣散皮膚水腫療咳消胸膈痰沫
善唾欬逆上氣能止咽腫短氣可安驅疝瘕
癰疽除蠱毒鬼瘧令人虛損又脹不宜汁漬
綠絲繫痔易落

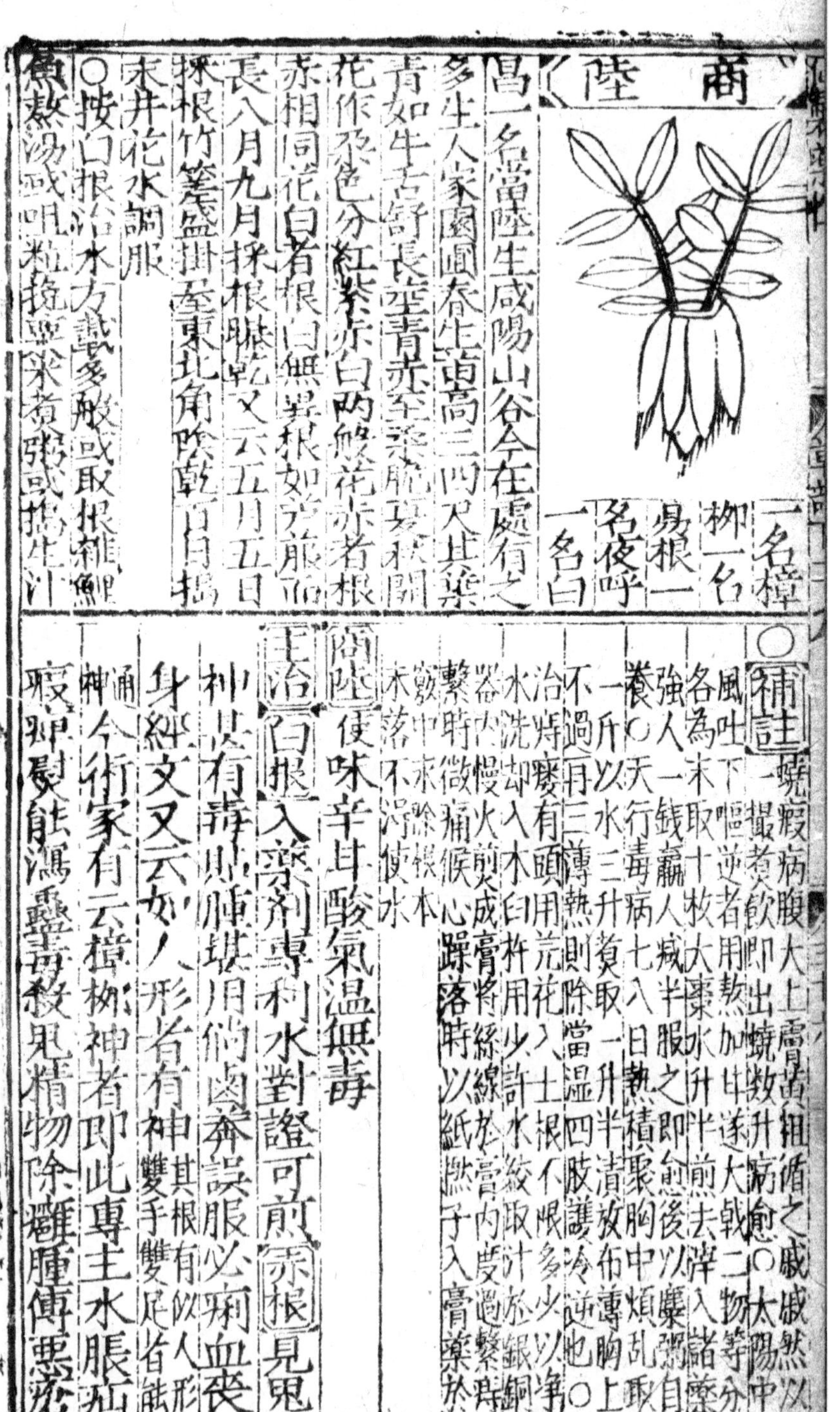

# 商陸

一名樟柳一名易根一名夜呼一名白昌一名當陸生咸陽山谷今在處有之多生人家園圃春生苗高三四尺其葉青如牛舌舒長莖青赤至柔脆夏秋開花作朶色分紅紫赤白兩般花赤者根赤相同花白者根白無異根如人形而長八月九月採根曝乾又云五月五日採根竹籃盛掛屋東北角陰乾百日搗末井花水調服○按白根治水方載多般或取根雜鯉魚煮湯或明粒米煮粥或搗生汁

○補註 蟯瘕病腹大上膚黃粗循之戚戚然以一撮煮飲即出蟯數升病愈○太陽中風吐下嘔逆者用熬加甘遂大戟二物等分各為末取十枚大棗水升半煎去滓入諸藥強人一錢羸人減半服之即愈後以糜粥自養○天行毒病七八日熱積聚胸中煩乱欲一斤以水三升煮取一升半漬布薄胸上不過再三薄熱則除當溫四肢護冷逆也○治痔瘻有頭用芫花入土根不限多少以淨水洗却入木臼杵用少許水絞取汁於銀銅器內慢火煎成膏將絲線於膏內度過繫痔時微痛候心躁落時以紙撚子入膏藥於瘡中永除根本落不得使水

商陸使 味辛甘酸氣溫無毒

主治 白根入藥劑專利水對證可煎 赤根見鬼神甚有毒貼腫堪用倘因奔誤服必痢血喪身經文又云如人形者有神其根有似人形神雙手雙足者能通神今術家有云樟柳神者即此專主水脹疝瘕痺熨能瀉蠱毒殺鬼精物除癰腫傅惡瘡

調頌以和詩藥為丸空心服之並可獲效赤根貼腫方亦不同喉痺窒塞不通醋熬敷外腫處石癰堅如石者搗擦取軟成膿如或搗爛加鹽總數無名腫毒古讃云其味酸辛其形類人療水貼腫其效如神斯言盡之矣

## 牽牛子

舊不載所出州土今處處有之二月種子三月生苗作藤蔓遶籬牆高者或二三丈其葉青有三尖角七月生花微紅帶碧色似鼓子花而大八月結實外有白皮裹作毬每毬內有子四五枚如蕎

如神療胸邪氣滿大效善消水腫又能墮胎是爲【實】亦入神之藥【花】名葛花尤良若陰乾搗末水吞能治人健忘善慎服後卧思所事關心復記詳明並墮妊娠孕婦切忌

○【補註】喉中卒破毒氣攻痛者切根炙令熱隔布熨之冷則易以熱立效○水腫取生者去皮切如小豆許一大盞以水三升煮一升爛即取粟米一大盞煮粥空心服一度不瘥雜食又切生根同生鯉魚肉煮湯又取六兩搗汁三合和酒半升看大小相度服利下水差○喉痺不通薄切醋熬塗處敷之○石癰堅如石不作膿搗生根擦之即易取軟為度○一切熱毒和鹽少許調傅之日再易○治瘰癧癢痺卒攻痛用根生搗捻作斯子置瘰癧上以艾炷於藥上灸三四壯○卒暴腫中有物如石痛刺啼呼若不治百日死多取根搗汁或煮之以布藉腹上安藥勿覆冷復易晝夜勿息○治水腫不能服藥用一升羊肉六兩以水一斗煮取六升去滓和肉葱豉作臛如常法食之白者佳○瘡中毒切根炙熱布裹熨之冷即易○治腳軟切根如小豆大煮令熟更入菉豆同爛煮為飯每日如

實大有三稜有黑白二種九月後收之
又名金鈴
羅謙甫云牽牛味辛烈瀉人元氣若病
濕勝濕氣不得施化致大小便不通則
宜用之然濕病之根在下焦是血分中
氣病不可用辛辣氣藥瀉上焦太陰之
氣也凡人飲食勞倦皆血受病者以此
藥瀉之是血病瀉氣使氣血俱虛也

鉤吻

根名野葛出名鉤吻俗呼為胡蔓草生

傅高山谷及會稽東野今生嶺南越山或
益州蔓生葉如柿葉又云葉似黄葵而

此修事服餌以差
為度其功最效

【太乙曰】凡使勿用赤葛緑相似其赤葛花中有
消筋腎之毒故勿餌商陸花白年多後
仙人採之用作脯可下酒也每脩事先以銅
刀刮去上皮薄切以東流水浸兩宿後取出
於甑上蒸以豆葉一重了与商陸一重如斯
蒸從午至亥出仍去豆葉曝乾了細剉用若
无豆葉只
用豆代之

【牽牛子】味苦氣寒屬火善走有毒

【主治】(黑)者屬水力速(白)者屬金效遲炒研煎湯
並取頭末除壅滯氣急及痃癖蠱毒殊功利
大小便難併脚滿水腫極驗善除風毒下氣
落胎以氣藥引之則入氣以血藥引之則入
血大瀉元氣用者戒之不脹滿不大便秘者
勿用

〇【補註】水氣徧身浮腫氣促坐卧不得用二兩
微炒擣末烏牛尿浸一宿平旦入葱白

公炮炙方云黄精勿令誤用鉤吻葉似黄精而頭尖處有兩毛若鉤是也且黄精直生如龍膽澤漆兩葉或四五葉相對又一種葉似葛亦至大如箭根正月採其野葛以時新採者皮白骨黄宿根似地骨嫩根如汶防己皮節斷者良正與白花藤根相類不深別者頗亦惑之其新取者折之无塵氣經年已來則有塵起根骨似枸杞有細孔者人折之則塵氣從孔中出今折枸杞根亦然經云折之青烟起者名固活為良

陳藏器云食葉飲冷水即死冷水發其毒也彼人以野葛飼人勿與冷水至肥大以冷水飲之至死懸尸於樹汁滴地生菌子收之名曰菌藥烈於野葛胡蔓

一盞煎十沸去滓空心二服○風毒脚氣腫痛捻之沒指者取子搗蜜丸如小豆大每服五丸生薑湯下○風氣所攻嵗月積滯以童便浸一宿後長流水洗半日用絹袋盛掛風處令乾每日鹽湯下三十粒久服令人清爽○三焦氣不順頭昏目眩胸膈壅塞涕唾痰涎精神不爽用四兩半生半熟皂莢塗酥炙二兩為末生姜自然汁煮糊丸梧子大每服二十丸荊芥湯下○産前滑胎用一兩赤土少許研細每覺腹痛頻煎白榆皮湯調下一錢○男婦五般積氣成聚用一斤生為末入兩餘滓於新瓦上炒令香熟放冷再搗取四兩熟末拌勻煉蜜和丸梧子大積氣至重者三五十丸煎陳橘皮生薑湯臨臥空心服之○大便澁不通用半生半熟搗為散每服二錢姜湯下如不通再服熟茶調下量虛實服○去木病和山茱萸服之效多食稍冷

太乙曰　草金零牽牛子是也凡使其藥秋來即有実冬收之凡用酒乾却入水中淘浮者去之取沉者曝乾酒蒸從巳至未曝乾臨用舂去黑皮用

鉤吻　味辛氣温有大毒半夏為之使

主治　主金瘡乳痓水腫中惡風欬逆上氣殺蠱

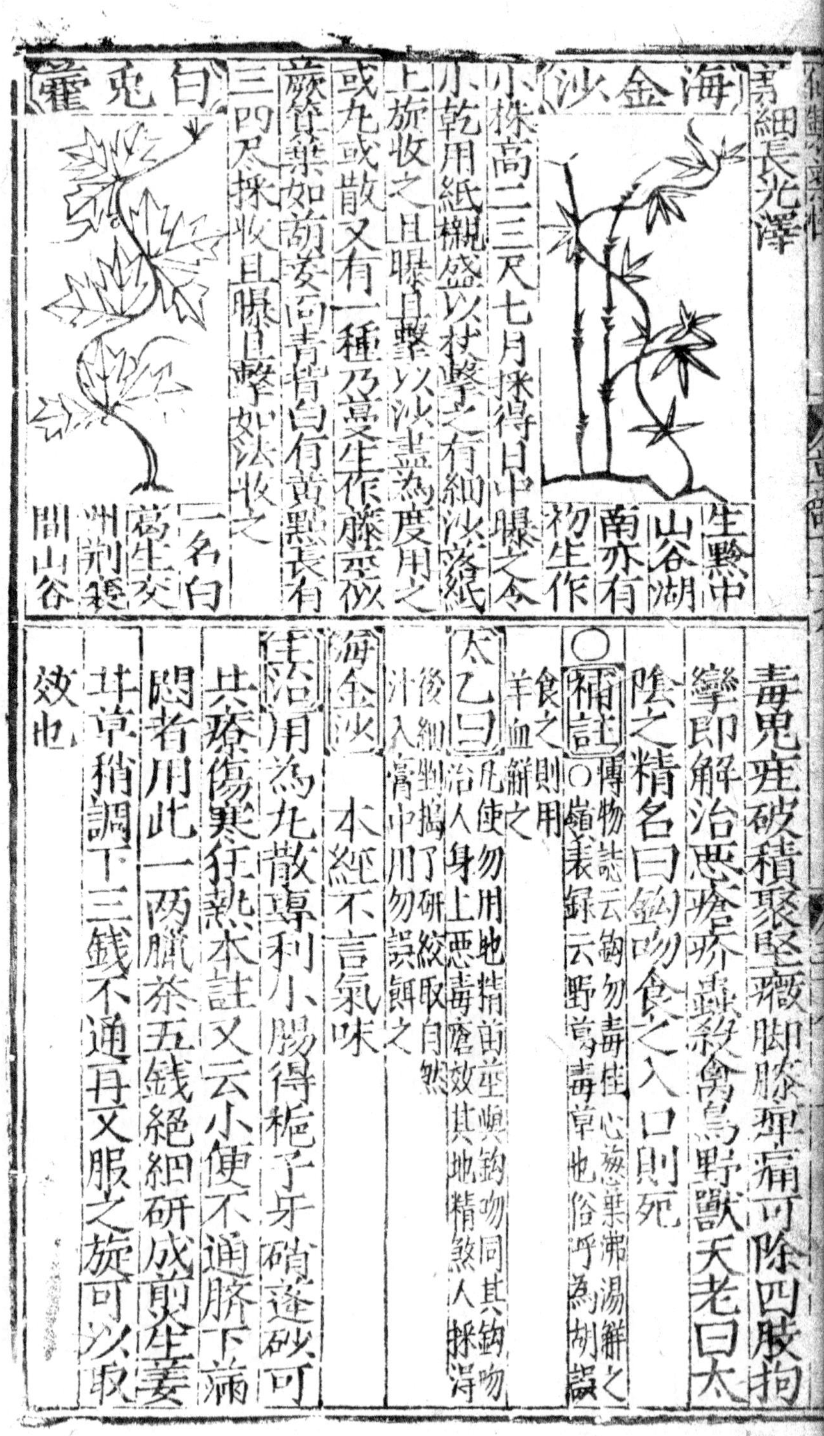

為細長光澤

海金沙

生黔中山谷湖南亦有初生作小株高一二尺七月採得日中曝之令小乾用紙襯盛以杖擊之有細沙落紙上旋收之且曝且擊以沙盡為度用之或丸或散又有一種乃蔓生作藤葉似蕨貫葉如荊芥面青背白有黃點長有三四尺採收且曝且擊如法收之

白兎藿

一名白葛生交州荊襄間山谷

毒蛇瘧破積聚堅瘕脚膝痺痛可除四肢拘攣即解治惡瘡疥蟲殺禽鳥野獸天老曰太陰之精名曰鈎吻食之入口則死

○補註○博物誌云鈎吻毒桂心葱葉沸湯解之○嶺表錄云野葛毒草也俗呼為胡蔓食之則用羊血解之

太乙曰凡使勿用地精苗莖與鈎吻同其鈎吻治人身上惡毒瘡效其地精煞人採得後細剉搗了研絞取自然汁入膏中用勿誤餌之

海金沙 本經不言氣味

主治 用為丸散導利小腸得梔子牙硝蓬砂可共療傷寒狂熱本註又云小便不通臍下滿悶者用此一兩臘茶五錢絕細研成煎生薑甘草稍調下三錢不通再又服之旋可以取效也

今何處有之苗似蘿藦葉圓厚若澤蘭莖俱有白毛此眾草異蔓生山南俗謂之白葛而又有白花藤生葉似女貞莖葉俱無毛花白根似野葛五月六月採苗根暴乾而交州用根不用苗則非藿也用莖苗者真矣

續隨子

即聯步一名拒冬一名千金子一名菩薩豆又名千兩金生蜀郡及今處處有之南中多有北土宊少生苗如大戟初生一莖上端生葉中伏出數莖相續其花亦類大戟作葉抽幹而生圓花黃亦多

白兔藿　味苦氣平無毒

主治　主蛇虺蜂蠆猘狗菜肉蠱毒鬼疰風疰諸毒不可入口者俱除用之去血者立效為末若疼痛上立消煮飲毒入腹即解

○補註　風邪熱極宜煮飲之乾則搗末傅諸毒妙

續隨子　味辛氣溫有毒

主治　宣一切宿滯積聚敷諸般疥癬惡瘡逐水利大小二腸散氣除心腹脹痛驅蠱毒鬼疰消痰癖瘕癥通月經下痰飲不可過服防毒損人其莖中白汁旋收敷白癜面䵟即去

○補註　治水氣用一兩去殼研以紙裹用石壓出油再研末分七服每治一人用一服丈夫生餅子酒下婦人荊芥湯下凡五更服之至曉自止后以厚朴湯滋補之頻吃益善切不用吃鹽醋一百日差○宿滯積聚日服十粒瀉多後泉水并酒醋粥吃即止○蛇咬

毒悶欲死用七顆去

爲末酒服方寸匕兼

剌人向去點鹽用之

用葉汁傅之效

徐長卿

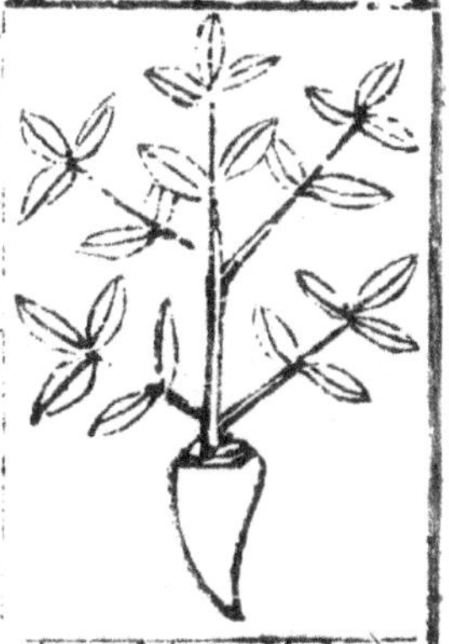

一名鬼督郵一名別仙蹤生泰山山岩谷及隴西今淄齊淮泗間亦有之三月生青苗葉似小桑兩兩相當而有光潤七八月着子似蘿藦子而小九月苗黄十月而枯根黄色似細辛微粗長有臊氣三月四月採

圖經曰此藥葉似柳兩葉相當有光潤根如細辛微粗長今俗用代鬼督郵他鬼督郵別有本條

徐長卿　味辛氣溫無毒

主治　主蠱毒鬼物百精[illegible]疫疾惡邪溫瘧久服強悍輕身自然延年益氣

太乙曰　凡採得粗杵拌少蜜令遍用磁器盛蒸三伏時日乾用

蓖麻子　味甘辛氣平屬陰有小毒

主治　剝殼取仁脩製忌鐵塩湯入砂鍋煮透口半爲劳痠下起以石臼搗爛用敷頭頂名奇瘡出有形滯物剌骨立起催血不追塗足心下胎孕子胞如神塗頂顱收生腸脫肛甚捷塗舌眼喎僻即牽正復元右患塗左左患塗右見效急除久則反損因性熱氣故也不可服餌方法須依驅邪伏風瀰取仁一兩搗入沙鍋中文火煮仁一粒一兩水添務週三日兩夜一爲取出黃連只用仁乾不得見日每仁一粒分刀切四段每服五

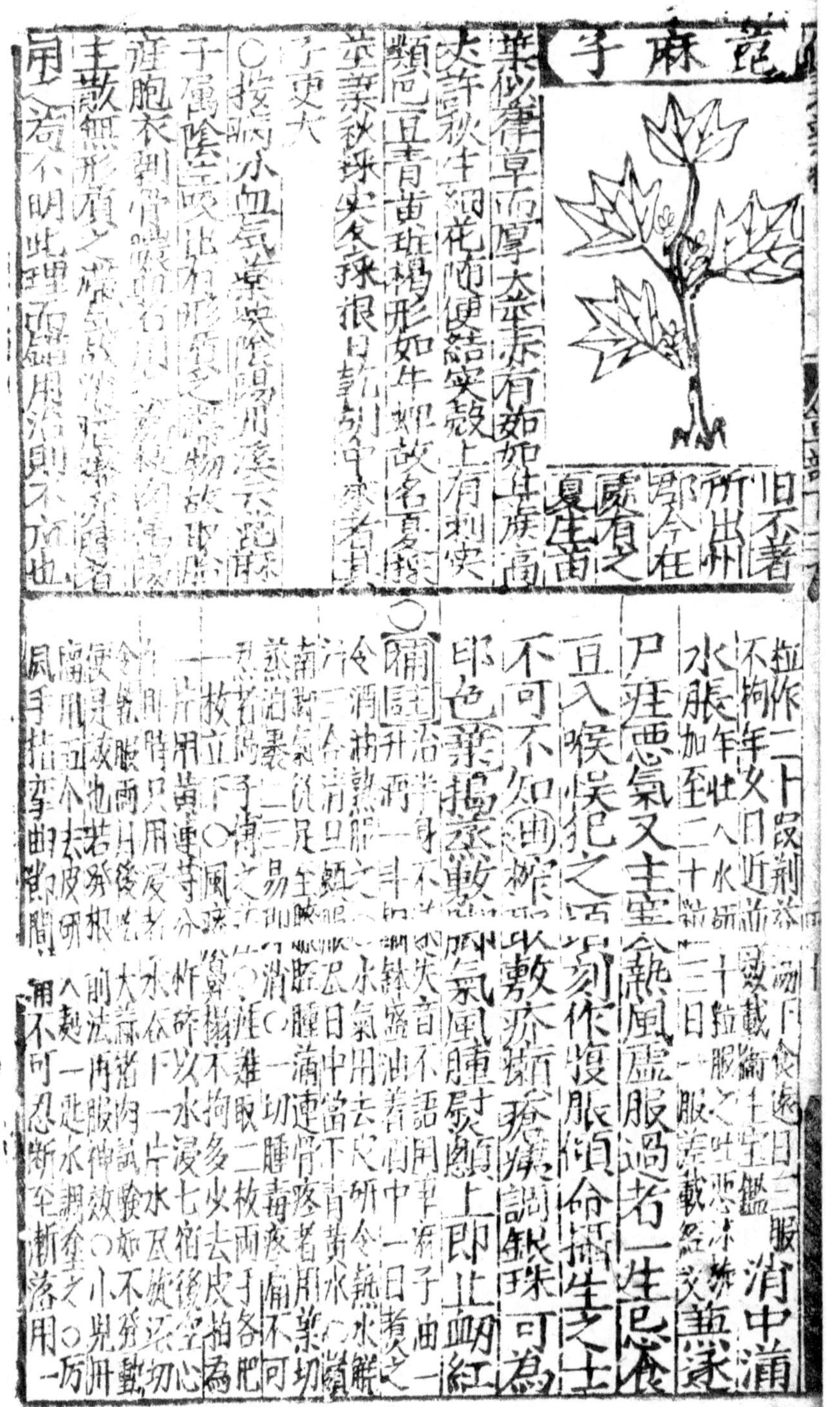

蓖麻子

舊不著所出州郡，今在處有之。夏生苗，

葉似葎草而厚大，莖赤有節如甘蔗，高丈許。秋生細花，隨便結實，殼上有刺，實類巴豆，青黃斑褐，形如牛蜱，故名。夏採莖葉，秋採實，冬採根，日乾。[illegible]中來者[illegible]子更大。

○按：蓖麻[illegible]血氣[illegible]陰陽[illegible]于屬陰[illegible]物故[illegible]胞衣[illegible]無形[illegible]用[illegible]不明此理而[illegible]用[illegible]則不[illegible]也。

粒作二十粒，剝去殼，研爛，以食遠日三服。[illegible]載衛生寶鑑。消中滿

不拘年久日近，水脹，年壯人水研十粒服之，吐惡水，加至二十粒，三日一服，[illegible]載經驗。無遂

尸疰惡氣，又主室女[illegible]熱風虛，服過者一生忌食

豆，入喉喉犯之，立刻作[illegible]脹，傾命。[illegible]生之士

不可不知。㊀[illegible]數次，數[illegible]療[illegible]，謂[illegible]珠可為

即色。[illegible]搗[illegible]數[illegible]氣風腫，熨顖上，即止。[illegible]紅

○補遺：治[illegible]身不[illegible]失音不語，用蓖麻子油一升，酒一斗，[illegible]銅鉢盛油，著酒中，一日煮之[illegible]

令[illegible]熱[illegible]水氣，用去皮研令熱，水解

汁[illegible]合[illegible]日中當下青黃水

南[illegible]氣[illegible]全[illegible]脹[illegible]腫滿連骨疼者，用葉切

蒸[illegible]易[illegible]消○[illegible]一切腫毒疼痛，不可

[illegible]子傳之[illegible]○難產，取二枚，兩手各[illegible]為

一枚立下○風[illegible]不拘多少，去皮搗

一片，用黃連等分[illegible]以水浸七宿後，空心

[illegible]只用[illegible]水[illegible]下一片，水瓦[illegible]切

[illegible]服兩月後[illegible]大蒜[illegible]試驗，如不[illegible]

[illegible]若[illegible]前法，內服神效○小兒[illegible]

[illegible]用[illegible]去皮研入[illegible]一[illegible]水調[illegible]之○一方

風手指[illegible]曲[illegible]用不可忍，斷至漸落，用

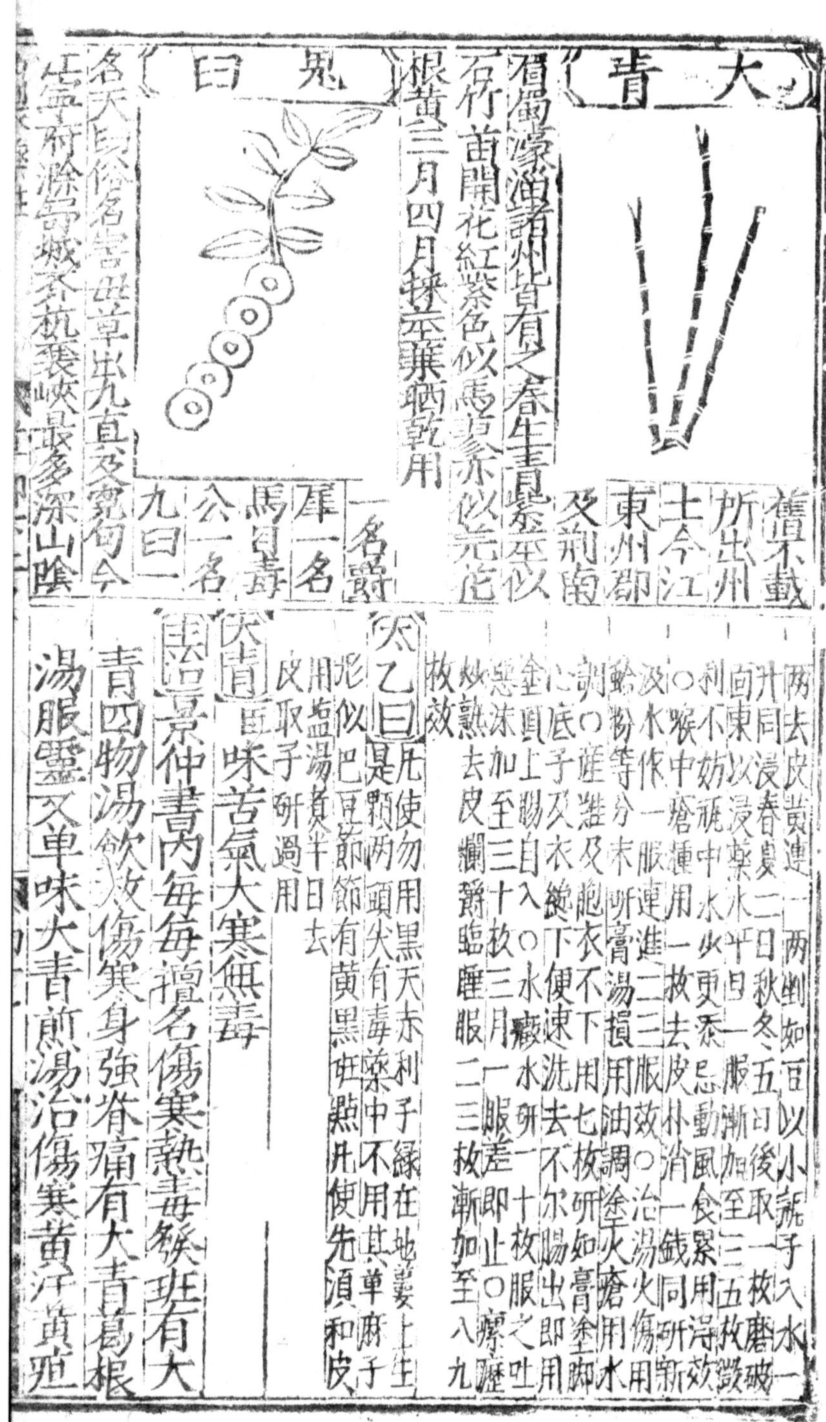

兩去皮黃連一兩剉如豆以小瓶子入水一升同浸春夏二日秋冬五日後取一枚磨破向東以浸藥水半日一服漸加至三五枚微利不妨瓶中水少更添忌動風食累用得效○喉中瘡腫用一枚去皮朴消一錢同研新汲水作一服連進二三服效○治湯火傷用蛤粉等分末研膏湯損用油調塗火瘡用水調○難產及胞衣不下用七枚研如膏塗脚心底子及衣纔下便速洗去不尔腸出即用金頂上腸自入○水癥水研一十枚服之吐惡沫加至三十枚三日一服差即止○瘰癧炒熟去皮爛嚼臨睡服二三枚漸加至八九枚效

太乙曰　凡使勿用黑天赤利子緣在地蔓上生形似巴豆節節有黃黑斑點凡使先須和皮用鹽湯煮半日去皮取子研過用

## 大青

舊本不載所出州土今江東州郡及荊南眉蜀濠淄諸州皆有之春生青紫莖似石竹苗開花紅紫色似馬蓼亦似芫花根黃三月四月採莖葉陰乾用

大青　臣　味苦氣大寒無毒

主治　景仲書內每每擅名傷寒熱毒發斑有大青四物湯飲效傷寒身強脊痛有大青葛根湯服靈又單味大青煎湯治傷寒黃汗黃疸

## 鬼臼

一名爵犀一名馬目毒公一名九臼一名天臼俗名害母草出九真及冤句今江寧府滁舒歙齊杭襄峽最多深山陰

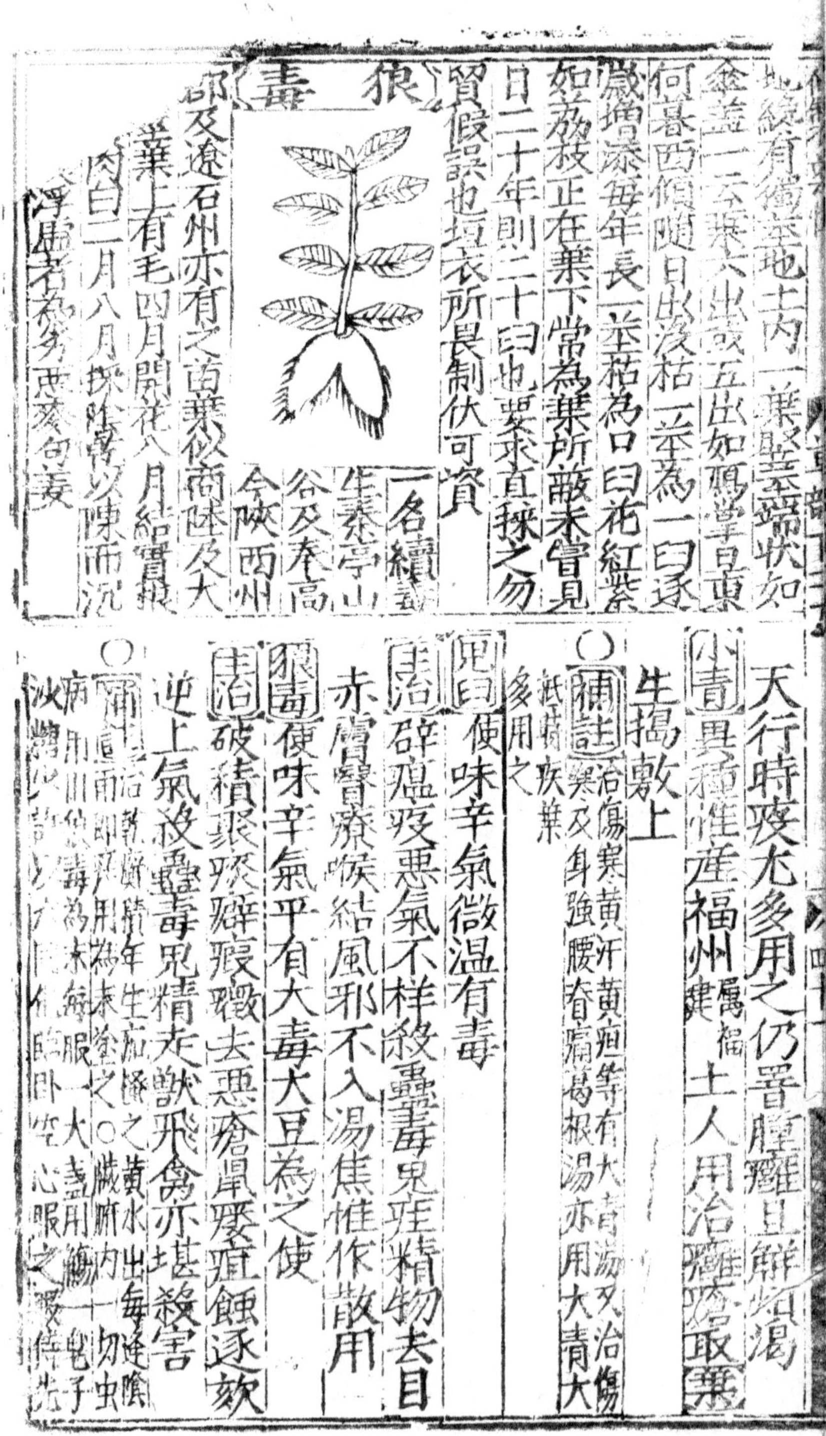

地錢有獨莖地上内一葉堅瑩端狀如傘蓋一云葉六出或五出如鵝掌旦東向暮西傾隨日出沒枯一莖為一日逐歲增添每年長一莖枯為口曰花紅紫如荔枝正在葉下常為葉所蔽未嘗見日二十年則二十臼也要求真採之勿貿假誤也垣衣所畏制伏可資

狼毒

一名續毒

生秦亭山谷及奉高今陝西州郡及遼石州亦有之苗葉似商陸及大黃葉上有毛四月開花八月結實根皮肉白二月八月採陰乾以陳而沉水者為良浮虛者為劣

天行時疫尤多用之仍署腫癰且解煩渴

〔小青〕異種惟產福州屬福建土人用治癰瘡取葉生搗敷上

○〔補註〕治傷寒黃汗黃疸等有大青湯又治傷寒及身強腰脊痛葛根湯亦用大青大抵時疾藥多用之

〔臣〕使 味辛氣微溫有毒

〔主治〕辟瘟疫惡氣不祥殺蠱毒鬼疰精物去目赤膚瞖療喉痺結風邪不入湯焦惟作散用

〔狼毒〕使 味辛氣平有大毒大豆為之使

〔主治〕破積聚咳癖瘕瘕蟲去惡瘡鼠瘻疽蝕逐欬逆上氣殺蠱毒鬼精走獸飛禽亦甚殺害

○〔補註〕治熱癖積年生痂搔之黃水出每逢陰雨即發用為末塗之○臟腑內一切虫病用川狼毒為末每服一大錢用餳一皂子大沙糖少許以水化開臨卧空心服之服時先

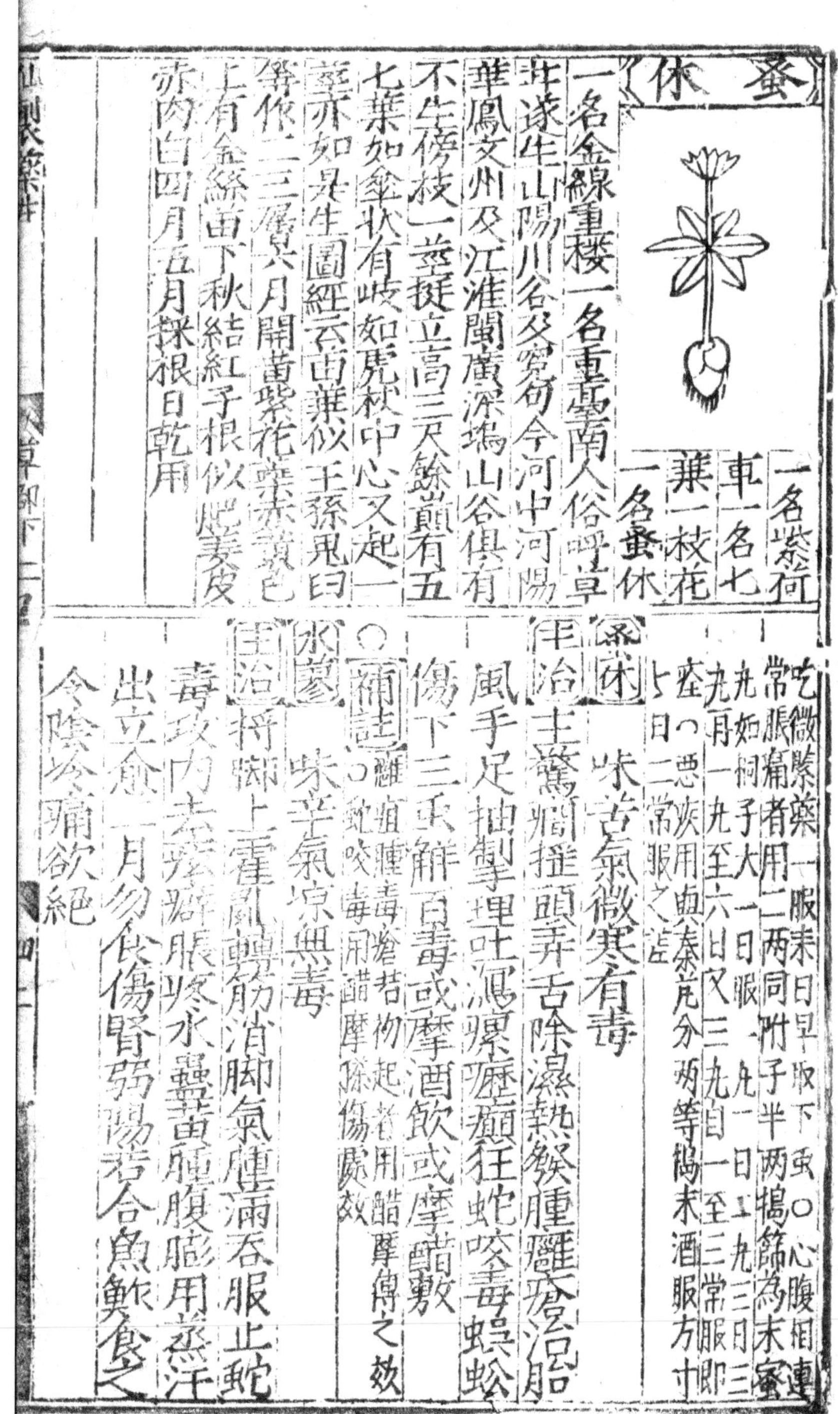

蚤休

一名紫河車　一名七葉一枝花　一名蚤休

一名金線重樓一名重臺南人俗呼草甘遂生山陽川谷及寃句今河中河陽華鳳文州及江淮閩廣深塢山谷俱有不生傍枝一莖挺立高尺三尺餘巔有五七葉如傘狀有岐如鬼杖中心又起一莖亦如是生圖經云苗葉似王孫鬼臼等作二三層六月開黃紫花蕊赤黃色上有金絲由下秋結紅子根似肥姜皮赤肉白四月五月採根日乾用

吃微賤藥一服未日早服下至口心腹相連常脹痛者用二兩同附子半兩搗篩為末蜜丸如桐子大一日服一丸一日二丸三日三丸再一丸至六日又三丸自一至三常服即蹇○惡疾用與秦艽分兩等搗末酒服方寸匕日二常服之遺

【氣味】味苦氣微寒有毒

【主治】主驚癇搖頭弄舌除濕熱發腫癰瘡治胎風手足抽掣埋吐瀉瘰癧癲狂蛇咬毒蜈蚣傷下三蟲辟百毒或摩酒飲或摩醋敷

○【補註】癰疽腫毒瘡若初起者用醋摩傅之效○蛇咬毒用醋摩搽傷處效

【水蓼】味辛氣涼無毒

【主治】捋糊上霍亂轉筋消腳氣腫滿吞服止蛇毒攻內若發躁服水蠱黃腫腹膨用蒸汗出立愈一月勿食傷腎弱陽若合魚鮓食之令陰冷痛欲絕

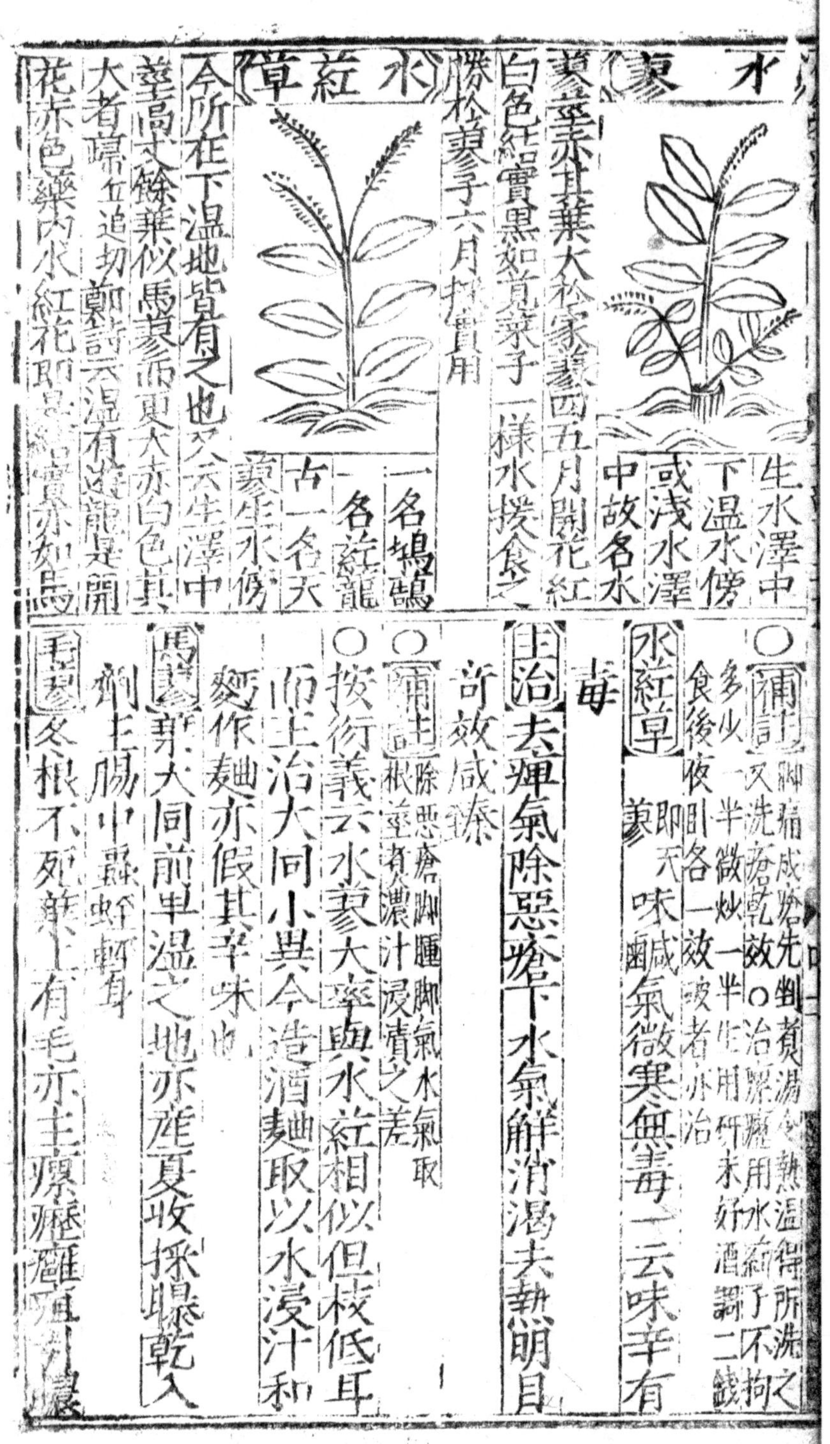

## 水蓼

生水澤中下溼水傍或淺水澤中故名水蓼莖赤其葉大於家蓼四五月開花紅白色結實黑如莧菜子一樣水拨食之勝於蓼子六月採實用

## 水葒草

一名鴻鶴一名葒龍古一名天蓼生水傍今所在下溼地皆有之也又云生澤中莖高丈餘葉似馬蓼而更大亦白色其大者蘬丘追切鄭詩云溼有遊龍是開花赤色藥內水紅花即是結實亦如馬

○補註 脚痛成瘡先剉煮湯令熱溫得所洗之又洗瘡乾效○治深瘡用水紅子不拘多少一半微炒一半生用研末好酒調二錢食後夜間各一效破者亦治

水葒草 即天蓼 味鹹氣微寒無毒一云味辛有毒

主治 去痺氣除惡瘡下水氣解消渴去熱明目許效咸瘵

○補註 除惡瘡腳腫腳氣水氣取根莖煮濃汁浸漬之差

○按衍義云水蓼大率與水葒相似但枝低耳而主治大同小異今造酒麴取以水浸汁和麪作麴亦假其辛味也

馬蓼 莖大同前生溼之地亦產夏秋採懸乾入劑主腸中蛭蟲輕身

毛蓼 冬根不死莖上有毛亦主瘰癧癰疽引膿

蔓子黑如青葙子無一五月採實用者最稀

## 絡石

一名石鯪　一名石蹉　一名石峈　一名明石

一名領石一名懸石生泰山川谷或高山岩上或陰山峻壁或生人間今在處有之或宮寺人家亭苑山石間種以為飾葉圓如細橘正青冬夏不凋其莖蔓延莖節着處即生根鬚包絡石上以此得名花白子黑正月採或云六月七月採莖葉日乾以石上生者良畏貝母菖蒲惡鐵落其在木上者隨木性而移薜荔木蓮地錦石血皆其類也

長肉

【白蔘紅蔘】浸酒並佳

【絡石】味苦氣溫微寒無毒杜仲牡丹為之使

【主治】主諸瘡頭瘡白禿治熱氣陰蝕不瘥喉閉不通欲絶水煎湯下立甦背癰焮腫延開蜜和汁服即效堅筋骨強從腰足利關節潤澤容顏去風熱死肌解口舌乾燥蛇毒心悶能散刀斧瘡口可封久服輕身通神明目延年耐老

【根】除五臟寒熱止泄痢腹疼除邪氣欬逆疽癩諸瘡療金瘡傷撲生肌長肉

○【補註】喉痺咽喉塞喘息不通須臾欲絶以二两水煎取一大盞去滓細呷須臾即通

○一切風用壹两煮汁服之變白耐老

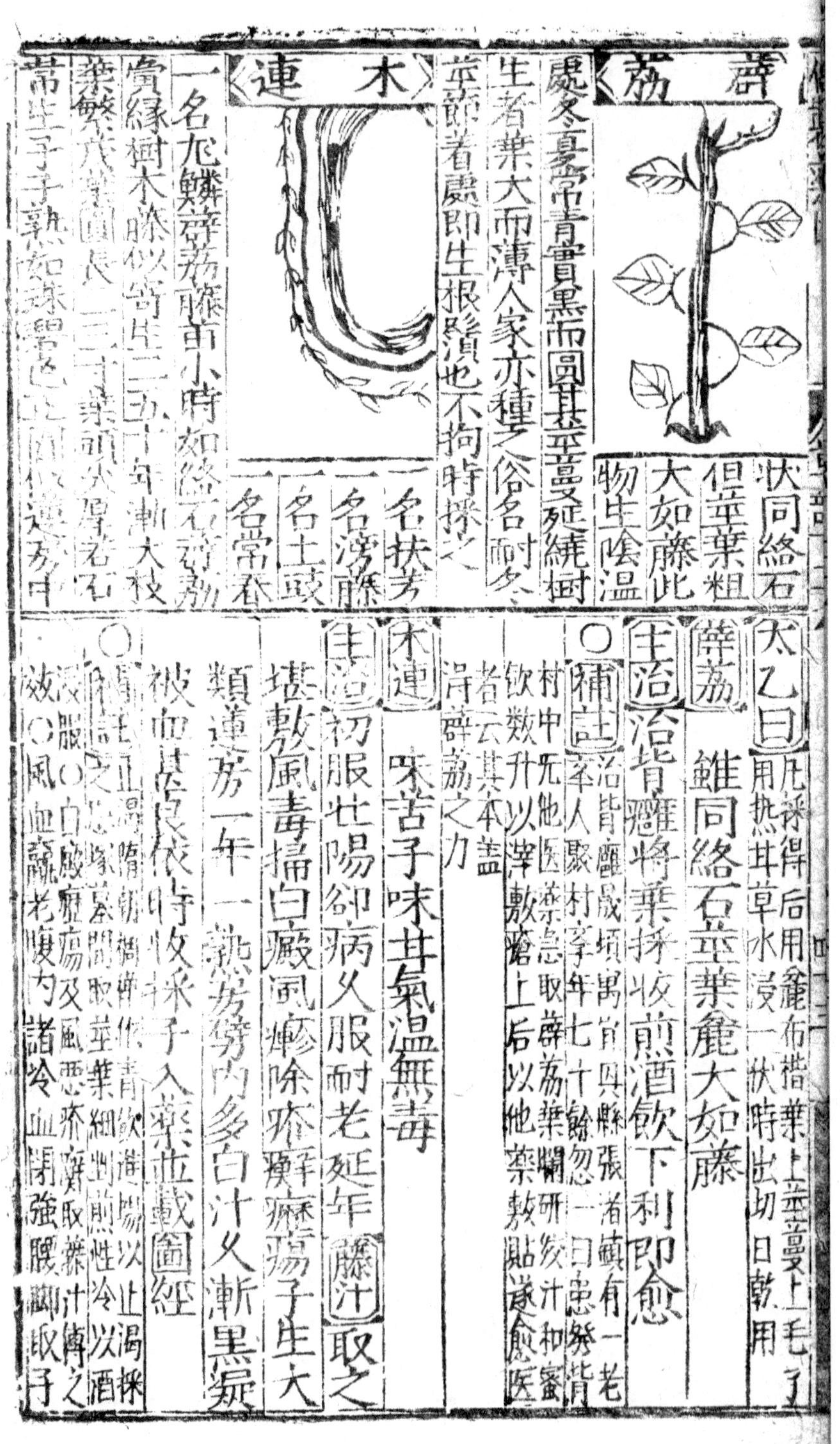

薜荔

處冬夏常青實黑而圓其莖蔓延繞樹
生者葉大而薄人家亦種之俗名耐冬
莖節着處即生根鬚須也不拘時採之

狀同絡石
但莖葉粗
大如藤此
物生陰溫

木連

一名扶芳
一名滂藤
一名土鼓
一名常春

一名龙鱗薜荔藤苗小時如絡石薜荔
實緣樹木藤似苗生二三年漸大枝
葉繁茂葉圓長二三寸葉頭尖厚若石
蔕生子子熟如珠碧色正圓似蓮房中

太乙曰 凡採得后用麁布揩葉上莖蔓上毛了用热井草水浸一伏時出切日乾用

薜荔 雖同絡石莖葉麁大如藤

主治 治背癰將葉採收煎酒飲下利即愈

○補註 治背癰嚴頃禹肯與縣張渚鎮有一老卒人聚村字年七十餘忽一日患發背村中无他医藥急取薜荔葉爛研絞汁和蜜飲數升以滓敷瘡上后以他藥敷貼遂愈医者云其本盖得薜荔之力

木連 味苦子味甘氣溫無毒

主治 初服壯陽卻病久服耐老延年 藤汁 取之堪敷風毒攝白癜風㿗除疥癬癧瘍子生大類蓮房一年一熟房內多白汁久漸黑凝被血甚良依時收采子入藥並載圖經

○補註 止渴隋朝禍作青飲湯以止渴採之家閒取莖葉細剉煎性冷以酒浸服○白癜癧瘍及風惡疥癬取藤汁傅之效○風血羸老腹內諸冷血閉強腰腳取子

有細子一年一熟子亦入用房打破有
白汁停久如漆採取無時俗呼為木蔓
頭又名水蔓頭

地錦

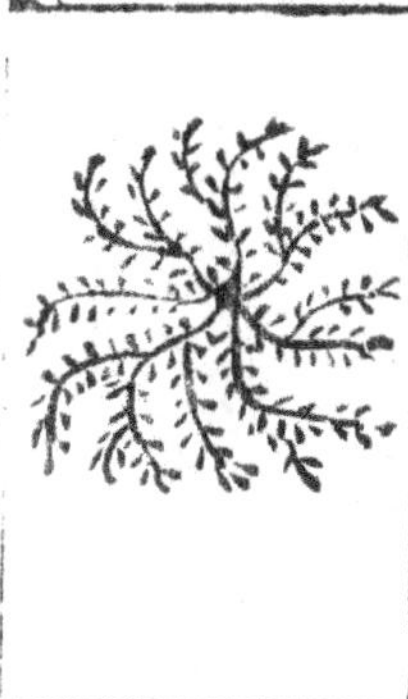

一名地噤
生淮南林
下葉如鴨
掌藤蔓著

地節久有根亦緣樹石冬月不死山人
産後多用之蘇云絡石石血亦此類也

蛇床子

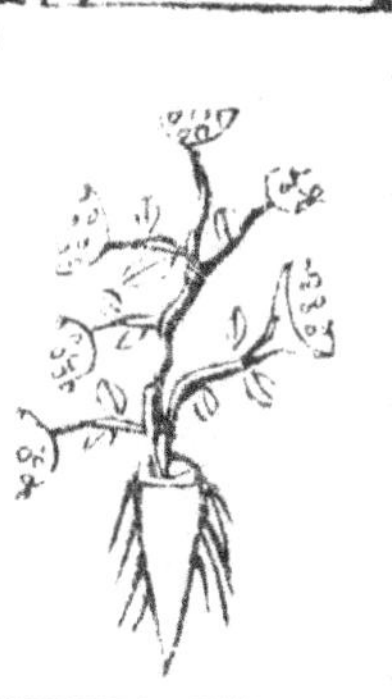

一名蛇粟
一名蛇米
一名虺牀
一名繩毒

一名棗棘一名墻蘼生臨淄川谷及田
野今処処有之而揚州襄州者勝三月

煮汁浸酒服
変白耐老

地錦　味甘氣温無毒

主治　煎湯浸酒破血止疼祛産後血凝逐腹中
血塊婦人瘦損不能飲食可痊淋瀝不盡赤
白帶下大效天行時疾心悶煎煮浸酒服除

石血　味苦亦以血攻狀與絡石相同但葉尖
而半赤石崖多産收取無時煎酒建功墮胎
亦速

蛇床子　君　味苦辛甘氣平無毒

主治　温中下氣悅色輕身治婦人陰户腫疼温
煖子臟療男子陰囊濕癢堅莖家卒去風冷
齒痛蠶瘑瘡温癬赤白帶淋歛陰汗卻癲癇
揩瘡瘍利関節主腰膝腫痛祛手足痺頑大

生苗高二三尺葉青碎作叢似蒿枝每枝上有花頭百餘結同一窠似馬芹類四五月開白花又似散水子黃褐色如黍米至輕虛五月採實陰乾凡合藥服食即去皮殼取仁微炒殺毒即不辣作湯洗病則生使所惡之藥有二牡丹巴豆貝母入藥取仁炒用浴湯帶殼生煎

## 王不留行

一名剪金花一名禁宮花生太山山谷今江浙及並河近處皆有之苗莖俱青高七八寸已來根黃色如薺根葉尖如小匙頭亦有似槐葉者四月開花黃紫色隨莖而生如松子狀又似猪藍花子如

風身癢難當作湯洗愈產後陰脫不起綿袋盛收婦人無娠最宜久服

○補註陰戶痛產后陰下脫用子將綿袋盛蒸熨之効○小兒癬瘡為末和豬脂塗之○溫中坐藥用仁為末以白粉少許和勻相得如棗大綿裹內之自然溫矣

太乙曰凡使須用漿浸蓋日并百部草根自然汁二味同浸三伏時漉出日乾却用生地黃汁相拌蒸從午至亥日乾用此藥只令陽氣盛數號曰鬼考也

王不留行 即剪金花 味苦甘氣平陽中之陰無毒

主治 主金瘡止血逐痛治女科催產調經除風痺風痙內寒消乳癰背癰外腫出刺下乳止衄祛煩

○補註治竹木針刺在肉中不出疼痛用為末熟水調方寸匕即出○金瘡入物王不留行散[illegible]其中大瘡但服之產婦亦服止元臟[illegible]除諸風痙用王不留行湯最効

太乙曰凡採得拌濕蒸從巳至未出却下漿水浸一宿至明出焙乾用之

春採苗蒔微圓二月採根莖五月取花子先酒洒蒸一伏復浸漿水一宿微火焙乾收留待用

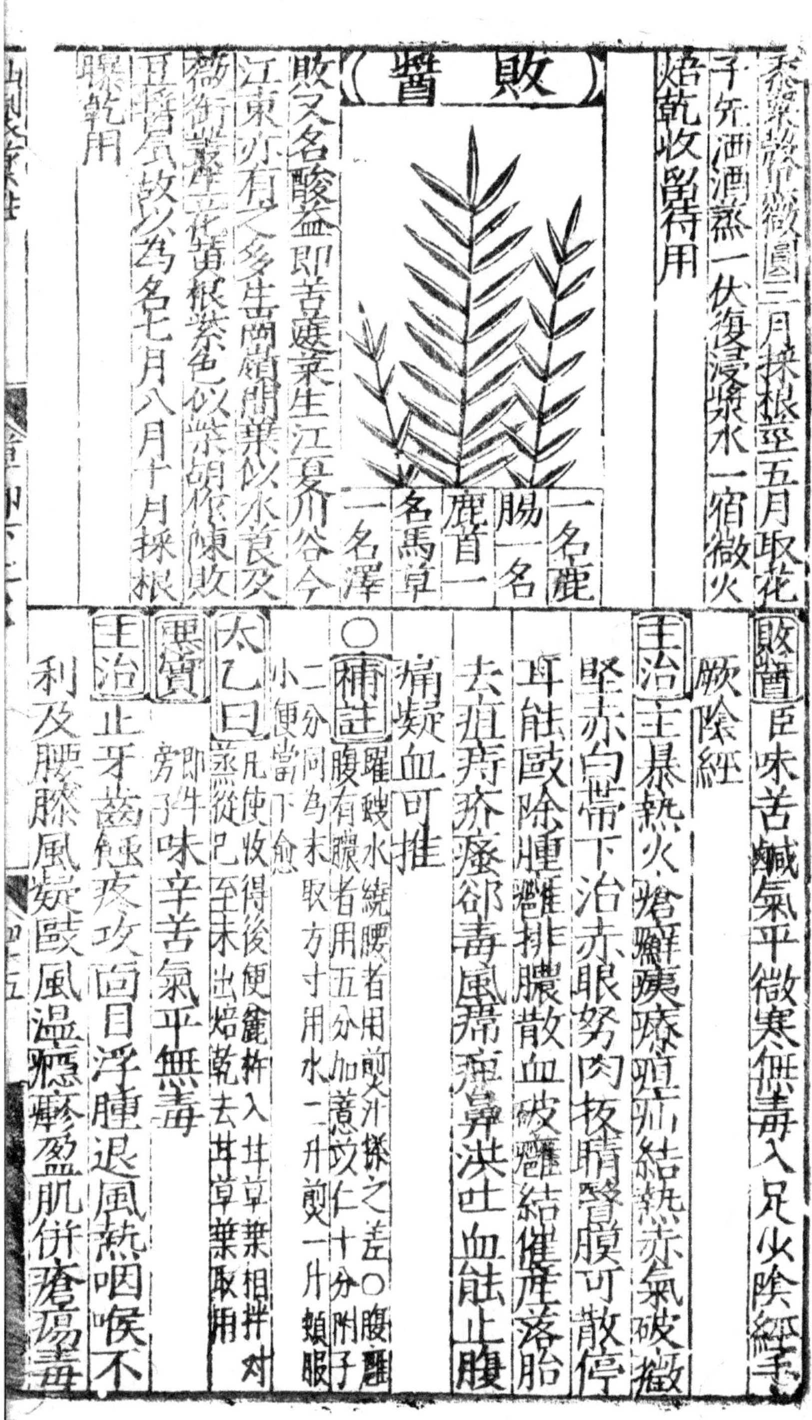


敗又名酸益即苦蘵菜生江夏川谷今江東亦有之多生岡嶺間葉似水莨及薇銜叢生花黃根紫色似柴胡作陳敗豆醬氣故以為名七月八月十月採根曝乾用

【敗醬】臣　味苦鹹氣平微寒無毒入足少陰經手厥陰經

【主治】主暴熱火瘡癬瘍疥瘙疽痔結熱赤氣破癥堅赤白帶下治赤眼努肉扳睛瞖膜可散停耳能毆除腫癰排膿散血破癰結催產落胎去疽痔疥瘙卻毒風瘰痹鼻洪吐血能止腹痛凝血可推

○【補註】蠼螋水繞腰者用煎汁搽之差○腹癰腹有膿者用五分加薏苡仁十分附子二分同為末取方寸用水二升煎一升頓服小便當下愈

【太乙曰】凡使收得後便麄杵入甘草葉相拌對蒸從巳至未出焙乾去甘草葉取用

【惡實】即牛蒡子　味辛苦氣平無毒

【主治】止牙齒疼攻面目浮腫退風熱咽喉不利及腰膝風凝毆風濕癮疹盈肌併瘡瘍毒

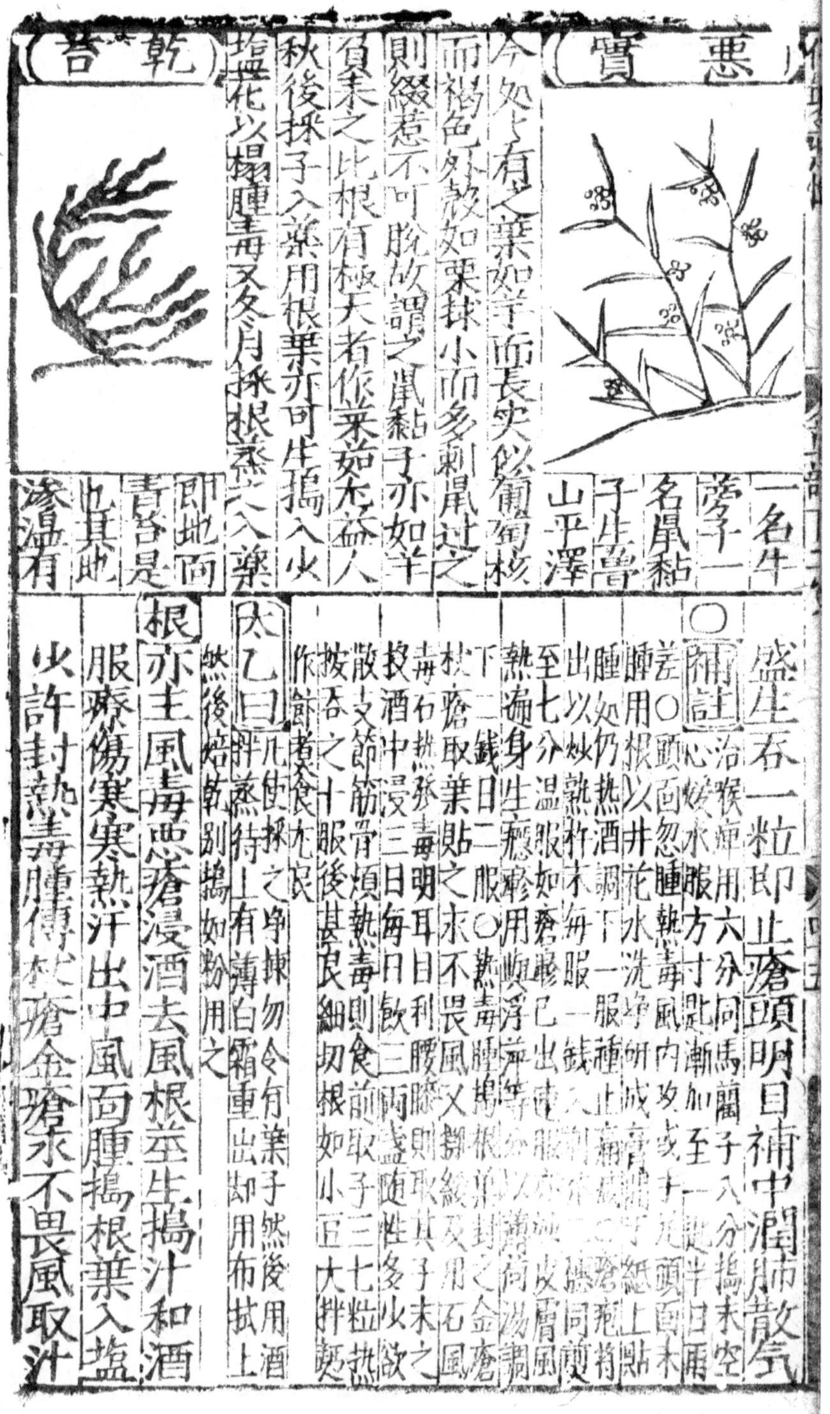

惡實

一名牛蒡一名鼠黏子生魯山平澤

今處處有之葉如芋而長实似葡萄核而褐色外殼如栗毬小而多刺鼠过之則綴惹不可脫故謂之鼠黏子亦如羊負来之比根有極大者作菜茹尤益人秋後採子入藥用根葉亦可生擣入少塩花以搨腫毒又冬月採根蒸之入藥

乾苔

即地而青苔是也其地滲濕有

盛生吞一粒即止瘡頭明目補中潤肺散氣

〇【附註】治喉痺用六分同馬藺子八分擣末空心煖水服方寸匙漸加至一匙半日再差〇頭面忽腫熱毒風內攻或手足頭面赤腫用根以井花水洗淨研成膏攤于紙上貼腫處仍熱酒調下一服腫止痛減〇瘡疹不出以炒熟杵末每服一錢入荊芥穗同煎至七分溫服如瘡疹已出更服亦妙〇皮膚風熱遍身生癮疹用牛蒡子浮萍等分以薄荷湯調下二錢日二服〇熱毒腫擣根并葉封之〇金瘡杖瘡取葉貼之永不畏風又[illegible]緩及用石風毒石熱發毒明耳目利腰膝則取其子末之投酒中浸三日每日飲三兩盞隨性多少欲散支節筋骨煩熱毒則食前取子三七粒熱挼吞之十服後甚良細切根如小豆大拌麪作飯煮食尤良

【太乙曰】凡使採之淨揀勿令有葉子然後用酒拌蒸待上有薄白霜重出却用布拭上然後焙乾別擣如粉用之

【根】亦主風毒惡瘡浸酒去風根莖生擣汁和酒服療傷寒寒熱汗出中風面腫擣根葉入塩少許封熱毒腫傅杖瘡金瘡永不畏風取汁

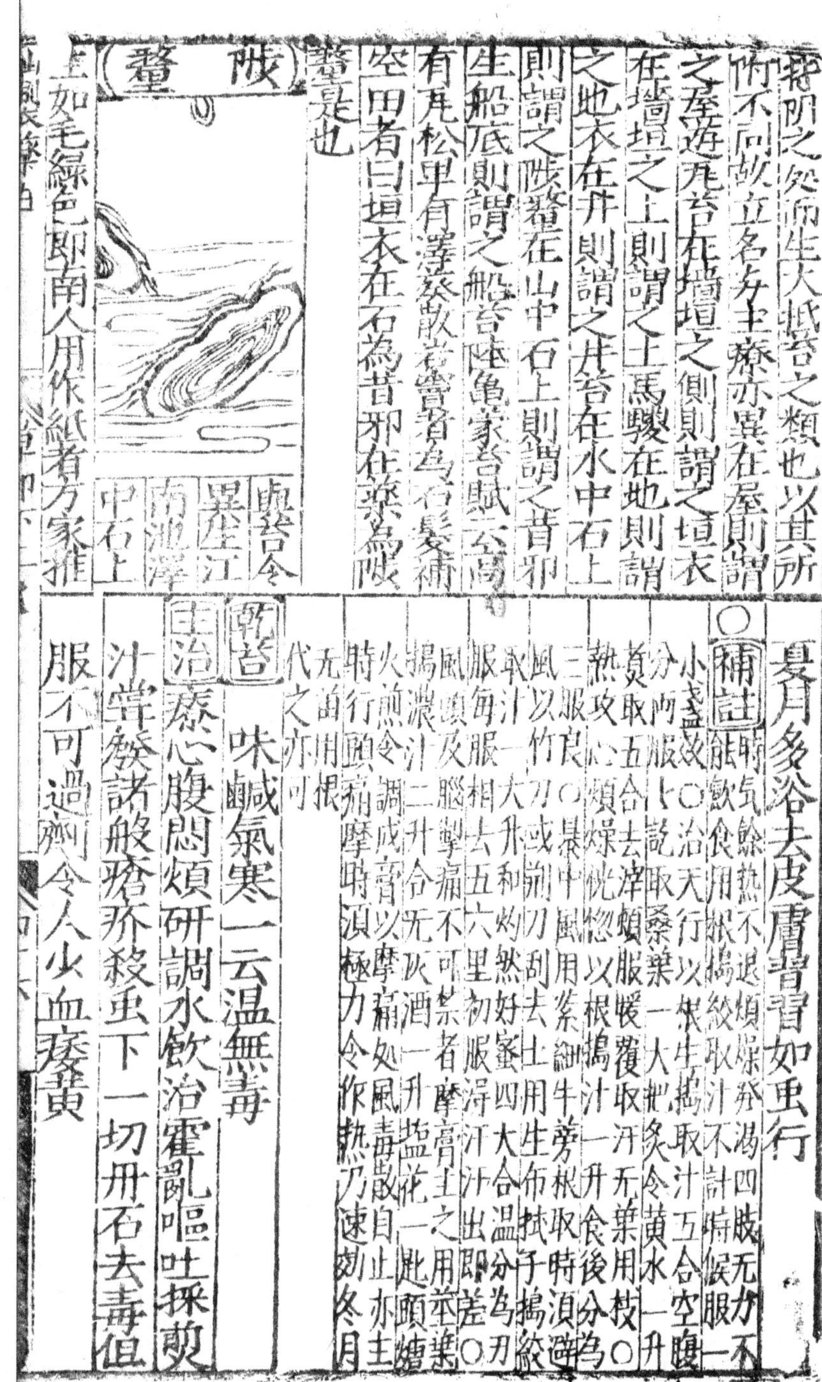

濕潤之氣而生大抵苔之類也以其所附不同故立名各主療亦異在屋則謂之屋遊凡苔在墻垣之側則謂之垣衣在墻垣之上則謂之土馬鬃在地則謂之地衣在井則謂之井苔在水中石上則謂之陟釐在山中石上則謂之昔邪生船底則謂之船苔陸龜蒙苔賦云高有瓦松卑有澤葵散岩竇者為石髮補空田者曰垣衣在石為昔邪在藥為陟釐是也

陟釐



上如毛綠色即南人用作紙者方家推

夏月多浴去皮膚習習如虫行

○補註 時氣餘熱不退煩燥發渴四肢无力不能飲食用根搗絞取汁不計時候服一小盞效○治天行以根生搗取汁五合空腹一分兩服又說取桑葉一大把炙令黃水一升煑取五合去滓頓服暖覆取汗无葉用枝○熱攻心煩燥恍惚以根搗汁一升食後分為三服良○暴中風用紫細牛蒡根取時須避風以竹刀或蚌刀刮去土用生布拭了搗絞取汁一大升和灼然好蜜四大合溫分為兩服每服相去五六里初服得汗汗出即差○風頭及腦掣痛不可禁者摩膏主之用葷葉搗濃汁二升合无灰酒一升鹽花一匙頭煻火煎令調成膏以摩痛處風毒散自止亦主時行頭痛摩時須極力令作熱乃速効冬月无苗用根代之亦可

乾苔 味鹹氣寒一云溫無毒

主治 療心腹悶煩研調水飲治霍亂嘔吐採煎汁嘗發諸般痔疥殺虫下一切丹石去毒但服不可過劑令人少血痿黃

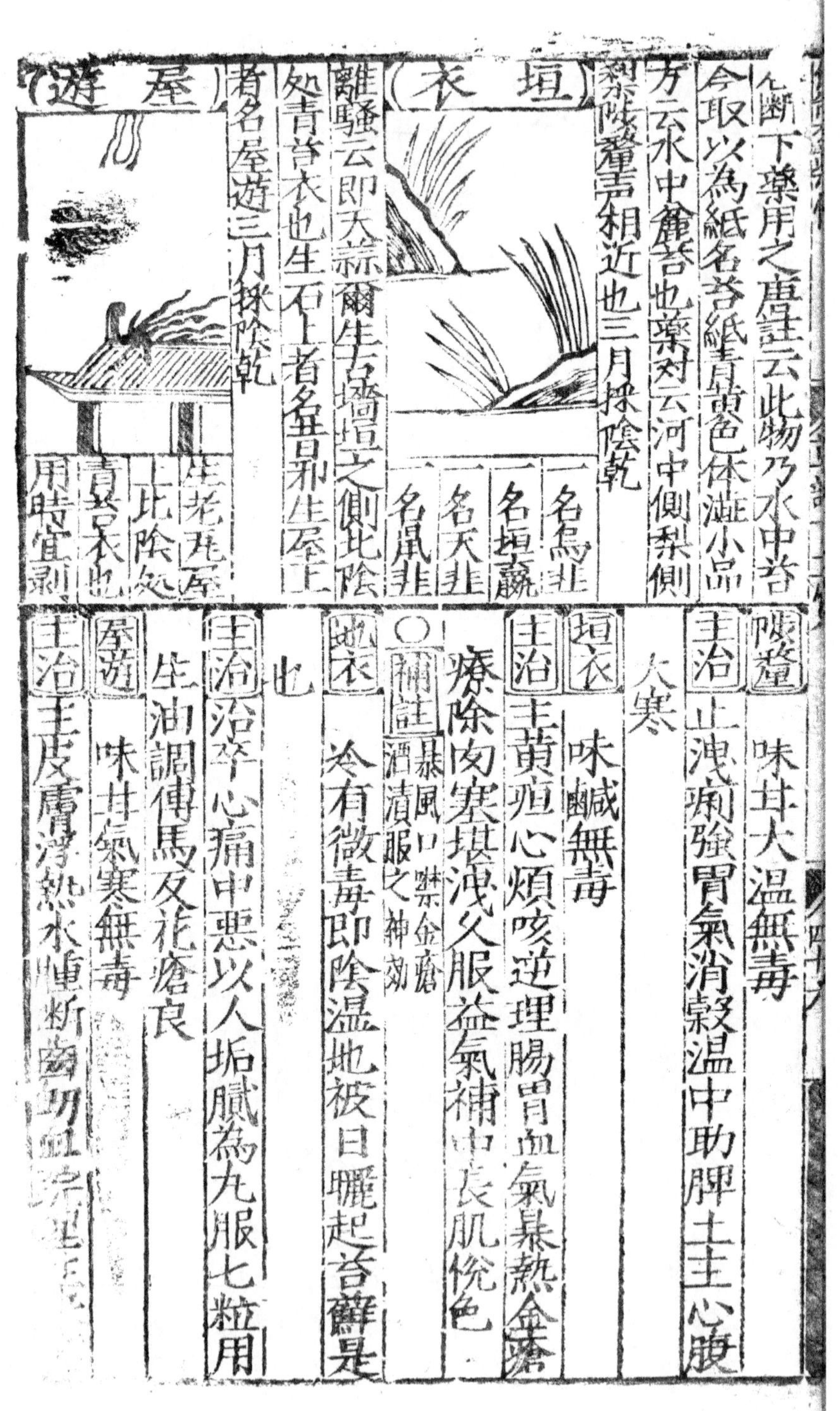

乂斷下藥用之。唐注云：此物乃水中苔，今取以為紙，名苔紙，青黄色，体澁。小品方云：水中苔，苔也。藥対云：河中側梨。側梨、陟釐声相近也。三月採，陰乾。

## 垣衣

一名烏韭

一名垣嬴

一名天韭

一名鼠韭

離騷云：即天蒜，爾生古墻垣之側，北陰処青苔衣也。生石上者名昔邪，生屋上者名屋遊。三月採，陰乾。

## 屋遊

生老死屋上北陰処青苔衣也。用時宜剥。

【陟釐】味甘，大温，無毒。

【主治】止洩痢，強胃氣，消穀，温中，助脾土，主心腹大寒。

【垣衣】味鹹，無毒。

【主治】主黄疸，心煩，咳逆，理腸胃血氣，暴熱，金瘡瘀，除内寒，堪洩，久服益氣，補中，長肌，悦色。

○【補註】暴風口禁，金瘡酒漬服之，神効。

【地衣】冷，有微毒。即陰温地被日曬起苔蘚是也。

【主治】治卒心痛，中悪，以人垢膩為丸，服七粒，用

【屋遊】味甘，氣寒，無毒。

生油調傅馬反花瘡，良。

【主治】主皮膚浮熱，水腫，断齒，功血[illegible]

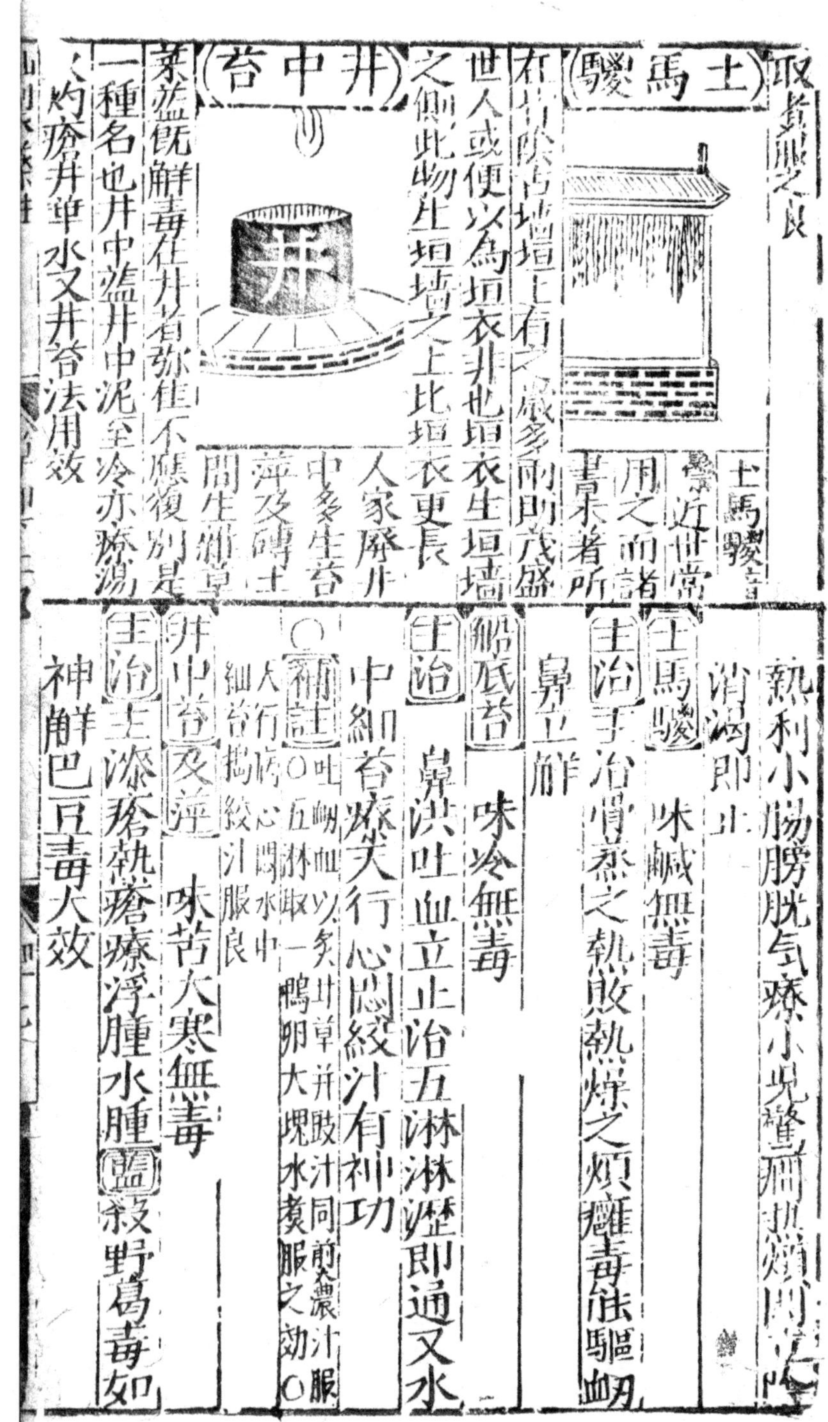

取煎服之良

【土馬騣】

土馬騣音宗近世常用之而諸書未著所在北陰古墻垣上有之歲多雨則茂盛世人或便以為垣衣非也垣衣生垣墻之側此物生垣墻之上比垣衣更長

【井中苔】

人家廢井中多生苔萍及磚土間生雜草菜藍既解毒在井者彌佳不應復別是一種名也井中藍井中泥至冷亦療湯火灼瘡井華水又井苔法用效

熱利小腸膀胱氣療小兒癰瘡熱煩用之消渴即止

【土馬騣】味鹹無毒

【主治】主治骨蒸之熱敗熱燥之煩癰毒瘡驅衄鼻立解

【船底苔】味冷無毒

【主治】鼻洪吐血立止治五淋淋瀝即通又水中細苔療天行心悶絞汁有神功

〇【補註】吐衂血以炙甘草并豉汁同煎濃汁服〇五淋取一鴨卵大塊水煑服之効〇天行病心悶水中細苔搗絞汁服良

【井中苔及萍】味苦大寒無毒

【主治】主漆瘡熱瘡療浮腫水腫【臣】殺野葛毒如神解巴豆毒大效

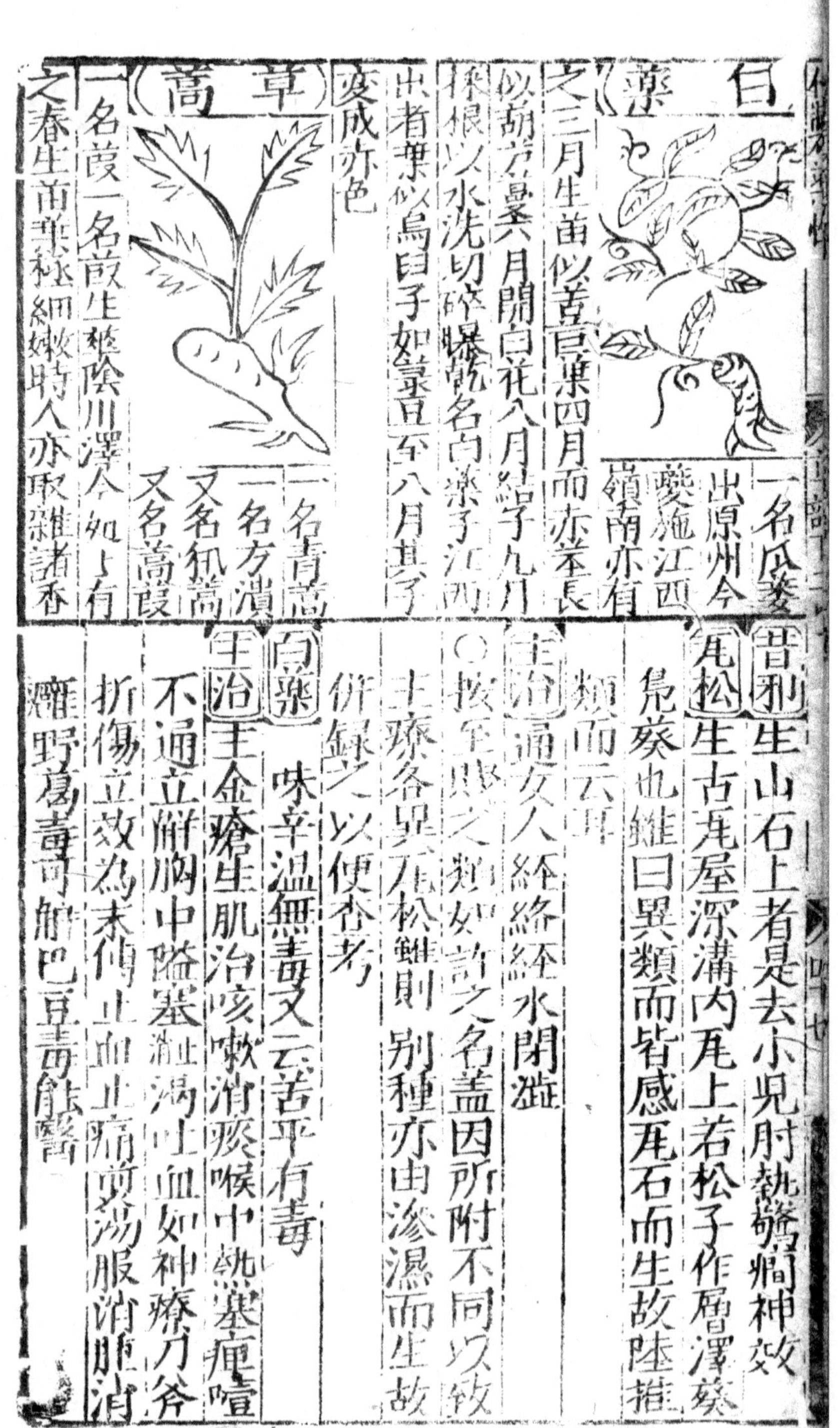

白藥

一名瓜蔞
出原州今
夔施江西
嶺南亦有

之三月生苗似苦苣葉四月而赤莖長
似胡芦蔓六月開白花八月結子九月
採根以水洗切碎曝乾名白藥子江西
出者葉似烏臼子如菉豆至八月其子
变成赤色

草蒿

一名青蒿
一名方潰
又名𦬳蒿
又名蒿葭

一名䕩一名菣生華陰川澤今处处有
之春生苗葉極細嫩時人亦取雜諸香

昔邪　生山石上者是去小兒肘熱驚癇神效

瓦松　生古瓦屋深溝內瓦上若松子作層澤葵
凫葵也雖曰異類而皆感瓦石而生故陸推
類而云耳

主治　通女人經絡經水閉澁

○按昔邪之類如許之名蓋因所附不同以致
主療各異瓦松雖則別種亦由滲濕而生故
併錄之以便參考

白藥　味辛溫無毒又云苦平有毒

主治　主金瘡生肌治咳嗽消痰喉中熱塞痺噎
不通立解胸中隘塞止消渴吐血如神療刀斧
折傷立效為末傅止血止痛煎湯服消腫消
癰野葛毒可解巴豆毒能解

葉似艾至夏高四五尺秋後開細淡黄花花下結子如粟米大八九月間採子陰乾根莖子葉並入藥用乾者炙作飲香尤佳青蒿亦名方潰凡使子勿使葉使根勿使莖四者若同反者成疾得童便浸之良

# 白蒿

一名蓬蒿　一名皤蒿　一名游胡　一名旁勃

古名蒩唐又名蔞蒿尔雅名蘩皤蒿生中山川澤今所在有之春初最先諸草而生似青蒿而葉粗上有白毛錯澁從初生至枯白于衆蒿頗似細艾所在皆有之可以為茹亦可以薦蘩菹凡艾白

○補遺　妊娠傷寒護胎用子不拘多少為末以鷄子清調開紙上如碗大貼任臍下胎存生如乾即以温水潤之○療心氣痛解熱毒取根并野猪尾二味洗净去粗皮焙乾等分搗篩酒調服錢○諸瘡癰腫不散者取根生搗爛傅貼乾則易之无生者用木水詞傘之亦可○天行取汁如乳飲渾水一人盡空腹頻服之便卧一食時候心頭悶乱或悪心腹内如車鳴疠刺痛良久當有吐利數行勿怪欲服藥時先煮漿水粥于井中懸著待冷若吐利过度即吃冷粥一碗止之不然則困人

草蒿　即青蒿　味苦氣寒無毒

主治　入童便熬膏退骨蒸勞熱生搗爛綷卻心痛熱黄瘡肉腫癰疣灰淋濃湯點洩痢鬼氣研末調米飲吞秋冬用之取根與實上須炒遡根乃咀成愈風瘙疥癢止虛煩盜汗開胃明目辟邪殺蝨

○補註　心痛熱黄生搗汁服并傅之○瀉痢飯飲調服五錢或入生姜煎汁服○骨蒸

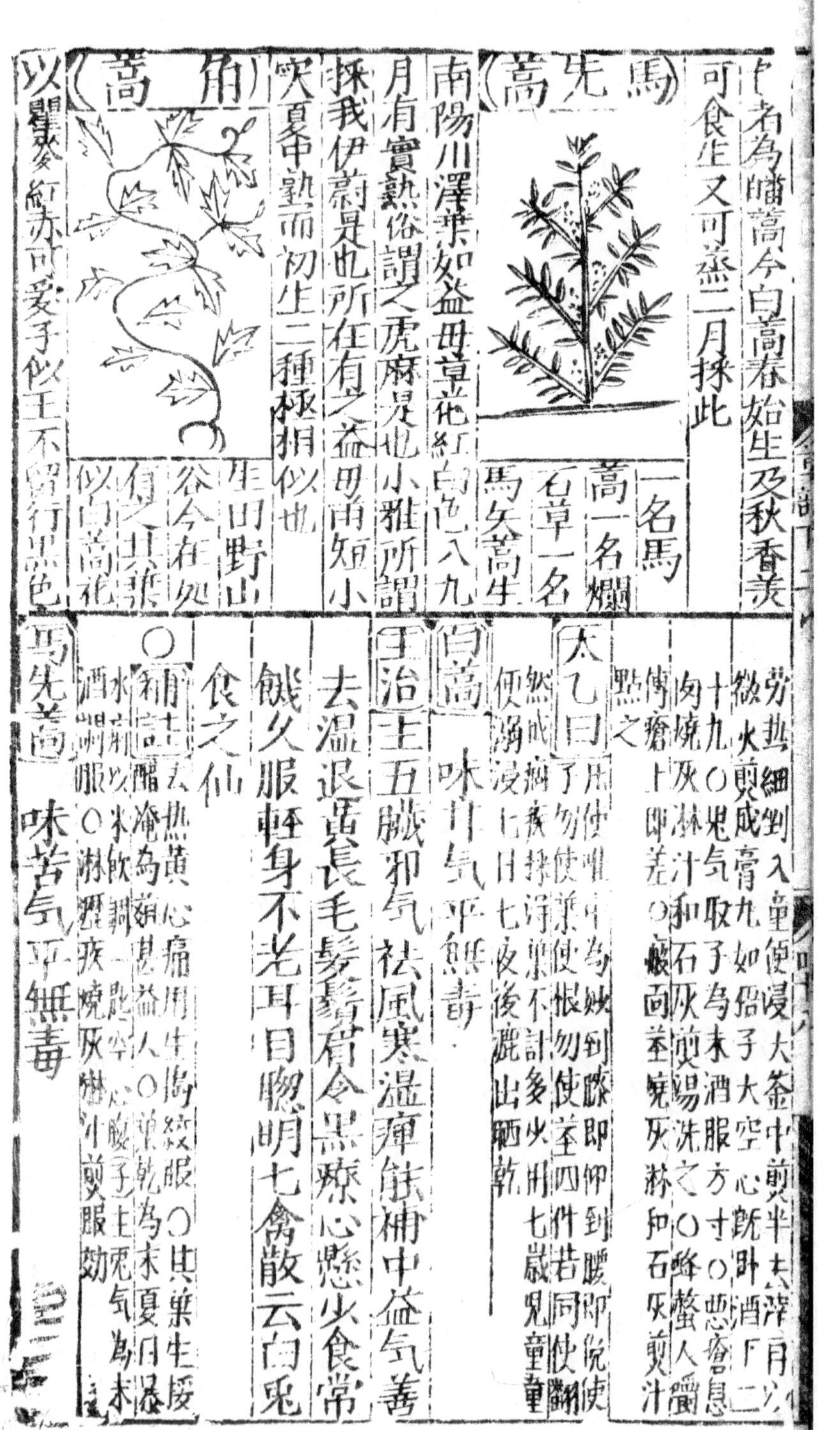

也名為皤蒿今白蒿春始生及秋香美
可食生又可蒸二月採此

馬先蒿

一名馬蒿一名爛石草一名馬矢蒿生南陽川澤葉如益母草花紅白色八九月有實熟俗謂之虎麻是也小雅所謂莪我伊蔚是也所在有之益母而短小實夏中熟而初生二種極相似也

角蒿

生田野山谷今在処有之其葉似白蒿花以瞿麥紅赤可愛子似王不留行黒色

勞熱細剉入童便浸大釜中煎半去滓用以微火煎成膏丸如梧子大空心飯卧酒下二十九○鬼気取子為末酒服方寸○惡瘡息肉燒灰淋汁和石灰煎湯洗之○蜂螫人爛傅瘡上即差○瘢面差㿈灰淋和石灰煎汁點之

太乙曰 用使唯中為妙到臍即仰到腰即倪使然成楸夜採浮葉不計多少用七歳兒童便溺浸七日七夜後漉出晒乾

白蒿 味甘気平無毒

主治 主五臓邪気祛風寒湿痺能補中益気善去湿退黄長毛髮髮有令黒療心懸少食常饑久服輕身不老耳目聰明七禽散云白兎食之仙

補註 去熱黄心痛用生搗絞服○其葉生挼醋淹為葅甚益人○曝乾為末夏月以水調以米飲調一匙空心服之主惡気為末酒調服○淋瀝疾燒灰淋汁煎服効

馬先蒿 味苦気平無毒

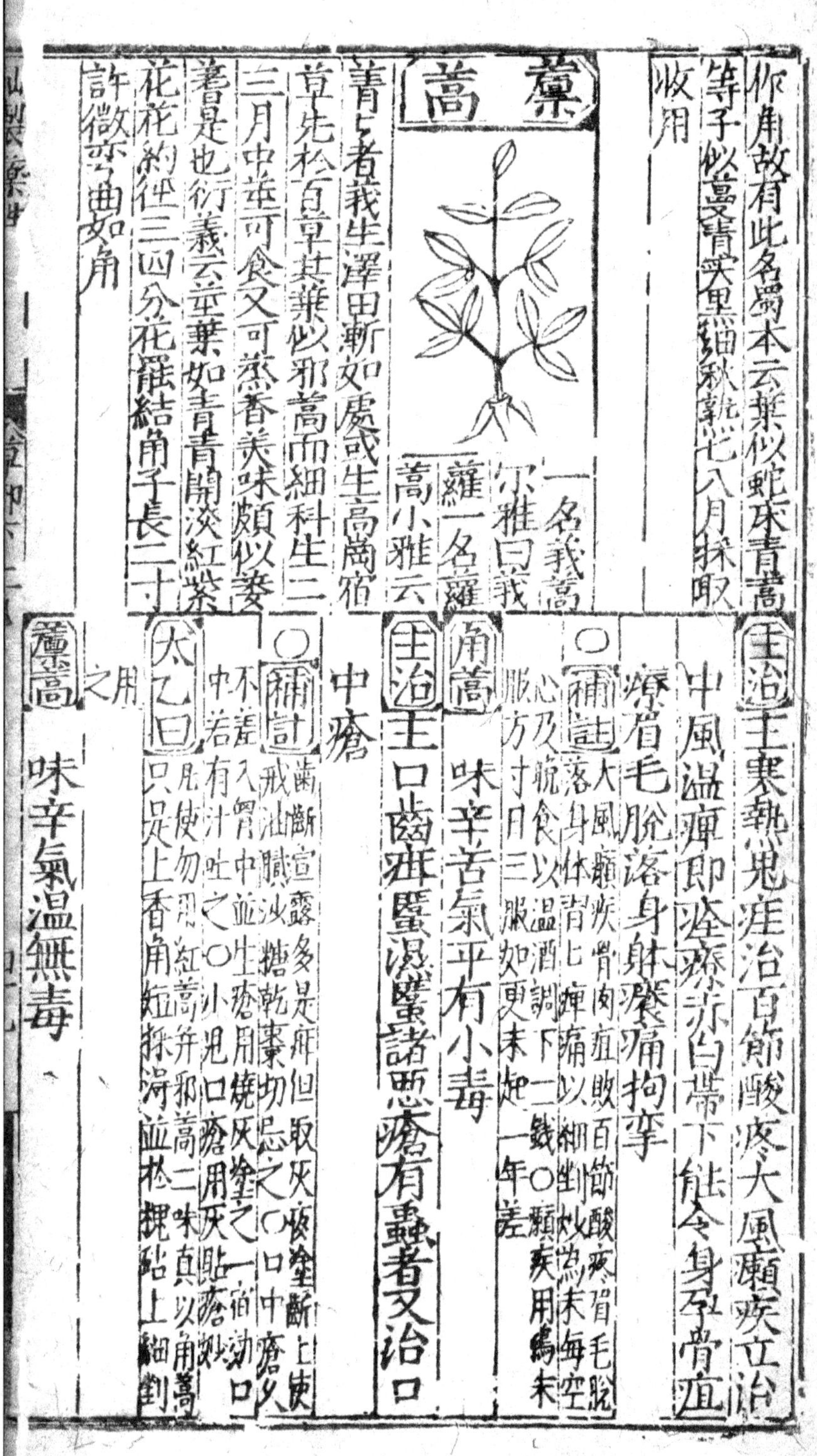

作角故有此名蜀本云葉似蛇床青蒿等子似蔓菁實黑細秋熟七八月採取收用

## 廩蒿

一名莪蒿爾雅曰莪蘿一名蘿蒿小雅云菁菁者莪生澤田漸洳處或生高崗宿草先於百草其葉似邪蒿而細科生二三月中莖可食又可蒸香美味頗似蔞蒿是也衍義云莖葉如青蒿開淡紅紫花花約徑三四分花罷結角子長二寸許微彎曲如角

【主治】主寒熱鬼疰治百節酸疼大風癩疾立治中風溫痺即痊療赤白帶下能令身孕骨疽瘵眉毛脫落身體癢痛拘攣

○【補註】大風癩疾骨肉疽敗百節酸疼眉毛脫落身体背上痒痛以細剉炒為末每空心及飯食以溫酒調下二錢○癩疾用鳴末服方寸匕日三服如更末炖一年差

【角蒿】味辛苦氣平有小毒

【主治】主口齒瘡䘌䘌諸惡瘡有蟲者又治口中瘡

○【補註】齒斷宜露多是痏但取灰夜塗斷上使戒油膩沙糖乾棗切忌之○口中瘡久不差入胃中並生瘡用燒灰塗之一宿効口中若有汁吐之○小兒口瘡用灰貼瘡効

【太乙曰】凡使勿用紅蒿并邪蒿二味真以角蒿只是上香角短採得並於槐砧上細剉用之

【藘蒿】味辛氣溫無毒

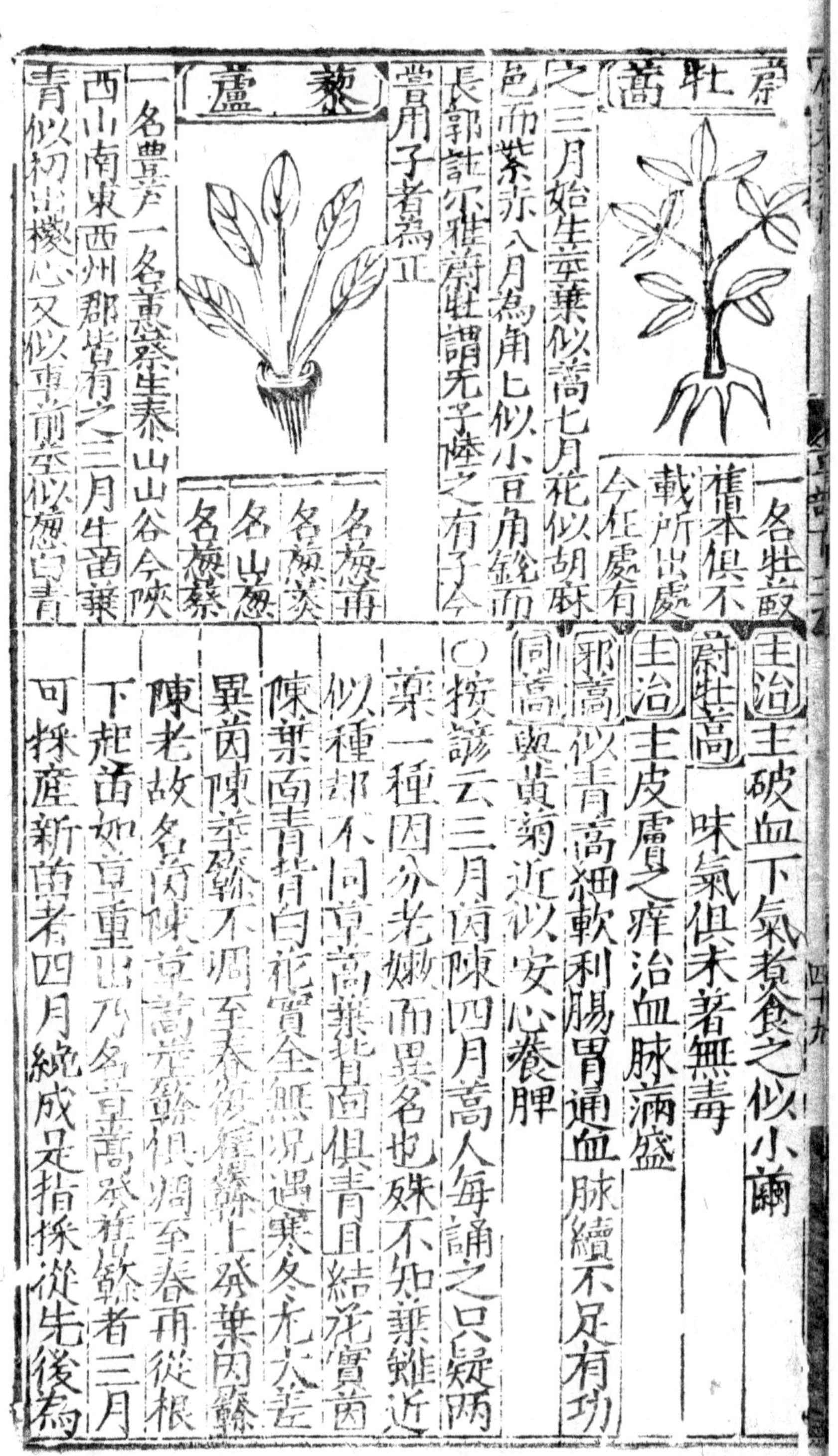

蔚牡蒿

一名牡菣

舊本俱不載所出處今在處有之三月始生莖葉似蒿七月花似胡麻色而紫赤八月為角乜似小豆角銳而長郭註爾雅蔚牡謂無子陸之有子今當用子者為正

主治 主破血下氣煮食之似小薊

蔚牡蒿 味氣俱未著無毒

主治 主皮膚之痒治血脉滿盛

邪蒿 似青蒿細軟利腸胃通血脉續不足有功

同蒿 與黃菊近似安心養脾

○按諺云三月茵陳四月蒿人每誦之只疑兩藥一種因分老嫩而異名也殊不知葉雖近似種卻不同草蒿葉背面俱青且結花實茵陳葉面青背白花實全無况遇寒冬尤大差異茵陳莖幹不凋至春復從舊幹上發葉因舊陳老故名茵陳草蒿莖幹俱凋至春再從根下起苗如草重出乃名草蒿然採茵陳者三月可採産新苗者四月纔成足指採從先後為

藜蘆

一名葱苒

一名葱菼

一名山葱

一名葱蔡

一名豐蘆一名蕙葵生泰山山谷今陝西山南東西州郡皆有之三月生苗葉青似初出椶心又似車前莖似葱白青

紫色高五六寸上有黑皮裹莖似椶皮
有花肉紅色根似馬腸根長四五寸許
黃白色二月三月採根陰乾此有二種
一種水藜芦莖葉大同只是生在近水
溪澗石上鬚百餘莖不中入藥今用者
名葱白藜蘆根鬚甚少只有二三十莖
生高山者為佳均州土俗亦呼為鹿葱
反芍藥細辛及五參（人參 沙參 玄參 丹參 苦參）忌用悪大黃去芦微炒入藥

## 射干

一名烏翣
一名烏蒲
一名烏𦓐
一名烏吹
一名草姜亦名鳳翼生南陽山谷田野
今處處有之人家庭砌間亦多種之春

云非以苗分老嫩為說也

【藜蘆】使味辛苦氣寒有毒黃連為之使

【主治】專能發吐不用煎湯惟作散用主頭禿疥瘍瘡腸澼瀉痢殺諸虫除蠱毒去死肌愈惡瘡治喉痺不通理風痰上壅亦能醫馬塗癬疥敷馬刀爛瘡

○【補註】黑痣生身向上用灰五兩水一碗淋灰汁於銅器中盛以重湯煑令如黑膏以一挑破痣點之良○吐上膈風痰暗風癇病取一兩濃煎防風湯浴過焙乾微炒為末温水下五分吐為度○牙疼以末入牙孔中勿吞汁神効○中風不語喉中如拽鋸声口中涎沫取一分天南星一箇去浮皮於臍子上陷一坑子内入陳醋二橡斗四面用火逼令黃色同一處搗再研細生麪為丸如赤豆大每服三丸温酒下○黃疸取煑灰中炮之小変色搗末水服半錢小吐不過數服○疥癬用細搗末以生油塗傅之○中風不省人事牙關緊急者用一兩去芦頭濃煎防風湯浴過焙乾碎切炒微褐色為末每服五分温

苗高一二尺葉似蠻薑而狹長橫張
疎如翅羽狀故一名烏萋謂其葉中抽
莖似萱草而彊硬六月開花黃紅色瓣
上有細文秋結實作房中子黑色根多
鬚皮黃黑肉黃赤陶云多作夜干今射
亦作夜音又云別有射干相似而花白
莖長似射人之執竿者故阮公詩云射
干臨層城是也此不入藥用蘇云此是
鳶尾葉都似射干而花紫碧色不抽高
莖似良姜而內白根即鳶頭也花開四
種紫白紅黃丹溪取紫為真只因試過
一驗三月三日採根曝乾用凡藥剤投
務米泔浸宿

水調下以吐出風涎為効如人行三里未吐
再服

太乙曰 凡採得去頭用糯米泔汁煮從巳至未出晒乾用之

射干 味苦氣平微溫屬金有木與水火陰
中陽也無毒

主治 主欬逆上氣理咳唾頑痰調邪逆飲食大
熱通女人月閉消瘀血散結氣旋平癰毒逐瘀
血竟通月經止喉痺刺痰驅口熱穢臭去因
勞而發之溫熱潰硬腫殊功行太陰厥陰之
積痰消突核甚捷仍治胷滿氣脹更療咳急
涎多

○補註 治便毒足厥陰溫氣因勞而發取二寸与生姜同煎食前服利二兩行効○療喉痺一片含嚥汁差○小兒疝發時腫痛如刺用生汁取下亦可丸服之

太乙曰 凡使先以米泔水浸一宿漉出然後用篁竹葉煮從午至亥漉出日乾用之

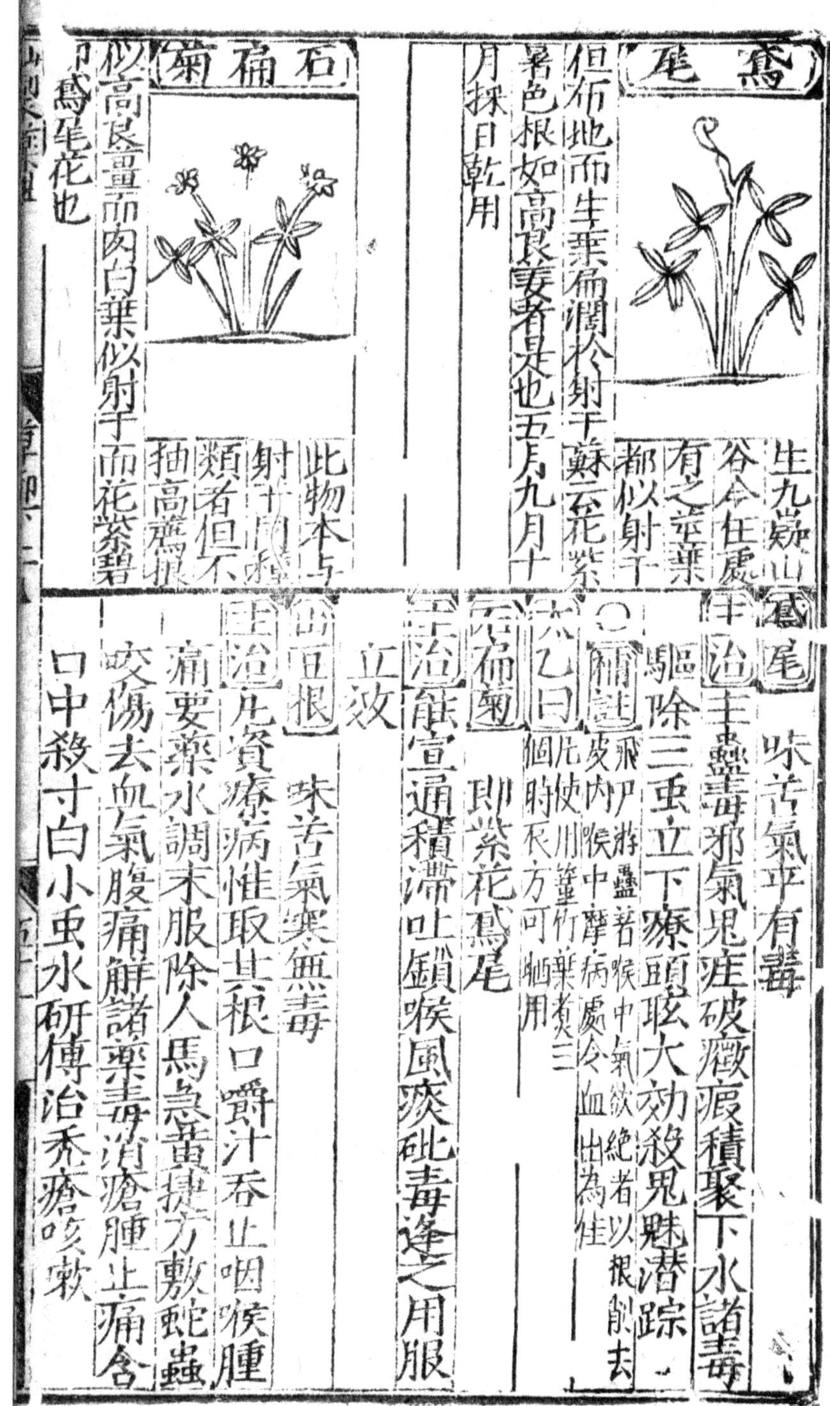

鳶尾

生九嶷山谷今在處有之莖葉都似射干但布地而生葉扁闊於射干蘇云花紫碧色根如高良姜者是也五月九月十月採日乾用

石補菊

此物本与射干同種類者但不抽高莖根似高良薑而肉白葉似射干而花紫碧即鳶尾花也

鳶尾　味苦氣平有毒

主治　主蠱毒邪氣鬼疰破癥瘕積聚下水諸毒驅除三虫立下療頭眩大効殺鬼魅潛踪

〇補遺　飛尸游蠱著喉中氣欲絕者以根削去皮內喉中摩病處令血出為佳

太乙曰　凢使川筆竹葉煮三個時辰方可㸃用

石補菊　即紫花鳶尾

主治　能宣通積滯吐鎖喉風痰砒毒逢之用服立效

出旦根　味苦氣寒無毒

主治　凢資療病惟取其根口嚼汁吞止咽喉腫痛要藥水調末服除人馬急黃提方敷蛇蟲咬傷去血氣腹痛解諸藥毒消瘡腫止痛含口中殺寸白小虫水研傅治禿瘡咳嗽

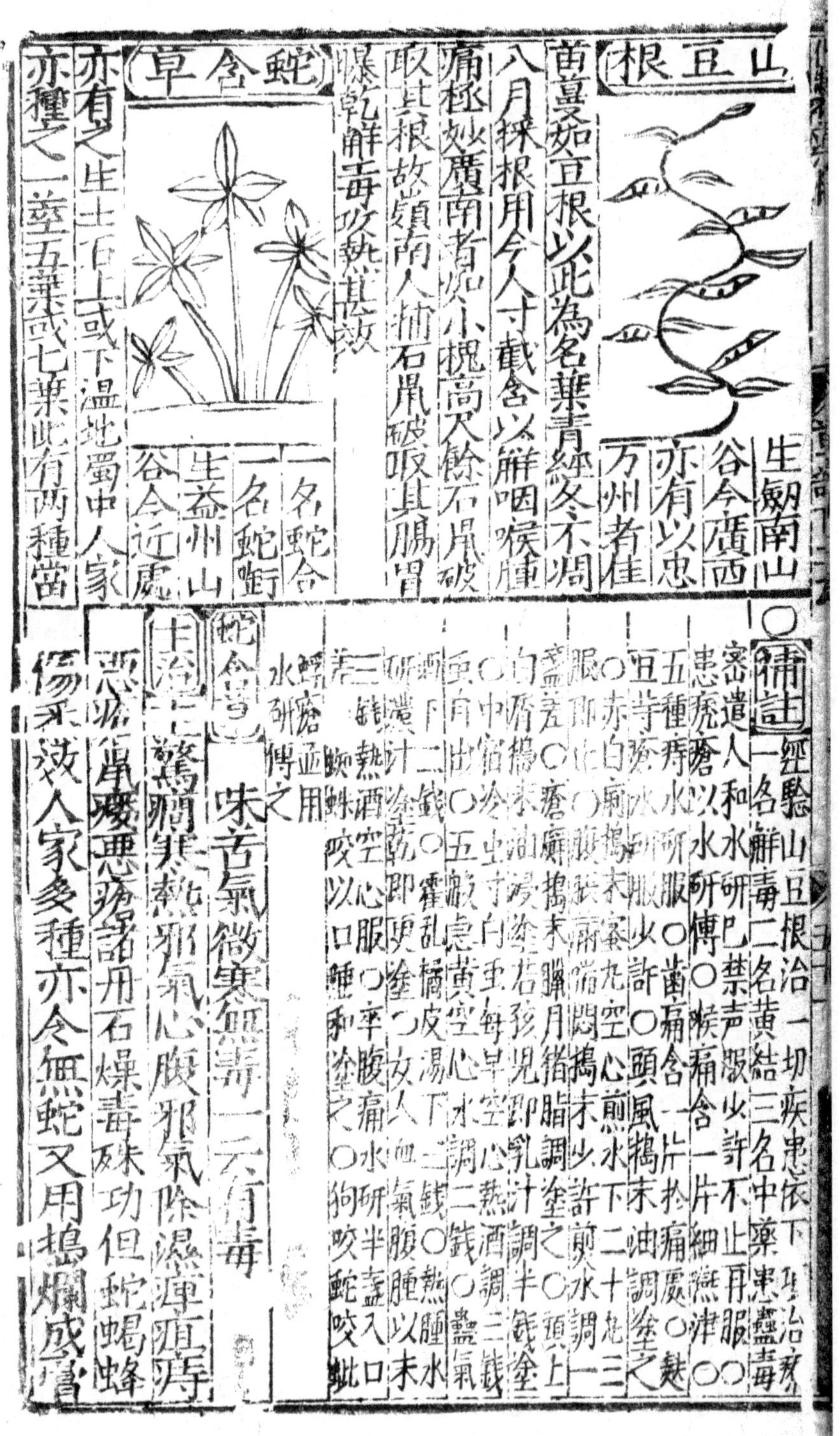

山豆根

生劍南山谷今廣西亦有以忠万州者佳

蔓如豆根以此為名葉青經冬不凋八月採根用今人寸截含以解咽喉腫痛極妙廣南者如小槐高尺餘石鼠破取其根故嶺南人捕石鼠破取其腸胃曝乾解毒攻熱甚效

蛇含草

一名蛇含　一名蛇銜　生益州山谷今近處亦有之生土石上或下濕地蜀中人家亦種之一莖五葉或七葉此有兩種當

〇補註　經驗山豆根治一切疾患依下項治療

一名解毒二名黃結三名中藥　患蠱毒密遣人和水研已禁声服少許不止再服〇〇患瘡磨以水研傅〇喉痛含一片細嚥津〇〇五種痔水研服〇齒痛含一片於痛處〇髮豆苛瘡水研服少許〇頭風搗末油調塗之〇赤白痢搗末蜜丸空心煎水下二十丸〇三服即止〇腹脹喘悶搗末少許煎水調一盞差〇瘡癬搗末臘月豬脂調塗之〇頭上白屑搗末油浸塗若孩兒即乳汁調半錢塗〇中宿冷虫寸白虫每早空心熱酒調三錢並自出〇五般急黃空心水調二錢〇蠱氣酒下二錢〇霍亂橘皮湯下二錢〇熱腫水研濃汁塗乾即更塗〇女人血氣腹脹以末三錢熱酒空心服〇卒腹痛水研半盞入口若蜘蛛咬以口唾和塗之〇狗咬蛇咬蚍蜉瘡並用水研傅之

蛇含草　味苦氣微寒無毒一云有毒

主治　主治驚癇寒熱邪氣心腹邪氣除濕痺疽痔惡瘡鼠瘻惡瘡諸用石爍毒殊功但蛇蝎蜂傷采效人家多種亦令無蛇又用搗爛盛膏

用細莖黃色花者為佳八月採根陰乾

白蘞

一名兔核
一名白草
一名白根
一名崑崙

生衡山山谷今江淮州郡及荊襄懷孟商齊諸州皆有之二月生苗多在林中作蔓赤莖葉如小桑五月開花七月結實根如雞鴨卵三五同窠採得中秋時黑皮洗淨破片以竹穿日乾入藥与白芨並行及烏頭今醫治風金瘡及面藥方多用之滁州有一種赤斂功用与白斂同花實亦相類但表裏俱赤耳

堪續已斷手指○其根皮取乃名玄青鴉紅末帶之則疫癘不犯主蠱毒而逐邪氣殺鬼魅以辟不祥

○補註 癰後瀉痢用小龍牙根一握濃煎服之甚効蛇含是也○金瘡亦搗傅之佳○蝍蛆齧膏連已斷之指蜈蚣螫人亦以傅之○赤疹用搗爛傅之差赤疹者由冷溫傅於肌中其即為熱乃成赤疹得天熱則劇冷則減是也古今諸丹毒瘡方通用之

太乙曰 凡使勿用有蘗火蘗者號竟命草其味別空只酸澁不入藥若誤服之吐血不止速服如時子解之採得後去根莖只葉細切曬乾勿令犯火

白斂 使味苦甘氣微平微寒無毒一云有毒代赭為之使多用於斂瘡方中

主治 退赤眼除熱散結氣止疼理小兒溫瘧驚癇療女子陰中腫痛殺火毒為火煨湯泡聖藥治外科敷背癰疔腫神丹

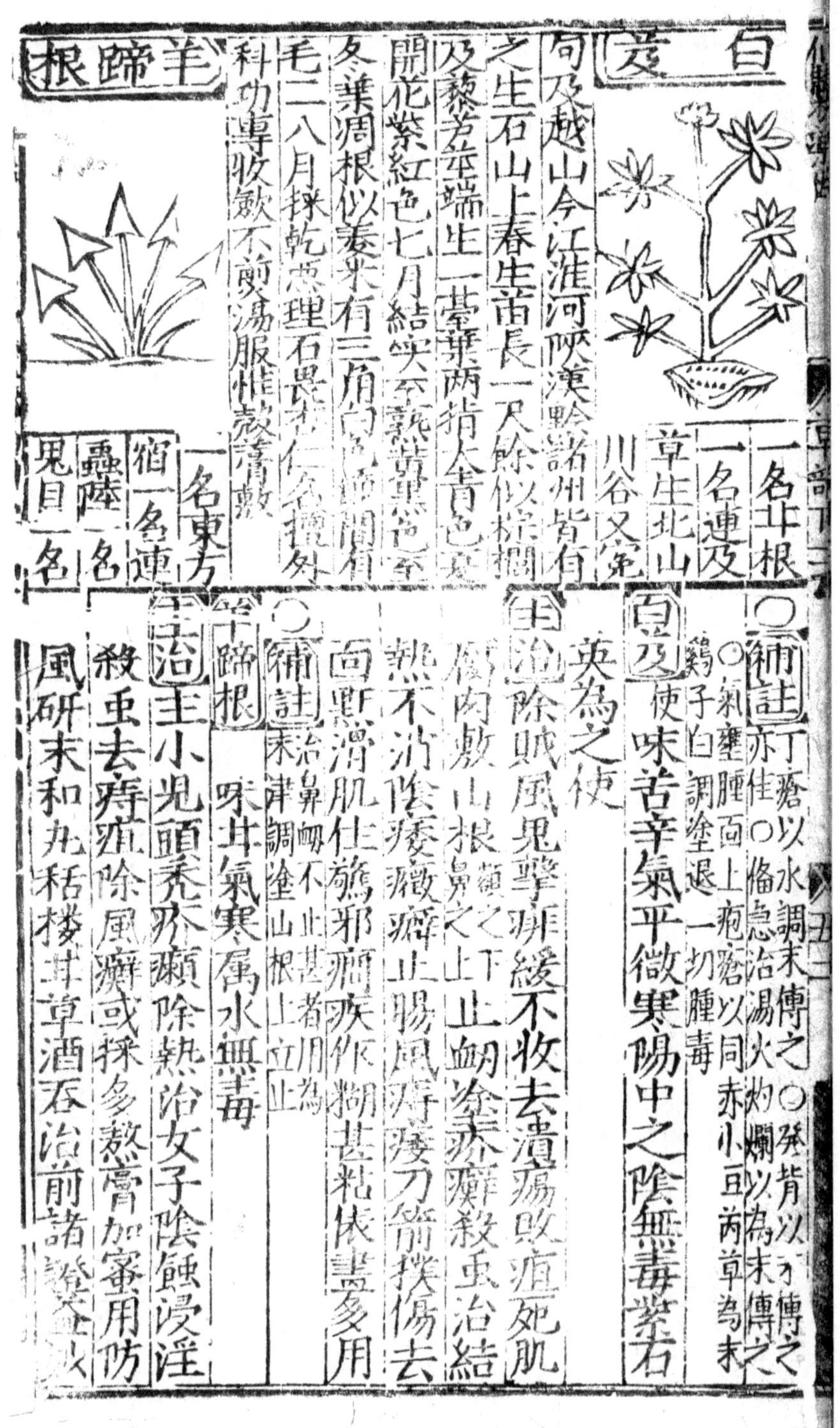

白及

一名甘根

一名連及

草生北山川谷又冤句及越山今江淮河陝漢黔諸州皆有之生石山上春生苗長一尺餘似栟櫚及藜蘆莖端生一臺葉兩指大青色夏開花紫紅色七月結實至熟黃黑色至冬葉凋根似菱米有三角白色角頭有毛二八月採乾惡理石畏李核杏仁科功專收歛不煎湯服惟入散敷

〇補註 丁瘡以水調末傅之〇發背以水調傅之亦佳〇偏急治湯火灼爛以為末傅之〇氣壅腫面上疱瘡以同赤小豆芮草為末雞子白調塗退一切腫毒

白及 使 味苦辛氣平微寒陽中之陰無毒紫石英為之使

主治 除賊風鬼擊痱緩不收去遺瘍敗疽死肌腐肉敷山根鼻額之下止衄塗疥癬殺蟲治結熱不消陰痿癥瘕止腸風痔瘻刀箭撲傷去面皯滑肌性癒邪痼疾作糊甚粘依書多用

〇補註 治鼻衄不止甚者用為末津調塗山根上立止

羊蹄根

一名東方宿

一名連蟲陸

一名鬼目

一名

羊蹄根 味苦氣寒屬水無毒

主治 主小兒頭禿疥癩除熱治女子陰蝕浸淫殺蟲去痔疽除風癬或採多熬膏加蜜用防風研末和丸栝樓甘草酒吞治前諸證尤

蓄一名蓨俗名禿菜生陳留川澤今所在有之生下濕地春生苗高三四尺葉狹長頗似萵苣而色深莖節間紫赤花青白成穗子三稜又有一種莖葉俱細節間生子有若茺蔚夏中即枯根似牛蒡而堅實今人生採根醋磨塗癬速效亦煎作丸服之又一種極相似而味酸呼為酸模根葉似羊蹄是山大黄一名當藥爾雅云須蕵模註云似羊蹄而細味酸可食

川服三次每以服三十丸葉作菜茹小兒疳蟲立追食滑腸

作鴻【寶】痔泄血赤白雜痢能止

○【補註】癧癘風用根於生鐵上以好醋磨旋旋刮取塗上末差更入硫黃少許同磨塗之○大便卒澀結不通用根一兩剉水一大盞煎六分去滓溫服○治疥搗根和豬脂塗上或有蟲少許佳○喉痹卒不語狀根着不見風日及婦人雞犬以三年醋研如泥生布拭疥令赤傅之之○漏瘤瘡蟲癬痒浸淫日廣痒不可忍搔之黃水出差後復發取淨去土細切搗為末以大酢和傅洗上一時間以冷水洗之日一傅差○腸風痔瀉血以葉根爛蒸一椀食之立差○癬瘡久不差用根搗絞取汁調膩粉少許如膏塗上三五次即差如乾備脂調動

## 金星草

一名金釧草生陜州川岩及西南州郡多有之而以戎州者為上　生陰山石上

【金星草】味苦氣寒無毒

【主治】解毒消腫專理外科凡百初起思瘡疽諸未潰腸毒治頸瘰癧發背癰疽或剉碎煎酒頻吞或研末調酒旋服或煎汁淋洗或搗爛

處及竹箐中不見日處或大木下或古屋上此草惟單生一葉色青長一二尺至冬大寒葉背生黃星點子兩行相對如金色因得金星之名此根盤屈如竹根而細折之有筋如猪馬鬃稜稜冬不凋無花實五月和根採之風乾用南人多用此草末以水一升煎取半更入酒半升再煎數沸頓服取下毒黑汁未下再服但是瘡毒皆可服之候瀉至泌服後下痢須補治乃平復老年不可輙服

紫葛

舊不載所出州土云生山谷今惟江寧府台州有之春生冬枯似葡萄而紫色長

敷塗並可建功立能獲効諸丹石毒悉解硫黃毒亦能驅【根】搗浸真麻油搽頭大生髮

○【補注】五毒發背和根水净洗慢火焙乾秤四兩入生甘草一錢搗末分作四服每服用好酒一升已來煎三四沸後更以冷酒二升相和入瓶器內封却時時數服忌生冷油膩毒物○解硫黃及丹石毒治發背癰腫結核用葉半斤和根剉以酒五升銀器中煎取二升五更初頓服丹石毒末下久搗末冷水服方寸匕及塗發背瘡上亦效

【紫葛】味甘苦氣寒無毒

【主治】主癰腫惡瘡風緩拘攣毒風通小腸取【根】【皮】搗末醋和封治産後血氣冲心水煎去滓頓服即金瘡生肌破血酒水同煎溫服

【補注】産後血氣冲心煩渴剉三兩以水二升煎取一升去滓呷之○金瘡生肌破血補損用二兩細剉以順流水三大盞煎取一盞半去滓食前分溫三服酒煎

【預知子】味苦氣寒無毒

大許入者從二三寸葉似蘡薁根皮紫色三月四月採根皮日乾用

## 預知子

一名詔子一名聖知子一名聖先子一名盍合子出淮南及溪黔諸州係藤蔓附大木在上葉三角綠色背淺面深莢五月作房生青熟赤子在房內六七多枚如皂角子褐斑似飛蛾蟲光潤欲求極貴因得其雖取二枚綴衣服須中遇毒物則有聲側匕箸先知覺故有此名服須去皮研細湯下

**主治** 治一切風主五勞七傷痃癖氣塊扶除大時瘟病退散消宿食止煩悶有準利小便催生產奇功殺蟲毒及諸毒止蛇咬蟲螫傷傳云取二枚綴衣領上遇蠱毒物則聞其有聲

〇**補註** 解毒藥中惡失音髮落蛇蟲蚕咬雙仁者可作單方用治一切痛每取仁二七粒搗爛患者服不過三十粒永差凡中蠱毒用水煎三錢溫服差

## 豨薟

味苦氣寒有小毒一云氣熱無毒

**主治** 療暴中風邪口眼喎斜者立効治久滲溫痺腰腳痠痛者殊功搗汁服之主熱壓煩滿服多則吐惟少為宜

〇**補註** 江陵府節度使進豨薟丸方臣有弟訢年三十一中風床被五年百醫不差有道人鍾針者因覩此患曰可餌豨薟丸必愈其藥多生沃壤高三尺許節葉相對其葉當夏五月已來收每去地五寸剪刈以溫水洗泥土摘其葉及枝頭凡九蒸九曝不[illegible]太[illegible]

## 豨薟

俗呼火杴草本經不著所出州郡今處處有之春生苗葉似芥菜而狹長文粗莖高二三尺秋初有花如菊秋末結實頗似鶴虱夏採葉暴乾用近世多有單服者云甚益元氣蜀人服之法五月五日六月六日九月九日採其葉去根莖花實淨洗暴乾入甑中層層灑酒與蜜蒸之又暴如此九過則已氣味極香美熬搗篩蜜丸服之云治肝腎風氣四肢麻痹骨間疼腰膝無力者亦能行大腸氣諸州所說皆云性寒有小毒與本經意同惟文州高郵軍云性熱無毒服之但取蒸為度仍熬搗為末丸如梧子大空心溫酒或米飲下二三十丸服至二千丸所患忽加不得憂慮是藥攻之力服至四千丸必得復故五千丸當復丁壯臣依法修合與訢服果如其言鍾針又言此藥與本草所述功效相異蓋出處盛在江東彼土人呼豬為豨呼臭為豨氣緣此藥如豬豨氣故以為名但經蒸曝豨氣自泯每當服後須吃飯三五匙壓之五月五日採者佳

奉宣付醫院詳錄之

○按此草處處俱生視之多有異狀金稜銀線素根紫荄對節生枝方梗圓葉如式修製服誠益人百服則耳目聰明千服則鬚髮烏黑追風逐濕猶作泛聞古方每竭贊揚深功雖盡著述可見至賤之類卻有殊常之能醫者不可因賤而不收病家亦勿謂賤而不製服也

## 酸漿草

味鹹氣平寒無毒

補虛勞五藏生毛髮熱生風濕瘡肌肉頑痺婦人久冷不宜服用之去麄根留敘葉花實蒸曝兩說不同且單用葉乃果而有毒若枝花實則熱而無毒乎抑係土地所產而然耶

## 酸漿草

一名酢漿草一名醋母草一名鳩酸草舊不載所出州土云生道傍今南中下溼地及人家園圃中多有之此地亦或有生者葉如水萍叢生莖端有三葉葉間生細黃花實黑本草集要云開白花結實作莢莢中有子如櫻桃大亦紅色五月採陰乾用初生嫩時小兒多食之南

**主治** 主煩熱瘡閉利水道産難通淋止崩帶往定志益氣大效實孕婦吞下立分娩無憂小兒食之則除熱有益葉嫩草杵汁攪湯治辛患熱淋遺瀝能解熱渴除煩燥根似菹色白絕苦搗汁飲之治黃疸易消殊功

## 鶴蝨

味苦氣平有小毒

**主治** 蚘蟯蟲咬心腹卒痛者肥肉汁調下即安砒霜毒吞腸胃未裂者濃蘸汁送下即吐

○**補註** 蚘咬心痛用一兩搗末蜜梧子大空心蜜湯下四十丸漸至五十丸○蚘蟲齒心腹痛用細研空心肥猪肉汁下五錢一服二分○治蛔蟲吐水心痛用三兩為末蜜丸空心煖水服三十丸○虫咬心痛用一兩為末空心溫醋服蟲自出

**太乙曰** 凡使用猪肉汁下又云忌酒肉用蜜湯送下

## 地菘

味鹹無毒

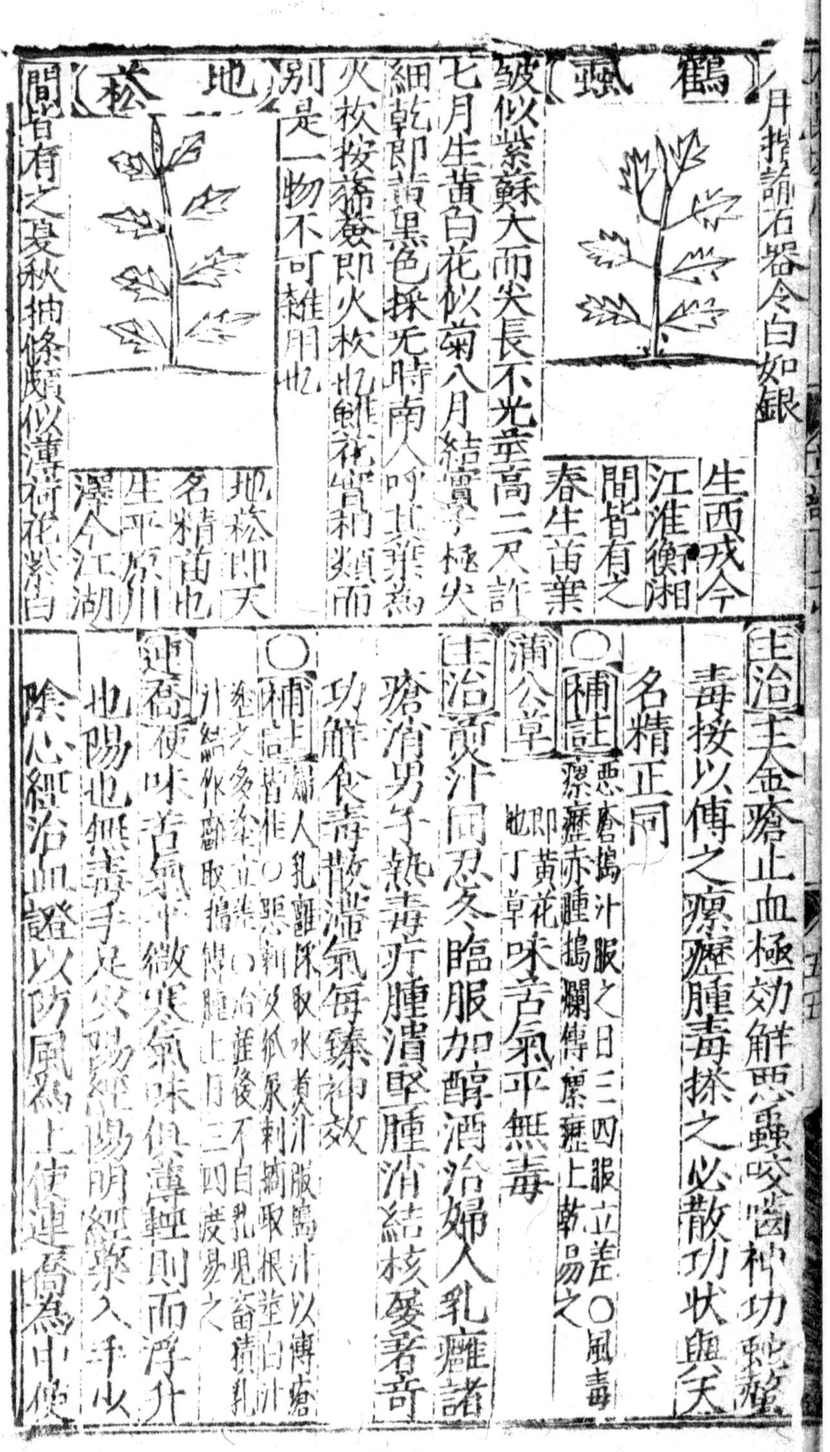

月採諸石器令白如銀

【鶴蝨】

生西戎今江淮衡湘間皆有之春生苗葉皺似紫蘇大而尖長不光莖高二尺許七月生黃白花似菊八月結實子極尖細乾即黃黑色採無時南人呼其葉為火杴按豨薟即火杴也雖花實相類而別是一物不可雜用也

【主治】主金瘡止血極効解惡蟲蛇螫毒挼以傅之瘰癧腫毒搽之必散功狀與天名精正同

○【補註】惡瘡擣汁服之日三四服立差○風毒瘰癧赤腫擣爛傅瘰癧上乾易之

【地菘】

地菘即天名精苗也生平原川澤今江湖間皆有之夏秋抽條頗似薄荷花紫白

【蒲公草】即黃花地丁草也味苦氣平無毒

【主治】煎汁同忍冬藤服加醇酒治婦人乳癰諸瘡消男子熱毒疔腫潰堅腫消結核屢著奇功解食毒散滯氣每臻神效

○【補註】婦人乳癰水腫取水煮汁服搗汁以傅瘡皆佳○惡刺及狐尿刺摘取根莖白汁塗之多塗立差○治産後不自乳兒畜積乳汁結作癰取擣傅腫上日三四度易之

【連翹】味苦氣平微寒氣味俱薄輕清而浮升也陽也無毒手足少陽經陽明經藥入手少陰心經治血證以防風為上使連翹為中使

色又云黃白色葉如菘而小其南人謂之血塔香氣似蘭故名蟾蜍蘭陳藏器云根似天門冬即天名精也

## 蒲公草

一名蒲公英一名紫花地釘草一名構耨草一名苦板俗呼孛孛丁舊不載所出州土今處處有之春初生苗葉如苦苣有細刺中心抽一莖莖端出一花色黃如金錢斷其莖莖中虛如葱狀白汁竟流開絮花飛絮絮中有子落地則生庭院有之因風以至四月五月採用

地榆為下使

【主治】瀉心經之絡熱殊功降脾胃濕熱神効驅惡癰毒蠱毒去丁白蝕疣瘡科當號聖丹血症每為中使主寒熱鼠瘻治結熱瘿瘤通月水下五淋義蓋取其結者散之故此能散諸經血凝氣聚必用而不可缺也實入但用虛者勿投

【連軺】係根之名仲景方云去熱本經未載此亦附之

○【補註】流痔以連喬煎湯洗訖刀上飛綠礬入麝香貼之

【百草灰】主腋臭及金瘡

○【補註】腋臭腋下挾之乾即易當抽一身痛悶瘡出即止以水及小便洗之不過二兩度○金瘡止血生肌刮傅瘡上並○此灰須五月五日採露取之一百種陰乾燒灰

花水為團重燒令
白以醋和為餅

【蕳茹】味辛酸氣寒有小毒

【主治】去惡血主蝕惡肉排膿用治癰疽作散類敷肉痛便止破癥瘕殺疥蟲逐敗瘀死肌除大風熱氣善忘不樂亦著本經

○【合治】治癰疽用一兩為散不計時候溫水調服二錢○傷寒毒攻咽喉腫用白蕳茹爪甲大內口中嚼汁嚥當微痛為佳○癰疽散惡肉如不盡者可以漆頭赤皮者為散用半錢和白蕳茹散三錢合傅之善

【賣蕳】茹其根色白肉黃取黑頭入劑採多燒熱鐵烙之作假代其主治不異敷瘡磨作散賊古方亦多

# 連翹

一名異翹　一名連苕　一名蘭華　一名折根

一名三廉又名連草生泰山山谷今近京河中江寧府澤潤淄兖鼎岳利州南康軍皆有之有大翹小翹二種生下濕地或山崗上葉青黄而狹長如榆葉水蘇葉莖赤色高三四尺花黄秋結實似蓮房翹出衆草以此得名根黄如蒿根八月採房陰乾小翹生崗原之上葉花實俱似大翹而細○今有二種一種似椿實之未開者殼小堅而外完無跗萼剖之則中解氣甚芬馥其實纔乾振之皆落不著莖也一種乃如菡萏殼柔外有

【敹精】味辛氣溫無毒

【主治】理咽喉閉塞止牙齒風疼口舌諸瘡[illegible]

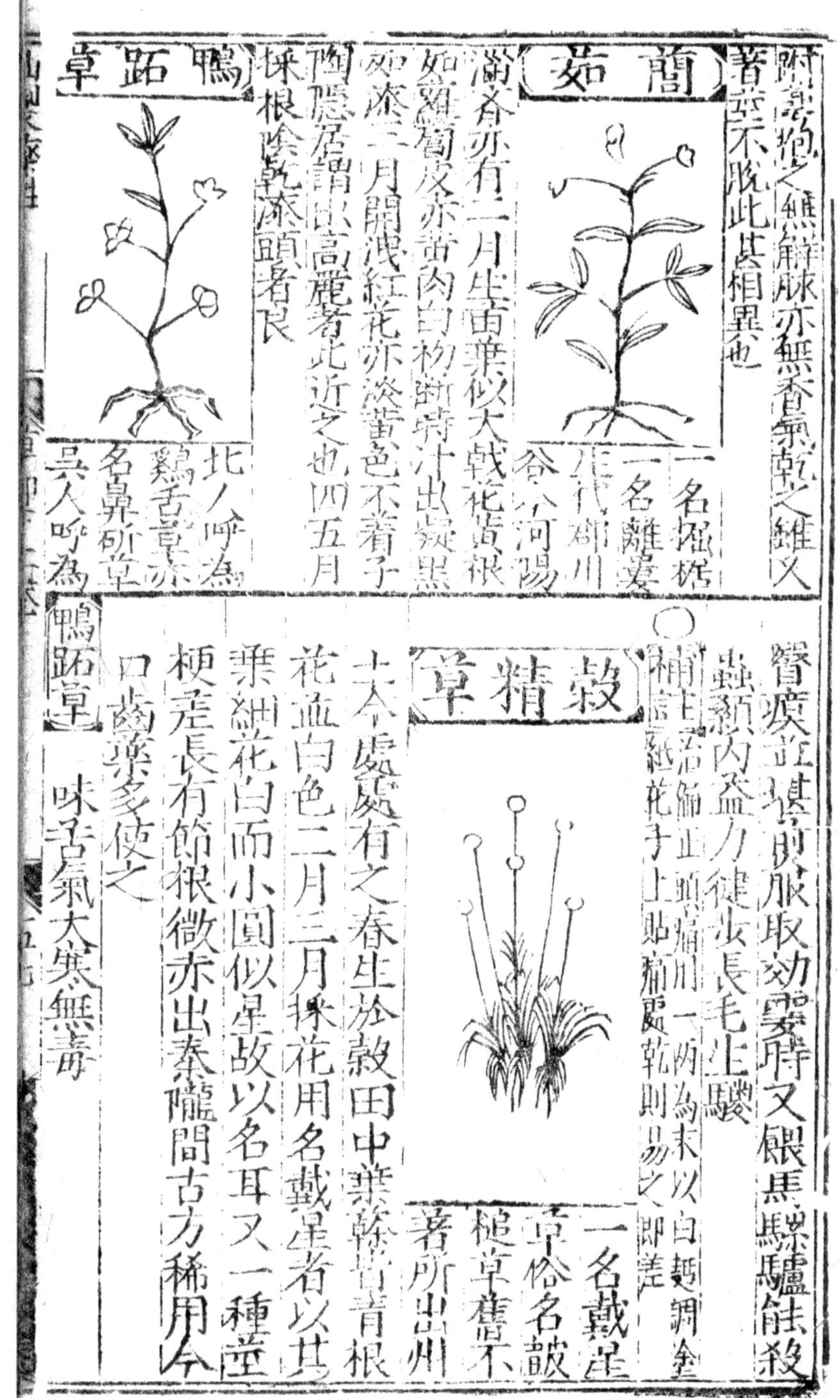

附毒物之無觧脉亦無香氣乾之雖久
著莖不脫此其相異也

蕳茹

一名掘据
一名離婁
生代郡川
谷今河陽

淄齊亦有二月生苗葉似大戟花黃根
如蘿蔔皮赤黃肉白初斷時汁出凝黑
如漆三月開淺紅花亦淡黃色不着子
陶隱居謂出高麗者此近之也四五月
採根陰乾漆頭者良

鴨跖草

北人呼為
雞舌草亦
名鼻斫草
呉人呼為

瞖瘴並搗煎服取效霎時又餵馬騾驢能殺
蟲類內益力健步長毛生騣

○補遺　治偏正頭痛川一兩為末以白麪調塗
紙花子上貼痛處乾則易之即差

穀精草

一名戴星
草俗名鼓
槌草舊不
著所出州

土今處處有之春生於穀田中葉莖俱青根
花並白色二月三月採花用名戴星者以其
葉細花白而小圓似星故以名耳又一種莖
梗差長有節根微赤出秦隴間古方稀用今
口齒藥多使之

鴨跖草　味苦氣大寒無毒

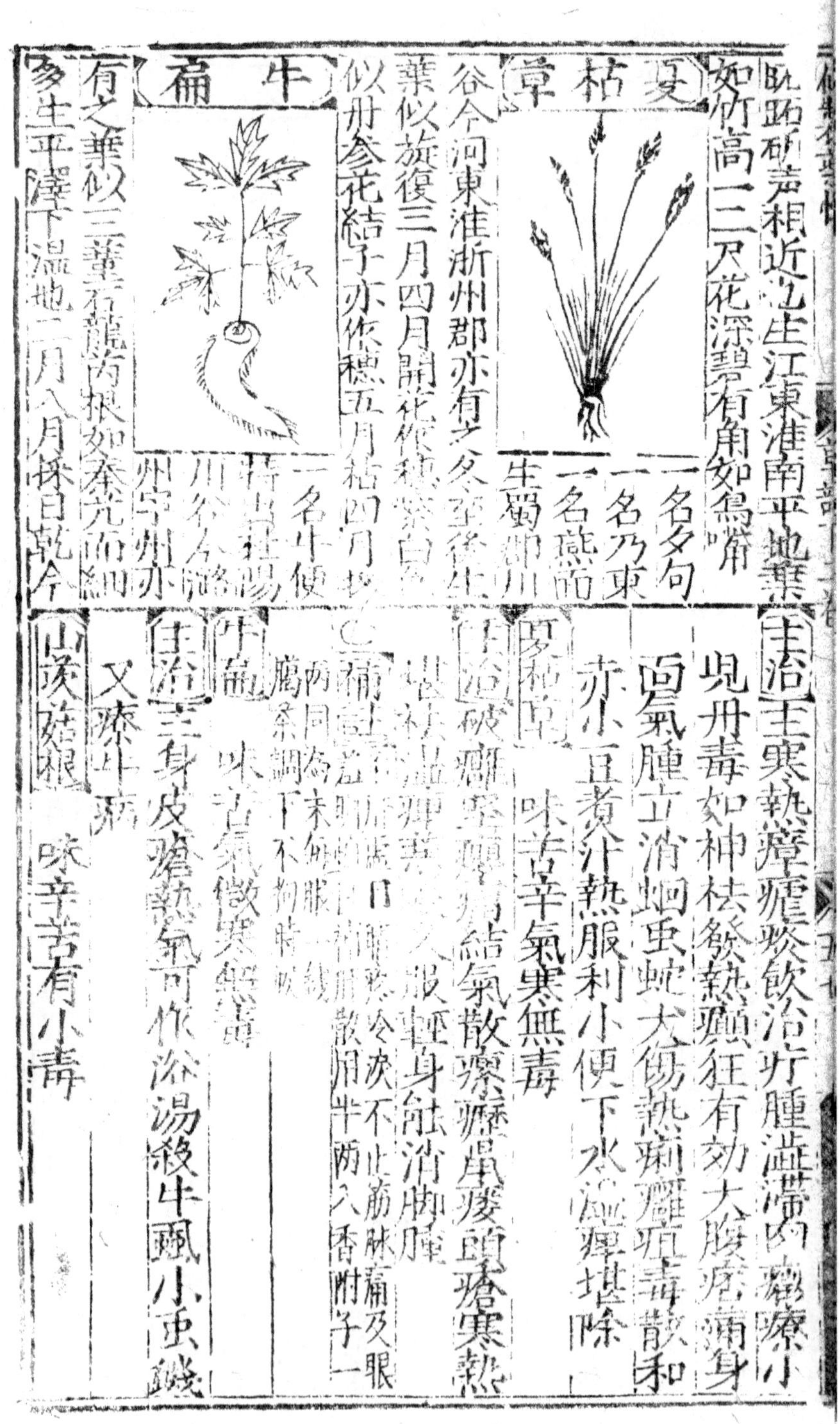

[illegible]跖[illegible]根近心生江東淮南平地葉如竹高一二尺花深碧有角如鳥嘴

主治 主寒熱瘴瘧痰飲疔腫肉癥滿滯療小兒丹毒如神袪發熱癲狂有効大腹痞滿身面氣腫立消蛔虫蛇犬傷熱痢癰疽毒散和赤小豆煮汁熱服利小便下水氣濕痺堪除

## 夏枯草

一名夕句
一名乃東
一名燕面

生蜀郡川谷今河東淮浙州郡亦有之冬至後生葉似旋復三月四月開花作穗紫白色似丹參花結子亦作穗五月枯四月採

氣味 味苦辛氣寒無毒

主治 破癥散瘿結氣散瘰癧鼠瘻頭瘡寒熱[illegible]濕痺[illegible]服輕身能消脚腫

◯補益 [illegible]目[illegible]淚不止筋脉痛及眼[illegible]散用半兩入香附子一兩同為末每服一錢臈茶調下不拘時服

## 牛扁

一名牛便

生桂陽川谷今潞州守州亦有之葉似三葉石龍芮根如秦艽而細多生平澤下濕地二月八月採日乾今

氣味 味苦氣微寒無毒

主治 主身皮瘡熱氣可作浴湯殺牛蝨小虫幾又療牛病

## 山茨菰根

味辛苦有小毒

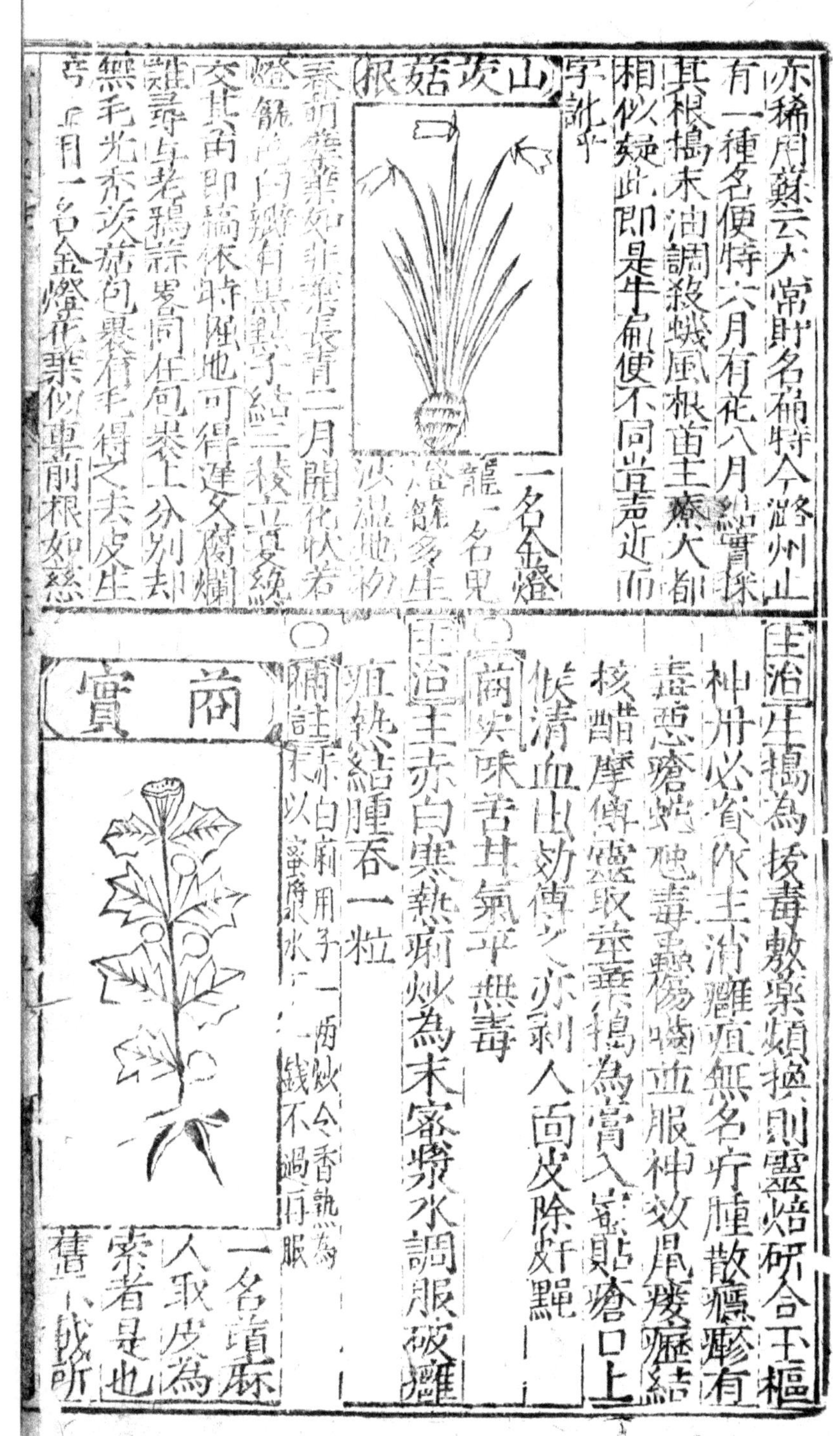

亦稀用蘇云人常呼名莿特今潞州止有一種名便特六月有花八月結實採其根搗末油調殺蟣風根苗主療大都相似疑此即是牛扁便不同豈声近而字訛乎

## 山茨菇根

一名金燈龍一名鬼燈籠多生沙濕地初春萌葉如韭葉長青二月開花狀若燈籠色白瓣有黑點子結三稜立夏綠交其苗即槁依時掘地可得遲久腐爛難尋與老鴉蒜略同但包裹上分別却無毛光亦茨菇包裹有毛得之去皮生苧正月一名金燈花葉似車前根如慈

【主治】生搗為拔毒敷藥頻換則靈焙研合玉樞神丹必資作主消癰疽無名疔腫散癮疹有毒惡瘡蛇虺毒蟲螫傷噎塞服神效鼠瘻瘰癧結核醋摩傅靈取莖葉搗為膏入蜜貼瘡口上候清血出效傅之亦剝人面皮除皯䵳

## 苘實

一名䔛麻人取皮為索者是也舊不載所

【苘實】味苦甘氣平無毒

【主治】主赤白冷熱痢炒為末蜜漿水調服破癰疽熱結腫吞一粒

【補註】赤白痢用子一兩炒令香熟為末以蜜漿水調一錢不過再服

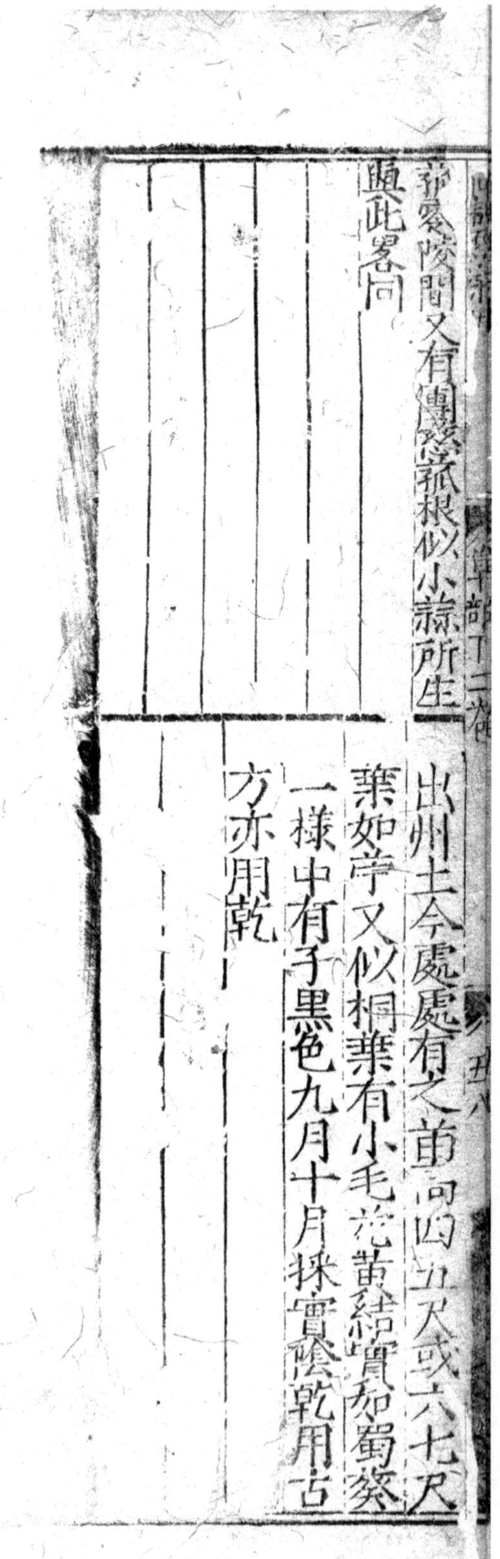

郭蒙陵間又有傳說瓠根似小蒜所生
與此略同

出州土今處處有之苗高四五尺或六七尺
葉如芋又似桐葉有小毛花黃結實如蜀葵
一樣中有子黑色九月十月採實陰乾用古
方亦用乾

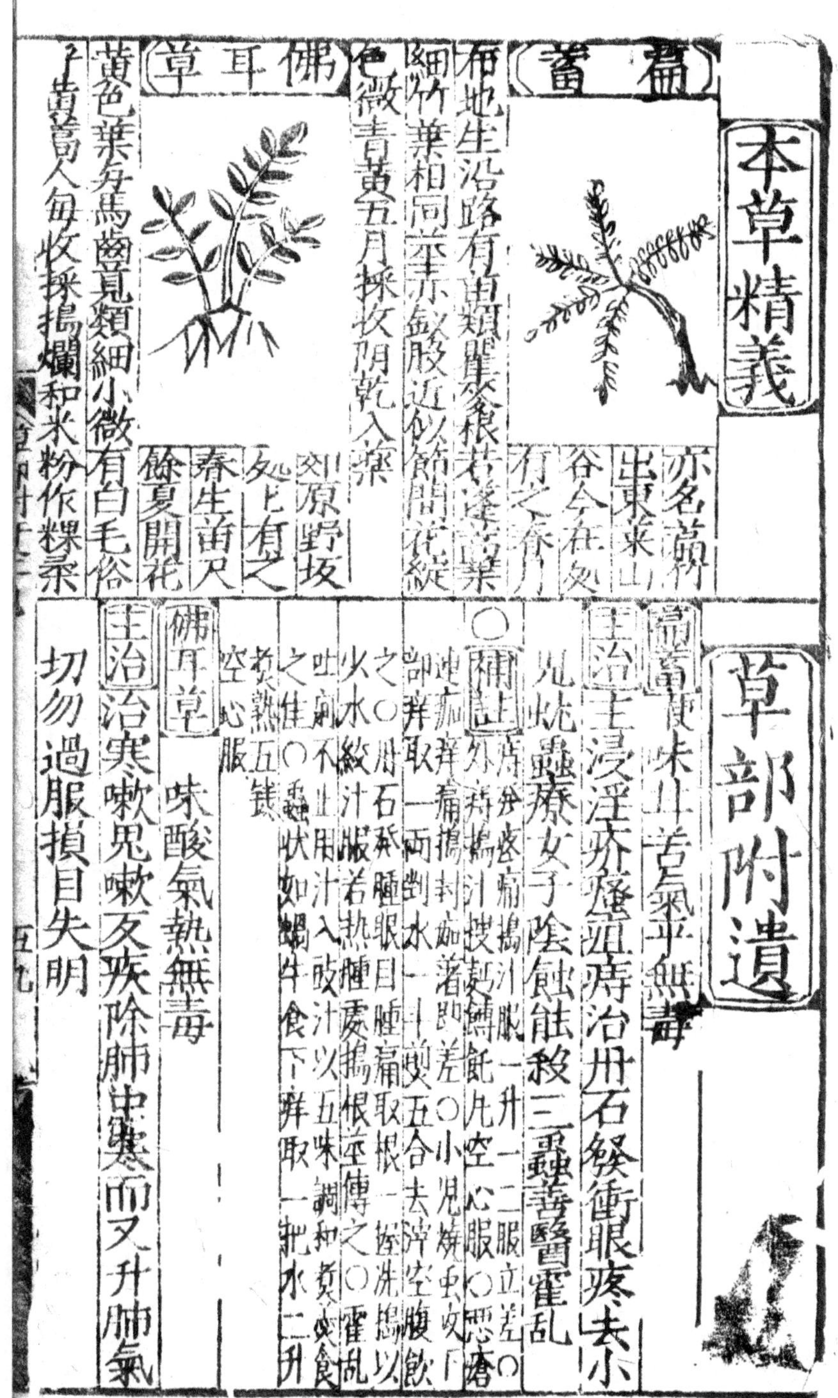

本草精義

萹蓄

亦名萹竹出東萊山谷今在處有之春月布地生沿路有節類瞿麥根若蓬蒿葉細竹葉相同莖亦鋑股近似節間開花綻色微青黃五月採收陰乾入藥

佛耳草

處原野坡處處有之春生苗尺餘夏開花黃色葉如馬齒莧類細小微有白毛俗呼黃蒿人每收採搗爛和米粉作粿桒

草部附遺

萹蓄　性味甘苦氣平無毒

主治　主浸淫疥瘙疽痔治丹石發衝眼疼去小兒蚘蟲療女子陰蝕能殺三蟲善醫霍亂

○補註　蛔咬心痛搗汁服一升一二服立差○外痔搗汁搜麪餺飥凡空心服○惡瘡連痂癢痛搗封痂著即差○小兒蟯虫攻下部癢取一兩剉水一升煎五合去滓空腹飲之○丹石發衝眼目腫痛取根一握洗搗以水絞汁服若熱腫處搗根莖傅之○霍亂吐痢不止用汁入豉汁以五味調和煮作食之佳○蚘蟲狀如蝸牛食下部癢取一把水二升煮熟五錢空心服

佛耳草　味酸氣熱無毒

主治　治寒嗽兕嗽及痰除肺中寒而又升肺氣切勿過服損目失明

五九

帚音彗而香美可嘗藥劑凡資曝乾總用

薇銜

一名鹿銜一名麋銜一名承膏一名承肌一名无心一名无顛又名吳風草生漢中川澤及宛句邯鄲此草叢生似茺蔚及白頭翁其葉有毛莖赤果花開淺黄種兩般分大小各異大者名大吳風草小者名小吳風草麋鹿有疾銜此草差素問之名又因此秋採莖葉陰乾

【薇銜】味苦氣平微寒無毒

【主治】主風淫濕痺攻歷節痿疾癱吐瀉驚癇及鼠瘻癰腫部熱除痿蹷逐水消暴癥婦人服之絕產無子悸氣賊風有効陰痿痰蹷治良久服輕身聰明耳目

○【補註】酒風岐伯以澤瀉朮各十分麋銜草五分合以三指撮為後飯服

按神農經中藥之靈者不計千百何獨麋銜矢醴並著素問擅名滑氏讀鈔亦嘗論及乃曰矢醴麋銜治人疾也豈誠二藥果有過乎諸藥之能以致喋喋贊美之若是耶蓋緣上古之前俗尚質朴人所病者多中實邪一藥專攻正與病對用每輒效故錄其名中古以來咸溺酒色病之着躰虛損居多雜[illegible]

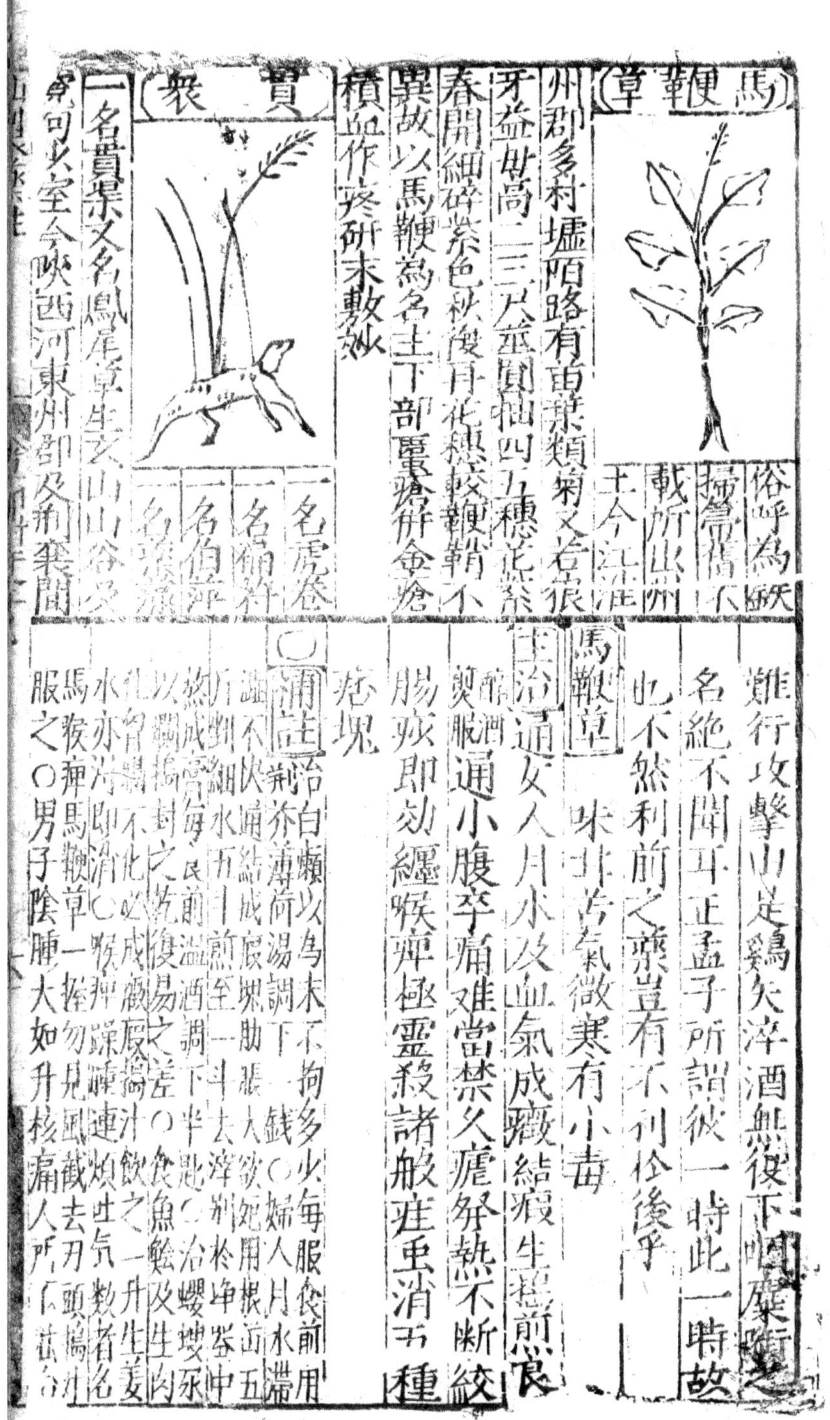

馬鞭草

俗呼為鐵掃帚舊不載所出州土今江淮

州郡多村墟陌路有苗葉類菊又若狼
牙益母高二三尺莖圓抽四五穗花紫
春開細碎紫色秋後再花穗較鞭鞘不
異故以馬鞭為名主下部䘌瘡解金瘡
積血作疼研末敷效

貫衆

一名虎卷　一名扁符　一名伯萍　一名藥藻

一名貫渠又名鳳尾草生玄山山谷及
宛句少室今陝西河東州郡及荊襄間

難行攻擊山足鷄矢淬酒無後下咽除斷之
名絕不聞耳正孟子所謂彼一時此一時故
也不然利前之藥豈有不利於後乎

馬鞭草　味甘苦氣微寒有小毒

主治　通女人月水及血氣成癥結瘕生搗煎良
酢酒煎服　通小腹卒痛難當禁久瘧發熱不斷絞
腸痧即効纏喉痹極靈殺諸般蟲消五種
痞塊

○補註　治白癩以為末不拘多少每服食前用
荊芥薄荷湯調下一錢○婦人月水滯
瀝不快通結成瘕塊肋脹大欲死用根苗五
斤剉細水五斗煎至一斗去滓別於淨器中
熬成膏每服食前溫酒調下半匙○治癭瘻瘤
以爛搗封之效復易之差○食魚鱠及生肉
住留胸膈不化必成癥瘕搗汁飲之一升生姜
水亦得即消○喉痹躁腫連頰吐氣數者名
馬喉痹馬鞭草一握勿見風截去刀頭搗汁
服之○男子陰腫大如升核痛人所不能治

多有之而少有花者生宗有三稜皮條赤色葉青緑如小鷄翅根紫黒似老鴟頭故本經欵中亦載曰此謂草鴟頭也一說根形如木瓜下有黒鬚毛二八月採根陰乾郭云葉圓銳莖毛黒希心冬不死廣雅謂之貫節是也

## 鳧茨

一名鳧茈一名葧臍一名烏芋菌似人尾

䕩葉如芋狀根黒指大皮厚有毛又一種皮薄無毛名苑同今人謂之葧臍本經載曰烏芋但為救荒食又得此名水田[illegible]之在處有之二月三日採根曝乾

若搗爛傅之○楊梅瘡用煎湯先熏後洗○卒氣絕到便寬爽快溫洗之疼痛腫隨減○石大腹水病用馬鞭草鼠尾草各十斤水一石煮取五斗去滓再煎令稠厚以粉和丸一服二三大豆許加四五豆神良

【貫衆】使　味苦氣微寒有毒赤小豆雚菌為之使

【主治】殺諸毒理金瘡惡毒殺三虫去寸白蚘虫仍除頭風更破癥瘕【花】療惡瘡能令人洩

○【補註】止鼻血取根為末水調一錢服立差

【鳧茨】　味甘氣平微寒無毒

【主治】主產後血悶攻心理產難子胞不下[illegible]石除胃腸痞氣下石淋退面目瘡黃風癱蝕消痺熱堪俗開胃進食益氣温中性善毀銅著之即碎故為消堅削積要劑也多食則生他症卒食則嘔水漿孕婦食動治小[illegible]

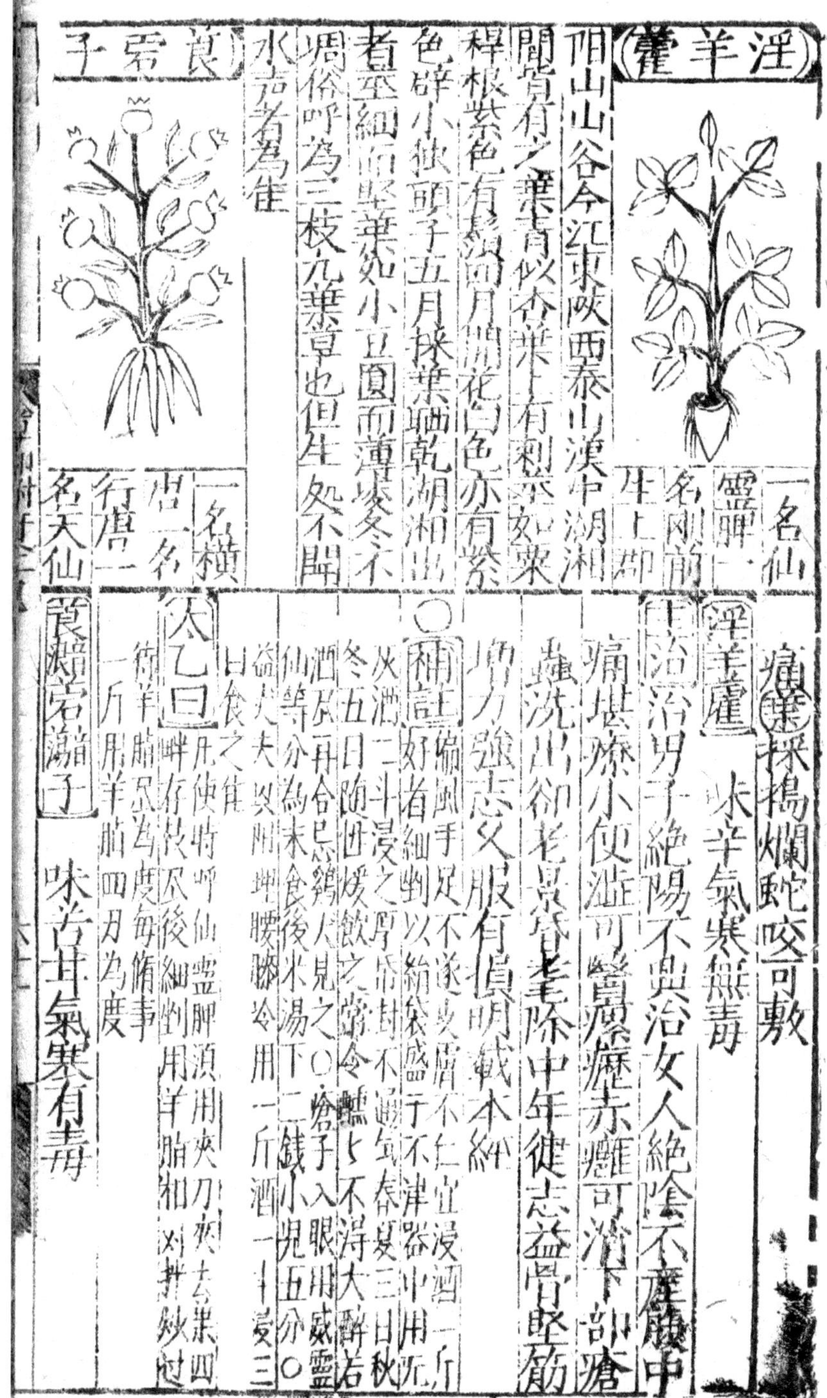

淫羊藿

一名仙靈脾一名剛前生上郡陽山山谷今江東陝西泰山漢中湖湘間皆有之葉青似杏葉上有刺莖如粟稈根紫色有鬚四月開花白色亦有紫色碎小獨頭子五月採葉曬乾湖湘出者莖細而堅葉如小豆圓而薄經冬不凋俗呼為三枝九葉草也但生處不聞水聲者為佳

莨菪子

一名橫唐一名行唐一名天仙

癰（葉）採搗爛蛇咬可敷

【淫羊藿】味辛氣寒無毒

【主治】治男子絕陽不興治女人絕陰不產廢中痛堪療小便澀可醫瘰癧赤癰可消下部瘡蟲洗出卻老景益毫除中年健志益骨堅筋增力強志久服有損明載本經

○【補註】偏風手足不遂皮膚不仁宜浸酒一斤好者細剉以絹袋盛于不津器中用近以酒二斗浸之厚紙封不通氣春夏三日秋冬五日隨性煖飲之常令醺醺不得大醉若酒盡再合忌鷄犬見之○瘡子入眼用威靈仙等分為末食後米湯下二錢小兒五分○益丈夫興陽理腰膝冷用一斤酒一斗浸三日食之佳

【太乙曰】凡使時呼仙靈脾須用夾刀夾去葉四畔花枝了後細剉用羊脂相對拌炒過待羊脂盡為度每修事一斤用羊脂四兩為度

【莨菪子】味苦甘氣寒有毒

子生海濱川谷及雍州今處處有之苗高二三尺葉大三指似地黃王不留行紅藍等三指闊四月開花紫色莖莢有白毛五月結實有殼作罌子狀如小石榴房中子至細青白色如米粒五月採子陰乾莨菪毒用甘草升麻犀角並能解之

鬼督郵

一名獨搖草

不著所出州土

今在處有之苗惟一莖似細箭簳高尺已下葉生莖端狀若繖蓋根如牛膝而細黑橫而不生鬚花生葉心黃白色

二月八月採根

【主治】主風癇癲狂瘀溫瘧拘攣助足徐行見鬼理齒蛀蝕自甦久服輕身走及奔馬炒熟方益生則瀉人別說云煮一二日尚入土萌芽用者不宜審也

○【補注】癲狂取三升為末酒一升浸數日出搗之以汁和絞去滓湯上煎令可丸如小豆三丸日三服當覺口面急頭中有蟲行頂及手足有赤色如此並是差候不知再服取盡○腸風取實一斤暴乾搗末生姜半斤取汁相合銀鍋中更以无灰酒二升投之上火煎令如稠餳即旋投酒五升以米即止煎令可丸大如梧子每日酒飲下三丸增至五七丸止若丸時粘手則菟絲粉襯隔煎熬切忌火緊則藥焦而失力矣初服微熱勿怪疾甚者服过三日當下利疾去利亦止絕有效

【太乙曰】凡使勿令使蒼蓂子其形相似只是服无效時人多用雜之其蒼蓂子微赤若修事十兩以頭醋一鎰煮盡醋為度却用黃牛乳汁浸一宿至明看牛乳汁黑即莨菪子大毒晒乾別搗重篩用勿誤服沖人心大煩悶眼生暹火

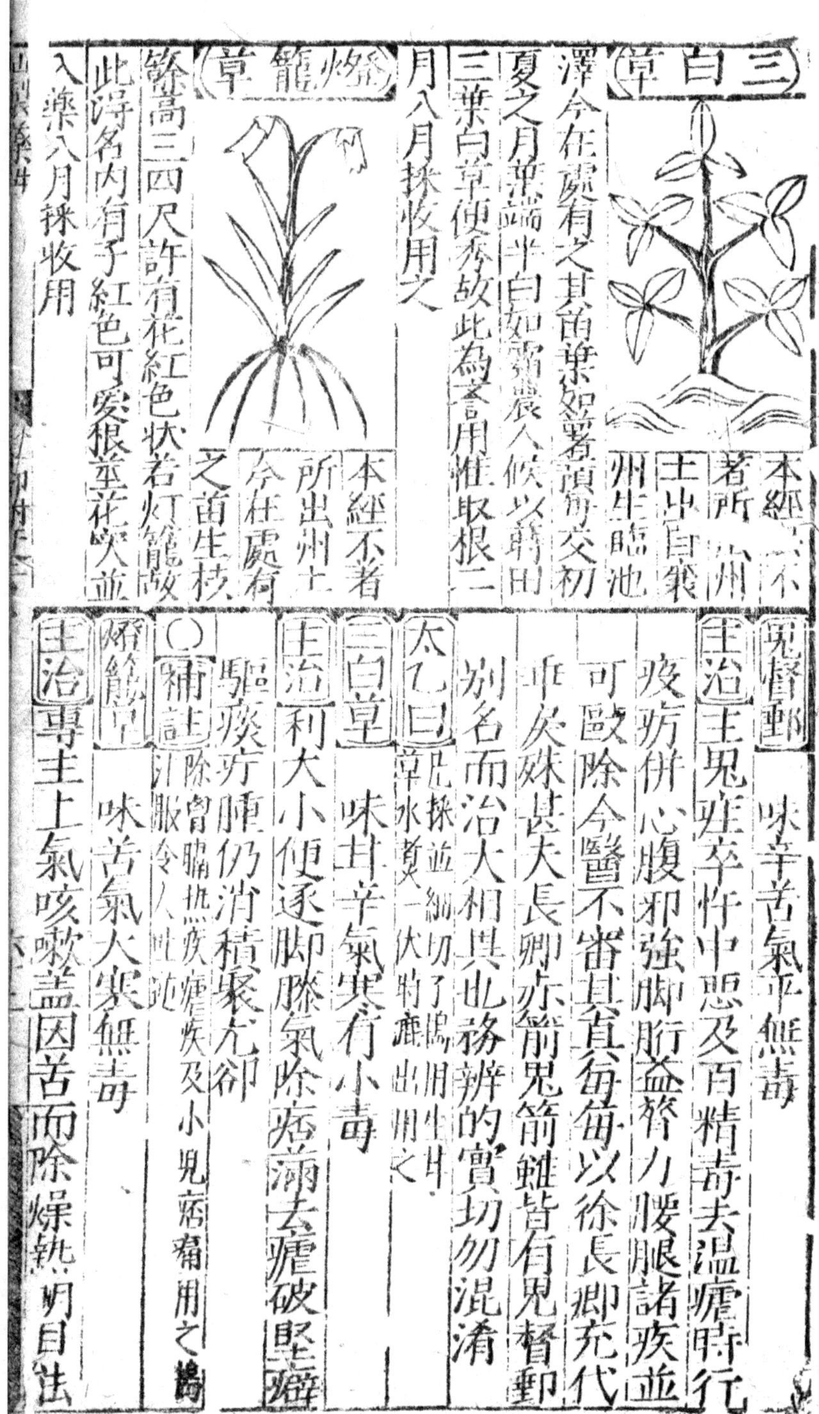

## 三白草

本經云不著所出州土出自襄州生臨池澤今在處有之其苗葉如薯蕷將交初夏之月葉端半白如粉農人候以蒔田三葉白草便秀故此為名用惟取根二月八月採收用之

## 燈籠草

本經不著所出州土今在處有之苗生枝榦高三四尺許有花紅色狀若灯籠故此得名內有子紅色可愛根莖花實並入藥八月採收用

【鬼督郵】味辛苦氣平無毒

【主治】主鬼疰卒忤中惡及百精毒去溫瘧時行疫疠併心腹邪強腳脛益膂力腰腿諸疾並可毆除今醫不審其真每每以徐長卿充代此反殊甚大長卿亦名鬼箭雖皆有鬼督郵別名而治大相異也務辨的實切勿混淆

【太乙曰】凡採並細切了搗用生甘草水煮一伏時漉出用之

【三白草】味甘辛氣寒有小毒

【主治】利大小便逐腳膝氣除痞滿去瘧破堅癖驅痰疒腫仍消積聚尤卻

〇【補註】除胸膈熱痰瘧疾及小兒痞痛用之搗汁服令人吐逆

【燈籠草】味苦氣大寒無毒

【主治】專主上氣咳嗽蓋因苦而除燥熱明目法

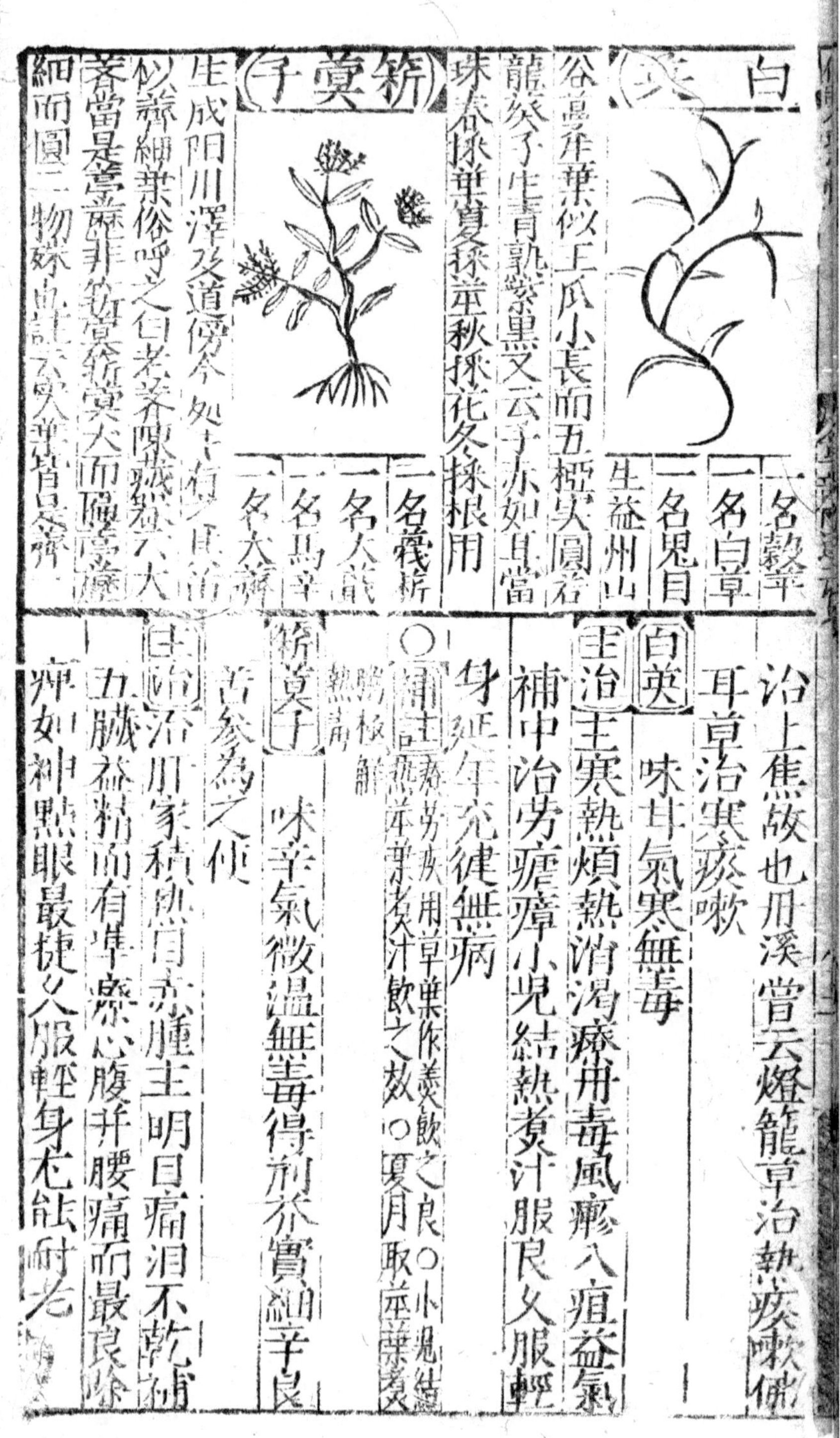

白英

一名縠菜　一名白草　一名鬼目

生益州山谷蔓生葉似王瓜小長而五椏實圓若龍葵子生青熟紫黑又云子赤如耳璫珠春採葉夏採莖秋採花冬採根用

菥蓂子

一名蔑菥　一名大戢　一名馬辛　一名大薺

生咸陽川澤及道傍今處處有之其苗似薺細葉俗呼之曰老薺陶隱居云大薺當是葶藶非菥蓂菥蓂大而匾葶藶細而圓二物殊也証云大薺皆是薺

治上焦故也用溪䕫云燈籠草治熱痰嗽佛耳草治寒痰嗽

白英　味甘氣寒無毒

主治　主寒熱煩熱消渴瘡用毒風疹入疸益氣補中治勞瘧瘴小兒結熱煮汁服良久服輕身延年充健無病

○補註　療勞疾用草葉作羹飲之良○小兒結熱莖葉煮汁飲之效○夏月取莖葉煮湯暢根解熱毒

菥蓂子　味辛氣微溫無毒得荊芥實細辛良苦參為之使

主治　治肝家積熱目赤腫主明目痛泪不乾補五臟益精而有神療心腹并腰痛而最良除痺如神點眼最捷久服輕身不能耐老

名術藥大抵二物皆蒿類故人多不能辨乃致疑也四五月採曝乾西蒿萎

## 飛廉

一名漏蘆　一名天薺　一名伏豬　一名飛輕

一名伏兔一名飛雉一名木禾生河内川澤今在處有之苗葉似苦芙莖似輕羽紫花子毛白又云性兼下附莖輕有皮起似箭羽葉又多缺刻花紫色七八月採花陰乾用惡麻黃唐註云此有兩種一是陶汀生平澤中者其生山崗上者葉頗相似而無疎缺且多毛莖亦無羽根直下更無傍枝生則肉白皮黑中有毛採日乾則黑如玄參用葉莖及根

○補註 眼熱痛泪不止以子爲末銅箸點眼中當有熱淚及物出去翳肉可三四十夜點之甚佳

飛廉 使 味苦氣平無毒得烏頭良

主治 主骨節發熱治脛重痠疼止風邪咳嗽有背療頭眩頂重如折去皮間邪風如蜂螫針刺散惡瘡癰疽而痔瘻安經乳汁即下濕痺立蠲久服輕身益氣明目延年

○補註 斑蝥食口齒及下部取蒿燒灰搗篩以兩米者着痛如火燒痛忍之若不痛非斑也下部虫如馬尾大相纏出無數十日差二十日平復○小兒疳痢用搗末以漿水下之效

太乙曰 凡使勿用赤脂蔓與飛廉形狀相似只赤脂蔓見酒色便如血絶可表之凡脩事先刮去麁皮了杵用苦酒拌之一夜至明漉出日乾細杵用之

## 鬱金香

味苦氣温無毒

主治 主蠱野諸毒除鴉鶻等臭心腹惡氣鬼疰

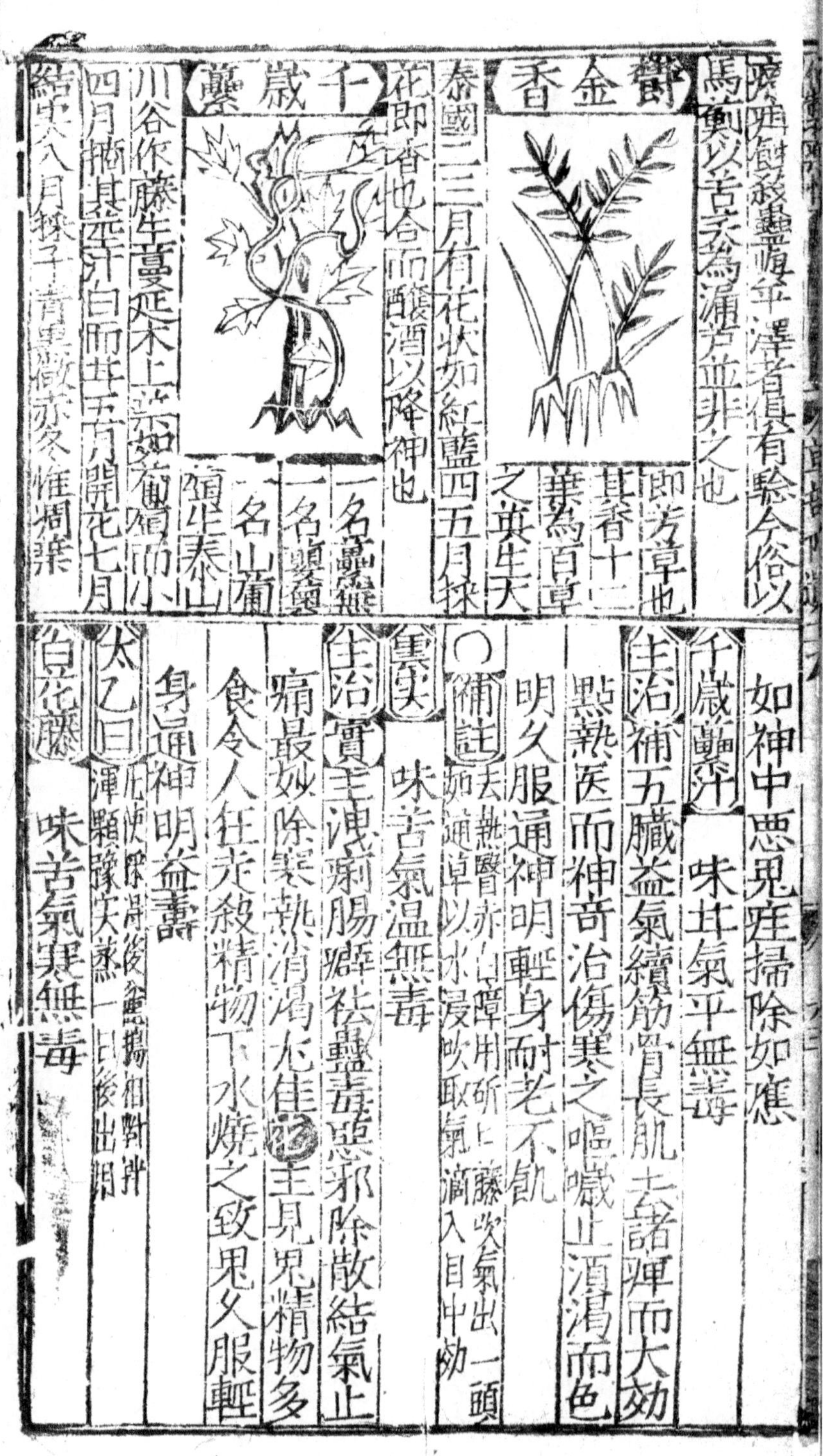

療殗殜殺蠱瘴卒得者復有驗今俗以
馬蹄以苦芙為漏芦並非之也

鬱金香

即芳草也其香十二葉為百草之英生大秦國二三月有花狀如紅藍四五月採花即香也合而釀酒以降神也

千歲虆

一名虆蕪一名蘡薁一名山葡蘡生泰山川谷作藤生蔓延木上葉如葡萄而小四月摘其莖汁白而甘五月開花七月結實八月採子青黑微赤冬惟凋葉

如神中惡鬼疰掃除如應

千歲虆汁 味甘氣平無毒

主治 補五臟益氣續筋骨長肌去諸痺而大效點熱痰而神奇治傷寒之嘔噦止消渴而色明久服通神明輕身耐老不飢

○補註 去熱醫亦山障用斫上藤吹氣出一頭如通草以水浸吹取氣滴入目中效

實 味苦氣溫無毒

主治 實主洩痢腸澼去蠱毒惡邪除散結氣止痛最妙除寒熱消渴尤佳又主鬼疰精物多食令人狂走殺精物下水爛之致鬼久服輕身通神明益壽

太乙曰 尾使際尋後盛囑相對并渾顆錄實蒸一日後出用

白花藤 味苦氣寒無毒

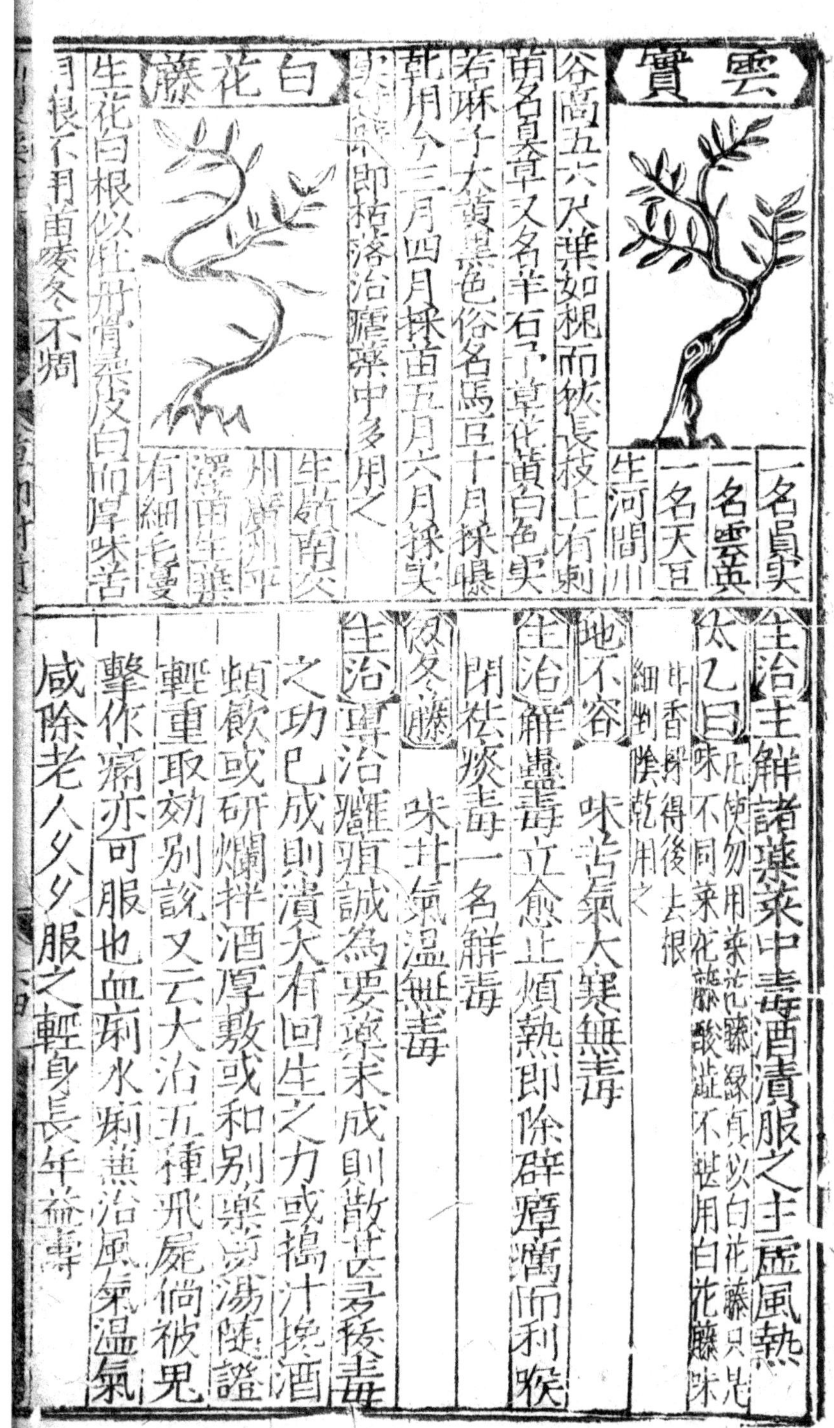

## 雲實

一名員實
一名雲英
一名天豆
生河間川

谷高五六尺葉如槐而狹長枝上有刺苗名臭草又名羊石子草花黃白色實若麻子大黃黑色俗名馬豆十月採曝乾用今三月四月採苗五月六月採實實陰乾其葉即枯落治瘧藥中多用之

## 白花藤

生嶺南交州廣州平澤苗生藤有細毛蔓生花白根似牡丹骨柔皮白而厚味苦用根不用苗凌冬不凋

**主治**　主解諸藥菜中毒酒漬服之主虛風熱

**太乙曰**　凡使勿用菜花藤緣真似白花藤只是味不同菜花藤酸澁不堪用白花藤味甘香採得後去根細剉陰乾用之

## 地不容

味苦氣大寒無毒

**主治**　解蠱毒立愈止煩熱即除辟瘴癘而利喉閉祛痰毒一名解毒

## 忍冬藤

味甘氣温無毒

**主治**　專治癰疽誠為要藥未成則散甚易發毒之功已成則潰大有回生之力或搗汁摻酒頓飲或研爛拌酒厚敷或和別藥煎湯隨證輕重取効別說又云大治五種飛屍倘被鬼擊作痛亦可服也血痢水痢兼治風氣温氣咸除老人久久服之輕身長年益壽

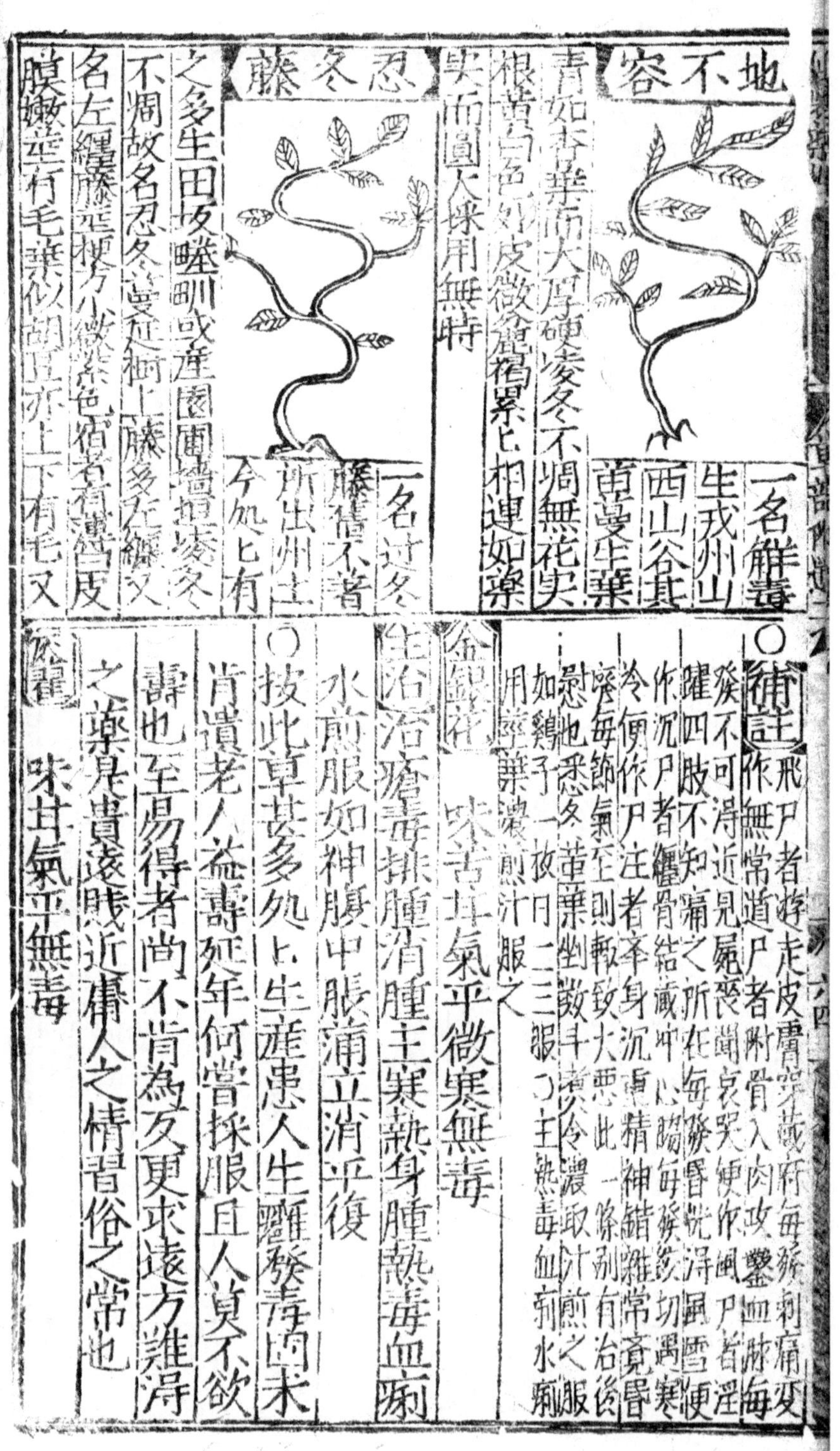

地不容

一名解毒生戎州山西山谷其苗蔓生葉青如杏葉而大厚硬凌冬不凋無花實根黄白色外皮微粗褐累累相連如藥實而圓大採用無時

○補註 飛尸者遊走皮膚穿藏府每發刺痛變作無常 遁尸者附骨入肉攻鑿血脈每發不可得近見屍喪聞哀哭便作 風尸者淫躍四肢不知痛之所在每發昏恍得風雪便作 沉尸者纏骨結藏衝心脇每發絞切遇寒冷便作 尸注者舉身沉重精神錯雜常覺昏廢每節氣至則輒致大惡 此一條別有治後 尉忍冬莖葉剉數斗煮令濃取汁煎之服如鷄子一枚日二三服 主熱毒血痢水痢用藥莖葉濃煎汁服之

忍冬藤

一名过冬藤舊不著所出州土今処処有之多生田坂畦畛或產園圃牆垣凌冬不凋故名忍冬蔓延樹上藤多左纏又名左纏藤莖梗方小微紫色宿者有薄皮膜嫩莖有毛葉似胡豆亦上下有毛又

金銀花 味苦辛氣平微寒無毒

主治 治癰疽排膿消腫主寒熱身腫熱毒血痢水煎服如神腹中脹滿立消平復

○按此草甚多処処生產患人生癰發毒固求肯遺老人益壽延年何嘗採服且人莫不欲壽也至易得者尚不肯為反更求遠方難得之藥是貴遠賤近膚人之情習俗之常也

[illegible] 味甘氣平無毒

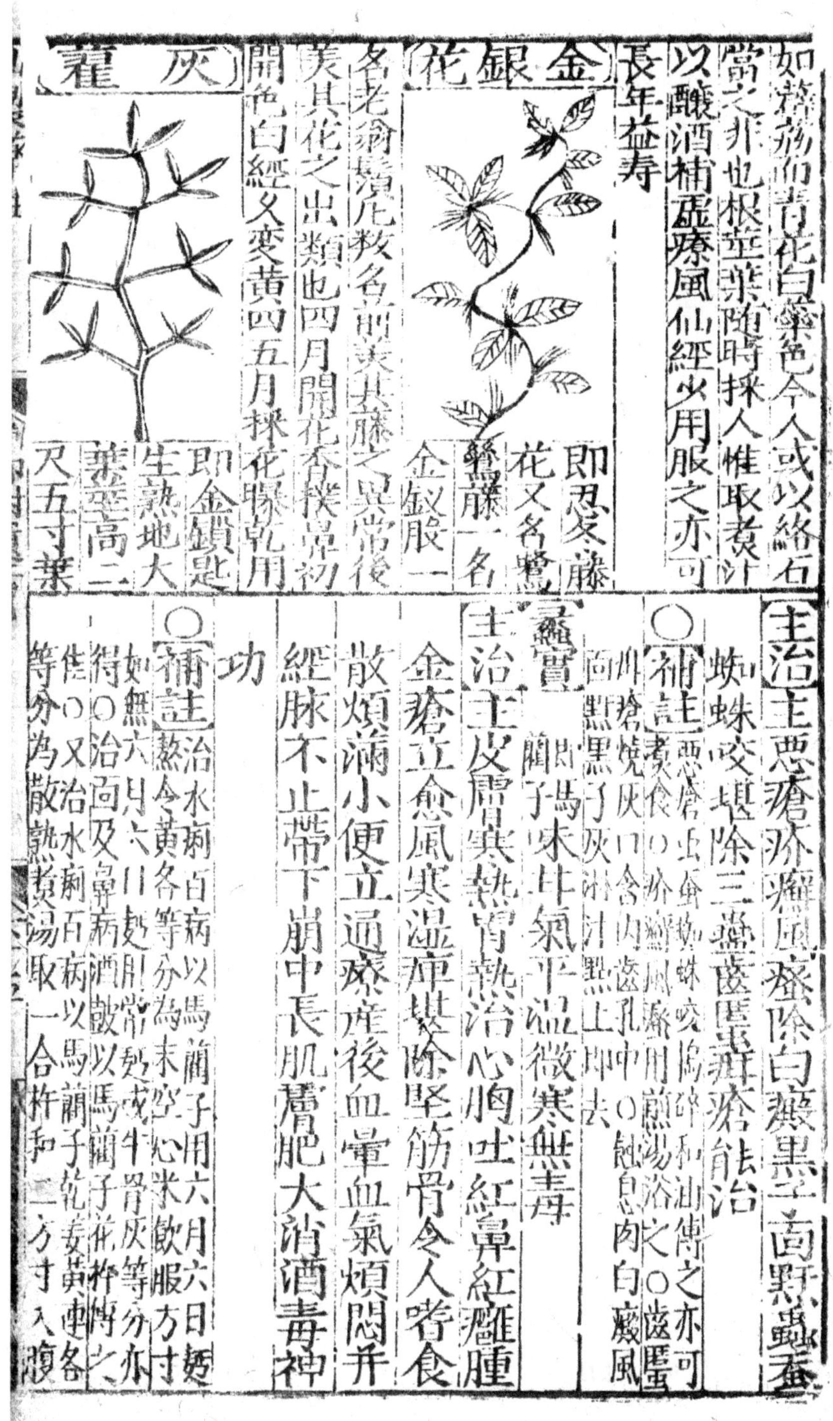

如蘿藦而青花白藥色今人或以絡石當之非也根莖葉隨時採人惟取煮汁以釀酒補虛療風仙經少用服之亦可長年益壽

## 金銀花

即忍冬藤花又名鷺鷥藤一名金釵股一名老翁鬚凡數名前美其藤之異常後美其花之出類也四月開花香撲鼻初開色白經久變黃四五月採花曬乾用

## 灰藋

即金鎖匙生熟地大葉莖高二尺五寸葉

【主治】主惡瘡疥癬風癢除白癜黑子面野蟲蠶蜘蛛咬堪除三蟲蠹匿惡瘡能治

○【補註】主惡瘡蟲蚕蜘蛛咬搗碎和油傅之亦可煮食○疥癬風瘙用煎湯浴之○齒䘌用燒灰口含內齒孔中○蝕息肉白癜風面黑黑子灰淋汁點上即去

【蠡實】即馬藺子味甘氣平溫微寒無毒

【主治】主皮膚寒熱胃熱治心胸吐紅鼻紅癰腫金瘡立愈風寒濕痺堪除堅筋骨令人嗜食散煩滿小便立通療產後血暈血氣煩悶并經脉不止帶下崩中長肌膚肥大消酒毒神功

○【補註】治水痢百病以馬藺子用六月六日麪熬令黃各等分為末空心米飲服方寸如無六月六日麪用常麪或牛骨灰等分亦得○治面及鼻病酒皶以馬藺子花杵傅之佳○又治水痢百病以馬藺子乾姜黃連各等分為散熟煮湯取一合杵和二方寸入腹

心有白粉似藜而藜心赤莖大堪爲杖亦殺蟲人食爲藥不如白藋也

## 蠡實

即馬藺子

北人呼爲馬楝子一名荔實一名劇草一名三堅一名豕首生河東川谷今陝西諸郡及鼎澧州亦有之近京尤多葉似薤而長厚三月開紫碧花五月結實作角子如麻大而赤色有稜根細長通黄色人取以爲刷三月採花五月採實並陰乾用月令曰荔挺出荔挺馬薤也易統驗玄圖云荔挺不出則國多火災說文云荔似蒲而小根可爲刷廣雅云馬薤荔也蔡邕高誘皆云荔以

即斷冷熱皆治常用神效不得輕之忌豬肉冷水

**馬藺花** 味甘辛氣平溫無毒

**主治** 主皮膚寒熱胃中熱氣治偏墜疝氣喉痺殺蟲

○**補註** 治偏墜疝氣不愈馬藺花一兩蘿蔔子同炒川楝子一兩五錢淨肉用橘核同炒吳茱萸一兩淨酒浸炒木香二錢不見火右爲末每服一二錢用好酒調空心服○喉痺腫痛取荔花皮根合二分炙水一升煮取六合去滓含之細細嚥汁瘥

**根葉** 味甘平氣溫微寒無毒

**主治** 破宿血而養新血斷血痢而合金瘡解酒疸蠱毒止吐血鼻洪喉閉咽痛立止氣促喘息不眠

○**補註** 治腫死者杵荔實根一握水絞取汁稍稍熱之口噤灌之○治喉痺咽痛喘息不通須臾欲絕神驗以根葉二兩水一升半煮取一盞去滓細細嚥立通○治中蠱下血

梃川然則鄭以蒻梃為名誤矣此物河北平澤率生之江東頗多杯於跡遊但呼為旱蒲故不識馬薤講礼者乃以為馬莧且馬莧亦名鼠耳俗曰馬齒者是也其花實皆入藥

## 蒟醬

生巴蜀今夔州嶺南皆有之昔漢武使唐蒙曉諭南越食蒙以蒟醬蒙問所從來答曰西北牂牁江廣數里出番禺城下武帝感之於是開牂牁越嶲此注蜀都賦云蒟醬緣木而生其子如桑椹熟時正青長二三寸以蜜藏而食之辛香調五藏今云蔓生葉似王瓜而厚大實皮黑

如雞卵小其餘四藏悉壞唯心未壞或鼻破待死取根煮水服方寸匕吐則愈極神此菌

似蒟蔓綠紫生子似橘子

【蒟醬】味辛氣温無毒

【主治】主下氣温中神效治心腹冷氣奇秘散結氣仙方破痰積奺痢

○【補註】散結氣治心腹中冷氣亦名土蓽撥嶺南蒟撥木治胃氣疾巴蜀有之

【太乙曰】凡使採得後以刀刮上粗皮便搗用生薑自然汁拌之蒸一日了出日曝乾每修事五兩用生薑汁五兩乾為度

【蘿摩子】味甘辛氣温無毒

【主治】主丹毒遍身赤腫有効治虛勞白癜風癬殊功

○【補註】治白癜風以蘿摩草白汁傅上揩令破再傅三度差○治肝火毒遍身赤腫不可忍以蘿摩草搗絞汁傅之或搗傅上隨手消蜘蛛蚕咬漸取汁點瘡上此汁爛絲者食補益

皮白其苗為浮留藤取葉合檳榔食之辛而香也兩說大同小異然則淵林所云乃蜀種如此今說是海南所傳耳今惟貴蓽撥而不尚蒟醬故鮮有用者

**蘿藦子** 舊本不著所出州土今在處有之一名芄蘭釋名雚生幽州山谷田野謂之雀瓢江東人呼為白環藤生籬落間按雀瓢是女青別名葉似女青故兼名之郭璞云雚芄蔓生斷之有白汁可啖又云雀瓢是女青然女青終非白環二物相似不能分別

**積雪草** 味苦氣寒無毒

【主治】主癰疽浸淫赤熛治瘰癧鼠瘻惡瘡皮膚赤身熱立止風疹疥腫毒即安退往來寒熱療大熱癬瘡

○【補註】女子忽得小腹中痛月經初來便覺腰中切痛連脊間如刀錐所刺忍不可堪者衆醫不別謂是鬼疰妄服諸藥終無所益其疾轉加審察前狀相當即用此藥其葉夏五月開放花時即採取暴乾搗羅為散女子有患前病者取二方寸和好醋二小合調令勻平旦空心頓服之每日一服以知為度如女子先冷者即取前件藥五兩加桃仁二百枚去尖皮熬搗為散以蜜為丸如梧子大每日空心以飲及酒下三十丸日再服以疾愈為度忌麻子蕎麥

**艾蒳香** 味甘氣溫無毒

【主治】去惡氣殺蟲奇方主腹冷洩痢妙劑心腹注氣堪除瘟疫脚氣能治立止腸鳴能下寸白

積雪草

生荊州川谷今處處有之葉圓如錢大莖細而勁蔓延生溪澗之側荊楚人以葉如錢謂為地錢草徐儀藥圖名連錢草八月九月採苗葉陰乾用段成式酉陽雜俎云地錢葉圓莖細有蔓一曰積雪草一曰地錢草謹按天宝单行方云連錢草味甘平無毒原生咸陽下濕地亦生臨淄郡濟陽郡池澤中甚香俗間或云圓葉似薄荷江東吳越丹陽郡極多彼人常充生菜食之河北柳城郡尽呼為海蘇近水生經冬不死咸洛二京亦有或名胡薄荷所在有之

○補註 研爛虔取以燒之良○脚氣台蟹窠浴之効

甘松香　味甘氣溫無毒

主治　主惡氣卒心痛即止治心腹脹滿立除入藥劑尤佳下氣作浴湯令人身香

鳧茨　味甘氣冷無毒

主治　主消渴消蠱毒如神去熱淋利小便奇効

○補註　蛇咬取白莖以苦酒投浸妙○療寒熱搗汁服之効

[illegible]　味辛氣溫無毒

主治　治風寒洗洗寒熱止霍亂泄痢腸鳴瘵肺傷咳逆奇効治驚癇百病如神寒在膀胱支滿飲酒夜食之誠恐發病出汗尤奇

王孫草　味苦氣平無毒

主治　主五臟邪氣神功毆風寒濕痺奇効治四

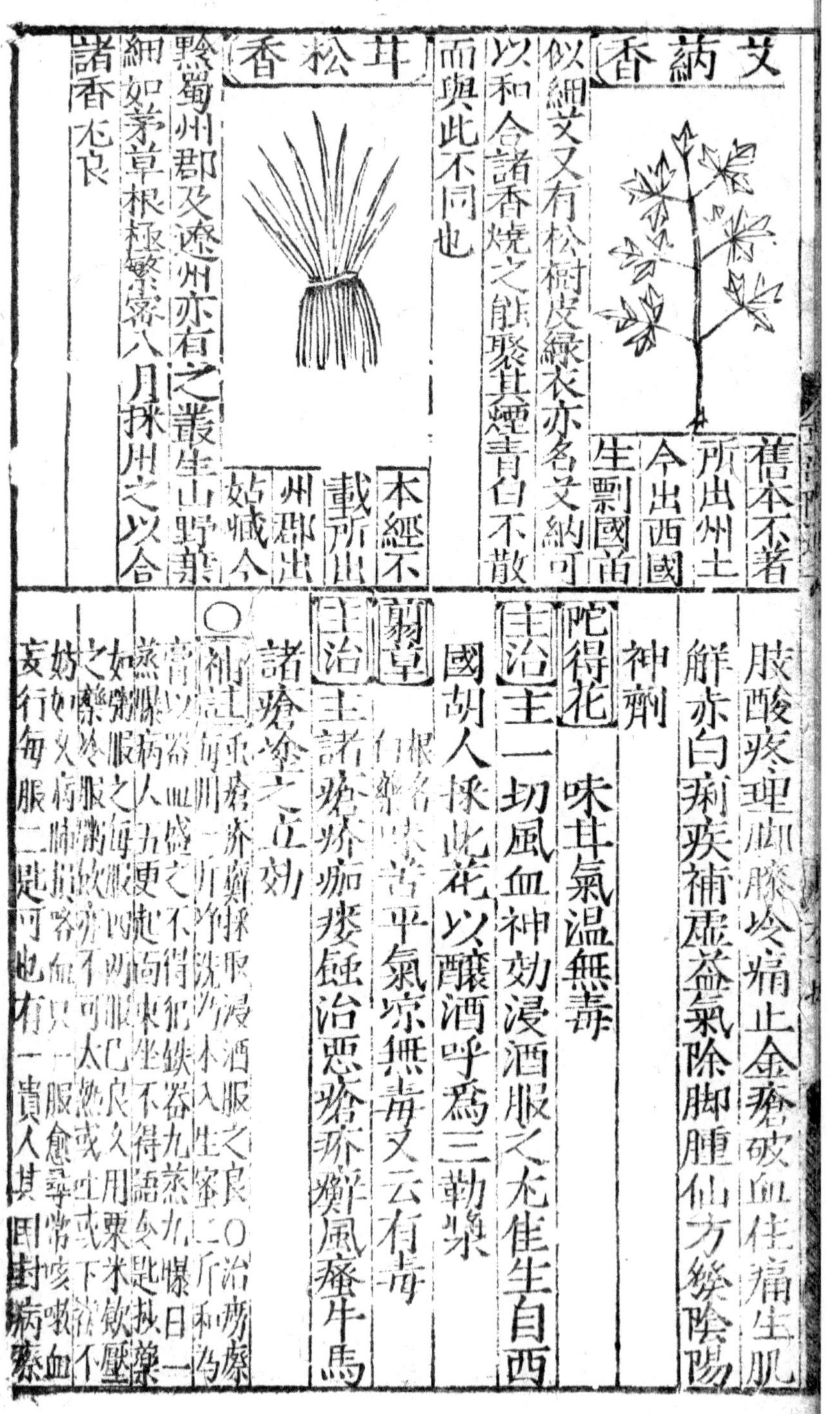

艾蒳香

舊本不著所出州土今出西國生剽國首

似細艾又有松樹皮綠衣亦名艾納可以和合諸香燒之能聚其煙青白不散而與此不同也

甘松香

本經不載所出州郡出姑臧今

黔蜀州郡及遼州亦有之叢生山野葉細如茅草根極繁密八月採用之以合諸香尤良

肢酸疼理血膝冷痛止金瘡破血住痛生肌

鮮赤白痢疾補虛益氣除脚腫仙方變陰陽

神劑

陀得花 味甘氣溫無毒

主治 主一切風血神效浸酒服之尤佳生自西國胡人採此花以釀酒呼為三勒漿

翦草 根名白藥味苦平氣涼無毒又云有毒

主治 主諸瘡疥痂瘻蝕治惡瘡疥癬風瘙牛馬諸瘡塗之立効

○合治 主瘡疥癬採取浸酒服之良○治勞瘵每用一斤淨洗為末入生蜜二斤和為膏以器皿盛之不得犯鐵器九蒸九曝日一蒸曝病人五更起面東坐不得語[illegible]匙抄藥如粥服之每服四匙服已良久用粟米飲壓之藥冷服粥飲亦不可太熱或吐或下皆不妨如久病肺損咯血只一服愈尋常咳嗽血妄行每服二匙可止有一貴人其國封病瘵

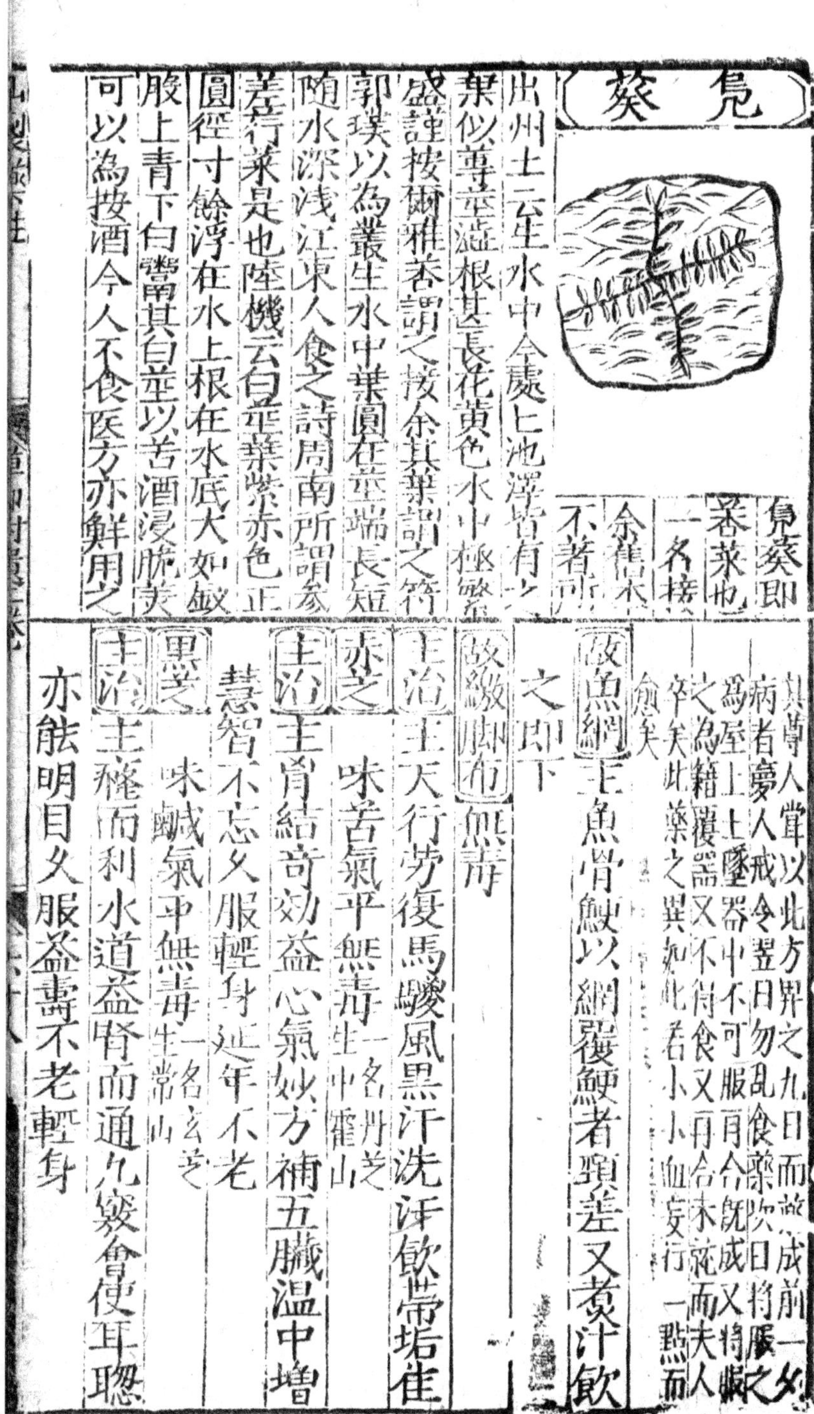

其尊人嘗以此方畀之九日而散成前一夕病者夢人戒令翌日勿亂食藥次日將服之爲屋上土墜器中不可服再合既成又將服之爲貓覆器又不得食又再合未就而夫人卒矣此藥之異如此若小小血妄行一點而愈矣

敗魚網　主魚骨鯁以網覆鯁者頸差又煑汁飲之即下

## 鳧葵

鳧葵即莕菜也一名接余舊本不著所

出州土云生水中今處處池澤皆有之葉似蓴莖澁根甚長花黃色水中極繁盛謹按爾雅莕謂之接余其葉謂之苻郭璞以為叢生水中葉圓在莖端長短隨水深淺江東人食之詩周南所謂參差荇菜是也陸機云白莖葉紫赤色正圓徑寸餘浮在水上根在水底大如釵股上青下白鬻其白莖以苦酒浸脆美可以為按酒令人不食医方亦鮮用之

故緞脚布　無毒

主治　主天行劳復馬驟風黑汗洗汗飲帶垢佳

赤芝　味苦氣平無毒一名丹芝生中霍山

主治　主胷結竒効益心氣妙方補五臟溫中增慧智不忘久服輕身延年不老

黑芝　味鹹氣平無毒一名玄芝生常山

主治　主癃而利水道益腎而通九竅會使耳聰亦能明目久服益壽不老輕身

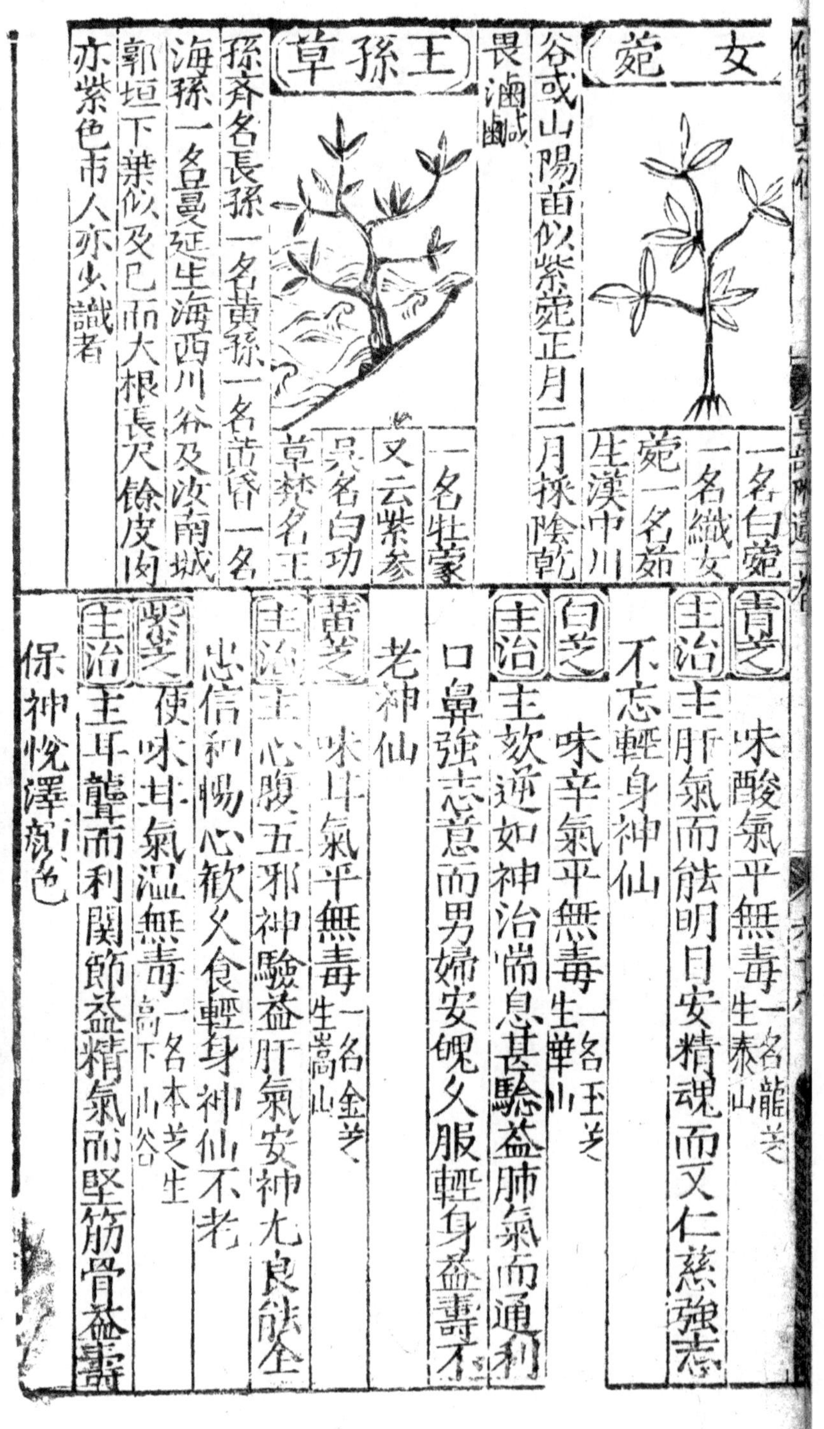

## 女菀

一名白菀　一名織女菀一名茆　生漢中川谷或山陽苗似紫菀正月二月採陰乾畏鹵鹹

## 王孫草

一名牡蒙　又云紫参　吴名白功草楚名王孫齊名長孫一名黄孫一名黄昏一名海孫一名蔓延生海西川谷及汝南城郭垣下葉似及已而大根長尺餘皮肉亦紫色市人亦少識者

**青芝** 味酸氣平無毒一名龍芝生泰山

**主治** 主肝氣而能明目安精魂而又仁慈强志不忘輕身神仙

**白芝** 味辛氣平無毒一名玉芝生華山

**主治** 主欬逆如神治喘息甚驗益肺氣而通利口鼻強志意而男婦安魄久服輕身益壽不老神仙

**黄芝** 味甘氣平無毒一名金芝生嵩山

**主治** 主心腹五邪神驗益肝氣安神尤良能全忠信和暢心歡久食輕身神仙不老

**紫芝** 使味甘氣溫無毒一名木芝生高下山谷

**主治** 主耳聾而利關節益精氣而堅筋骨益壽保神悅澤顏色

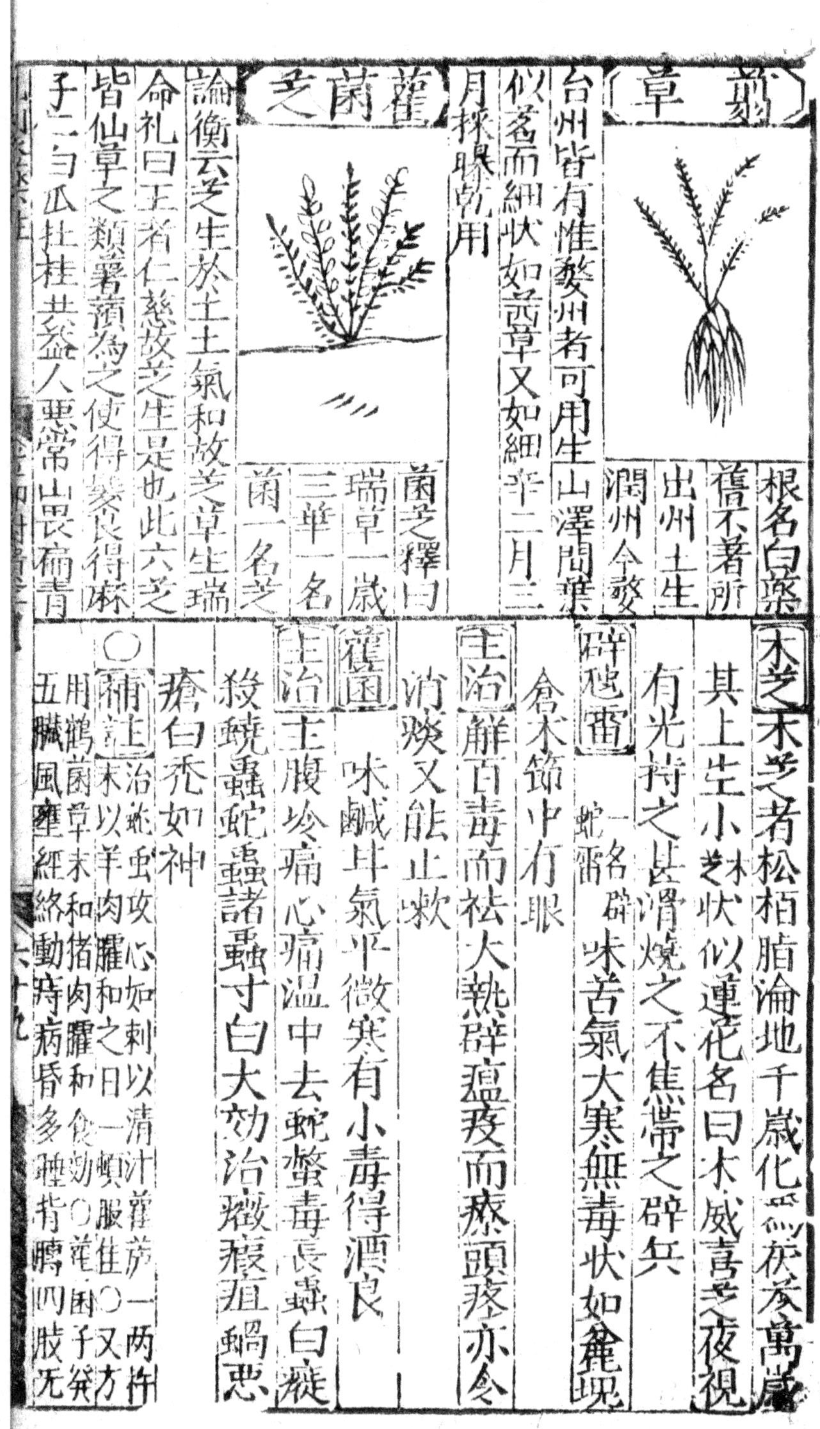

荄草

根名白藥　舊不著所出州土生潤州今婺台州皆有惟婺州者可用生山澤間葉似茗而細狀如茵草又如細辛二月三月採根曬乾用

雚菌芝

菌芝釋曰瑞草一歲三華一名菌一名芝論衡云芝生於土土氣和故芝草生瑞命礼曰王者仁慈故芝生是也此六芝皆仙草之類署蕷為之使得髮良得麻子仁牡桂共益人悪常山畏扁青

〔木芝〕木芝者松栢脂淪地千歲化爲茯苓萬歲其上生小木芝狀似蓮花名曰木威喜芝夜視有光持之甚滑燒之不焦帶之辟兵

〔辟虺雷〕一名辟蛇雷　味苦氣大寒無毒狀如麄塊倉木節中有眼

〔主治〕解百毒而祛大熱辟瘟疫而療頭疼亦令消痰又能止嗽

〔雚菌〕味鹹甘氣平微寒有小毒得酒良

〔主治〕主腹冷痛心痛溫中去蛇螫毒長蟲白癬殺蟯蟲蛇蟲諸蟲寸白大效治癥瘕疽瘑惡瘡白禿如神

○〔補註〕治蚘虫攻心如刺以清汁雚蘆一兩杵末以羊肉臛和之日一頓服佳○又方用鸛菌草末和猪肉臛和食効○雚菌子發五臟風壅經絡動痔病昏多睡背膊四肢无

茵陳蒿五芝經云皆以五色生於五嶽諸方所獻白芝未必華山黒芝又非常嶽且多黄白稀有黒青者然紫芝最爲非五芝類但芝自難得縱獲一二豈得終久服耶六月八月採今俗所用紫芝此是朽樹木株上所生狀如木檽名爲紫芝蓋止療痔而不宜以合諸補丸藥也凡得芝草便正爾食之無餘節度故皆不云服法也【抱朴子】云赤者如珊瑚白者如截肪黒者如澤漆青者如翠羽黄者如紫金而皆光明洞徹如堅氷也

雚菌

一名雚蘆 一名鸛菌 今出勃海 蘆葦澤中

力又菌子有數般槐樹上生者良野田恐有毒殺人又多發冷氣

【菌芋】 味苦氣温又云微温有毒

【主治】主五臟邪氣捷方治心腹寒熱秘法療諸關節中風温痺拘急攣痛祛風濕走四肢刀弱筋骨脚軟治温痺毒風調羸如瘧

○【補註】茵芋酒治賊風手足枯痺四肢拘攣用茵芋附子天雄烏頭秦艽女萎防風防已躑躅石南細辛桂心各一兩凡十二味切以絹袋盛清酒一斗漬之冬七日夏三日春秋五日初服一合日三漸增之以微痺爲度

【赭魁】 味甘氣平無毒

【主治】主心腹疼痛不堪除三蟲積聚立下

【雚菌】 味鹹氣温又云氣凉有毒

【主治】主風瘙癮瘮奇方治濕痺身痒秘法療癩堪除風痺立効

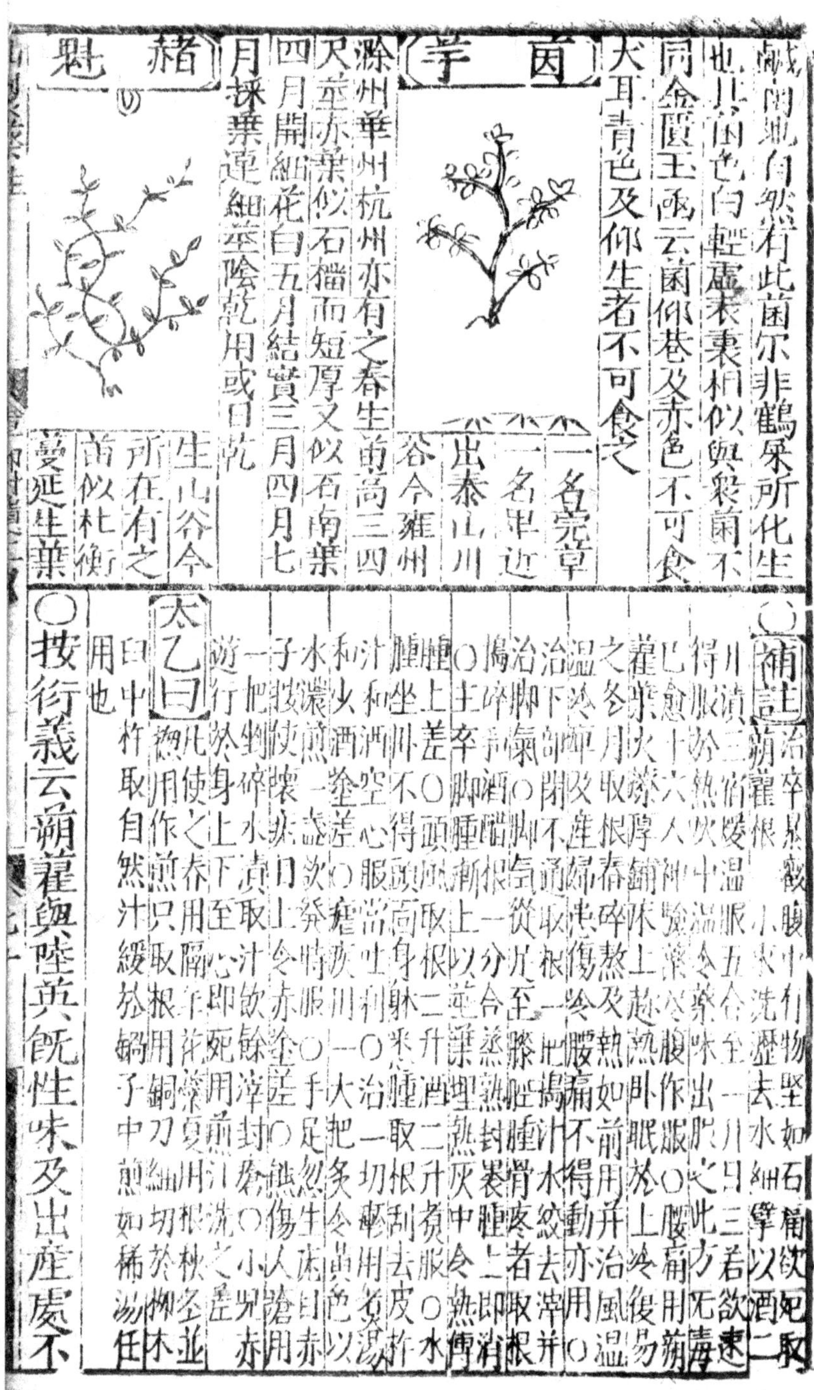

鹹鹵地自然有此菌尒非鶴屎所化生也其菌色白輕虛表裏相似與殺菌不同金匱玉函云菌似巷及赤色不可食大耳青色及仰生者不可食之

## 茵芋

一名莞草　一名卑近　出泰山川谷今雍州滁州華州杭州亦有之春生苗高三四尺莖赤葉似石榴而短厚又似石南葉四月開細花白五月結實三月四月七月採葉連細莖陰乾用或日乾

## 赭魁

生山谷今所在有之苗似杜衡蔓延生葉

治卒暴癥腹中有物堅如石痛欲死取

〔補註〕蒴藋根小束洗瀝去水細擘以酒二升漬三宿暖溫服五合至一升日三若欲速得服於熱灰中溫令藥味出服之此方無毒已愈十六人神驗藥盡復作服○腰痛用蒴藋葉火燎厚鋪床上趁熱卧眠於上冷復易之冬月取根舂碎熬及熱如前用并治風溼溼冷痺產婦患傷冷腰痛不得動亦用○治下部閉不通取根一把搗汁水絞去滓并治脚氣○脚氣貫凡至膝脛腫骨疼者取根搗碎和酒糟根一分合蒸熟封裹腫上即消○主卒脚腫漸上以莖葉埋熱灰中令熱傅腫上差○頭風取根二升酒二升煮服○水腫坐卧不得頭面身躰悉腫取根刮去皮杵汁和酒空心服當吐利○治一切癰用煮湯和少酒塗差○瘡疥用一大把炙令黃色以水濃煎一盞欲發時服○手足忽生疣目赤子摸使壞疣自上令赤塗之差○熊傷人瘡用一把剉碎水漬取汁飲餘滓封瘡○小兒赤遊行於身上下至心即死用煎汁洗之差

〔太乙曰〕凡使之春用隔年花蘂夏用根秋冬並勿用作煎只取根用銅刀細切於柳木臼中杵取自然汁緩於鍋子中煎如稀湯任用也

○按衍義云蒴藋與陸英既性味及出產處不

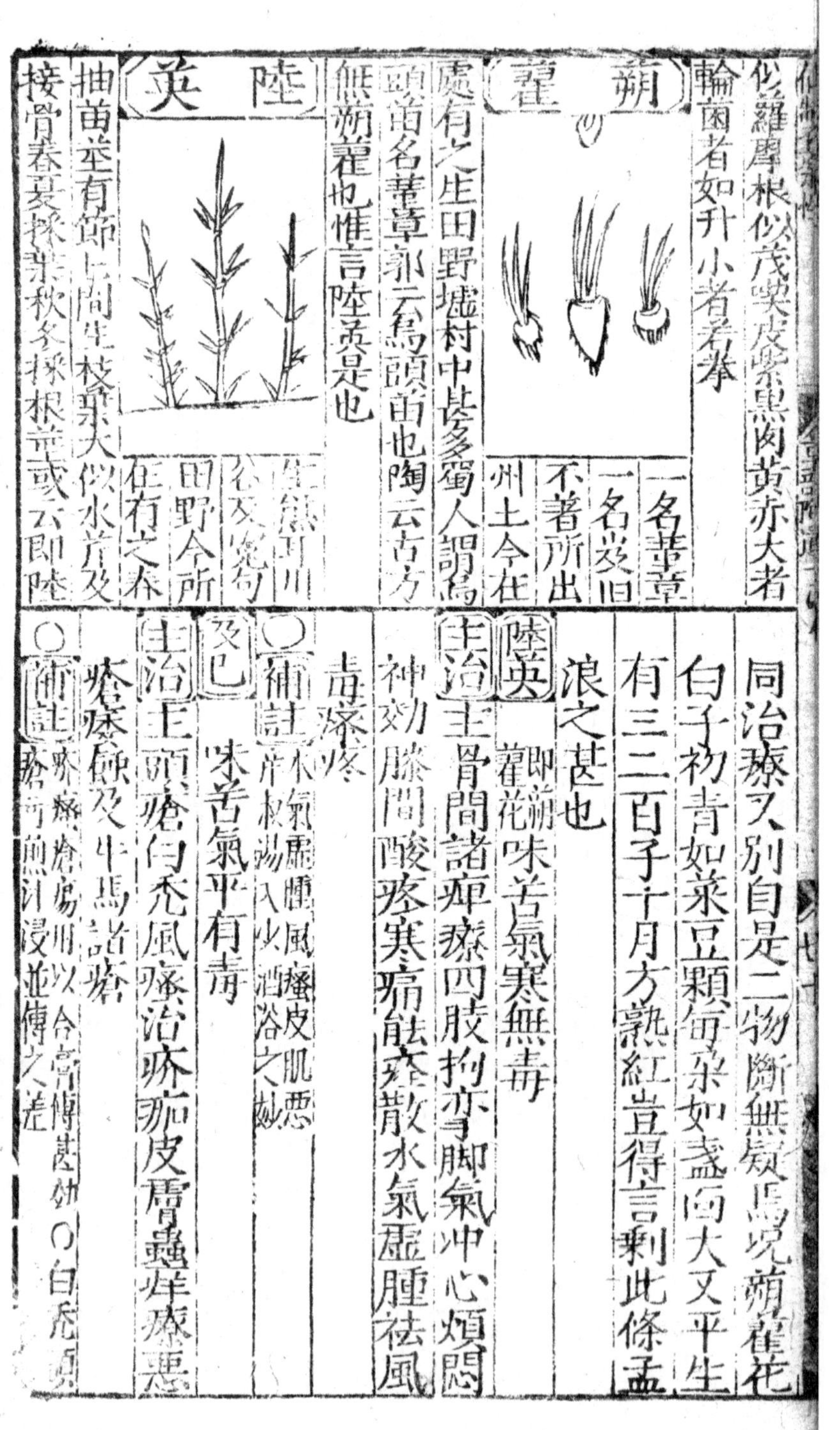

似蘿蔔根似茂栗皮紫黑肉黃赤大者輪囷者如升小者若拳

## 蒴藋

一名菫草 一名芨

舊不著所出州土今在處有之生田野墟村中甚多蜀人謂烏頭苗名菫草郭云烏頭苗也陶云古方無蒴藋也惟言陸英是也

## 陸英

生熊耳川谷及冤句田野今所在有之春抽苗莖有節節間生枝葉大似水芹及接骨春夏採葉秋冬採根莖或云即陸

同治瘀又別自是二物斷無疑焉兒蒴藋花白子初青如菉豆顆每朵如盞面大又平生有三二百子十月方熟紅豈得言剩此條孟浪之甚也

陸英 即蒴藋花 味苦氣寒無毒

主治 主骨間諸痺瘀四肢拘攣脚氣冲心煩悶神効膝間酸疼寒痛能蠲散水氣虛腫袪風毒瘀疼

○補註 水氣虛腫風瘙皮肌惡痒根湯入少酒浴之妙

## 及已

味苦氣平有毒

主治 主頭瘡白禿風瘙治疥痂皮膚蟲痒瘙惡瘡疥瘡及牛馬諸瘡

○補註 疥瘙瘡瘍用以合膏傅甚効○白禿頭瘡可煎汁浸并傅之瘥

蘇恭下餘別立一條陶隱居亦以爲一物蘇恭云蒴對及古方無蒴藋惟一陸英明非別物今注以性味不同疑非一種明其類耳然亦不能細別其陸英條味不同何以明之蘇恭云此葉似芹及接骨花亦一類故芹名水英此名陸英接骨名木英此三英花葉並相似又按小雅云華萼有數也華萼光也不謂之華萼謂之榮不榮而實者謂之秀榮而不實謂之英然則此物徵有英名當是其花耳故本經云陸英立秋採立秋正是其花時也又葛氏方有用蒴藋者有用蒴藋根者有用葉者二用各別亦與經載二斯所錄者相同謂陸英爲花無疑也

【蜀羊泉】味苦氣微寒無毒

【主治】主頭禿惡瘡熱氣疥瘙痂癬蟲療齲齒捷高枝熱氣絕妙除女子陰中內傷皮間實積瘀

○【補遺】小兒驚癇用一兩煎服之○漆瘡塗於生舌 黃疸腫滿擣汁服之

【葵】味甘氣寒無毒

【主治】下諸石五淋利劑止虎蛇咬毒秘方能解消止痛治諸疥瘡瘡

○【補遺】鎮沉傷奇收藥汁服及塗之效

【蒴草】味甘氣寒無毒

【主治】主蒸熱喘息如神袪小兒丹腫絕妙

【蜀漆】味鹹氣寒無毒

【主治】主腰脊疼痛俛仰艱難療血脹下氣杖瘡

除熱

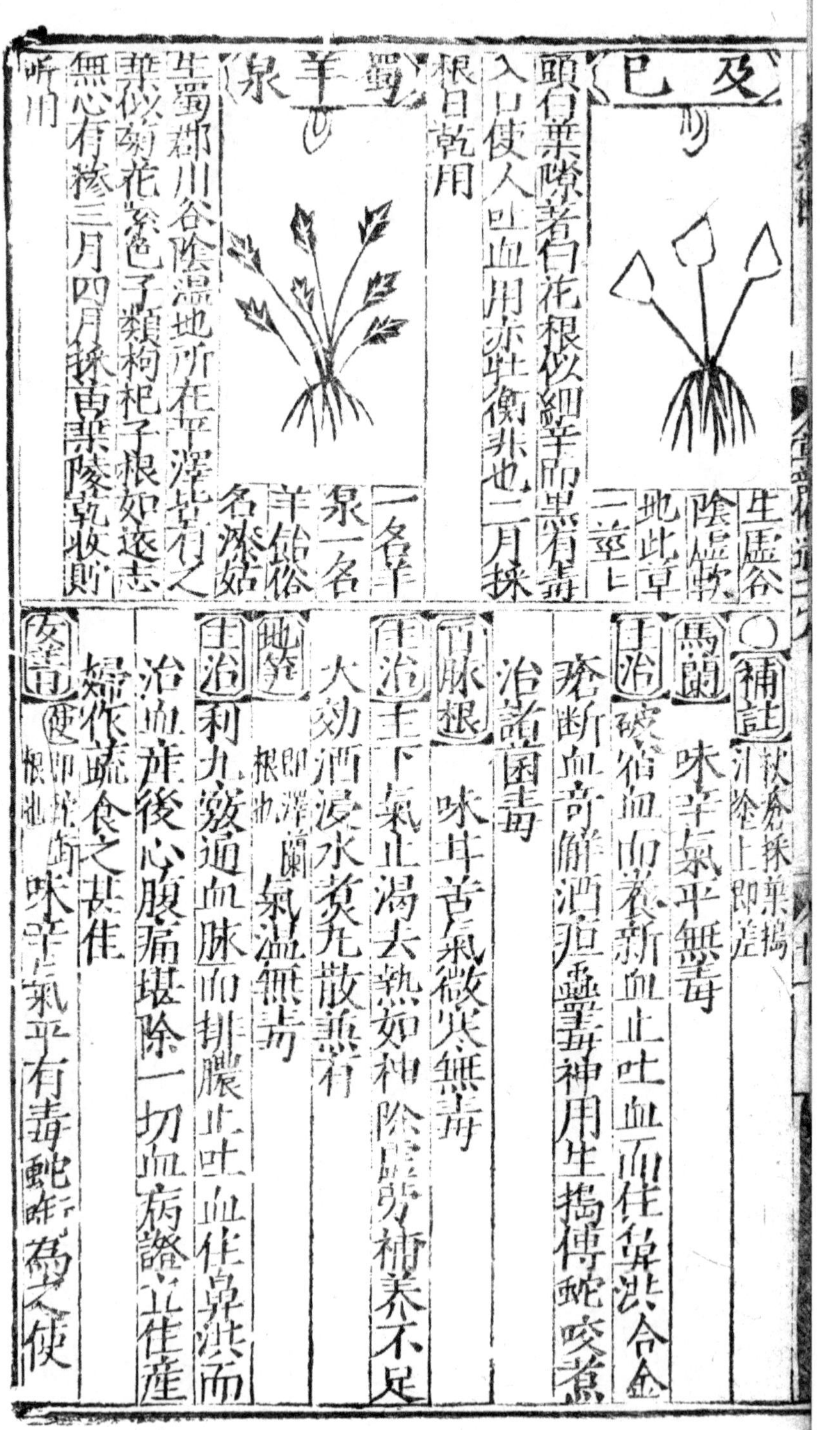

及己

生處谷陰虛軟地此草一莖莖頭有葉隙著白花根似細辛而黑有毒入口使人吐血用亦壯衡非也二月採根日乾用

蜀羊泉

一名羊泉一名羊飴俗名漆姑

生蜀郡川谷陰濕地所在平澤皆有之葉似菊花紫色子類枸杞子根如遠志無心有稜三月四月採苗葉陰乾收貯所用

○補註 秋夏採葉搗汁塗上即差

馬蘭 味辛氣平無毒

主治 破宿血血養新血止吐血衄血鼻洪合金瘡斷血痢解酒疸蠱毒神用生搗傅蛇咬煮治諸菌毒

百脉根 味甘苦氣微寒無毒

主治 主下氣止渴去熱如神除虛勞補養不足大効酒浸水煮丸散兼用

地笋 即澤蘭根也 氣溫無毒

主治 利九竅通血脉而排膿止吐血衄鼻洪而治血産後心腹痛甚除一切血病諸證并産婦作蔬食之甚佳

女青 即蛇銜根也 味辛氣平有毒蛇銜爲之使

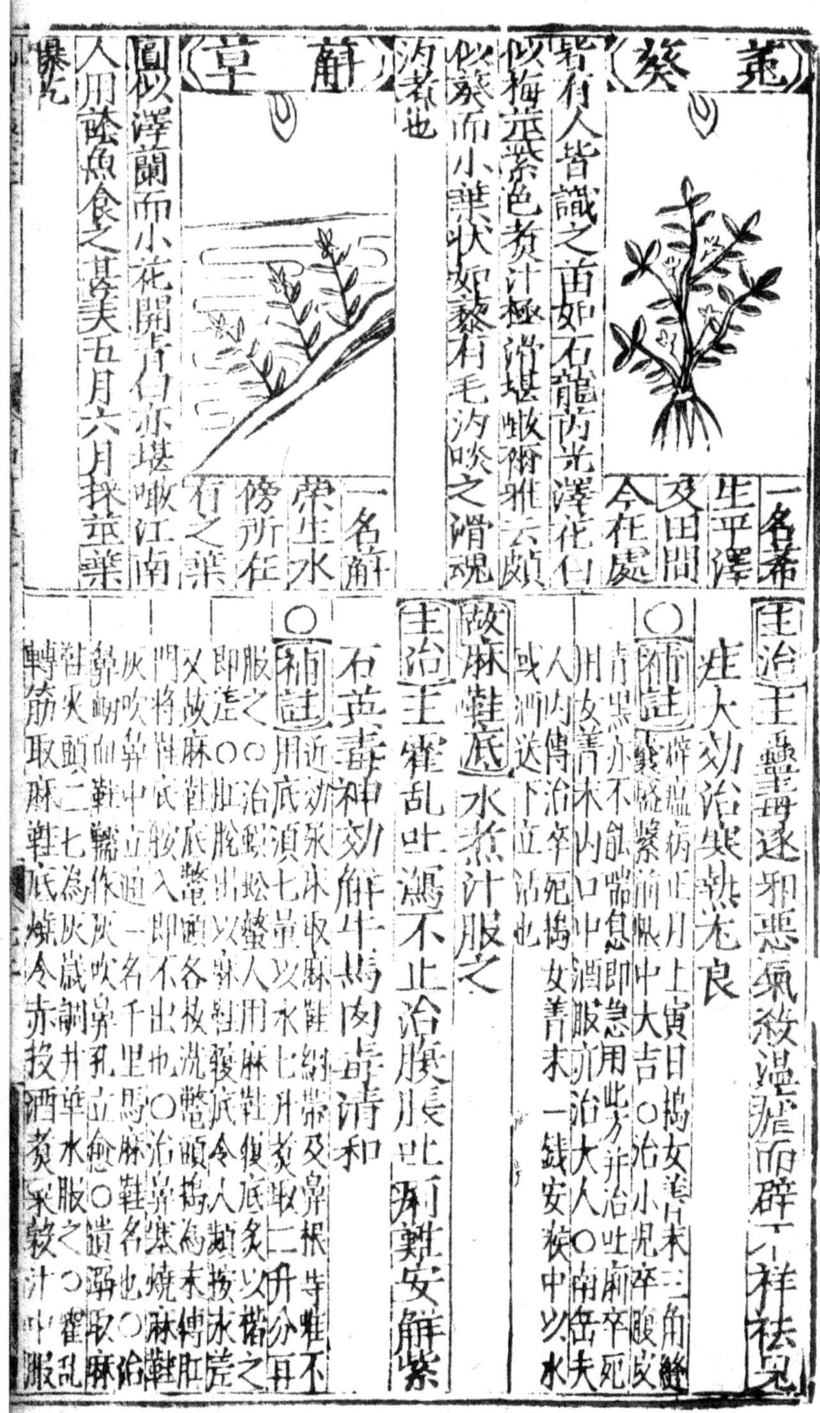

菟葵

一名莃　生平澤及田間　今在處處有人皆識之苗如石龍芮光澤花白似梅莖紫色煮汁極滑堪啖爾雅云頗似葵而小葉狀如藜有毛汋啖之滑瑰汋煮也

【主治】主蠱毒逐邪惡氣殺溫瘧治辟不祥祛鬼疰大効治寒熱尤良

○【附註】辟瘟病正月上寅日搗女青末三角絳囊盛繫前帳中大吉○治小兒卒腹皮青黑亦不能啼息即急用此方并治吐痢卒死用女青末內口中酒服亦治大人○南岳夫人內傳治卒死搗女青末一錢安被中以水或酒送下立活也

蔛草

一名蔛　榮生水傍所在有之葉圓似澤蘭而小花開青白亦堪啖江南人用蒸魚食之甚美五月六月採莖葉暴乾

【敝麻鞋底】水煮汁服之

【主治】主霍亂吐瀉不止治腹脹吐[illegible]鞋安解紫石英毒神効解牛馬肉毒清和

○【補註】近効從承取麻鞋網帶及鼻根等止不用底須七量以水七升煮取二升分再服之○○治蜈蚣螫人用麻鞋履底炙以揩之即差○○肛脫出以麻鞋履底令人踏按水差又故麻鞋底鼈頭各枚洗鼈頭搗為末傅肛門將鞋底按入即不出也○治鼻塞燒麻鞋灰吹鼻中立通一名千里馬麻鞋名也○治鼻衄血鞋䩨作灰吹鼻孔立愈○遺溺取麻鞋尖頭二七為灰歲朝井華水服之○霍亂轉筋取麻鞋底燒令赤投酒煮采穀汁中服

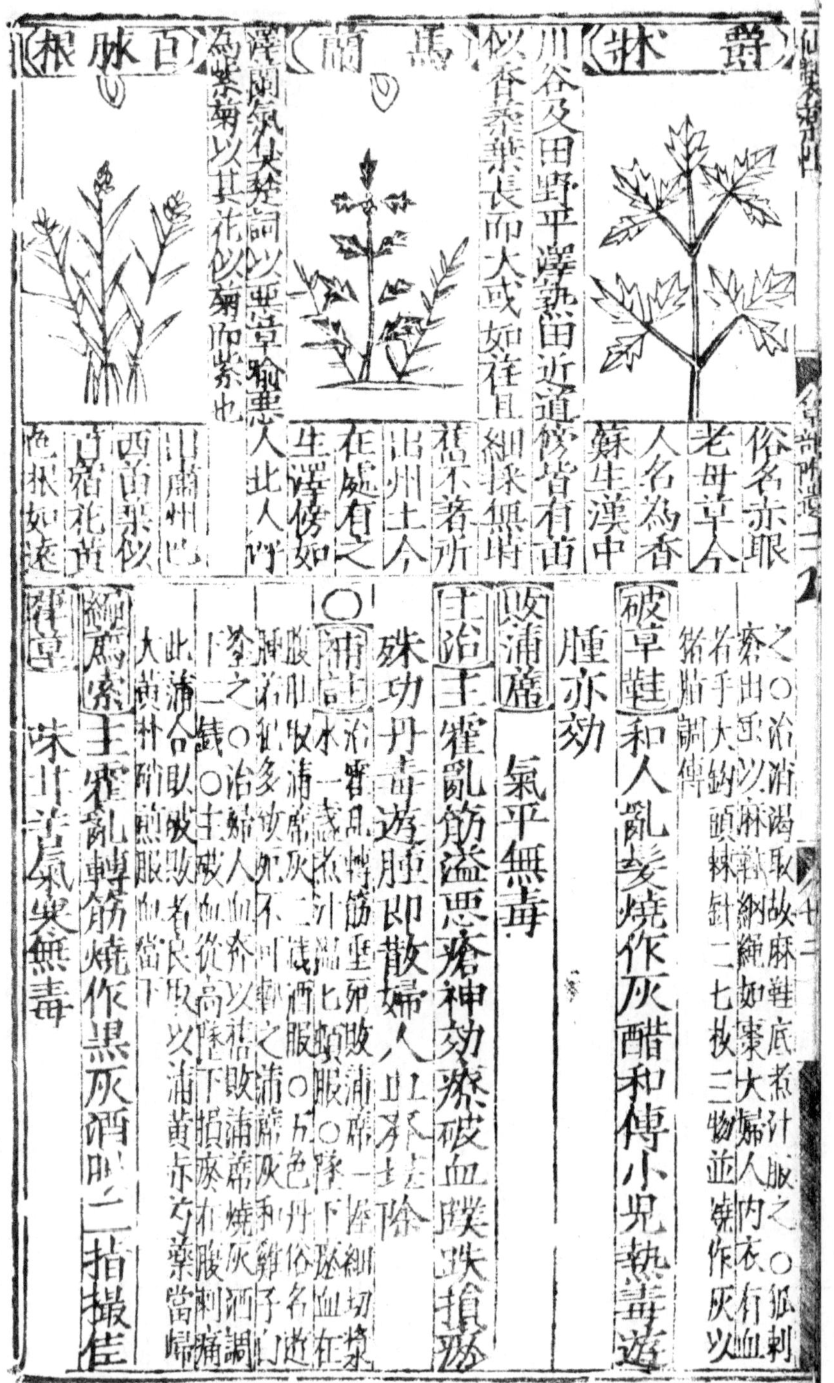

之○治消渴取故麻鞋底煮汁服之○狐刺瘡出血以麻鞋綱繩如棗大婦人內衣有血者手大鉤頭棘針二七枚三物並燒作灰以豬脂調傅

【破草鞋】和人亂髮燒作灰醋和傅小兒熱毒遊腫亦效

【敗蒲席】氣平無毒

【主治】主霍亂筋溢惡瘡神效療破血撲跌損瘀殊功丹毒遊腫即散婦人[illegible]除

○【補註】治霍亂轉筋垂死敗蒲席一握細切漿水一盞煮汁溫七頓服○療下瘀血在腹中取蒲席灰二錢酒服○方色丹俗名遊腫若多處坼不可療之蒲席灰和雞子白塗之○治婦人血奔以舊敗蒲席燒灰酒調下二錢○主破血從高墜下損瘀在腹刺痛以蒲此蒲合敗者良取以蒲黃亦可藥當歸大黃朴硝煎服血當下

【敗船茹】主霍亂轉筋燒作黒灰酒服二指撮佳

【鼠麴草】味甘平無毒

【薺苧】俗名赤眼老母草今人名為香蘇生漢中川谷及田野平澤熟田近道傍皆有苗似香薷葉長而大或如荏且細採無時舊不著所出州土今在處有之

【馬蘭】生澤傍如澤蘭氣臭楚詞以惡草喻惡人北人呼為紫菊以其花似菊而紫也

【百脉根】出肅州巴西苗葉似苜蓿花黄根如遠志

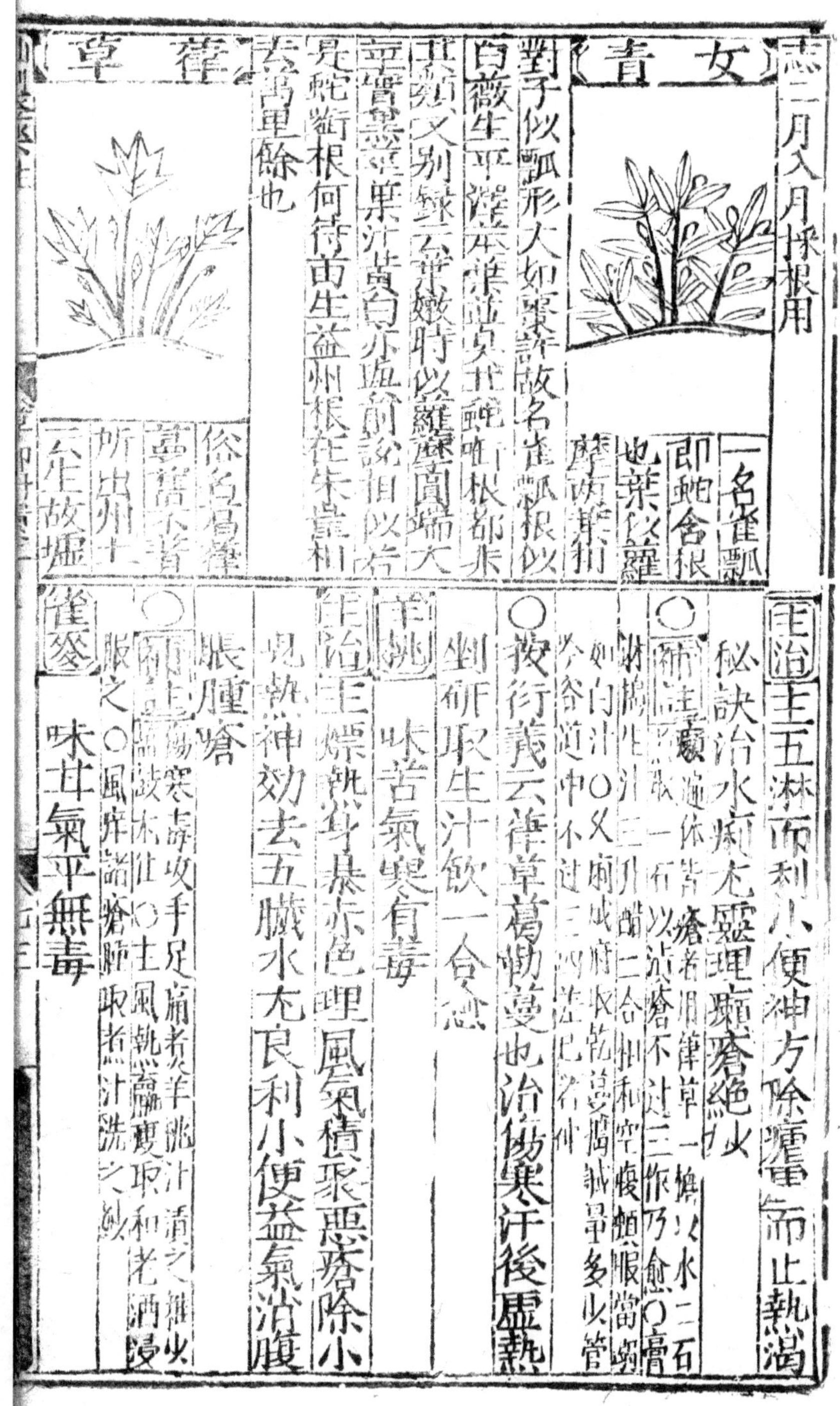

志二月八月採根用

女青

一名雀瓢
即蛇含根
也葉似蘿
摩兩葉相

對子似瓢形大如棗許故名雀瓢根似白薇生平澤莖葉並臭其蛇銜根都非其類又別錄云雀瓢嫩時似蘿藦圓端大而實黑莖葉汁黄白亦與前說相似若是蛇銜根何得苗生益州根在朱崖相去萬里餘也

雚草

俗名爲雚
菌語不音
所出州土
一名生故墟

主治　主五淋而利小便神方除霍亂而止熱渴
秘訣治水痢尤靈理瘰癧瘡絶妙
○補注　瘰癧遍体皆瘡者用雚草一握以水二石煎取一石以洗瘡不過三作乃愈○膏淋瀝生汁三升蜜二合相和空腹頓服當溺如白汁○又痢或消長乾蔓搗絲爲多少管於谷道中不過三四莖已若神
○按衍義云雚草蘿摩蔓也治傷寒汗後虚熱剉研取生汁飲一合愈

羊桃　味苦氣寒有毒
主治　主熛熱身暴赤色理風氣積聚惡瘍除小兒熱神効去五臟水尤良利小便益氣消腹脹腫瘡
○補注　主傷寒毒攻手足痛者煮羊桃汁漬之雜少鹽豉尤佳○主風熱羸痩取和老酒浸服之○風痒諸瘡腫取煮汁洗之効

雀麥　味甘氣平無毒

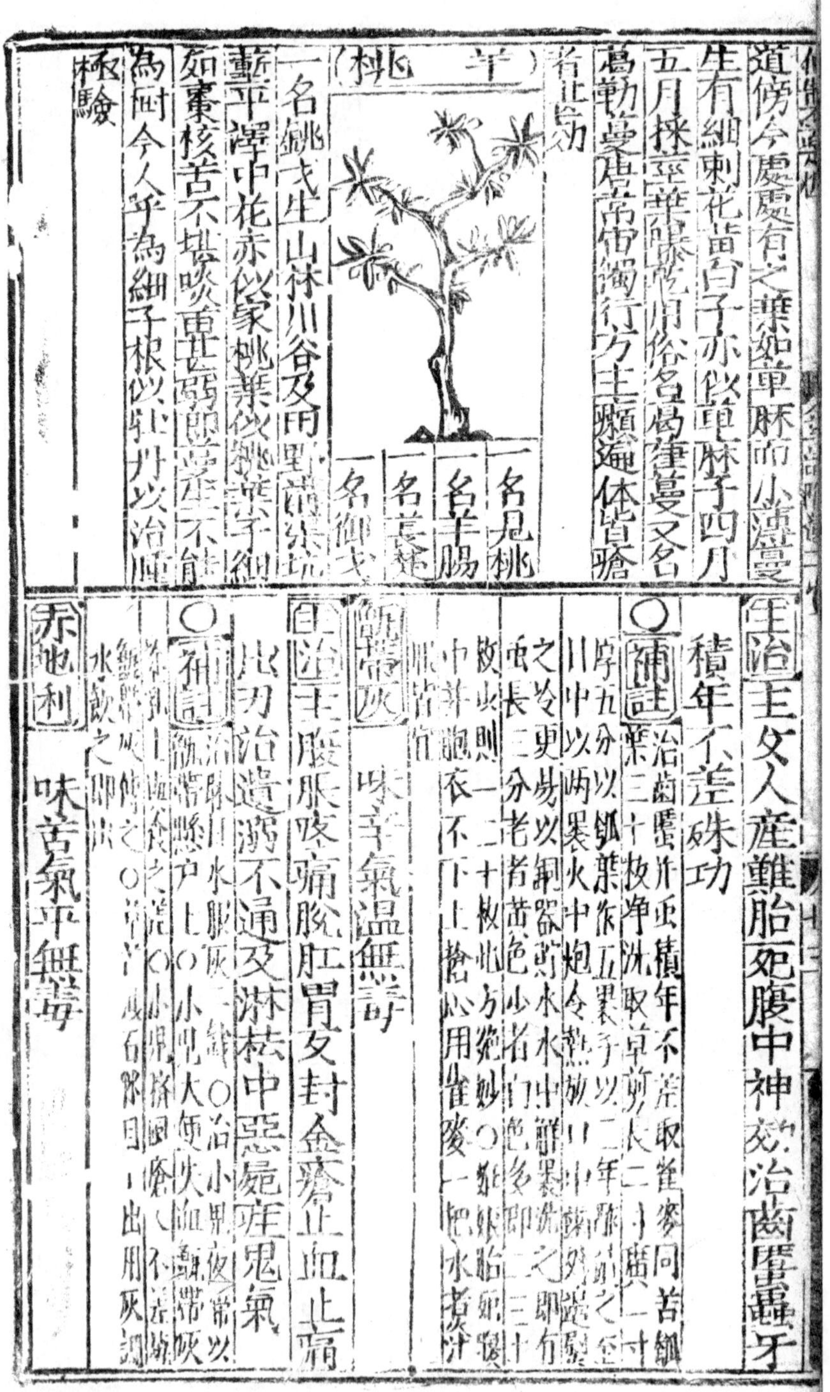

道傍今處處有之葉如草麻而小蒲蔓生有細刺花黃白子亦似草麻子四月五月採莖葉陰乾用俗名葛葎蔓又名葛勒蔓唐本草獨行方主癩遍体皆瘡者此方効

羊桃

一名鬼桃　一名羊腸　一名萇楚　一名御弋

一名銚弋生山林川谷及田野識者云藍平澤中花赤似家桃葉似桃葉子細如棗核苦不堪啖更甚弱即當垂不能為樹今人呼為細子根似牡丹以治腫極驗

【主治】主女人產難胎死腹中神效治齒䘌蟲牙積年不差殊功

○【補註】治齒䘌并蛀積年不差取雀麥同苦瓠葉三十枚淨洗取草剪長二寸廣一寸厚五分以瓠葉作五裹子以二年醋漬之至日中以兩裹火中炮令熱放口中齒外邊熨之冷更易以銅器貯水水中解裹洗之即有蟲長三分老者黃色少者白色多即二三十枚少則一二十枚此方甚妙○雀麥胎死腹中并胞衣不下上搗心用雀麥一把水煮汁服之佳

【[illegible]帶灰】味辛氣溫無毒

【主治】主腹脹咚痛膀胱肛腸及封金瘡止血止痛出刃治遺溺不通及淋瀝中惡疰忤鬼氣

○【補註】治腳氣水腫灰二錢○治小兒夜啼以[illegible]帶懸戶上○小兒大便下血[illegible]帶灰[illegible]○小兒[illegible]不差[illegible]水飲之即出

【赤地利】味苦氣平無毒

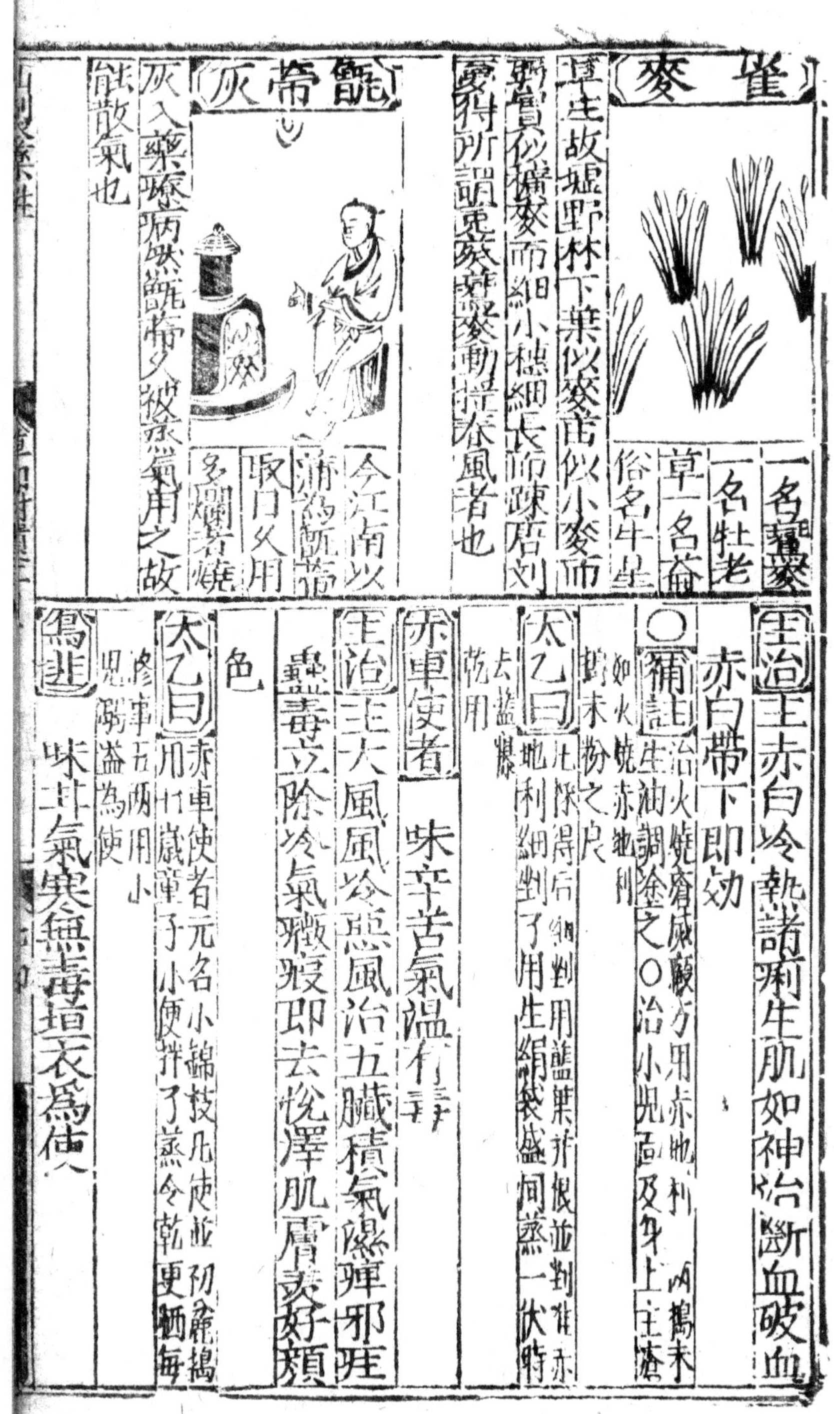

雀麥

一名蘥麥
一名牡老
草一名蘥
俗名牛星

草生故墟野林下葉似麥苗似小麥而野麥似穬麥而細小穗細長而疎唐劉禹錫所謂兔葵燕麥動搖春風者也

主治　主赤白冷熱諸痢生肌如神治斷血破血赤白帶下即効

○補註　治火燒瘡痛破方用赤地利兩搗末生油調塗之○治小兒舌及牙上生瘡如火燒赤地利搗末粉之良

太乙曰　凡採得后細剉用藍葉并根並剉拌赤地利細剉了用生絹袋盛同蒸一伏時去藍葉晒乾用

赤車使者　味辛苦氣温有毒

主治　主大風風冷惡風治五臟積氣癮疹邪瘡蠱毒立除冷氣癥瘕即去悅澤肌膚長好顏色

太乙曰　赤車使者元名小錦枝凡使並剉細搗用竹蕆童子小便拌了蒸令乾更晒每修事五兩用小兒溺為使

甑帶灰

今江南以蒲為甑帶取口久用多爛者燒灰入藥療病然甑帶久被蒸氣用之故能散氣也

烏韭　味甘氣寒無毒垣衣為使

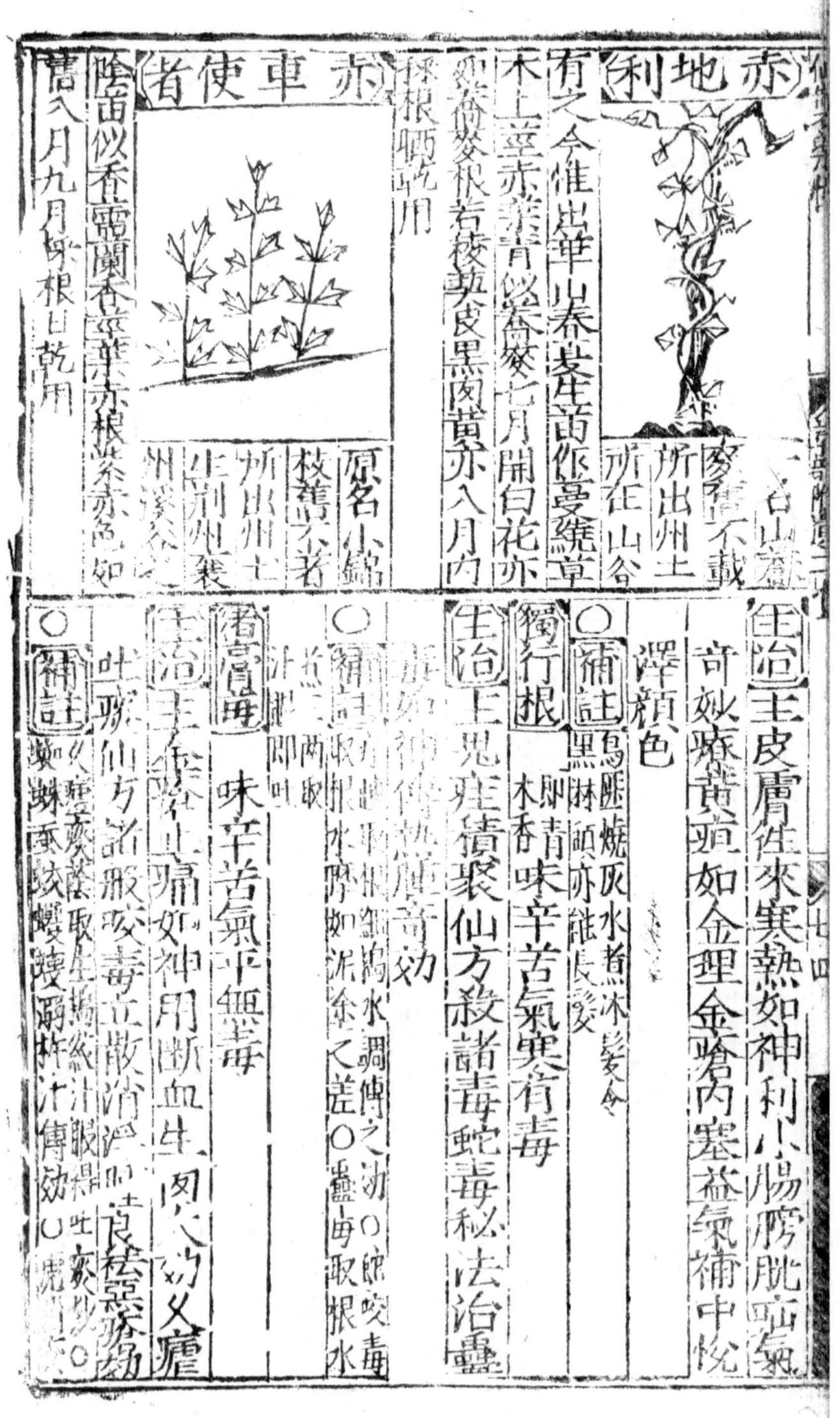

赤地利

一名山蕎麥舊不載　所出州土　所在山谷

有之今惟出華山春夏生苗作蔓繞草木上莖赤葉青似蕎麥七月開白花亦如蕎麥根若菝葜皮黑肉黃赤八月內採根曬乾用

赤車使者

原名小錦枝舊不著所出州土生荊州襄州溪谷

陰苗似香薷蘭香莖葉亦赤根紫赤色如蒨八月九月採根日乾用

【主治】主皮膚往來寒熱如神利小腸膀胱壅氣奇效療黃疸如金理金瘡內塞益氣補中悅澤顏色

○【補註】烏髭燒灰水煮沐髮令黑淋頭亦能長髮

【獨行根】即青木香味辛苦氣寒有毒

【主治】主鬼疰積聚仙方殺諸毒蛇毒秘法治蠱[illegible]奇効

○【補註】取根細鍋水調傅之効○蛇咬毒取根水磨如泥塗之差○蠱毒取根水煮二兩取汁服即吐

【赤車使者】味辛苦氣平無毒

【主治】主風冷邪氣疰痛如神用斷血生肉奇効又療吐[illegible]仙方治服咬毒立散消[illegible]良[illegible]

○【補註】久瘧寒熱取生搗絞汁服得吐效[illegible]○[illegible]汁傅効○[illegible]

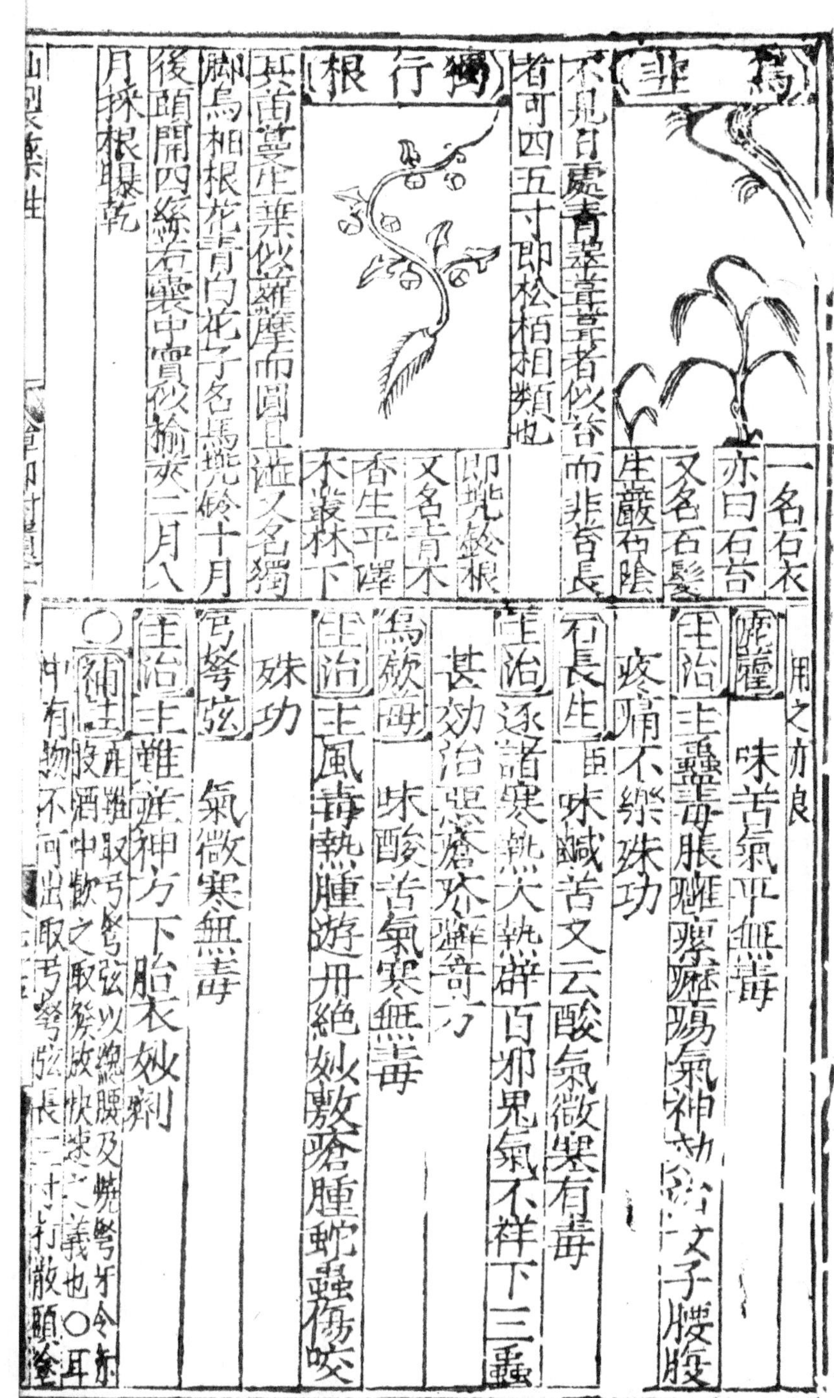

烏韭

一名石衣
亦曰石苔
又名石髮
生巖石陰
不見日處青翠茸茸者似苔而非苔長
者可四五寸即松柏相類也

獨行根

即兜鈴根
又名青木
香生平澤
叢林下
其苗蔓生葉似蘿藦而圓且澁又名獨
腳烏桕根花青白花子名馬兜鈴十月
後頭開四縫若囊中實似榆莢二月八
月採根曝乾

用之亦良

【[illegible]】味苦氣平無毒

【主治】主蠱毒脹癰疽瘰癧腸氣神效治女子腰腹

疼痛不樂殊功

【石長生】臣　味鹹苦文云酸氣微寒有毒

【主治】逐諸寒熱大熱辟百邪鬼氣不祥下三蟲

甚效治惡瘡疥癬奇方

【烏蘞母】味酸苦氣寒無毒

【主治】主風毒熱腫遊丹絕妙敷瘡腫蛇蟲傷咬

殊功

【弓弩弦】氣微寒無毒

【主治】主難產神方下胎衣妙劑

○【補註】產難取弓弩弦以縛腰及燒弩牙令赤投酒中飲之取發放快速之義也○耳
中有物不可出取弓弩弦長三寸打散頭塗

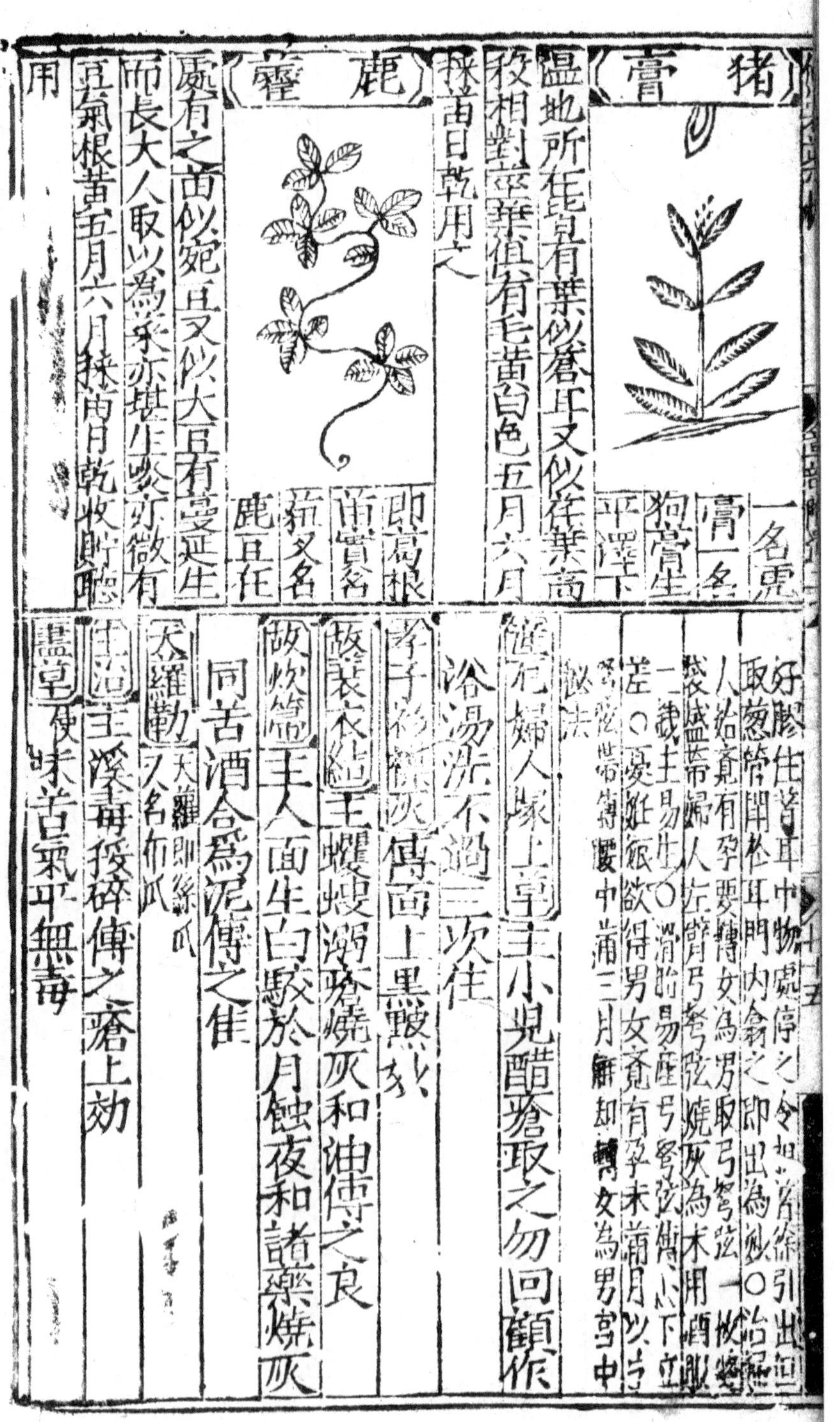

【猪膏】

一名虎膏一名狗膏生平澤下

温地所在皆有葉似蒼耳又似荏葉高
殺相對莖葉俱有毛黄白色五月六月
採苗日乾用之

【鹿藿】

即葛根苗一名菇又名鹿豆任

處有之苗似豌豆又似大豆有蔓延生
而長大人取以為菜亦堪生啖亦微有
豆氣根黄五月六月採苗日乾收貯聽
用

好膠住著耳中物處停之令相著徐引出之
取葱管開於耳門內翕之即出為效○治產
人始覺有孕要轉女為男取弓弩弦一枚絳
袋盛帯婦人左臂弓弩弦燒灰為末用酒服
一錢主易生○滑胎易產弓弩弦係小下立
差○要姙娠欲得男女意有孕未滿月以弓
弩弦帯婦腰中滿三月解却轉女為男宮中
祕法

【簁在婦人塚上草】主小兒醋瘡取之勿回顧作
浴湯洗不過三次佳

【孝子衫襟灰】傅面上黑䵟疵

【故蓑衣結】主蠼螋溺瘡燒灰和油傅之良

【故炊箒】主人面生白駮於月蝕夜和諸藥燒灰
同苦酒合為泥傅之佳

【天羅勒】天羅即絲瓜又名布瓜

【主治】主溪毒挼碎傅之瘡上効

【藎草】使 味苦氣平無毒

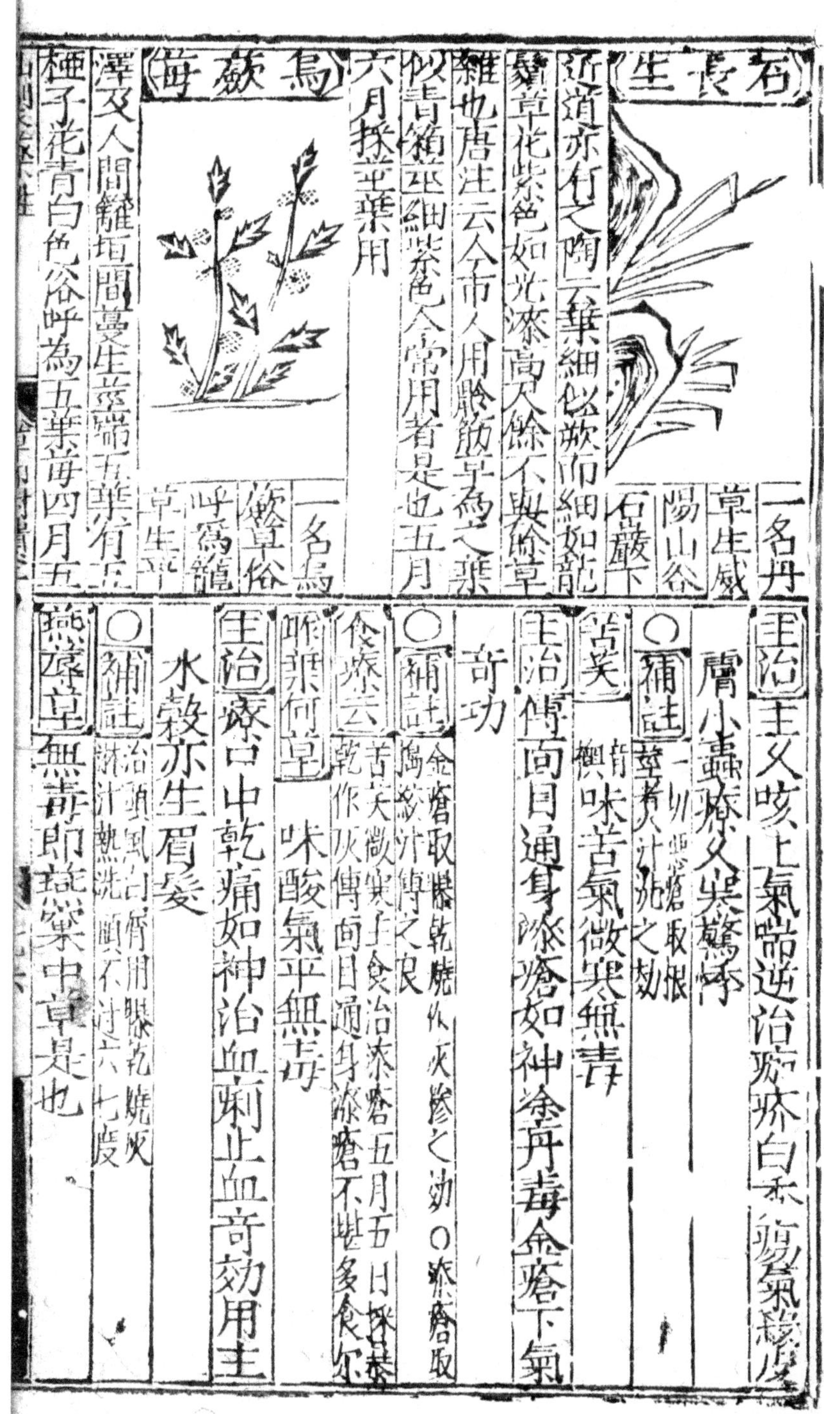

石長生

一名丹草，生咸陽山谷石巖下

近道亦有之。陶云：葉細似蕨而細如龍鬚草，花紫色如光漆，高尺餘，不與餘草雜也。唐注云：今市人用𪁋筋草為之，葉似青葙，莖細紫色，今常用者是也。五月、六月採莖葉用。

主治　主久咳上氣喘逆，治瘑疥白禿，瘍氣蠱疾，膚小蟲，療久患驚悸。

○補註　一切惡瘡取根，莖者入汁洗之妙。

苦芙　味苦氣微寒無毒

主治　傅面目通身漆瘡如神，塗丹毒，金瘡下氣奇功。

○補註　金瘡取根乾燒作灰傅之効。○漆瘡取搗絞汁傅之良。

食療云　苦芙微寒，生食治漆瘡，五月五日採，曝乾作灰，傅面目通身漆瘡，不堪多食爾。

烏蘞苺

一名烏蘞草，俗呼為龍葛，草生平澤及人間籬垣間，蔓生，莖端五葉，有五種子，花青白色，俗呼為五葉莓，四月五

昨葉何草　味酸氣平無毒

主治　療口中乾痛如神，治血痢止血奇効，用主水穀亦生眉髮。

○補註　治頭風白屑，用鶻乾燒灰淋汁熱洗，頭不過六七度。

燕蓐草　無毒，即燕窠中草是也。

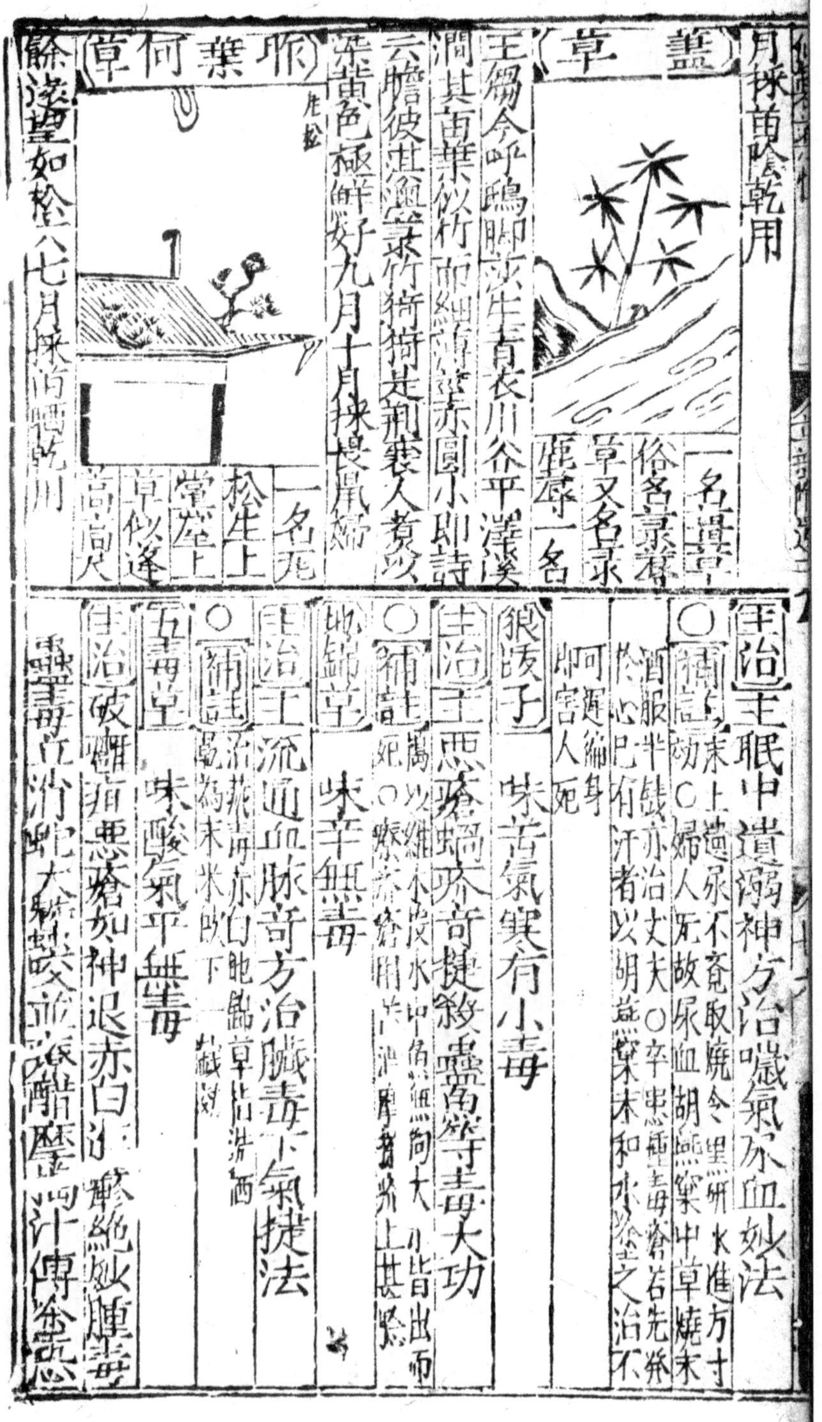

月採莖陰乾用

藎草

一名黃草 俗名菉蓐 草又名菉 蓐蓐一名

王芻今呼鴟腳莎生青衣川谷平澤溪
澗其莖葉似竹而細薄莖亦圓小即詩
云瞻彼淇澳菉竹猗猗是荊襄人煮以
染黃色極鮮好九月十月採[illegible]

昨葉何草



一名瓦 松生上 黨屋上 草似蓬 高尺
餘遠望如松八七月採陰乾用

主治 主眠中遺溺神方治喘嗽氣冷血刻法
○補注 末上遺尿不覺取燒令黑研水進方寸匕動○婦人死故尿血胡燕窠中草燒末酒服半錢亦治丈夫○卒患毒瘡若先經於心已有汗者以胡燕窠末和水塗之治不可遍身即害人死

狼跋子 味苦氣寒有小毒
主治 主惡瘡蝸疥奇捷殺蠱毒等毒大功
○補注 搗以細末投水中魚無不死向大小皆出而死○療疥瘡用汁洗摩若熱上甚驗

地錦草 味辛無毒
主治 主流通血脈奇方治臟毒下氣捷法
○補注 治蒸毒亦白腹痛草搗絞酒 蟲為末米飲下[illegible]效

五毒草 味酸氣平無毒
主治 破癰疽惡瘡如神退赤白治蛇絕蚣腫毒
蠶毒研汁蛇犬[illegible]並治齗腫研汁傅塗愈

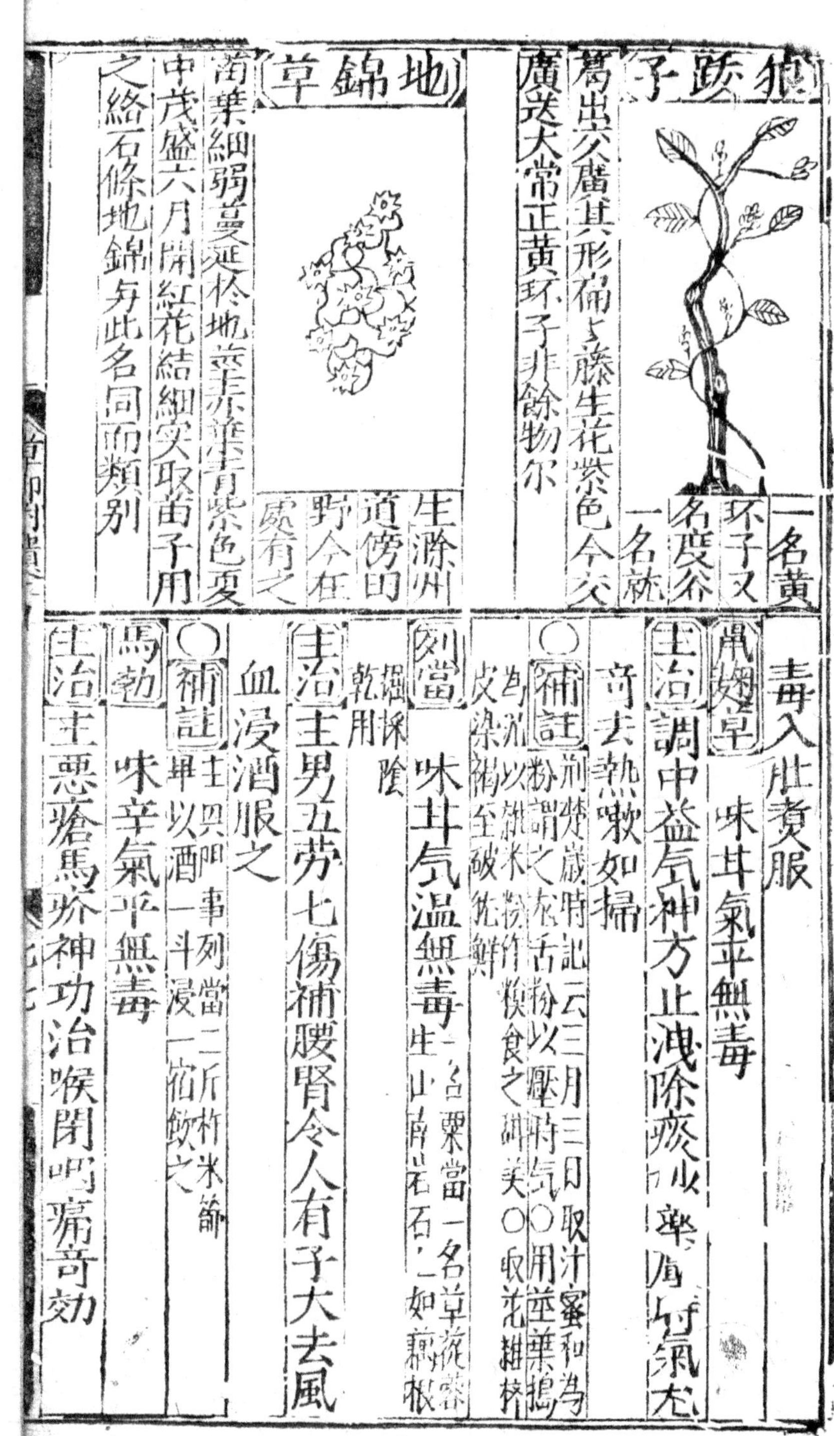

狼跋子

一名黃环子又名度谷一名就葛

出交廣其形扁扁藤生花紫色今交廣送太常正黃环子非餘物尔

毒入肚煮服

地錦草

生滁州道傍田野今在處有之

苗葉細弱蔓延於地莖赤葉青紫色夏中茂盛六月開紅花結細實取苗子用之絡石條地錦方此名同而類別

鼠麴草　味甘氣平無毒

主治　調中益氣神方止泄除痰收樂壓時氣去奇去熱嗽如掃

○補註　荊楚歲時記云三月三日取汁蜜和為粉謂之龍舌粉以壓時氣○○用莖葉搗爛以糯米粉作粿食之甜美○○取花揉皮染褐至破猶鮮

列當　味甘氣溫無毒　一名粟當一名草蓯蓉生山南岩石上如藕根搵採陰乾用

主治　主男子五勞七傷補腰腎令人有子大去風血浸酒服之

○補註　主興陽事列當二斤杵米節畢以酒一斗浸一宿飲之

馬勃　味辛氣平無毒

主治　主惡瘡馬疥神功治喉閉咽痛奇効

五毒草

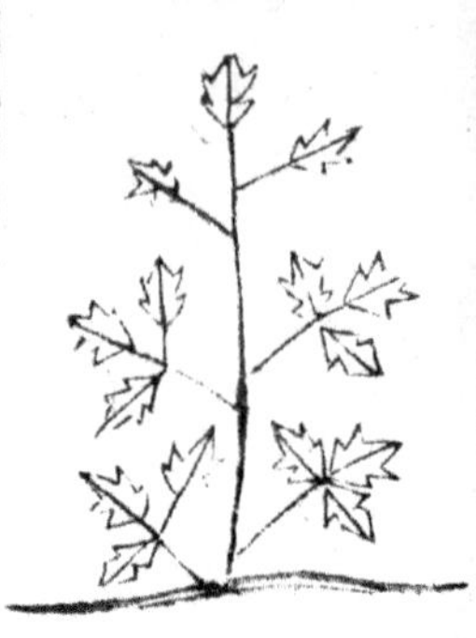

一名五戟一名蛇罔生江東平地花葉如蕎麥根緊硬似狗脊又別有蚕罔草如苧麻与戟同名也

鼠麴草

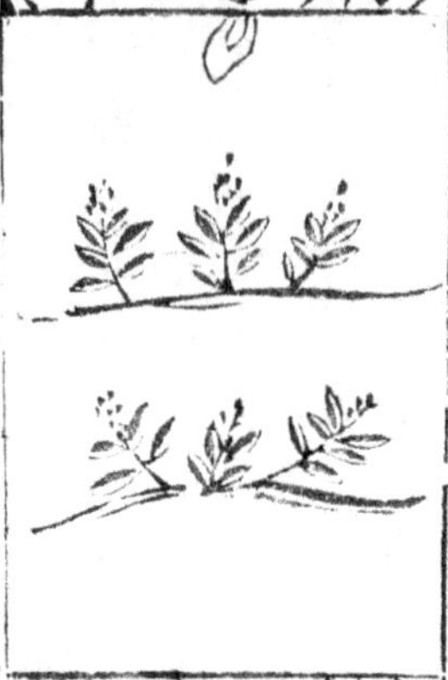

山南人呼香茅江右人呼鼠耳草生平岡熟地苗高尺餘葉似馬齒莧上有白毛開黃花如朶採無時

〇【補注】喉閉咽痛取之去膜以蜜揉拌少以水調服諸瘡取為末以傅之良

【衍義曰】馬勃即退之所謂牛溲馬勃俱收並蓄者也大者如斗小者如升杓去膜取粉以蜜揉拌用

【發揮】即木屐鼻繩江南人以桐為屐及屧也用後絲蒲為屧用麻穿其鼻久着脚經後欲爛斷者燒灰水調服

【主治】主哽咽心痛大效治胸中滿悶尤良

【質汗】味甘氣溫無毒出西番如凝血蕃人煎甘草松淚檉乳地黃并熱血成即彬漆

【主治】主金瘡傷折瘀血內損治婦人產後血結腹疼補筋肉消惡血尤良調內冷下血氣絕妙治不下食並酒消之

【陳藏器曰】蕃人試藥取兒斷一足以藥內口中以足蹋之當時走者至良

【[illegible]草】味甘氣大寒無毒

【主治】主溫瘴積痺神功消水氣脚氣大效小腹

## 馬勃

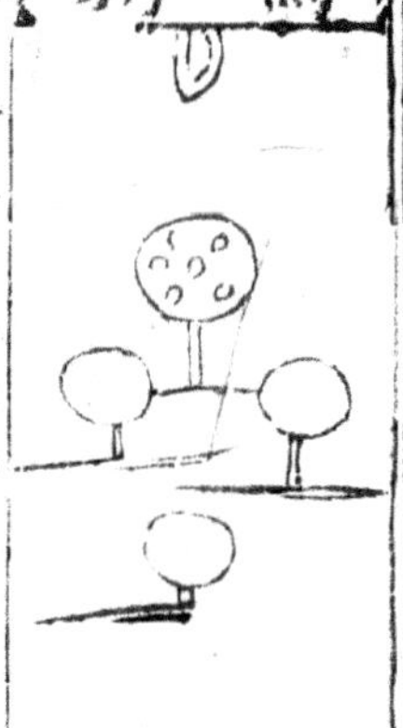

又名香末菰生溫地及腐木上紫色虛軟狀如狗肺軟如紫絮彈之紫塵出夏秋採

一名馬[illegible]老蘭俗人呼為馬氣勃

急瘡腫即除便赤澁消渴並療

○補註　濕痒水氣取台赤小豆食之勿與鹽○腫毒搗葉傅之効○消渴[illegible]偶絞汁服之

敗芒箔　無毒主人作箔[illegible]草為之[illegible]亦可以[illegible]為索弥久着烟者[illegible]為末酒下或酒煮服之

## 蕕草

一名蕕水草又名蕕蘐子生水中及水田中苗如結縷葉長馬食尤妙

主治　主産婦血滿腹脹疼痛止血渴惡露不尽月閉止好血下惡血神効去鬼疰破癥瘕捷徑

## 狗舌草

生渠塹溫地苗細叢葉似車前

狗舌草　味苦氣寒有小毒

主治　主蠱疥瘙瘡絶妙殺小蟲風瘡殊功

○補註　治疥瘡風瘡并虫取為末和塗之立差

絡注草　味辛苦氣溫有大毒

主治　主蠱毒鬼疰良方祛諸毒疼痛神効

鷄冠花子　氣凉無毒

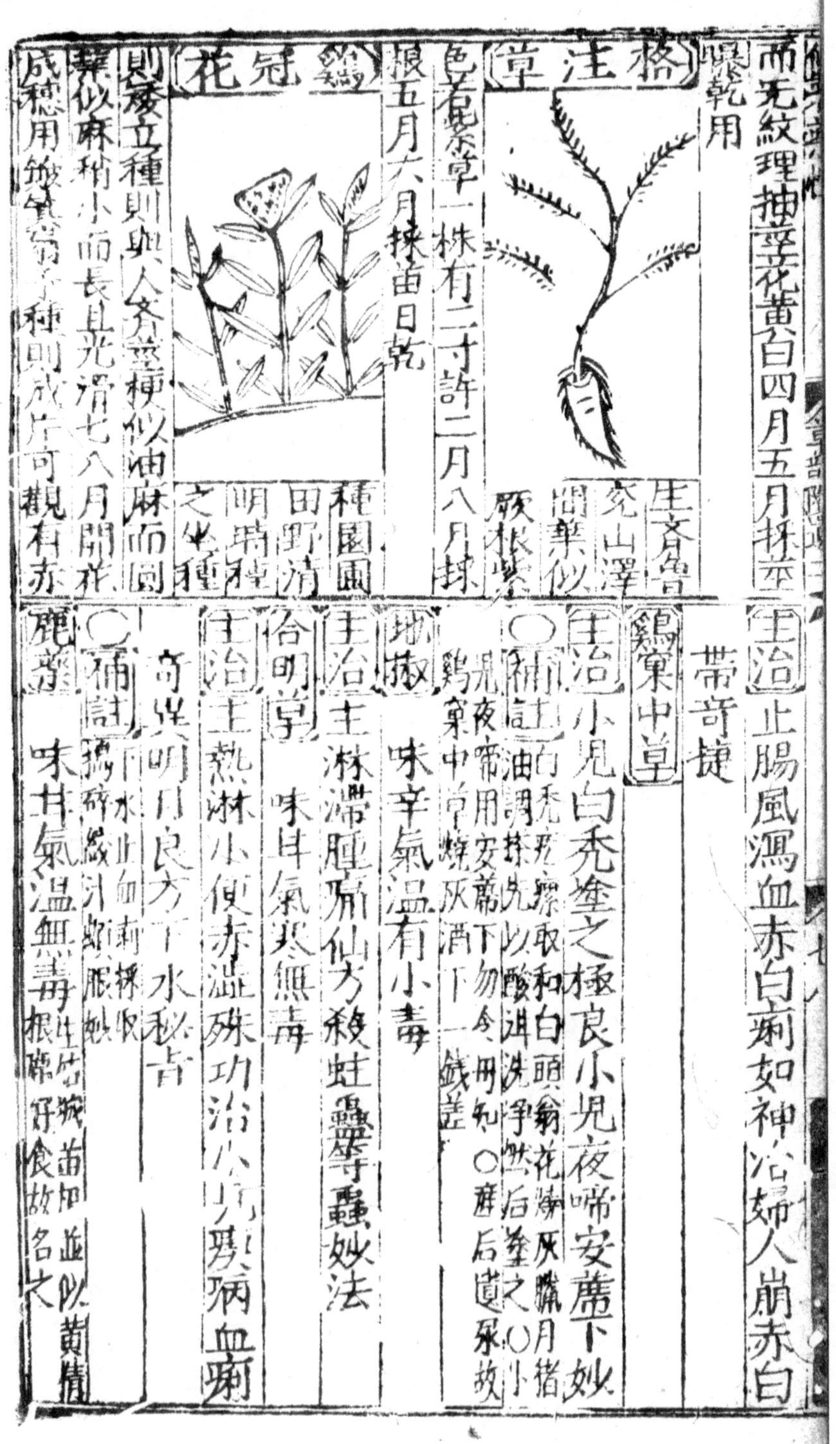

而无紋理抽莖花黃白四月五月採莖
陰乾用

格注草

生齊魯兖山澤間葉似蕨根紫色若紫草一株有二寸許二月八月採根五月六月採苗日乾

雞冠花

種園圃田野清明時種之坐種則稜立種則與人齊莖梗似油麻而圓葉似麻稍小而長且光滑七八月開花成穗用[illegible]種則成片可觀有赤

【主治】止腸風瀉血赤白痢如神治婦人崩赤白帶許捷

雞窠中草

【主治】小兒白禿塗之極良小兒夜啼安薦下妙

（補註）白禿燒取和白頭翁花燒灰臘月猪油調搽先以酸泔洗淨然后塗之○小兒夜啼用安薦下勿令母知○産后遺尿故鷄窠中草燒灰酒下一錢匙

地椒

味辛氣温有小毒

【主治】主淋滯腫痛仙方殺蛀蠱等毒妙法

合明草

味甘氣寒無毒

【主治】主熱淋小便赤澀殊功治小兒疳病血痢奇效明目良方下水秘旨

（補註）下水止血痢採取搗碎絞汁頻服效

鹿藥

味甘氣温無毒生姑臧苗根並似黃精根鹿好食故名之

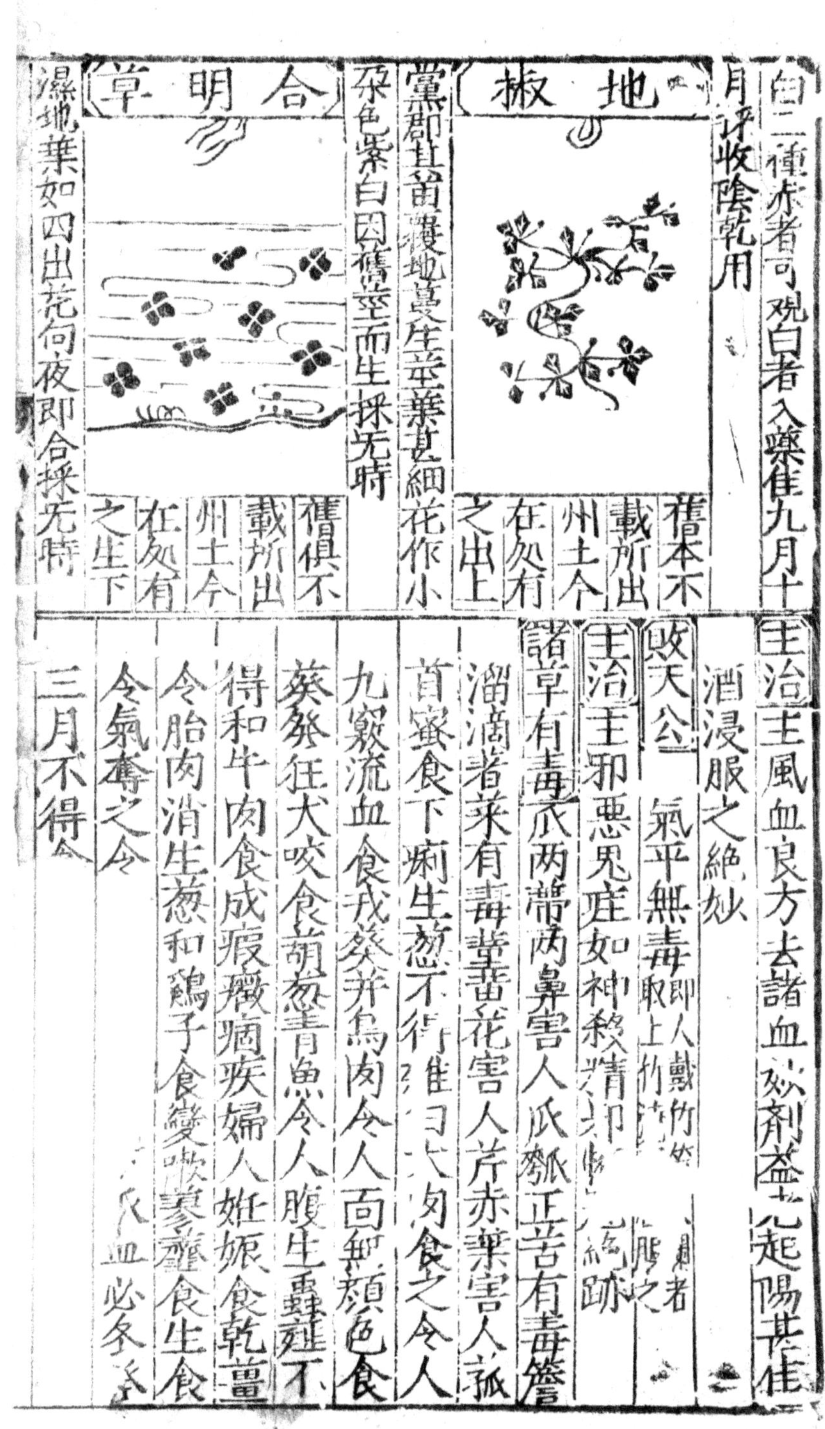

白二種赤者可殺白者入藥佳九月十月采收陰乾用

地椒

舊本不載所出州土今在処有之出上黨郡其苗覆地蔓生莖葉甚細花作小朶色紫白因舊莖而生採无時

合明草

舊俱不載所出州土今在処有之生下濕地葉如四出花向夜即合採无時

主治　主風血良方去諸血[illegible]劑益元起陽甚佳酒浸服之絕妙

畋天公　氣平無毒即人戴竹笠[illegible]者取上竹[illegible]服之

主治　主邪惡鬼疰如神殺精邪[illegible]跡

諸草有毒　凡兩蔕兩鼻害人　瓜瓠正苦有毒　簷溜滴者菜有毒　黃苗花害人　芹赤葉害人　瓠首蜜食下痢　生葱不得[illegible]肉食之令人九竅流血　食戎葵并鳥肉令人面無顏色　食葵發狂犬咬　食葫葱青魚令人腹生蟲[illegible]不得和牛肉食成瘕癥痼疾　婦人姙娠食乾薑令胎肉消　生葱和鷄子食變嗽[illegible]食生食令氣奪之令[illegible]血必多[illegible]三月不得食